JUDITH KRANTZ

SCRUPOLI

SPERLING
PAPERBACK

Traduzione di Grazia Maria Griffini
Scruples
Copyright © by Steve Krantz Productions
By arrangement with Crown Publishers, Inc., New York
I testi di Valentine *sono di Henry Christiné e*
Albert Willemetz
Testi inglesi di Herbert Reynolds
Copyright © 1925 Francis Salabert
Copyright © 1926 Warner Bros. Inc.
Copyrights renewed
© Sperling & Kupfer Editori S.p.A.
I edizione Sperling Paperback s.r.l. ottobre 1988

ISBN 88-7824-019-2
86-I-94

VI EDIZIONE

Finito di stampare nel maggio 1994
dall'Istituto Grafico Bertello - Borgo San Dalmazzo (Cuneo)
Printed in Italy

*A Steve
con tutto il mio amore,
per sempre*

1

A BEVERLY Hills soltanto i malati e i vecchi non guidano l'automobile. La polizia locale è abituata a ogni tipo di auto e guidatore: l'imponente banchiere miope che si è ritirato dagli affari e che gira a sinistra, dove è espressamente vietato, con la sua *Dino Ferrari*; l'adolescente che si precipita alla lezione di tennis a velocità pazzesca su una *Rolls Royce Corniche* da cinquantacinquemila dollari; la matronale esponente di un partito politico che parcheggia con disinvoltura la sua *Jaguar* rosso fuoco alla fermata di un autobus.

Billy Ikehorn Orsini, che di solito non aveva fra i suoi difetti la tendenza alla guida indisciplinata, fermò la sua *Bentley* d'epoca con un impaziente stridio di freni davanti a Scruples, il grande magazzino di articoli di lusso meglio fornito del mondo, un vero e proprio club per quelle evanescenti autorità supreme che sono i molto, molto ricchi e per le grandi celebrità. Aveva trentacinque anni e possedeva, lei da sola, un patrimonio valutato fra i duecento e i duecentocinquanta milioni di dollari dagli esperti in questo genere di elenchi del *Wall Street Journal*. Quasi metà della sua ricchezza era abilmente investita in obbligazioni municipali esenti da tasse, una semplificazione scarsamente apprezzata dal fisco.

Per quanto avesse una gran fretta, Billy si fermò un momento davanti a Scruples, gettando un'occhiata di compiacimento e d'orgoglio alla sua proprietà sull'angolo nord-orientale tra Rodeo Drive e Dayton Way dove, quattro anni prima, sorgeva Van Cleef & Arpels, un vero e proprio punto di riferimento della zona ornato com'era di stucchi bianchi, dorature e ferri battuti e che sembrava un pezzo dell'Hotel Carlton di Cannes trasportato pari pari in California.

Il mantello di Billy, in lana fulva, bordato di pelo di zibellino dorato, la difendeva dal freddo rigido di quel tardo pomeriggio del febbraio 1978. Se lo strinse meglio intorno al corpo mentre gettava una rapida occhiata, in su e in giù, al centro sontuoso di Rodeo Drive dove le due file di boutiques, sfacciatamente opulente, che si fronteggiavano, facevano a gara per eclissarsi a vicenda con la più stupefacente esposizione di oggetti di lusso del mondo occidentale. Il grande viale era reso più allegro da alberi di ficus che rimanevano verdi tutto l'anno, in lontananza le montagne basse, coperte di boschi, sembravano lo sfondo di un quadro di Leonardo da Vinci.

Qualche passante mostrò di riconoscerla con quell'impercettibile movimento degli occhi con il quale l'autentico newyorkese o l'abitante fisso di Beverly Hills convalida con riluttanza la fama di quella celebrità che, in un'altra città, richiamerebbe una folla al suo passaggio.

Dal giorno in cui aveva compiuto ventun anni, Billy era stata fotografata centinaia di volte, ma le fotografie dei giornali non avevano mai saputo cogliere completamente tutto il suo fascino. Aveva i capelli lunghi, scuri, di colore castano molto intenso. Li portava tirati dietro gli orecchi mettendo così in evidenza gli orecchini, i grossi diamanti, chiamati Gemelli Kimberley, regalo di nozze del suo primo marito, Ellis Ikehorn.

Billy era alta un metro e settantacinque e aveva una bellezza quasi virile. Varcando la soglia, respirò profondamente. Il portiere balinese, con la figura aggraziata nella tunica nera di Scruples e i pantaloni stretti intorno alle gambe, si inchinò profondamente aprendo l'enorme porta a doppio battente. Oltre quella porta c'era un altro mondo creato per affascinare, abbagliare e far cadere in tentazione. Ma oggi Billy aveva troppa fretta per fermarsi a guardare uno qualsiasi dei particolari di ciò che la sua origine bostoniana (infatti il suo nome da ragazza era Wilhelmina Hunnenwell

Winthrop e apparteneva alla purissima stirpe di Bay Colony nel Massachusetts) preferiva considerare « un affare » piuttosto che un mondo fantastico a cui aveva dato vita versando quasi undici milioni di dollari. Si diresse rapidamente verso l'ascensore, ben decisa a non cogliere neppure un'occhiata lanciatale da quei clienti con i quali avrebbe dovuto fermarsi per scambiare quattro chiacchiere. Camminando aprì il mantello di lana e mostrò il lungo collo, assolutamente perfetto. Billy era tutto ciò che vi è di più affascinante e conturbante in una donna: sensuale, aggressiva, sicura di sé, con un carattere autoritario e uno stile molto personale. Nessun uomo poteva restare insensibile a quegli occhi grigi, grandi, con le iridi striate di sfumature marrone, a quelle labbra turgide coperte di un leggero strato di lucido incolore, mentre il corpo alto e snello, severamente abbigliato con un paio di pantaloni di pelle verde scuro e con una tunica di seta pesante color crema, dal taglio ampio, stretta negligentemente in vita da una cintura, sembrava in contraddizione con ciò che il viso comunicava.

Billy arrivò all'ascensore senza essere costretta ad altro che a un cenno di saluto, cordiale ma deciso, in direzione di una mezza dozzina di donne, dimostrando così come fosse contenta di vedere che si liberavano di una minuscola porzione della loro ricchezza, che per altro restava inalterata, e come non potesse proprio fermarsi con loro. Salì direttamente all'ultimo piano e si diresse verso il suo ufficio che divideva con le due persone più importanti che aveva alle sue dipendenze: Spider Elliott, il direttore di Scruples, e Valentine O'Neill, direttrice del reparto acquisti e disegnatrice dei modelli. Si annunciò con un colpetto secco sulla porta ed entrò direttamente nella stanza vuota dove spiccava una enorme doppia scrivania inglese, in mogano, piuttosto sciupata, di cui Spider si era innamorato quando l'aveva vista esposta in un negozio di antichità di Melrose Avenue e aveva insistito per trasportarla da Scruples. La scrivania sembrava un isolotto di dura realtà al centro del locale arredato da Edward Taylor in tonalità futuristiche che sfumavano l'una nell'altra di colore fulvo, bruno, biscotto e grigio.

« Dannazione, dove sono andati a finire? » mormorò

Billy a fior di labbra spalancando con violenza la porta che comunicava con l'ufficio della segretaria. La signora Evans sussultò innervosita dall'apparizione inaspettata e smise immediatamente di scrivere a macchina.

« Dove sono? » domandò Billy.

« Oh, santo cielo, signora Ikehorn... voglio dire, signora Orsini... » La segretaria si interruppe, confusa.

« Non ci badi, succede a tutti », la rassicurò Billy, automaticamente, con prontezza.

Era sposata con Vito Orsini, il più indipendente fra tutti i registi cinematografici, soltanto da un anno e mezzo e la gente che aveva sentito parlare di lei come Billy Ikehorn per anni e anni commetteva sempre l'errore di chiamarla con il suo nome da ragazza senza neppure accorgersi di farlo.

« Il signor Elliott è con Maggie MacGregor », la informò la signora Evans. « Anzi, ha appena cominciato con lei e ha detto che ci vorrà almeno un'ora, e Valentine sta lavorando nel suo studio con la signora Woodstock: sono entrate subito dopo il pranzo e non sono ancora uscite. »

Billy, indispettita, strinse le labbra. Nessuno poteva disturbarli, neanche lei. Proprio quando aveva bisogno di loro, Spider era impegnato con quella che era, forse, la donna più importante della Televisione e Val era occupata a disegnare un guardaroba completo per la moglie del nuovo ambasciatore in Francia. Accidenti! Billy era andata a cacciarsi da sola in una posizione imbarazzante quando aveva stabilito il principio che, per quel che riguardava gli appuntamenti e le prove a Scruples, non avrebbe recitato la parte dell'ape regina, ma solo quella della direttrice. Infatti, anche se Scruples rappresentava la parte più piccola di tutto il suo patrimonio, tuttavia era l'unica attività che lei stessa aveva creato, personalmente, con grande passione e rappresentava ancora un interesse e un passatempo molto importante per lei.

« Senta, ho bisogno di tutti e due, subito. Per favore, li avverta che sono qui, appena hanno finito. Mi troveranno giù, nel negozio, da qualche parte. » Uscì rapidamente e passò nel proprio ufficio prima ancora che l'agitatissima signora Evans potesse rivolgerle il discorsetto di auguri che stava preparando nervosamente da varie settimane. L'indomani, infatti, era il giorno in cui dovevano annunciare le candidature per gli Academy Awards e il film di Vito Orsini, *Specchi*, aveva la possibilità di essere prescelto come uno dei cinque film migliori per l'anno 1977. La signora Evans non se ne intendeva molto di faccende cinematografiche, però sapeva che la signora Ikehorn Orsini era molto agitata per la votazione, almeno stando ai pettegolezzi che giravano nel grande magazzino. Forse, pensò, considerando come era stata brusca la sua proprietaria, era stato meglio non aver detto niente.

Maggie MacGregor si sentiva contemporaneamente svuotata ed elettrizzata dagli acquisti che aveva fatto. Aveva appena speso settemila dollari per i vestiti da indossare durante le trasmissioni dei prossimi due mesi e aveva ordinato un guardaroba completo per il festival cinematografico di Cannes, dove sarebbe andata in maggio per una serie di servizi. Il guardaroba per Cannes era costato una somma ulteriore di dodicimila dollari e doveva essere confezionato da Halston e Adolfo a New York con tessuti e colori creati appositamente per lei. Tutto doveva essere consegnato in tempo per il viaggio, altrimenti Maggie avrebbe fatto cadere la testa di qualcuno! Naturalmente era stabilito nel contratto che, a pagare, dovevano essere quegli imbroglioni della rete televisiva. Lei non se lo sognava neanche di spendere i suoi soldi in questo modo!

Se qualcuno avesse tentato di convincerla, dieci anni prima quando era un'adolescente paffuta e sgraziata di nome Shirley Silverstein, figlia del proprietario del più grosso negozio di ferramenta del suo paese, Fort John a Rhode Island, che spendere diciannovemila dollari in vestiti era una faticaccia, cosa avrebbe fatto? Avrebbe riso? No, rifletté Maggie, già allora era tanto ambiziosa da immaginare benissimo una situazione del genere e altrettanto intelligente da capire che ciò avrebbe comportato un'enorme tensione psicologica. Anche adesso non era ancora diventata un'abitudine sebbene, a soli ventisei anni, fosse ormai una superpotenza televisiva. Aveva una rubrica personale che veniva mandata in

11

onda nell'ora di maggiore ascolto. Ogni weekend, per mezz'ora, più di un terzo degli apparecchi televisivi degli Stati Uniti venivano sintonizzati sul programma di Maggie, che raccontava le novità del mondo dello spettacolo e, in particolare, del cinema: erano storie severamente documentate, autorevolissime e degne della massima fede che non avevano niente in comune con quei pettegolezzi che venivano ammanniti, soltanto tre anni prima, a un pubblico incredibilmente curioso.

In quel preciso momento, però, Maggie era semplicemente esausta: i suoi occhi neri avevano guardato un tale numero di vestiti nelle ultime tre ore che ormai c'era soltanto una gran confusione nella sua testa. D'altra parte, quelli che dirigevano la rete della TV per cui lavorava insistevano nel dire che, se la sua rubrica era impostata sul mondo dello spettacolo, anche lei doveva dare l'impressione di appartenere a quell'ambiente pieno di fascino. Mentre aspettava che Spider Elliott venisse a dirle quali fra i vestiti che aveva scelto erano più adatti alle sue necessità, appariva straordinariamente fragile con i capelli neri, corti, tutti spettinati e divisi in ciuffetti ricciuti. Ma non si preoccupò neppure di guardarsi allo specchio. Maggie sapeva che, per quanti soldi spendesse, le uniche occasioni in cui aveva un aspetto decente erano quelle mezz'ore in cui appariva davanti alle telecamere, dopo che il truccatore e il parrucchiere avevano finito il loro lavoro.

Spider bussò e, per tutta risposta, Maggie si limitò a gridare: « Aiuto! » Lui entrò, richiuse la porta alle proprie spalle e si appoggiò al muro dello spogliatoio, osservandola con uno sguardo tra l'ironico e l'affettuoso.

« Ehi, Spidy, dove hai imparato quel modo di appoggiarti al muro, dai vecchi film di Fred Astaire? Dov'è il tuo cappello a cilindro? » gli domandò Maggie.

« Non cambiare discorso. Ti conosco, lo sai. Devi aver comprato dei vestiti che non potrai mai infilarti e stai cercando di mettermi sulla difensiva. »

Maggie sapeva di essersi lasciata prendere un po' la mano con quei vestiti da sera per Cannes. Spider, quel bastardo, sapeva leggere nel pensiero, soprattutto in quello delle donne. Ma dove l'aveva preso, un magnifico maschione come lui, quel dono incredibile di saper capire le donne? Era raro trovare in un vigoroso americano eterosessuale un intuito così pronto e acuto che nessun trattato di psicologia poteva dare. E per di più, era veramente un fottutissimo bastardo.

Spider premette un campanello e la venditrice che aveva assistito Maggie, la placida e bene educata Rosel Korman, si affacciò alla porta.

« Rosel, per favore, vuoi portarci i nuovi acquisti di Maggie? » domandò Spider con un sorriso. Spider e Maggie erano i migliori amici del mondo, eppure Maggie ebbe un attimo di apprensione quando Rosel scomparve. Che dittatore fottuto! D'altra parte, aveva sempre ragione lui. E per quanto in certi momenti si sentisse frustrata da Spider, si era creato fra loro un legame molto particolare. Sia l'uno che l'altra ci tenevano particolarmente al fatto di non aver mai avuto rapporti perché ciò creava una corrente di calore continuo ben più importante del sesso, come sapevano tutti e due. Il sesso potevano procurarselo, e così facevano, ovunque e in qualsiasi modo. Ma era raro trovare un po' di calore umano.

Maggie considerava Spider Elliott, trentadue anni, uno degli uomini più attraenti del mondo, e poteva ben dirlo lei che lavorava in un ambiente nel quale era un suo preciso dovere osservare che cosa rende attraenti gli uomini e le donne. C'era qualche lato più ovvio in Spider che comunque giocava in suo favore, pensò. Tanto per cominciare, era il tipico ragazzo d'oro di stampo americano con un corpo favoloso. Aveva i capelli di un biondo naturale diventati un po' più scuri, più intensi, più striati d'oro man mano che passavano gli anni. E aveva anche gli occhi, quegli occhi da vichingo, tanto azzurri da dare l'impressione che riflettessero soltanto il colore del mare. E aveva perfino quel naso rotto in qualche lontana partita di football all'epoca della scuola, e un dente incisivo un po' scheggiato, che davano un aspetto simpatico e rude alla sua fisionomia. Però, fondamentalmente, e questa era la conclusione alla quale era arrivata Maggie, il segreto del suo successo veniva dall'abilità

13

tutta speciale di Spider di aggirarsi con sicurezza nelle tortuosità del cervello delle donne, di saper far suo il loro linguaggio parlando direttamente con loro, al di là delle differenze fra uomo e donna e senza cadere nelle distorsioni e nelle falsità di un gergo da omosessuale. Spider provava un interesse appassionato per i segreti della sensualità femminile e questa inclinazione lo metteva automaticamente in una posizione di primo piano nell'atmosfera erotico-narcisistica che regnava a Scruples, e faceva di lui un elemento di contrappunto maschile essenziale come il pascià in un harem.

Rosel ricomparve seguita dalla sua assistente la quale spingeva un grosso carrello appendiabiti coperto da un telo di lino bianco che ne celava interamente il contenuto. Billy Orsini aveva inventato questo sistema perché venisse conservato il segreto sugli acquisti delle clienti di Scruples, mentre, questo tipo di riservatezza, era praticamente inesistente in quasi tutti i negozi più cari di Beverly Hills. Rosel se ne andò dopo aver tolto il panno bianco che nascondeva i vestiti. Spider insieme a Maggie esaminò uno per uno tutti gli abiti che lei aveva scelto. Su qualcuno non fece commenti, altri li eliminò, per altri ancora domandò a Maggie di indossarli e di farglieli vedere prima di prendere una decisione, e lei, ubbidiente, ogni volta si ritirò dietro il grande paravento a quattro pannelli, che si trovava in un angolo della stanza, per cambiarsi. Quando li ebbero osservati tutti, Spider andò al telefono e ordinò allo chef di mandare una grossa teiera di tè Earl Grey, una bottiglia di V.S.O.P. e un piatto di tartine al caviale fresco e al salmone affumicato.

« Adesso ti rimetto in sesto velocemente », disse per rassicurare la ragazza esausta. E mentre bevevano un bel tè forte, nel quale era stata versata una robusta dose di brandy, riuscirono a rilassarsi tutti e due con la certezza di aver portato a buon fine un compito difficile.

« Ti sarai resa conto, Maggie », disse Spider a un certo punto come se buttasse là il discorso casualmente, « di non aver ancora scelto il vestito più importante, vero? »

« Come? » Era intontita per la fatica e le faceva male la schiena.

14

« Che cos'hai intenzione di metterti addosso per gli Academy Awards, bambina? »

« E chi lo sa? Qualcosa. Ma non ho già comprato abbastanza vestiti? »

« Non tutti quelli di cui hai bisogno. Stai cercando di rovinarmi la reputazione? La premiazione viene trasmessa via satellite in tutto il mondo: un pubblico di centocinquanta milioni di persone. Il che significa che milioni di occhi ti guarderanno. Devi scegliere qualcosa di molto particolare. »

« Oh, cazzo, Spider, mi fai venire i brividi. »

« Non hai mai fatto la parte del mattatore in un programma sui premi cinematografici prima d'ora e sarà meglio chiedere a Valentine che disegni per te qualcosa che sia veramente speciale. »

« Valentine? » Gli occhi di Maggie ebbero un'espressione incerta. Non aveva mai comprato un vestito fatto su misura perché aveva troppi impegni e orari troppo rigidi per avere il tempo di fare molte prove.

« Sissignora. E non preoccuparti, troverai il tempo per le prove. Ma non vuoi proprio lasciare di stucco tutto questo fottutissimo mondo? »

« Spider », disse lei piena di gratitudine, « se ti bacio i piedi non penserai che il mio sia un assalto in piena regola per concupirti? »

« Non ne hai la forza », rispose lui. « Sta' lì tranquilla, senza agitarti, e rispondi a un paio di domandine. Quali sono le possibilità che ha Vito di essere scelto? Dimmelo in confidenza. »

« Dipende. Ci sono altri sette film che possono aspirare degnamente a entrare nell'elenco dei dieci migliori e sono sostenuti validamente da diverse persone importanti. Naturalmente auguro a Vito di entrare anche lui nel numero... ma non ci scommetterei il mio prossimo stipendio. »

« Com'è possibile che tu ne sappia soltanto quel poco che ne so io? » si lamentò Spider.

« Il mondo dello spettacolo è fatto così. Billy incomincia a dar segni di nervosismo? È talmente innamorata di quel divino immigrato che ha sposato da non capire più niente! »

« Nervosismo? Diciamo piuttosto ossessione. D'altra parte non è mai stata il tipo da sentimenti blandi, almeno da quando la conosco io. Se ci fosse da aspettare ancora qualche settimana, una bella mattina, svegliandosi e guardandosi nello specchio, ci vedrebbe lady Macbeth. Accidenti, a me Vito è simpatico e lo trovo pieno di talento, ma qualche volta vorrei che Billy avesse sposato qualcuno che fa un mestiere un po' meno pericoloso, come le gare di salto con gli sci o le corse a cavallo con ostacoli. »

« Siamo a questo punto, eh? »

« Peggio! »

Mentre Maggie e Spider stavano chiacchierando, Billy, incapace di star ferma, dava un'occhiata al reparto degli articoli da regalo di Scruples, aggirandosi in un vero e proprio paradiso per i ladri, l'angolo che lei chiamava « il saccheggio di Pechino ». Sorvegliava anche con discrezione i tavoli di backgammon del pub ai quali sei uomini stavano giocando una partita amichevole mentre aspettavano che le loro mogli finissero gli acquisti, un gioco nel quale, probabilmente, non meno di tremila dollari sarebbero passati dalle mani di uno a quelle di un altro. Scruples era diventato il club per uomini più popolare della città non organizzato in alcun modo, ma molto esclusivo. Nello stesso tempo Billy non poteva non osservare le due donne del Texas che avevano appena finito di comperare quattro abiti in vicuña identici, bordati di chinchilla, visone, nutria e talpa tinta a strisce beige, marrone e bianche. Sorelle? Amiche per la pelle? Non era mai riuscita a capire le donne che andavano a fare compere insieme e acquistavano le stesse cose. Abominevole. L'irritazione che provava a causa delle due donne, Billy se ne accorse subito, non era che un riflesso del crescente fastidio per il fatto che Valentine non l'aveva ancora raggiunta. Morte e dannazione alla sua cliente, Muffie Woodstock, quella creatura coriacea come nessun'altra! E Spider, perché diavolo non si faceva vedere?

Provando un improvviso disgusto per la gente che aveva intorno, si avviò verso una delle quattro serie di portefinestre che si aprivano sui lati nord e sud del salone centrale di Scruples e guardò fuori verso i giardini ben curati che circondavano il grande magazzino come un'oasi. Ligustri nani e santolina grigia erano piantati in modo irregolare di fronte alle alte siepi di bosso che formavano una specie di riparo sui tre lati di Scruples. Due dozzine di varietà di gerani, portati dalle serre personali di Billy, erano già in piena fioritura nei grandi vasi di terracotta. Billy sentiva il profumo che emanava dal fuoco di eucalyptus e legno di alberi da frutta che scoppiettava dietro un parafuoco di ottone lavorato nel giardino d'inverno all'estremità opposta del salone e udiva il brusio delle voci delle ultime clienti che bevevano tè e champagne. Ma niente riusciva a calmare la sua agitazione.

Valentine O'Neill, nel suo studio di stilista, si era divertita per tutto il pomeriggio. La moglie di Ames Woodstock rappresentava proprio quel tipo di sfida che le dava piacere: una donna terrorizzata dai bei vestiti e al tempo stesso costretta dalle circostanze, e da Valentine, a indossarli e a indossarli con ostentazione. Del resto, Valentine non sottovalutava neppure le cifre favolose che il marito milionario della signora Woodstock, abile diplomatico nel campo internazionale dei carburanti e nominato da poco ambasciatore in Francia, era disposto a pagare per il privilegio di avere un intero guardaroba confezionato, su ordinazione, da Scruples. Nessuna francese se lo poteva permettere.

Per quanto Valentine non vivesse più a Parigi da cinque anni e fosse metà irlandese, da parte di padre, anche ora, a ventisei anni, restava inequivocabilmente francese, né più né meno come la Torre Eiffel. Il particolare decisivo che la rendeva così « francese » malgrado i suoi ardenti colori irlandesi, si poteva individuare in quella curva capricciosa delle labbra, oppure nella forma sottile, deliziosamente a punta del naso con tre lentiggini, o nel lampo inquisitore degli occhi verde chiaro come le foglie nuove. Aveva due occhi da ammaliatrice in un visetto pallido, un volto vivo ed espressivo molto intenso che non si fissava mai nel broncio. Era

17

furba come una volpe e molto spiritosa come il personaggio della canzone di Maurice Chevalier che era tanto piaciuto a sua madre, sposa di guerra piena di nostalgia, da chiamarla con lo stesso nome. Sotto l'allegria e la vivacità di Valentine, c'era però una solida base di robusta ragionevolezza e di caparbia logica francese che si combinava a perfezione, anche troppo spesso, con il suo impulsivo temperamento irlandese. Perfino quel suo caschetto di riccioli rossi, cortissimi, pensò la signora Woodstock con apprensione mentre Valentine le drappeggiava un'altra stoffa di seta sulla spalla, era fatto dei capelli più decisi, più aggressivi, che le fosse mai capitato di vedere.

Muffie Woodstock aveva l'espressione stupita di una donna che nella sua vita aveva sempre indossato soltanto un paio di pantaloni, tutta occupata ad allevare tranquillamente i suoi cani e a montare i suoi cavalli e che, adesso, si vedeva mettere davanti agli occhi lo schizzo del vestito che avrebbe indossato a un ricevimento di gala nella residenza del presidente della Repubblica francese.

« Ma, Valentine, è piuttosto... be' ecco, non so... » mormorò smarrita.

« Ma lo so io, signora Woodstock », rispose Valentine che aveva passato quasi tutta la sua infanzia, mentre faceva i compiti, nascosta in un angolo di un grande atelier nella casa di mode di Pierre Balmain a Parigi, a guardare come venivano confezionati i vestiti da sera. Si sentiva piena di fiducia in se stessa ed era ben decisa a infondere quella stessa fiducia a questa simpatica donna.

« Allora non le piace l'idea di un ricevimento di gala, signora Woodstock? »

« Per carità, Valentine, mi fa orrore. »

« Però, signora Woodstock, lei ha un portamento magnifico. »

« Dice davvero? »

« E ha un corpo magnifico, il più adatto a portare bene un vestito. Non è adulazione, la mia. Se ci fosse qualche difetto, ci preoccuperemmo di nasconderlo. Ma lei è molto alta, molto magra e cammina così bene. Io so esattamente qual è il tipo di vestito da sera a cui lei sta pensando in questo momento: semplice, non vistoso, liscio, proprio come quello di chiunque altra, magari con un piccolo gioiello al collo, ho ragione? L'avevo capito. E questi vestiti sono proprio quello che ci vuole per il suo chalet di Sun Valley, o per il ranch nel Colorado o la villa di Santa Barbara. Ma all'Eliseo! All'Opéra di Parigi! Ai grandi ricevimenti delle ambasciate! No, mai, lei finirebbe per sentirsi imbarazzata, fuori posto. Soltanto se si vestirà come tutte le altre signore riuscirà a sentirsi a suo agio, tranquilla e non vistosa, proprio come vuole lei. Interessante, non trova? Soltanto mostrandosi molto, molto chic, lei non darà l'impressione di essere diversa, straniera, sbagliata. »

« Immagino che lei abbia ragione », disse Muffie Woodstock con riluttanza, ma convinta dalle ultime tre parole terrificanti pronunciate da Valentine.

« Bene! Allora tutto è sistemato. Sarò pronta per la prima prova fra quindici giorni. E quando verrà, vuole essere così gentile da tirar fuori i suoi gioielli dalla cassetta di sicurezza e portarli con sé? Ho bisogno di vederli. »

« Come fa a sapere che li tengo nella cassetta? »

« Lei è proprio quel tipo di donna che non li porterebbe più di un paio di volte all'anno, un peccato perché sono sicura che devono essere magnifici. »

Poi Valentine aggiunse: « E stia allegra! Pensi alle cavalcate meravigliose che potrà fare nella campagna francese ».

Muffie Woodstock si ringalluzzì. Una delle cose per le quali spendeva sempre un patrimonio erano gli stivali. Ma... poteva andare a cavallo in jeans e con un vecchio maglione?

« Valentine, già che ci siamo, sarà meglio che mi faccia fare anche qualche abito per andare a cavallo. »

« Oh, no! » rispose Valentine scandalizzata. « Per quelli, bisogna che lei vada dritta dritta da Hermès appena arriva a Parigi. Io posso farle tutto quello che vuole ma... insomma, non sarebbe corretto. »

Mentre accompagnava la cliente alla porta dello studio, Valentine si sentì doppiamente felice. I suoi modelli sarebbero tornati a circolare in concorrenza con il meglio che l'alta moda europea aveva da offrire.

E per di più, Valentine aveva dimostrato a se stessa ancora una volta di possedere le doti essenziali per condurre a buon fine un'operazione commerciale, un talento, questo, che ogni vera francese sa apprezzare. Ancora una volta era riuscita a dimostrare che a Beverly Hills, subito dopo Palm Springs il quartier generale delle donne più ricche e peggio vestite degli Stati Uniti, lei era in grado di offrire l'*alta moda* a chiunque fosse interessato ad averla.

Con addosso il camice bianco, inamidato e anonimo, che portava sempre quando lavorava, Valentine lasciò lo studio e tornò nel suo ufficio con i preventivi del nuovo guardaroba della signora Woodstock. Vi trovò Spider, seduto al suo posto, con i piedi appoggiati sul piano di cuoio color sangue di bue, alquanto sciupacchiato, della scrivania che dividevano.

« Oh, Elliott, non mi aspettavo di trovarti qui », esclamò sentendosi cogliere da un improvviso imbarazzo. Dal giorno di Natale, soltanto un mese e mezzo prima, da quell'assurdo litigio che avevano avuto, subito risolto ma rimasto a mezz'aria fra loro, avevano evitato tutti e due le chiacchierate che erano abituati a fare ogni mattina, prima che il grande magazzino aprisse, seduti l'una di fronte all'altro ai due lati della grande scrivania.

« Sono venuto soltanto un momento per dirti che ho promesso a Maggie che le farai un vestito per gli Oscar », le disse Spider in tono distaccato.

« Mio Dio », esclamò lei, « mi ero dimenticata degli Oscar! » Si lasciò cadere sulla sedia. « La signora Woodstock me li ha fatti uscire di mente... o forse sto diventando definitivamente pazza. » Per chi vende al pubblico, a Beverly Hills, gli Oscar sono considerati una specie di manna che piove dal cielo, un motivo di festa pari né più né meno al Capodanno. Non è tanto chi vince un Oscar che ha importanza, quanto piuttosto chi indossa un determinato modello.

« Può darsi », disse Spider in un tono anonimo che Valentine ignorò, ancora perplessa, per quel vuoto di memoria.

« Per tre ore intere non mi sono neppure resa conto dell'esistenza di questa storia degli Oscar », disse Valentine sbalordita. « Eppure domani, finalmente, sapremo quali sono i candidati e tantissimi clienti verranno a comprare. Finalmente sapranno se andare alla serata della premiazione a pregare oppure se dovranno semplicemente rimanere a casa ad aspettare. Non è un tocco di genio meraviglioso tenere in sospeso un'industria di proporzioni enormi, far discutere l'intero Paese per poi occuparsi a stento del destino di qualche attore e di qualche film? »

« Che tono accondiscendente! »

« Niente affatto. Pura e semplice ammirazione, Elliott. Basta che tu pensi un momento a tutti i quattrini che questa commedia fa girare! Gli studios spendono un patrimonio in pubbliche relazioni e in pubblicità, la stessa vendita dei biglietti frutterà parecchi milioni... ma, in fondo, che cosa me ne importa di tutto questo? Dopo tutto a noi interessano soltanto i vestiti per la grande serata. »

« Penso di sì », rispose Spider con il solito tono indifferente. E fu proprio questo che fece infuriare Valentine.

« Oh, per te va benissimo questa faccenda degli Oscar. Dirigi l'intero Scruples, Elliott, sono pronta a concedertelo, ma per quel che riguarda i vestiti è soltanto la produzione in serie quella che ti interessa, è soltanto il problema di quale modello si decideranno a comprare le tue donnette. Ma è qui, di sopra, da noi che ci sono i veri problemi. Tu non devi preoccuparti se la divina Streisand ha messo su altri sei chili che sono finiti tutti nel suo già non piccolo sedere e che il vestito, naturalmente, non deve mettere in mostra... pur essendo aderentissimo. » Scattò in piedi e gli andò vicino incatenandogli le pupille azzurre con i suoi occhi verdi già pronti a dar battaglia. « Tu, Elliott, non devi preoccuparti se Raquel Welch quest'anno ha deciso di vestirsi come una monaca, ma una monaca che mette in mostra le tette, oppure se la Cher è convinta che passerà inosservata fra la folla se non si abbiglia come una principessa zulù il giorno delle nozze. » Inoltre, pensò piena di rabbia, ma non lo disse, lui non doveva star sempre sul chi vive per parare con abilità le domande sulla sua attività sessuale. Valentine capiva sempre, dalle sfumature e tonalità differenti delle domande che casualmente le rivolgeva se Spider non aveva ancora fatto l'amore con una particolare cliente, se erano nel bel mezzo di una storia oppure se la storia era finita.

« Sta' a sentire, Val », disse Spider con un tono talmente gelido e indifferente che la fece arrabbiare ancora di più, « lo sai anche tu che non sono i vestiti per gli Oscar che arricchiscono Scruples. Da noi vengono tutte le donne ricche che mettono piede a ovest dell'Hudson. Di conseguenza se queste dive del mondo dello spettacolo sono così suscettibili che ti fanno dannare, perché non le mandi a farsi vestire di nuovo da Bob Mackie o Ray Aghayan o Halston o comunque dai ragazzi che le servivano prima che arrivassi tu e mettessi gli artigli addosso a qualcuna di loro? »

« Sei completamente ammattito... » cominciò lei incapace di trattenersi prima di cogliere l'espressione beffarda che era apparsa negli occhi di Spider. Una volta avrebbe fatto una risata bonaria, adesso feriva. Eppure lui sapeva bene come fosse importante per Valentine essere riuscita a catturare tutte quelle dive di Hollywood. Malgrado tutte le sue lamentele, Valentine non sarebbe stata disposta a cedere un solo millimetro del territorio occupato, soprattutto per il fatto che se l'era conquistato così di recente. Ma che cosa gli era successo? Non era possibile che Spider avesse dimenticato, esattamente come non l'aveva dimenticato lei, il sapore amaro del fallimento che avevano condiviso un paio di anni prima a New York, lo squallore della sconfitta.

Fu in quel preciso momento che Billy entrò nell'ufficio e li colse in un atteggiamento non proprio amichevole. Lanciò alla coppia un'occhiata ostile e parlò con un tono di voce talmente tagliente da avere il potere di far dimenticare a entrambi la loro irritazione.

« La signora Evans aveva l'impressione che foste impegnatissimi e che non si potesse disturbarvi. Uno di voi due, per caso, ha una vaga idea di quanto tempo ho passato ad aspettarvi? »

Spider si alzò e fece scattare il suo solito sorriso, un sorriso carico di sensualità, innocente, privo di malizia e di spirito mordace, un sorriso che era soltanto un invito al piacere. Di solito faceva effetto.

« Non darti tutto quel daffare con il tuo solito fottuto sorriso », lo aggredì Billy, seccata.

« Billy, ho finito con Maggie cinque minuti fa. È ancora nello spogliatoio a riprendere le forze. Nessuno ti aspettava qui, oggi. »

« Ho accompagnato alla porta la signora Woodstock adesso adesso », annunciò Valentine con dignità, « e vorrei che tu vedessi con quanto profitto ho utilizzato il mio pomeriggio. » E le allungò i preventivi. Billy li ignorò.

« Ascoltatemi bene! Per tutti i diavoli dell'inferno, ho comprato una bella fetta del terreno più caro che ci sia in questo Paese e ci ho costruito sopra il magazzino più caro del mondo e ho assunto voi due, tirandovi fuori dagli abissi della disoccupazione più nera, per mandarlo avanti e fare la vostra maledetta fortuna, e tutto quello che mi aspetto, almeno una volta, è di non essere costretta a girellare per i saloni come una cretinissima cliente che non sa come passare il tempo quando ho bisogno di voi! »

« Nessuno di noi due sa leggere nel pensiero, Billy », disse Valentine con calma.

« Non è necessario saper leggere nel pensiero per capire che avrei avuto bisogno di voi questo pomeriggio! »

« Credevo che fossi rimasta a casa con Vito », disse Spider.

« A casa... » Billy era incredula. « Ma anche le persone con un cervello da gallina dovrebbero aver capito che sarei venuta a ordinarmi un vestito per gli Awards. Ora di domani, saranno qui tutte... e credete che io voglia confondermi con quella marmaglia? »

« Ma, Billy, fino a domani... » cominciò Valentine, e i suoi capelli presero l'aspetto di una soffice spuma tanto fu il vigore con il quale si mise a scuotere la testa.

« Billy », disse Spider con gentilezza, « che fretta c'è? Avrai perlomeno un centinaio di vestiti appesi nei tuoi armadi. Finché non annunciano i nomi dei candidati non saprai se... » non finì la frase perché Billy aveva fatto tre passi minacciosi verso di lui.

« Non saprò se... cosa? »

« Be', a voler parlare realisticamente... »

« Realisticamente COSA? »

A questo punto Spider, che aveva perso la pazienza, rispose seccamente: « Se *Specchi* verrà prescelto. Finché non si saprà questo, non avrai certo bisogno di un vestito nuovo ». Ci fu una lunga pausa.

D'un tratto Billy scoppiò a ridere e scosse la testa guardandoli come se fossero due bambini scioccherelli che però si possono perdonare. « Ah, dunque è così, vero? Fortuna per te che non lavori nel mondo del cinema, Spider, altrimenti non ce l'avresti mai fatta. E tu anche Valentine. Ma cosa diavolo credi che abbiamo fatto Vito e io in tutto quest'anno? Che ci siamo esercitati a perdere con eleganza? Su! Alzate il sedere dalla sedia e datevi da fare, voi due. E adesso, che cosa mi metto addosso per questi fottuti Oscar? »

24

2

FINO a quando Ellis Ikehorn morì, a settantun anni, Billy Ikehorn non si era mai resa conto della straordinaria differenza che correva fra il fatto di essere la moglie di un uomo immensamente ricco e quello di essere una giovane donna immensamente ricca senza marito. Durante gli ultimi cinque anni del loro matrimonio, durato complessivamente dodici anni, Ellis era rimasto inchiodato su una carrozzella, semi-paralizzato e privo della parola in seguito a una trombosi. E anche se, dal giorno in cui lo aveva sposato, Billy aveva legato il suo destino a quello dei ricchi e dei potenti di questo mondo, non si era mai preoccupata di crearsi una posizione ben stabile dalla quale dirigere la propria vedovanza. Negli ultimi anni di vita del marito, aveva vissuto praticamente come una reclusa nella fortezza di Bel Air adattandosi con sopportazione, almeno per quello che si sapeva, a una vita piena di restrizioni come moglie di un uomo gravemente invalido.

Adesso, tutt'a un tratto, si ritrovava a trentadue anni senza la responsabilità di una famiglia e con un reddito praticamente illimitato a disposizione. Billy si accorse con stupore che quella quantità smisurata di soldi le dava una paura maledetta. E, d'altra parte, non erano stati ciò che aveva desiderato disperatamente durante i lunghi anni della sua infanzia vissuta da parente povera?

Quell'ultima mattina, quando uno dei tre infermieri di Ellis informò Billy che suo marito aveva avuto un nuovo attacco ed era morto mentre dormiva, lei aveva provato un senso di sollievo misto a tristezza per quella parte della sua vita che si concludeva e che era stata molto bella. Ormai da cinque anni si addolorava per questa situazione; un lungo tempo per prepararsi alla morte di Ellis per poter ora sentire disperatamente lo strazio della sua perdita. Tuttavia, per quanto vivo solo a metà, Ellis aveva continuato a proteggerla. Durante la vita di suo marito, Billy non aveva mai dovuto pensare al denaro. Erano un nutrito drappello di avvocati e di amministratori a occuparsene. Naturalmente sapeva che, dopo il loro matrimonio, lui le aveva regalato obbligazioni municipali, esenti da tasse, per un valore di dieci milioni di dollari sui quali Ellis aveva pagato la tassa di donazione; aveva ripetuto la stessa pratica per i sette compleanni successivi di Billy, fino al primo serio attacco di paralisi nel 1970. Prima ancora di diventare la sua unica erede, trovandosi cioè nelle mani il suo pacchetto di azioni delle Ikehorn Enterprises, il suo patrimonio aveva raggiunto la cifra di ottanta milioni di dollari dai quali ricavava un reddito di quattro milioni di dollari, esenti da tasse, all'anno. Adesso una squadra di revisori di conti dell'IRS avevano passato settimane e settimane a lavorare sulle tasse da pagare sul patrimonio Ikehorn, ma per quanto facessero, a Billy erano pur sempre rimasti altri centoventi milioni di dollari all'incirca. Tutto questo denaro la confondeva e la spaventava. In teoria, capiva di poter andare dappertutto, di poter fare qualsiasi cosa. Lo specchio a lente di ingrandimento di cui si serviva per mettersi il mascara la rassicurò, quando ci si guardò dentro. Tutte le incombenze che le erano familiari restavano uguali. Fare il bagno, lavarsi i denti, pesarsi come aveva sempre fatto ogni mattina e ogni sera da quando aveva compiuto diciotto anni, vestirsi, tutto ciò costituiva il tessuto connettivo della sua vita. Avrebbe fatto una sola mossa per volta, disse alla propria immagine riflessa nello specchio che non rivelava nulla del panico da cui si sentiva invadere. A uno sconosciuto che l'avesse vista in quel momento per la prima volta e avesse preso in considerazione la sua altezza, il passo fiero, il collo perfetto, la testa imperiosa, sarebbe apparsa sicura di sé e forte come una giovane regina delle Amazzoni.

26

Ciò di cui doveva occuparsi immediatamente era il funerale e Billy accolse questa incombenza quasi con piacere perché si trattava di una scelta precisa e circoscritta.

Ellis Ikehorn non era mai stato un uomo religioso né tantomeno sentimentale eccetto che per ciò che riguardava Billy. Il testamento non conteneva istruzioni per il suo funerale, del resto Ellis non aveva mai espresso neppure a voce una preferenza per le sue esequie: un discorso questo che aveva ben poca attrattiva per lui come per la maggior parte degli uomini, ricchi o poveri che siano.

Doveva certamente essere cremato, pensò Billy. Sì, una cremazione seguita da una funzione nella chiesa episcopale di Beverly Hills. Qualunque fosse stata la religione in cui era stato allevato, ed Ellis si era sempre rifiutato di parlarne, lei era stata educata come un'episcopale di Boston, e scelse quindi questa chiesa.

Telefonò al suo avvocato, Josh Hillman, per chiedergli di occuparsi di tutto il necessario e poi si occupò del problema immediatamente successivo, un vestito adatto per il funerale: Da lutto. Purtroppo viveva in California da troppo tempo per cui anche se, per diversi anni, era stata citata nell'elenco delle donne meglio vestite del mondo non aveva niente nel suo guardaroba, per quanto vasto fosse, che somigliasse anche lontanamente all'abitino corto, liscio, nero adatto a una giornata del settembre 1975 con una temperatura che si aggirava sui trentadue o trentatré gradi e che era accentuata dai venti, asciutti e caldi, che soffiavano da Santa Ana. Se Scruples fosse stato finito, sarebbe potuta andare lì, pensò con rammarico, ma era ancora in costruzione.

Mentre sceglieva qualche abito in seta nera, modelli di Galanos, nel negozio di Amelia Gray, il suo sguardo tornò allo specchio. Si sentiva afflitta per tanta bellezza inutilizzata. Billy non era modesta per quel che riguardava la sua avvenenza. Fino a diciotto anni era stata disperatamente brutta e poco attraente e adesso che era bella se ne gloriava. Non portava mai il reggiseno. I suoi seni erano alti e quasi opulenti. Anche il minimo accenno di un sostegno, che li avrebbe necessariamente rialzati ancora di più, l'avrebbe resa troppo abbondante di petto per essere elegante. Ringraziava il cielo di essere perfettamente piatta per un buon palmo al di sotto della vita, di modo che il suo sedere diventava tondo e pieno soltanto ben più in basso del punto in cui avrebbe distrutto la linea dei vestiti. Nuda, era inaspettatamente formosa e tonda. Una carne, pensò Billy provando un senso greve e desolato di frustrazione, che non aveva sentito il tocco della mano di un uomo da molti, molti mesi. Da Natale, quando il declino di Ellis era diventato di giorno in giorno più terribile, sia per compassione sia per un senso del proibito, Billy si era volutamente privata della vita sessuale segreta che si era organizzata quasi quattro anni prima.

Mentre si rivestiva e aspettava che fosse pronto il pacco dei vestiti nuovi, smise di pensare a se stessa e pensò al problema successivo: quello delle ceneri. Non aveva idee a questo proposito, sapeva soltanto che doveva farne qualcosa. Forse Ellis avrebbe preferito che le sue ceneri, un pizzico alla volta, venissero infilate nella fodera delle cartelle di cuoio dell'esercito dei suoi dirigenti e funzionari. Si era sempre divertito a tenerli con il fiato sospeso. La commessa la guardò un po' perplessa e Billy si accorse all'improvviso di essersi lasciata sfuggire un leggero suono allegro, simile a una risatina. Doveva smetterla. Altrimenti all'ora del pranzo tutta la città avrebbe saputo che Billy Ikehorn si era messa a ridere la mattina in cui suo marito era morto. Ma non c'era proprio stata qualche altra cosa, oltre alla loro vita insieme, in cui Ellis si era rivelato un sentimentale prima di ammalarsi? Gli piaceva ripetere che un bicchiere di vino buono e gli ultimi numeri di *Fortune* e *Forbes* erano il suo modo preferito di passare una serata tranquilla... ma certo, i vigneti Silverado. Forse era più sconvolta di quanto non pensasse. Se fosse stata in condizioni normali, le sarebbe venuto in mente immediatamente.

Non si poteva adoperare il Learjet. Hank Sanders, il capopilota, glielo spiegò. Per il volo che gli aveva descritto, occorreva un aeroplano che volasse lentamente, con un finestrino aperto. Il giovane pilota era entrato a far parte del

28

personale di casa Ikehorn poco più di cinque anni prima. Era stato lui a condurli in volo da New York City alla California dopo il primo attacco di paralisi di Ellis; sempre lui a occupare il posto di guida a sinistra durante i molti viaggi che il vecchio malato e la sua taciturna e distaccata giovane moglie avevano fatto ai vigneti di St. Helena o a Palm Springs o a San Diego. Di tanto in tanto Hank lasciava i controlli al suo collega ed entrava nella cabina principale a dare qualche informazione sulle condizioni del tempo al signor Ikehorn, seduto vicino al finestrino nella sua carrozzina: una formalità, perché il vecchio non ci badava o almeno dava questa impressione. Però la signora Ikehorn l'aveva sempre ringraziato con aria grave interrompendo la lettura del libro o della rivista che aveva con sé per fargli qualche domanda e informarsi se gli piaceva la vita in California o per dare qualche notizia sulla durata della loro permanenza in Napa Valley. Hank ammirava enormemente la dignità della signora Ikehorn e si sentiva lusingato che lei lo fissasse dritto negli occhi durante quei brevi scambi di parole. Non solo ma, secondo lui, Billy era un pezzo di ragazza favoloso, una donna piena di ardore. Cercava però di non indugiare troppo su questo tipo di pensieri.

Adesso, con la signora Ikehorn seduta a pochi centimetri da lui nel Beechcraft Bonanza noleggiato appositamente, mentre decollavano dall'aeroporto di Van Nuys quattro giorni dopo la cremazione, Hank, seduto al posto di guida, provava un certo nervosismo. E quel senso di disagio non nasceva affatto dalla scarsa dimestichezza con un aeroplano di piccole dimensioni. No, era il fatto di trovarsi seduto vicino alla signora Ikehorn così seria, così preoccupata, così irragionevolmente affascinante, troppo vicina per lasciarlo tranquillo e rilassato date le circostanze.

Mentre si avvicinavano a Napa Valley, Billy ruppe finalmente il silenzio.

« Hank, non atterriamo sul campo. Voglio che tu segua la statale 29 perdendo quota a poco a poco fino a St. Helena. Poi piega a destra. Per piacere, quando raggiungeremo i nostri confini di Silverado, cerca di ridurre la velocità al minimo. Poi scendi ancora fino al limite consentito, circa centottanta metri dal suolo e comincia a girare in tondo sui vigneti. »

Napa Valley non è una vallata molto ampia, ma incredibilmente bella e lo sembrava ancora di più illuminata com'era dal sole di settembre che splendeva sulla pianura, dalle coltivazioni rigogliose e miracolose, e sulle ripide colline boscose che la proteggevano da ogni lato. I vini più squisiti degli Stati Uniti, che secondo molti esperti rivaleggiano con i migliori vini francesi e sono spesso superiori a essi, provengono proprio da questi soli e unici ventitremila acri di terreno.

Nel 1945, Ellis Ikehorn, che detestava i francesi, aveva comprato la vecchia proprietà Hersent e de Moustiers vicino a St. Helena. Si trattava di un insieme di vigneti, ormai quasi abbandonati, che erano stati sempre più trascurati a mano a mano che il proibizionismo, la depressione e la seconda guerra mondiale avevano inflitto colpi successivi alla produzione vinicola americana. Questi tremila acri di terreno comprendevano anche un'imponente costruzione residenziale, ampia, in stile vittoriano. Ikehorn l'aveva tutta restaurata riportandola al primitivo splendore e l'aveva battezzata « Château Silverado » dal nome dell'antica strada, o meglio della pista per le carrozze, che percorreva il fondo della valle da un'estremità all'altra. Era riuscito a far venire dalla Germania il famoso cantiniere Hans Weber e gli aveva dato mano libera. L'acquisto dei vigneti nonché l'interesse con il quale si mise a consumare l'ottimo Pinot Chardonnay e il non meno eccellente Cabernet Sauvignon, che venne finalmente prodotto sette anni dopo e con una spesa di nove milioni di dollari, si potevano considerare quanto di più vicino a un hobby Ellis Ikehorn avesse mai avuto nella sua vita.

Mentre volavano in cerchio sui vigneti punteggiati qua e là dalle figure dei contadini che ci lavoravano negli ultimi giorni che precedevano la vendemmia, Billy aprì il finestrino alla sua destra. Teneva in mano una scatola d'oro massiccio, d'epoca georgiana, a forma di cubo, alta e larga quindici centimetri, con la punzonatura di Londra recante la data 1816 e il marchio del fabbricante, il grande orafo Benjamin Smith. Nell'interno della scatola erano incise queste parole: *Offerta ad Arthur Wellesley / Duca di Wellington / in occasione del primo anniversario / della battaglia di Waterloo / Rispettosamente, dalla Società dei Commercianti e Banchieri / della città di Londra. / « Il Duca di Ferro sarà ricordato eternamente / nei nostri cuori. »*

Billy allungò cautamente la mano destra attraverso il finestrino con il polso teso contro l'impeto del vento. Mentre il piccolo Bonanza girava lentamente in tondo sui vigneti di Silverado a una velocità di centoventi chilometri l'ora, Billy socchiuse il coperchio della scatola e lasciò che le ceneri di Ellis ne uscissero, a poco a poco, scendendo lentamente, portate dal vento, sulle lunghe file di pesanti grappoli nascosti sotto le foglie verde cupo. Quando fu completamente vuota, tornò a riporre la scatola nella borsetta.

Durante il ritorno Billy rimase seduta in silenzio, ma era uno strano silenzio pieno di tensione tanto che Hank Sanders ebbe l'impressione che lei si aspettasse, quasi, qualcosa da lui. Atterrarono al Van Nuys senza incidenti. Ma quando Hank raggiunse il parcheggio delle macchine, trovò Billy che lo aspettava seduta al posto di guida nell'enorme *Bentley* verde scuro che era stata l'automobile preferita di Ellis e che Billy non aveva mai voluto vendere.

« Ho pensato che potevamo fare un giretto in macchina, Hank. È ancora presto. » Le sopracciglia scure si alzarono in un'espressione divertita nel vedere la sua faccia confusa. Un invito al quale non era assolutamente preparato.

« Un giretto in macchina? Perché? Voglio dire, sì, certo, signora Ikehorn, come vuole », rispose lottando fra la cortesia e l'imbarazzo. Billy gli sorrise gentilmente pensando quanto assomigliava a un contadino giovane e robusto con quella faccia liscia dai lineamenti marcati, le lentiggini, il ciuffo di capelli biondo-paglia e quell'assoluta mancanza di interesse per tutto quello che non erano gli aeroplani, almeno così le era sembrato di capire in tutti quegli anni.

« E allora, sali. Non ti dispiace se guido io, vero? Sono una maga con la guida a destra. Non è divertente viaggiare su questo pezzo d'antiquariato? Io ho sempre l'impressione di essere seduta almeno tre metri sopra la strada! » Era di-

31

sinvolta e gaia come una persona che si preparasse a una bella gita al mare.

Billy guidava molto bene e sembrava che sapesse perfettamente dove stava andando. Intanto canticchiava allegramente sottovoce mentre Hank Sanders cercava di rilassarsi, come se una scampagnata con la signora Ikehorn rientrasse nelle sue normali abitudini. Era tanto a disagio e tanto preoccupato per come avrebbe dovuto comportarsi in una situazione del genere che non si accorse quasi come Billy, a un certo punto, lasciasse l'autostrada, imboccasse Lankershim per qualche chilometro e poi prendesse una strada secondaria. Fece ancora un'improvvisa svolta a destra e si fermò davanti a un piccolo motel, infilando la *Bentley* in una delle rimesse costruite vicino a ogni stanza.

« Torno subito, Hank... Credo che sia ora di bere qualcosa... non te ne andare. » Scomparve nell'ufficio del motel per un minuto e tornò indietro, facendo dondolare con disinvoltura su un dito una chiave e portando un contenitore di plastica pieno di cubetti di ghiaccio. Sempre canticchiando, gli allungò il contenitore del ghiaccio, aprì il bauletto della macchina e tirò fuori una grossa valigia di cuoio. Poi spalancò la porta della camera del motel e, ridendo, gli fece segno di entrare.

Hank Sanders, ormai più stupefatto che preoccupato, diede un'occhiata alla camera mentre Billy si dava un gran daffare ad aprire la cassetta del bar portatile ordinato a Londra dieci anni prima per essere adoperato alle corse o nelle cacce in campagna, un ricordo di un periodo della sua vita che le sembrava non meno arcaico delle bottiglie con il tappo d'argento che si accinse a disporre in fila sulla moquette in mancanza di un tavolo. Il pavimento della camera, fornita di aria condizionata, era coperto di una moquette morbida e pesante color lampone. Lo stesso tessuto rivestiva anche tre delle pareti fino al soffitto che, come la quarta parete, era occupato interamente da uno specchio. Hank, innervosito, si mise a girellare qua e là osservando che nella camera non c'erano né finestre né seggiole, solo un piccolo cassettone. La luce veniva da tre tubi, che dal pavimento arrivavano fino al soffitto, a cui erano attaccati dei faretti con le lampadine che diffondevano una luce rosata e potevano essere girati in ogni direzione. Quasi metà dello spazio era occupato da un grande letto basso con le lenzuola rosa pallido e tanti cuscini. Stava osservando, senza un motivo apparente, il bagno, quando Billy lo chiamò.

« Hank, che cosa bevi? »

Ritornò in camera da letto. « Signora Ikehorn, si sente bene? »

« Benissimo. Ti prego, non preoccuparti. E adesso, dimdi che cosa ti posso offrire. »

« Scotch, per piacere. Con ghiaccio. »

Billy era seduta sul pavimento, appoggiata contro il letto. Gli porse il bicchiere con la stessa naturalezza che avrebbe avuto se fossero stati a un cocktail party. Anche lui sedette sulla moquette, non c'era altro posto dove sedersi se non lì, o sul letto, pensò in preda all'agitazione, e bevve una lunga sorsata dal bicchiere d'argento purissimo in cui Billy l'aveva versato. Anche Billy lo imitò, dopo avergli sfiorato scherzosamente il bicchiere con il proprio.

« Al Motel Essex, quartiere giardino di San Fernando Valley, e a Ellis Ikehorn, che approverebbe », disse come facendo un brindisi.

« Cosa! » esclamò lui, completamente sconvolto.

« Hank, non c'è bisogno che tu capisca. Credimi. » Gli si fece più vicina e con lo stesso gesto casuale, ma preciso, con il quale gli avrebbe stretto la mano, allungò le mani eleganti e le appoggiò sulla V strettissima dei suoi jeans. Con gesti esperti seguì la forma del suo pene.

« Gesù! » Come se avesse ricevuto una scossa elettrica, Hank cercò di rizzarsi in piedi, ma ottenne soltanto l'effetto di rovesciare il liquore che aveva nel bicchiere.

« Penso che ti darà più piacere se starai seduto e fermo », mormorò Billy mentre apriva la lampo dei jeans. Il suo pene era completamente floscio per lo choc, ripiegato su un largo ciuffo intricato di peli biondi. Billy sospirò profondamente, deliziata. Le piaceva quando era così, morbido e piccolo. In questo modo, poteva infilarselo in bocca tutto intero con facilità e tenercelo, senza neppure sfiorarlo con la lingua ma limitandosi a sentirlo diventare sempre più grosso in quel calore umido, senza muovere un muscolo. Perfino i peli su quei due globi gonfi compresi fra le sue gambe erano color paglia. Li sfiorò col naso, inalando profondamente il loro odore segreto. Finché una donna non ha annusato un uomo proprio in quel punto lì, pensò, abbandonandosi alle proprie sensazioni, non può dire di conoscerlo. Sentì il pilota che si lasciava sfuggire un gemito, protestando, al di sopra della sua testa, ma non gli prestò attenzione. Hank stava riprendendosi dalla sorpresa e il suo membro cominciava a fremere e a ingrossarsi. Con la mano gli prese i testicoli facendo scivolare furtivamente il dito medio lungo la pelle tesa dello scroto e comprimendolo leggermente. Adesso le sue labbra e la lingua si muovevano insieme intorno al pene quasi eretto il quale, anche se piuttosto corto, era tozzo e massiccio come tutto il resto del corpo robusto e vigoroso del pilota. Questi si lasciò andare contro la sponda del letto, abbandonandosi completamente alla novità di quel ruolo passivo, sentendo il suo membro che sussultava e guizzava con un movimento pulsante man mano che si riempiva di sangue. Mentre diventava sempre più grosso e gonfio, Billy spostò leggermente la bocca e cominciò a lavorare soltanto la punta che si faceva sempre più tumida, succhiandola con un movimento forte e regolare intanto che lo accarezzava, scivolando lentamente su e giù con la punta delle dita. Con un gemito Hank, non volendo arrivare all'orgasmo troppo presto, sollevò la testa di Billy dal suo grembo e le nascose la faccia fra i capelli, baciandole il collo stupendo e pensando che, dopotutto, era solo una ragazza, soltanto una ragazza. La prese fra le braccia e la depose sul letto, poi si liberò dei jeans che abbandonò sulla moquette. E subito cominciò a slacciarle la camicetta: i seni nudi erano più grossi di come li aveva immaginati, con i capezzoli scuri e morbidi come la seta.

« Riesci a immaginare come ero tutta bagnata in quest'ultima ora? » gli mormorò Billy contro la bocca. « No, non credo che ne saresti capace... dovrai convincertene da solo... dovrò fartelo vedere io. » Con un solo movimento Billy si tolse la gonna: sotto, era nuda. Si mise a sedere e lo costrinse a distendersi sul letto, premendo il palmo delle mani sulle sue spalle. Lo scavalcò con un ginocchio e si spostò un po' più in su, mettendosi a cavalcioni su di lui e portandogli la vagina direttamente sulla bocca. La lingua di lui si allungò per catturarla, ma Billy continuò a muoversi ondeggiando sopra di lui in modo che Hank non riuscì che a lambirla a tratti. Infine, esasperato, non riuscendo più a sopportare di essere stuzzicato a quel modo, la afferrò per le natiche e se la avvicinò, appoggiando con forza la bocca fra le labbra tumide e carnose, succhiando, leccando, tirando e aspirando. Lei si irrigidì, con la schiena inarcata ed ebbe subito l'orgasmo. Il pene di Hank era così duro e gonfio che lui ebbe paura di non riuscire più a trattenersi e di scaricarlo con uno spruzzo in aria. Convulsamente afferrò Billy per la vita, ce la spinse sopra e la penetrò violentemente mentre era ancora squassata dai propri spasimi.

Le ore che seguirono non si ripeterono più, ma Hank Sanders le avrebbe ricordate per il resto dei suoi giorni anche senza la scatola d'oro georgiana, che era appartenuta al duca di Wellington, e che Billy gli regalò quella sera salutandolo davanti alla sua lussuosa residenza sulla collina di Bel Air.

Quando Billy cominciò a salire per l'ampia scalinata, ebbe l'impressione che la casa fosse vuota anche se ci dormiva almeno una mezza dozzina di domestici. Quando aveva detto a Hank Sanders che Ellis avrebbe approvato quello che avevano fatto poco prima, lui non aveva capito, ma Billy aveva detto la verità. Se fosse stata lei a morire, ormai vecchia, ed Ellis a sopravvivere, ancora giovane, probabilmente avrebbe dato una bella sbattuta alla prima donna sulla quale fosse riuscito a mettere le mani in una celebrazione privata del passato, un passato nel quale si erano amati così profondamente e completamente. Forse non era proprio l'idea che molti potevano avere del modo più sentimentale per dare l'ultimo saluto a un ricordo, ma si adattava alla perfezione a loro due.

Quando Wilhelmina Hunnenwell Winthrop nacque, a Boston, ventun anni prima di diventare Billy Ikehorn, chi si interessava di genealogia, e Boston, per gli alberi genealogici, può essere considerata alla stessa stregua del Périgord per gli appassionati di tartufi e di Montecarlo per i proprietari di yacht, l'aveva giudicata una bambina molto, molto fortunata. La sua vasta cuginanza includeva il numero indispensabile di Lowell, Cabot e Warren, una discreta manciata di Saltonstall, Peabody e Forbes e uno spruzzo del sangue imperiale degli Adams che si ritrovava in una generazione su due, o poco meno. Da parte di padre, si poteva risalire fino a un Richard Warren, il quale si trovava a bordo del *Mayflower* nel 1620, non era proprio possibile sperare di più! E da parte di madre non soltanto c'era l'impeccabile sangue di Boston, ma si poteva andare indietro nel tempo dritto dritto fino ai possidenti terrieri dell'antica amministrazione olandese della vallata dell'Hudson, nonché fino a qualcuno dei numerosi Randolph della Virginia.

I patrimoni delle antiche famiglie di Boston, nel complesso, si fondavano sulle golette, che navigavano i mari, sugli uffici contabili e sul commercio con le Indie occidentali. Questi patrimoni, conservati e amministrati con parsimonia dai prudenti incaricati dei clan familiari, a lungo andare avevano finito per costituire una rete di affari talmente fitta e complessa da fornire, in teoria, una grande sicurezza economica a ogni neonato bostoniano di una determinata classe sociale tanto che questi non avrebbe mai dovuto avere problemi finanziari e, anzi, sarebbe cresciuto domandandosi perché il denaro occupa un posto così importante nei problemi della gente.

Tuttavia, perfino nelle migliori famiglie di Boston, non mancava qualche ramo che non disponeva degli stessi mezzi degli altri.

Il padre di Billy Ikehorn, Josiah Prescott Winthrop, e la madre, Matilda Randolph Minot, erano entrambi gli ultimi discendenti dei rispettivi rami collaterali di queste grandi tribù dinastiche. I soldi della famiglia di lui erano stati inghiottiti fino all'ultimo centesimo nella grande rovina finanziaria toccata a Lee, Higginson & Co., la grande ditta di *brokers* che aveva perduto venticinque milioni di dollari dei clienti quando Ivar Kreuger, il « Re dei Fiammiferi », aveva fatto bancarotta e si era suicidato. La famiglia di Matilda non aveva più un soldo dall'epoca della guerra civile anche se era ricca di storia. Ciò che era rimasto dei dilapidati patrimoni di famiglia e che Josiah aveva portato nel loro matrimonio si era ridotto a una rendita di poco più di un migliaio di dollari l'anno. Nelle cinque generazioni precedenti, non era entrato denaro fresco né nell'una né nell'altra delle due famiglie ridotte ormai in condizioni precarie. Non solo, ma, andando contro la saggia usanza bostoniana di rimettere in sesto un patrimonio familiare in cattive condizioni mediante un matrimonio con un membro di un clan vicino fornito di una fortuna simpaticamente robusta e sostanziosa, le precedenti generazioni degli Winthrop avevano cocciutamente scelto come spose le modeste e sensibili figlie di educatori o di uomini di Chiesa, onorevoli professioni a Boston, ma finanziariamente poco remunerative. L'ultima somma decorosa raccolta con il denaro della famiglia era servita per mantenere Josiah Winthrop agli studi, alla Medical School di Harvard.

Questi era stato uno studente assai diligente e si era laureato con una votazione tra le migliori della sua classe, aveva esercitato la sua professione degnamente, come medico interno, nel famoso Ospedale Peter Bent Brigham. Si era specializzato in ginecologia e avrebbe potuto contare su una vastissima clientela anche limitandosi solo a curare le amiche delle sue parenti di sesso femminile, che si calcolavano a centinaia.

Purtroppo verso la fine dell'ultimo anno di lavoro come medico interno in ospedale, un po' tardi, a dire la verità, Josiah Winthrop aveva scoperto di non provare il minimo interesse per la clientela privata. Si era innamorato appassionatamente e perdutamente della ricerca pura nel preciso istante in cui aveva posto gli occhi sulle nuove possibilità nel campo degli antibiotici. Mettersi nella ricerca equivaleva per un medico a essere sicuro di non riuscire a mettere insieme il necessario per vivere con decoro. Il giorno stesso in cui avrebbe dovuto aprire uno studio e cercarsi una clientela privata, Josiah Winthrop entrò invece a far parte del personale dell'Istituto privato Rexford, come ricercatore, con uno stipendio di tremiladuecento dollari l'anno.

Matilda era troppo presa dagli ultimi mesi di gravidanza per pensare al futuro. Era convinta che, insieme, lei e il marito, avrebbero sempre saputo cavarsela con quattromiladuecento dollari l'anno e poi aveva la massima fiducia nel suo Joe, alto e smilzo, con gli occhi neri colmi della quintessenza della forza d'animo yankee. Quanto a lei, Matilda, un'autentica bellezza bruna, snella, con l'aria sognante, sembrava appena uscita dalle pagine di un romanzo di Hawthorne. C'era ben poco in lei degli altezzosi olandesi e della focosa nobiltà della Virginia che costituivano qualche ramo dell'albero genealogico della sua famiglia.

Quando nacque la bambina la chiamarono Wilhelmina come una zia alla quale Matilda era molto legata, una studiosa di mezza età che non si era mai sposata. Però si trovarono subito d'accordo nell'ammettere che Wilhelmina era un nome ingombrante per una neonata e chiamarono la figlioletta Honey, un diminutivo accettabile del suo secondo nome, Hunnenwell.

Un anno e mezzo dopo la nascita di Honey, Matilda Winthrop venne investita e uccisa mentre attraversava Commonwealth Avenue con il semaforo rosso in un momento di disattenzione provocato dal sospetto di essere di nuovo incinta.

Per un po' di tempo Josiah, disperato e ancora incredulo, assunse una bambinaia per la piccola Honey, ma dovette riconoscere quasi subito di non potersi permettere quel lusso. L'idea di risposarsi era inconcepibile e quindi si decise a fare l'unica cosa possibile: diede le dimissioni dall'amato Istituto dove si era già fatto un'ammirevole reputazione. Trovò un lavoro, meno nobile ma meglio retribuito, come medico interno in un ospedale piccolo e a corto di personale nell'oscura cittadina di Framingham a quarantacinque minuti di macchina da Boston. Questo impiego offriva parecchi vantaggi. Gli permise di affittare una casetta alla periferia della cittadina dove andò a stabilirsi con Honey e Hannah, una brava donna di buon cuore che svolgeva le funzioni di bambinaia, cameriera e governante; la casa

era vicina a un gruppo di buone scuole e gli lasciava un po'
di tempo libero per continuare le sue ricerche nel piccolo
laboratorio che si era fatto costruire nel seminterrato.

Honey era una cara bambina. Fin troppo paffuta e troppo timida almeno secondo il verdetto delle innumerevoli zie
che andavano in macchina a Framingham, in compagnia delle cuginette e dei cuginetti fino al quarto grado di parentela,
a far visita alla piccolissima, oppure venivano a prenderla
per condursela a casa propria dove, a volte, la trattenevano
anche per diversi giorni di seguito. Ma chi poteva farne una
colpa a lei, a quell'innocente creaturina senza mamma? Honey, a ben pensarci, non aveva che Hannah ad allevarla.
Hannah se la cavava in un modo meraviglioso ma... be'...
c'erano dei limiti alla sua educazione. Le zie decisero che
quando Honey avesse compiuto tre anni avrebbe dovuto
cominciare a frequentare la scuola materna della signorina
Martingale a Back Bay con la cugina Liza e il cugino Ames
e il cugino Pierce, dove avrebbe avuto la giusta preparazione
per poter apprezzare, in futuro, la musica e l'arte e per fare
la conoscenza di quei bambini che, secondo il corso naturale
degli eventi, avrebbero formato la sua rete di amicizie per
tutta la vita.

« Non se ne parla neppure », fu la risposta del padre.
« Honey vive una vita buona e sana qui in campagna ed è
circondata da dozzine di bambini decentissimi con i quali
giocare. Hannah è una brava donna, gentile e onesta, e non
riuscirete mai a convincermi che una bambina di tre anni,
che conduce una sana vita all'aperto ed è fornita di un'intelligenza normale, abbia assolutamente bisogno di essere in-
trodotta alla pittura o, Dio ce ne scampi, al gioco delle costruzioni. No, non ne voglio sentir parlare, e basta. » Nessuna delle zie riuscì a fargli cambiare idea. Era sempre stato
il più testardo di una famiglia testarda.

Così Honey, all'età di tre anni, diventò l'emarginata
della tribù. Anche le visite di quelle zie animate delle migliori intenzioni diminuirono considerevolmente poiché i loro
bambini erano impegnatissimi con la scuola materna, durante i giorni della settimana, e nel weekend volevano giocare con i nuovi amici che si erano fatti.

A dire la verità, non sembrò che Honey soffrisse seriamente per questo diradarsi dei rapporti con quell'orda di cuginetti flemmatici e di zie dittatoriali. Era felicissima di giocare con i bambini che abitavano nelle modeste case dei dintorni e, quando venne il momento, cominciò a frequentare un giardino d'infanzia locale. Né tantomeno si sentiva sola quando aveva la compagnia di Hannah, che ogni giorno le cucinava e metteva in forno dolci focacce e torte. Josiah veniva quasi sempre a mangiare con lei prima di scomparire nel seminterrato e di dedicarsi al suo lavoro. Questo era il ritmo che aveva preso la vita di Honey e, non avendo niente con cui confrontarlo, lo accettava senza difficoltà.

Dopo aver frequentato per due anni il giardino d'infanzia locale, Honey entrò alla scuola elementare Ralph Waldo Emerson di Framingham. Qui, fin dai primi giorni, si accorse poco per volta che, in lei, c'era qualcosa di diverso dalle compagne. Quelle bambine avevano tutte una madre, fratelli e sorelle invece della sola Hannah, che non era neanche una parente, e di un padre che vedeva soltanto durante un pasto frettoloso. D'altra parte nessuna di loro aveva una serie di cugini che vivevano in enormi proprietà terriere a Wellesley o a Chestnut Hill oppure in maestose case di città in Louisburg Square o in palazzi Bulfinch in Mt. Vernon Street. Non avevano zie che facessero parte dell'Associazione del Cucito e andavano alle Serate di Valzer della signora Welch anche se, ormai, venivano di rado a Framingham. Come, del resto, le sue compagne di scuola non avevano zii che erano andati tutti a Harvard, che giocavano tutti a squash o andavano a vela con grandi barche, che erano soci del Somerset Club o dell'Union Club, del Myopia Hunt o dell'Athenaeum. E neanche venivano accompagnate dall'una o dall'altra zia alla Boston Symphony qualche venerdì pomeriggio.

Honey prese l'abitudine di vantarsi dei suoi parenti e cugini e delle loro case per compensare, e rendere meno importante, il fatto che le mancassero la madre, fratelli e sorelle e una vita familiare comune e normale. A poco a poco le sue compagne di classe smisero di trovarla simpatica, ma ciò non incise minimamente sulle vanterie di Honey che non aveva, né avrebbe, mai capito con precisione di che cosa si risentissero. Presto le altre cominciarono a non giocare più con lei dopo la scuola, a non invitarla più a casa loro e a lasciarla fuori quando facevano le loro festicciole. Lentamente, inevitabilmente, senza poterci far niente e senza capirne il perché, diventò una bambina molto sola. Hannah si mise a cuocere ancora più torte, ma perfino la crostata di mele con gelato di vaniglia si rivelò di ben scarso conforto.

Non c'era nessuno con cui parlarne. Honey non prese mai in considerazione l'eventualità di spiegare a suo padre quello che provava. Non parlavano di sentimenti, loro; non l'avevano e non l'avrebbero mai fatto. Honey sapeva istintivamente, senza rendersene conto, che lui l'avrebbe disapprovata, se avesse scoperto che era infelice. Non essere popolare fra gli altri coetanei sembra, a un bambino, un giudizio definitivo che è stato dato contro di lui per ragioni che gli sfuggono mentre sono chiarissime per tutti gli altri. Un bambino subisce questo giudizio che lo danneggia tanto profondamente e se ne vergogna. L'umiliazione dell'impopolarità è talmente grande che bisogna tenerla nascosta a chiunque ti voglia bene e approvi il tuo modo di comportarsi. È troppo prezioso quell'amore per rischiare di perderlo, dicendo la verità.

Quando venne il momento in cui, dietro le insistenze delle zie, Honey sarebbe dovuta andare a lezione di ballo, perfino il cocciutissimo Josiah Winthrop non poté negare il suo permesso. Era troppo bostoniano di spirito per non accettare senza discussioni il sacro rito delle lezioni di ballo del signor Lancing de Phister. Senza neppure pensarci intuiva che Matilda, se fosse vissuta, avrebbe fatto parte di quell'eletto gruppo di madri raffinate ed eleganti che scortavano le figliolette alla sala da ballo del Vincent Club un sabato sì e un sabato no, nel pomeriggio, da ottobre fino alla fine di maggio.

Molto più tardi nella vita, Honey doveva scoprire che quasi ogni donna che aveva frequentato la scuola di ballo portava ancora nella memoria il ricordo angoscioso e inorridito di un paio di guanti perduti all'ultimo momento, di sottovesti che si slacciavano e cadevano nel bel mezzo di un valzer, di ragazzi sudaticci che schiacciavano i piedi di proposito. Honey, invece, era segretamente convinta che fosse un piacere rivelare questi piccoli traumi nostalgici come prova del fatto che provenivano da quel genere di famiglie che mandavano i loro rampolli alla scuola di ballo. Honey non parlò mai a nessuno del signor Phister e le lezioni che imparò a quella scuola ebbero sempre ben poco a che vedere con il ballo.

Invece che a nove anni, come sarebbe stato più appropriato, Honey frequentò il primo corso di lezioni quando ne aveva quasi dieci, per colpa del suo scomodo compleanno che cadeva in novembre. Una bambina di dieci anni che era alta un metro e sessanta e pesava sessantacinque chili. Una bambina di dieci anni con addosso un vestito comprato nel reparto per adolescenti della succursale di Wellesley di Filene perché non c'era niente che le andasse bene nel reparto per bambini. Un vestito orribile, che Hannah l'aveva aiutata a scegliere, un vestito di taffetà azzurro vivo decisamente mostruoso.

Quando entrò nell'atrio del Vincent Club, con un'Hannah imbarazzata al fianco, varie zie la baciarono e poi si scambiarono un'occhiata inorridita. «Tutta colpa di quel balordo di Joe, maledetto lui!» mormorò una di queste a un'altra, tanto infuriata da dimenticarsi di dire «ciao» alla sua figlioletta, deliziosa in un vestitino di velluto color rosa-polvere con il collettino di pizzo irlandese. Le cugine e i cugini di Honey, sparsi qua e là, le fecero un saluto con la mano mentre lei sgusciava di soppiatto, intimidita, nella sala affollata.

Gran parte del successo del signor de Phister dipendeva dal fatto che faceva pagare ai genitori dei maschi la metà esatta della quota che pretendeva, invece, dai genitori delle bambine, in modo che, in ogni classe, fosse garantito un eccesso di maschi. La sua prima regola era che ogni maschio doveva trovarsi una partner. Nessun ragazzino poteva starsene seduto durante un ballo finché tutte le bambine non avessero trovato un cavaliere. D'altra parte non era possibile impedire ai ragazzini di affollarsi, fra urti e spintoni, intorno a qualche bambina più precoce delle altre, per invitarla a ballare: c'erano sempre quelle che, già a nove anni, avevano scoperto il potere di determinati sguardi e sorrisi, di una certa intonazione di voce nel raccontare una barzelletta di un genere particolare. Come, del resto, non era possibile impedire che alcune bambine fossero sempre le ultime a essere invitate a ballare e il loro cavaliere fosse un maschio dall'espressione delusa, che si avvicinava loro riluttante, strisciando i piedi per terra.

Al ballo vero e proprio si alternavano sei periodi di istruzione da parte del signor de Phister e della moglie, prima dell'intervallo per una merenda, che cadeva esattamente a metà della lezione della durata di due ore.

Honey, per ben sei volte, fu l'ultima bambina a essere invitata a ballare. Quando l'incubo finì, almeno temporaneamente, Honey si diresse verso un tavolo sovraccarico di ogni ben di Dio, che si trovava in un angolo, e rimase un po' in disparte, cacciandosi convulsamente in bocca pasticcini e biscotti e bevendo varie tazze di punch dolce alla frutta. Sola, in un angolino, masticava ingordamente e si riempiva di continuo la bocca di tutta quella roba. Quando la signora de Phister diede il segnale d'inizio della seconda parte della lezione, non si staccò da quel cantuccio e si ficcò in bocca un ultimo dolce, ingollando anche la decima tazza di punch. Il signor de Phister la adocchiò subito. Non era la prima volta che succedeva una cosa del genere.

« Honey Winthrop », disse a voce alta, « raggiungi le altre bambine, per piacere. Stiamo per cominciare. »

Honey fu presa da un urto di vomito e un orribile fiotto violaceo le sgorgò dalle labbra. Tutti i dolci e il punch si sparsero, in una disgustosa poltiglia, sul tavolo del rinfresco macchiando la tovaglia di lino bianco e schizzando perfino sul pavimento lucido e immacolato del salone. La signora de Phister si affrettò ad accompagnarla nella toilette delle signore e, dopo essere rimasta a sorvegliarla per qualche minuto, ce la lasciò in modo che si riprendesse seduta su una seggiola. Più tardi, alla fine della lezione, Honey sentì qualche bambina che si avvicinava al suo nascondiglio e corse a rifugiarsi in uno dei gabinetti.

« Ma chi diavolo è quella... be', che schifo... quella orribile bambina così grassa e con quell'aria buffa, che ha quel vestito azzurro così fuori moda... figurati, vomitare in quel modo! Ma tu la conosci? Qualcuno mi ha detto che è tua cugina », domandò una voce sconosciuta. E poi Honey sentì la sua prima cugina Sarah che rispondeva con evidente riluttanza:

« Oh, è soltanto Honey Winthrop. Soltanto... una specie di lontana cugina, ma molto, molto lontana. Non vive neanche a Boston. Prometti che non lo dirai a nessuno, ma è una parente povera ».

« Oh, Sarah May Alcott, mia madre mi ha detto che una vera signora non adopera mai questa espressione! » La voce sconosciuta sembrava sinceramente scandalizzata.

« Lo so », rispose Sarah con una risatina, senza manifestare il minimo pentimento, « però lo è davvero. L'ho sentito raccontare dalla nostra Fraülein alla Mam'selle di Diana la settimana scorsa, al parco. Solo una parente povera, queste sono state le sue precise parole. »

Il resto di quel ricordo era andato perduto, anche se Honey sapeva che, a un certo momento, doveva essere ritornata da Hannah e che le sue zie dovevano aver tenuto una specie di consiglio di famiglia perché da quel giorno in poi o l'una o l'altra di loro la accompagnassero sempre a comprare i vestiti per le lezioni di ballo in un negozio di Newbury Street, discreto e riservato, che si era specializzato in abiti per le ragazzine « sbocciate precocemente ».

Di tanto in tanto Honey andava a Cambridge a far visita alla prozia Wilhelmina. Questa professoressa zitella era la sua parente preferita perché non le chiedeva mai niente della scuola o delle lezioni di ballo o delle sue amichette, ma parlava della Francia, di libri e le serviva una sontuosa varietà di torte e di tartine all'ora del tè nel suo minuscolo e ordinatissimo appartamentino. Honey cominciò ad avere il sospetto che anche la zia Wilhelmina fosse una parente povera.

Dal 1952, in cui compì dieci anni, fino al 1954 Honey

sopportò il sopportabile e diventò più alta e sempre più grassa. Due anni del signor de Phister, due anni di Ralph Waldo Emerson in cui perdette le poche amicizie che le erano rimaste quando le altre cominciarono a dare festicciole, a parlare di ragazzi e a tentare esperimenti segreti con il trucco e i reggiseni. Due anni durante i quali festeggiò la festa del Ringraziamento e il Natale e passò qualche settimana saltuariamente nel Maine o a Cape Cod in compagnia delle zie e dei cugini, senza che quelle parole insopportabili, « parente povera », le si cancellassero dal cervello. Prima di allora era stata infelice, ma cordiale e affettuosa. Adesso queste due parole la fecero diventare schiva e imbronciata e spiacevolmente timida e restia. Sarebbe potuta diventare amica delle cugine se si fosse sentita a proprio agio quando era in loro compagnia, perché non erano affatto ragazze scortesi o inavvicinabili. Dopo tutto, lei era una Winthrop. Ma il ricordo di quel pomeriggio alla scuola di ballo la persuase che dietro ogni volto sorridente c'era il disprezzo, dietro ogni osservazione che le veniva rivolta una nascosta condiscendenza, e che tutti l'avrebbero rinnegata se appena appena l'avessero potuto fare.

Honey cominciò a odiare le zie autoritarie e tutti quei cugini che si comportavano come se i soldi fossero l'ultimo dei loro pensieri. Lei sapeva che le cose erano ben diverse. Sapeva che quella era l'unica cosa che importava. Così cominciò a odiare suo padre perché non sapeva guadagnare più soldi, perché si occupava di un lavoro arido, dedicando lunghe ore a quelle ricerche di laboratorio che, per lui, dovevano essere molto più importanti di sua figlia. Cominciò a odiare Hannah, che pure le voleva un gran bene, perché non poteva aiutarla. Cominciò a odiare tutto a eccezione dell'idea di avere soldi, molti soldi. E roba da mangiare.

Josiah Winthrop fece un discorso molto serio e molto severo a Honey riguardo alle sue abitudini nel mangiare. Le dedicò una serie di lezioni circostanziate, ricche di informazioni sulle cellule grasse, sulla chimica del suo organismo e sulla alimentazione bilanciata. Le spiegò che si trattava soltanto di trovare la dieta adatta, che nessuno della sua famiglia era mai stato grasso e diede istruzioni ad Hannah perché la smettesse di preparare torte. Poi se ne andava all'ospedale o nel suo laboratorio senza che Honey e Hannah tenessero conto di quello che aveva detto. Honey, intanto, aveva quasi dodici anni e pesava settantacinque chili.

Durante l'estate che precedette il suo dodicesimo compleanno, la zia Cornelia, quella che Josiah Winthrop preferiva di tutta la sua famiglia, venne a trovarlo a Framingham una domenica pomeriggio.

« Joe, bisogna che tu faccia assolutamente qualcosa per Honey. »

« Cornie, ti assicuro che le ho parlato più di una volta del suo peso e che non ha nessuna occasione di mangiare roba che la ingrassi, in questa casa. Forse se la procura dalle amiche. In ogni modo, sia mio padre sia mia madre avevano tutti e due un'ossatura robusta, come probabilmente ricordi anche tu, e quindi diventerà magra non appena avrà raggiunto l'età dello sviluppo. Nel giro di due, forse anche tre anni, sarà ridiscesa al suo peso normale. Non c'è mai stato un Winthrop grasso! Naturalmente è alta come tutti i Winthrop... ma in questo non c'è niente di male. »

« Joe! Per essere un uomo così brillante, sei incredibilmente stupido. Non ti sto parlando del peso di Honey anche se, Dio solo lo sa, bisognerebbe farci qualcosa e per di più non è vero che ha l'ossatura grossa, anzi ha le ossa piccole come avresti notato anche tu se l'avessi guardata con un po' più di attenzione. Sto parlando del modo in cui sta crescendo. Non fa parte di niente. Ma tu sei talmente immerso in quel tuo maledettissimo lavoro che non ti accorgi neanche di quanto è infelice quella bambina. Ma non hai mai notato che non ha nessuna amica dalla quale farsi offrire tutta quella roba che mangia e la fa ingrassare? E non conosce neppure la gente che dovrebbe conoscere... si può dire che non fa quasi parte della famiglia. E non parliamo del signor de Phister: Dio solo sa come sia stata una tragedia anche quella delle lezioni di ballo. Joe, sai perfettamente quello che voglio dire, quindi non azzardarti a prendere quell'espressione stupita con me! E se non ne sai niente, è peggio ancora. Vergognati! Insomma la sua gente, tanto per parlar chiaro, la gente che noi siamo e frequentiamo, visto che mi costringi a essere cruda e a parlare senza peli sulla lingua, finirà per escludere Honey dal giro se non fai qualcosa! »

« Non c'è un po' di snobismo in tutto questo che mi stai raccontando, Cornie? Honey è una Winthrop, anche se la nostra posizione sociale è considerata inferiore alla vostra. » Joe, da uomo egoista, arrogante, ostinato, che detestava l'idea di essere chiamato a una resa di conti ed era capace di snocciolare una sequela infinita di pretesti e di scuse, stava sulla difensiva.

« Non mi importa come puoi chiamarlo, Joe. Io so soltanto una cosa: che Honey sta crescendo come un'estranea nel nostro mondo, e noi, per le persone estranee come lei, abbiamo pochissimo tempo. Non vorrei vivere in nessun altro posto del mondo a eccezione di questa Boston dove vivo, però riconosco i nostri difetti. Sono difetti che non hanno importanza quando appartieni a una determinata società, però Honey sta cominciando a non appartenervi più, Joe, e questo non è solo crudele ma anche inutile. »

L'espressione di Josiah Winthrop cambiò. Lui aveva sempre appartenuto a quella società, così completamente, con una tale sicurezza che, ovunque vivesse, per quanto pochi soldi avesse, qualsiasi cosa facesse, sapeva di appartenere a quella società con quel genere di convincimento che non ha bisogno di ottenere conferme. Sarebbe stato un Winthrop di Boston anche se fosse diventato un lebbroso, un assassino, un maniaco. Era inconcepibile che una sua creatura potesse non appartenere a quella medesima società, inconcepibile e impossibile. Il suo completo egocentrismo era stato colpito e raggiunto dalle parole, astutamente scelte, di Cornelia.

« Che cosa mi suggerisci di fare, Cornie? » si affrettò a domandarle augurandosi che si trattasse di qualche cosa che non gli prendesse neanche un minuto del suo tempo. Stava facendo grandi progressi nel suo piccolo laboratorio del seminterrato, ma gli occorreva tutto il tempo possibile, tutto il tempo che aveva a sua disposizione.

« Semplicemente lasciare che ti sostituisca io in alcune cose, Joe. Ho già tentato di farlo tempo fa, come forse ricorderai, ma me lo hai sempre impedito con le tue impuntature. Adesso è quasi troppo tardi. George e io lo considereremmo un vero piacere se ci permettessi di mandare Honey alla Emery Academy. Quest'anno ci andrà la nostra Liza, e ci sarà anche un discreto numero di simpatiche ragazze di Boston. In fondo, è stata la scuola dove è andata la tua mamma, e prima di lei la tua nonna, non ci sarà bisogno che ti ricordi proprio io che è in convitto che si formano quelle amicizie che durano tutta la vita. Se Honey entra alla scuola media superiore qui a Framingham, non farà mai quelle amicizie. È l'ultima opportunità che Je si offre, Joe, credimi. Detesto l'idea di sembrarti drammatica, ma sono del parere che lo devi assolutamente a Honey, e alla povera Matilda, e non puoi non accettare. »

Era un'elemosina, non si sarebbe potuta chiamare in nessun altro modo, pensò Josiah Winthrop; d'altra parte non poteva assolutamente permettersi di pagare le tasse della Emery Academy. Per tutta la vita si era vantato del fatto che nessuno aveva mai osato offrirgli qualcosa in elemosina; aveva scartato la scelta della pratica professionale privata, ben disposto a pagarne le conseguenze, ma adesso Cornelia l'aveva profondamente spaventato.

« Be'... grazie, Cornelia. Accetto con gratitudine. Sono stato riluttante... non ha molta importanza... sono sicuro che sappiamo tutti e due quello che sto cercando di dire. Per favore, fatti interprete dei miei sentimenti presso George. Stasera a cena darò la notizia a Honey. E so che lei pure ne sarà felice. Ma come facciamo per i moduli di domanda e tutto il resto? »

« Me ne occuperò io. C'è posto per Honey naturalmente... mi sono già informata. E, un'altra cosa, Joe: devi dire a Honey di prendere il treno di mezzogiorno per Boston, sabato prossimo. Mi troverò ad aspettarla alla stazione di Back Bay e di lì andremo insieme a ordinare le uniformi. Non potrebbe essere più semplice di così, carissimo. E poi, lo devo fare comunque, anche per Liza. »

Nella sua vittoria, Cornelia si sentiva generosa. Non vedeva l'ora di ritrovarsi con le sue sorelle al Chilton Club per il solito pranzo settimanale. In un colpo solo, trionfante, era riuscita a sconfiggere quell'orso noioso di Joe Winthrop, aveva rivelato una considerevole generosità: non che non se la potessero permettere, ma tuttavia... e si era messa a posto la coscienza, che l'aveva tormentata parecchio negli ultimi tempi, ogni volta che vedeva la povera Honey lasciata fuori dalle gare di nuoto o dalle corse a ostacoli con i pony nella sua villa di Chestnut Hill.

Quell'autunno, equipaggiata con tutto quello che aveva anche sua cugina Liza, Honey partì per Emery dove avrebbe passato i sei anni successivi, anni di solitudine, di una terribile solitudine, di un'immensa solitudine, anni nei quali si sentì una emarginata più di quanto non si fosse mai sentita prima.

Fra tutti i vari tipi di snobismo che rendono l'adolescenza un inferno per tante creature, uno snobismo tanto profondamente crudele da non avere paragoni nel mondo degli adulti, non ne esiste forse uno peggiore della rigida gerarchia che regna in un convitto per ragazze ad altissimo livello. In ogni classe si forma una cricca che domina le altre, poi c'è un altro gruppo di allieve di secondo grado, uno di terzo e uno di quarto e, qualche volta, perfino uno di quinto grado. Non esiste legge che dica che una ragazza appartenente a una di queste famose cricche non deve essere grassa come non ne esiste una che le vieti di essere povera, anche se le ragazze povere sono pochissime in scuole come queste; però esiste una legge secondo la quale ogni classe deve avere la sua quota di scarti e di derelitte. È la stessa legge per cui, se una ragazza si distingue come tale il primo giorno di scuola, così resta fino al giorno in cui prende la licenza e ne viene fuori.

Non manca qualche compensazione. Honey poteva studiare sodo e con profitto perché non riceveva nessuna offerta di unirsi alle altre per spettegolare o giocare a bridge. E in tal modo scoprì parecchi insegnanti i quali apprezzarono la sua intelligenza, e cominciò a prendere ottimi voti in francese che era insegnato esclusivamente come lingua da leggere e da scrivere. Honey tentò anche di fare qualche amicizia con altre derelitte come lei, tenute in quarantena, ma si trattava di relazioni che vivevano sempre nell'ombra di un'amara constatazione, quella cioè che, se non fossero state considerate la feccia della loro classe, avrebbero preferito cadere morte stecchite sul posto, piuttosto che essere scoperte mentre scambiavano qualche parola tra loro. Il suo contatto umano più stretto era rappresentato da Gertrude, una delle cuoche della scuola, una giovane donna grassa che nutriva un profondo risentimento per tutte le snelle fanciulle che doveva nutrire. Adesso ce n'era una paffuta e obesa quasi quanto Gertrude stessa. E questa capiva perfettamente come Honey non riuscisse a sopravvivere accontentandosi del vitto semplicissimo della scuola. Così, ogni sera, con una malizia mista a comprensione, lasciava un grande vassoio coperto nascosto nella dispensa adiacente la sala da pranzo, sul quale metteva oltre agli avanzi una bella quantità di dolci e paste comprati al villaggio vicino con i soldi che le dava la ragazza Winthrop, soldi forniti dalla zia Cornelia a Honey per gli extra.

Nell'ultimo anno di convitto, Honey aveva raggiunto l'altezza definitiva, un metro e settantadue, e pesava novantotto chili. Avrebbe pesato anche di più, ma Emery era orgogliosa della sua dieta sana, a base di pochi amidi e con un alto tasso di proteine. Honey era stata accettata dai due college Wellesley e Smith e la zia Cornelia progettava di mantenere la nipote al college nello stesso livello da prima classe che le aveva offerto per la scuola superiore. Invece Honey aveva un altro piano, concepito fra il dolore e la rabbia. Durante l'ultima visita che aveva fatto alla prozia Wilhelmina, la quale adesso era stata ritirata in una casa di cura a spese della famiglia, l'anziana signora le aveva consegnato un assegno sbarrato, da diecimila dollari.

« Sono i miei risparmi », le aveva detto. « Ma guarda che nessuno di loro deve saperlo, altrimenti George te lo porterà via per amministrarlo per te e non ti farà neanche vedere gli interessi. Adoperalo fintanto che sei giovane, fai qualche sciocchezza. Io non ne ho mai fatte in tutta la vita e, Honey, se tu sapessi come me ne pento adesso! Non aspettare che sia troppo tardi... promettimi che lo spenderai per te stessa. »

Una settimana dopo, Honey affrontò la zia Cornelia.

Con immensa trepidazione, le annunciò: « Non voglio andare al college. Non sopporto l'idea di passare altri quattro anni in una scuola femminile. Ho diecimila dollari che mi appartengono e ho intenzione... ho intenzione di andare a Parigi e viverci il più a lungo possibile ».

« Come... dove diavolo ti sei procurata diecimila dollari? »

« Me li ha dati la prozia Wilhelmina. Voi non sapete neanche dove li ho versati. Non permetterò a nessuno, neppure allo zio George, di investirli per me. » La ragazzona obesa aveva cominciato a tremare ora che, inaspettatamente, aveva osato mettersi a parlare con quel tono di sfida. « Se voglio, posso scappare e arrivare a Parigi prima che qualcuno di voi se ne accorga... e non riuscirete più a trovarmi. »

« Assolutamente impossibile. Non se ne parla neppure, mia cara figliola. Adorerai Wellesley, io sono stata entusiasta di ogni minuto dei quattro anni che ci ho passato... » Cornelia aveva cominciato a osservare Honey con attenzione per la prima volta dall'inizio di quell'incredibile conversazione. E quello che vide non la rassicurò affatto. Era chiaro che la ragazza parlava sul serio ed era pienamente convinta di ogni parola che diceva. Quanto alla vecchia Wilhelmina, una cosa molto poco ortodossa quella che aveva fatto... Consegnare denaro in contanti a una bambina! Mai sentita una cosa simile... doveva essere svanita. Eppure, forse si poteva salvare ancora qualcosa di questa situazione. Era un po' difficile costringere Honey a frequentare il college. Cornelia aveva pensato molte volte a quello che poteva fare la ragazza, una volta presa la laurea. Una specializzazione, forse, e probabilmente una carriera di insegnante. In fondo, era stata la prima della sua classe in francese. Un peccato che la figlia di Matilda diventasse un'altra professoressa zitella.

« Honey, vieni qui. Siediti. E adesso... ti prometto di prendere in considerazione il tuo piano, ma a due condizioni. Primo, bisogna trovare una buona famiglia francese presso la quale tu possa vivere e dove possano occuparsi di te nel modo più convincente. Non ammetto neppure che tu va-

da a vivere in un albergo o in uno di quegli ostelli per la
gioventù che sono così squallidi! Secondariamente, puoi starci soltanto un anno, un anno è più che sufficiente per Parigi, e quando tornerai a casa devi promettermi che andrai
all'Istituto Katie Gibbs a frequentare il loro corso di studi
di un anno. Se farai così, potrai trovare un ottimo posto come segretaria, perché è chiaro che dovrai cominciare a
pensare di guadagnarti da vivere. »

Honey rimase in silenzio qualche minuto a considerare tutto quello che la zia aveva detto. Una volta ottenuto
il permesso di andare a Parigi, non sarebbe stato facile
forzarla a tornare a casa. E i suoi soldi le sarebbero durati
più a lungo se viveva come ospite pagante presso una famiglia. A Emery aveva sentito dire che le famiglie francesi
non si interessavano molto di quello che facevano i loro
ospiti paganti, purché versassero puntualmente i soldi della
pensione. E, in un modo o nell'altro, sarebbe riuscita a evitare di frequentare il Katie Gibbs. Com'era possibile accettare l'idea di vivere come una segretaria? O di andare a
quella scuola così noiosa e severa?

« Accetto la proposta! » E rivolse alla zia uno dei
suoi rari sorrisi. Quella bambina aveva un sorriso proprio
incantevole, anche con quelle guance così grasse e il triplo
mento, pensò distrattamente Cornelia. Però lo si vedeva così di rado!

Quella sera Cornelia scrisse a lady Molly Berkeley, una
Lowell di nascita, e uno dei più importanti « canali » che
Boston avesse per raggiungere « la gente che si deve cono-
scere » in Europa.

Cara cugina Molly,

ho una notizia abbastanza eccitante. Honey Winthrop,
la figliola di Joe, ha in mente di passare il prossimo anno
a Parigi a perfezionare il suo accento prima di andare al
Katie Gibbs. È una brava figliola, buona e gentile di cuore,
anche se non è proprio una bellezza, temo proprio di dover-

lo dire. Mi chiedo se, fra tutte le tue amicizie francesi, non conosci per caso una simpatica famiglia presso la quale Honey potrebbe alloggiare come ospite pagante. Disgraziatamente non ha molte disponibilità finanziarie e, quindi, in un prossimo futuro, dovrà guadagnarsi da vivere. Però possiede una piccola somma di denaro che dovrebbe essere più che adeguata per permetterle di mantenersi nei prossimi anni, se ben amministrata. Spero di ricevere qualche notizia da te, cara Molly, prima del nostro arrivo. Saremo al Claridge, come al solito, in giugno e pregustiamo con piacere il momento di vederti.

Affettuosamente,
NELIE

Lady Molly Emlen Lowell Lloyd Berkeley, la quale aveva a quell'epoca settantasette anni e li portava con vigore e vivacità, aveva una vera passione per organizzare queste sistemazioni. Venti giorni dopo scriveva:

Nelie mia cara,
sono stata felicissima di ricevere la tua lettera e ho proprio una notizia molto promettente per te. Mi sono data un po' da fare a informarmi qua e là e ho scoperto che Lilianne de Vertdulac ha una camera per Honey. Sono sicura che ti ricordi di suo marito, il conte Henri, un uomo così simpatico. È stato ucciso in guerra, purtroppo, e la sua famiglia si è rovinata in seguito ad affari andati male. Lilianne prende una sola ragazza all'anno e siamo molto fortunate perché è assolutamente perfetta come scelta sotto tutti gli aspetti, per di più è una donna interessante e molto affascinante. Ha due figlie, più giovani di Honey, ma sono sicura che provvederanno a trovarle la compagnia di altre persone giovani.

La pensione, inclusi i pasti naturalmente, è di settantacinque dollari americani alla settimana, e lo considero un prezzo molto buono se si pensa cosa costa il vitto, di questi tempi, sul continente. Confermerò la sistemazione non appena avrò saputo qualcosa da te. Ricordami a George.

Affettuosamente,
MOLLY

L'autentica aristocrazia francese, non quella con un titolo nuovo conferito da Napoleone, ma l'antica aristocrazia realista, che fa risalire i suoi antenati fino all'epoca delle Crociate e più indietro ancora, è attaccata ai soldi almeno il doppio del francese medio. Il che significa che l'antica aristocrazia francese è attaccata ai soldi quattro volte di più di un essere umano medio. Per loro, tutto il denaro è denaro nuovo, a meno che non sia quello di famiglia o che non diventi il loro. Se un figlio di questi aristocratici sposa la figlia di un facoltoso mercante di vino i cui bisnonni facevano i contadini, si verifica istantaneamente una trasformazione mediante la quale la dote della ragazza acquista immediatamente tutto lo splendore di un patrimonio ereditato direttamente da Madame de Sévigné.

L'aristocrazia francese ha provato un vivo interesse per la brava gente di Boston fin dai giorni della rivoluzione francese quando un bostoniano, il colonnello Thomas Handasyd Perkins, la cui figlia aveva sposato un Cabot, liberò personalmente il figlio del marchese de Lafayette e condusse il ragazzo in salvo nel nuovo mondo. Naturalmente, ad andare bene a guardare, bisognava riconoscere che i bostoniani erano tutti commercianti o marinai e, in genere, discendevano da famiglie inglesi non titolate, se proprio si voleva insistere a risalire nel loro albero genealogico oltre la scogliera di Plymouth. Però bisognava ammirare la loro abilità nel fondare e ingrandire le loro fortune mentre, a ogni nuova generazione, diventavano sempre più raffinati. Anzi, un certo numero delle loro figliole era diventato così raffinato nel corso della storia che adesso portava i titoli più gloriosi di Francia. E poi, questi bostoniani, anche se possedevano di rado quei venerandi acri di terreno coronati da un *château* che era la sola cosa capace di soddisfare la deificazione francese della proprietà immobiliare, bisognava ammettere che erano i proprietari di un numero gratificante di fabbriche e industrie, banche e ditte varie. E avevano anche *ton*. Non erano mai volgari.

È sempre stato sottinteso che un giovane maschio aristocratico francese, senza beni di famiglia, deve sposare una ragazza fornita di un grosso patrimonio. È un obbligo sacrosanto verso i suoi genitori, se stesso e il futuro della sua famiglia. Ed è anche l'unico mezzo per continuare a conservarsi la terra. Un'aristocratica francese senza soldi, che non se li procura per mezzo del matrimonio, ha lo stesso tipo di obbligo nel mantenere certe forme, certi modi di trattare con il resto del mondo anche se è costretta a ridursi, letteralmente, a morire di fame, per quanto si spera sempre che non si debba arrivare fino a questo punto.

Lilianne de Vertdulac aveva perduto ogni cosa nella II guerra mondiale a eccezione del suo senso della forma, del suo coraggio, del suo stile e della sua gentilezza. Il suo stile era un miscuglio di gusto innato, ridotto alla sua espressione più semplice, e di ambiguità, la capacità di essere sempre un po' evasiva e di non svelare mai tutto di sé pur lasciando capire di essere disposta a una certa intimità con gli altri, una qualità che le dava quel fascino che le persone franche e dirette non ispirano mai. Perfino la sua gentilezza istintiva non era rimasta soffocata né si era esaurita in seguito alla successione annuale di ospiti paganti, giovani e generalmente americane, le quali provvedevano alla parte più cospicua del suo mantenimento. Era più che contenta di offrire un alloggio, per l'anno successivo, alla signorina Honey Winthrop, di cui lady Molly le aveva parlato con tanto entusiasmo nella sua lettera. Era evidente che la ragazza doveva avere un'ottima parentela, e sembrava addirittura legata da vincoli di famiglia con quasi tutta la vecchia Boston né più né meno come Lilianne era legata a gran parte del Faubourg St.-Germain.

Questa francese bionda e sottile, di quarantaquattro anni, abitava in un appartamento di boulevard Lannes, di fronte al Bois de Boulogne. In seguito alle complicazioni relative al blocco degli affitti degli anni di guerra, che non erano state ancora chiarite, poteva permettersi di vivere, con le due figlie adolescenti, in questa parte elegantissima di Parigi, anche se non era stata in grado di spendere neanche un soldo per la manutenzione dell'appartamento dal 1939. Questo era abbastanza grandioso, anche piuttosto malridotto, con alti soffitti inondati di luce. Inoltre era carico di quell'atmosfera femminile, calda e accogliente, caratteristica delle case nelle quali non vive e non viene invitato nessun uomo.

Madame la Comtesse in persona venne ad aprire la porta quando Honey arrivò. Normalmente era la cuoca Louise, che viveva in una stanza nell'attico della casa, a rispondere al campanello, quando aspettavano ospiti e Lilianne rimaneva rannicchiata fra i soffici cuscini consunti del divano nel *salon* fino a quando venivano fatti entrare gli invitati, e si alzava soltanto all'apparizione di una donna più anziana di lei. Questa volta però aveva desiderato mostrarsi particolarmente ospitale verso la nuova arrivata.

Il suo sorriso di benvenuto rimase, ma gli occhi le si allargarono in un'espressione di meraviglia, di stupore e di improvviso disgusto mentre stringeva la mano di Honey. Mai, no, proprio mai e poi mai, le era capitato di vedere una ragazza così monumentale. Era una specie di piccolo ippopotamo: incredibile, una vergogna. Ma come poteva essere successo? E che cosa ne avrebbe fatto di una ragazza del genere? Dove avrebbe potuto nasconderla? Mentre precedeva Honey nel *salon* dove il tè le stava aspettando, cercò di capire e di dare una spiegazione a questo orrore inaspettato. Anche se Lilianne non aveva mai previsto di passare tutta la vita ad accogliere in casa propria ospiti paganti, ciononostante si era sempre vantata del fatto che ogni ragazza, che passava un anno in casa sua, ne ripartiva migliorata in due sensi: prima di tutto con tutta la padronanza del francese consentita dall'intelligenza e dall'applicazione che questa aveva dimostrato nell'impararlo e, quel che era ancor più importante, con un senso dello stile, assorbito dall'aria stessa di Parigi, che non avrebbe mai acquistato se non avesse avuto quell'opportunità. Ma con questa figliola?

Mentre sedevano davanti al vassoio del tè, Lilianne

parlò con calma perfetta a dispetto di tutti i sentimenti che l'agitavano.

« Benvenuta in casa mia, Honey. Ti chiamerò Honey, va bene? E tu puoi chiamarmi semplicemente Madame. »

« Per piacere, Madame, potrebbe chiamarmi con il mio vero nome? » Honey si era ripetuta questo discorsino più volte durante il viaggio in aereo da New York a Parigi. « Honey è soltanto un vecchio nomignolo infantile e ormai sono cresciuta e non mi si adatta più. Il mio vero, primo nome è Wilhelmina, ma mi piacerebbe essere chiamata Billy. »

« Perché no? » Indubbiamente era più appropriato, pensò Lilianne, perché tutto quell'adipe rendeva la ragazza quasi senza sesso. « E poi un'altra cosa, Billy. Questa è l'ultima volta che ci parliamo in inglese. Dopo che ti avrò fatto vedere la tua camera e tu avrai messo via i tuoi vesti-ti, sarà quasi l'ora di cena. Si mangia presto in questa casa, alle sette e mezzo, perché le mie figlie hanno sempre mol-ti compiti da fare. Ora, dalla cena in poi, ti parleremo sem-pre in francese. Louise, la cuoca, non conosce neanche una parola di inglese. Sarà difficile, lo so, ma è l'unico modo possibile per farti imparare. » Lilianne chiariva sempre que-sta condizione a ognuna delle sue nuove ragazze. « In prin-cipio ti sentirai imbarazzata e molto sciocca, ma se non fac-ciamo così, non imparerai mai a parlare il francese come deve essere parlato. Non ti prenderemo in giro, ma ti cor-reggeremo di continuo, quindi non ti arrabbiare quando ca-piterà. Se ti permettessimo di ripetere continuamente lo stes-so errore, non faremmo il nostro dovere. » Lilianne, però, si rendeva perfettamente conto che le sue osservazioni non avrebbero fatto facilmente breccia nel cervello di Billy. Mal-grado tutti i suoi sforzi, le sue ospiti paganti passavano le giornate, e spesso anche le notti, con gli studenti americani che invadevano Parigi e non sfruttavano l'occasione loro offerta di entrare veramente nello spirito della lingua fran-cese.

Gli occhi di Billy scintillavano. Invece dell'espressione da animale preso in trappola che compariva generalmente sul-la faccia delle *pensionnaires* quando faceva questo annun-cio, questa sciagurata ragazza sembrava interessata e desiderosa di imparare. Bene, Lilianne si strinse mentalmente nelle spalle, forse questa era animata da intenzioni più serie. Certo, era il massimo che ci si poteva augurare, a ben considerare. In ogni caso non sarebbe mai stata come quella ragazza del Texas che aveva preso il suo appartamento per un albergo e aveva preteso che le si cambiassero le lenzuola tre volte alla settimana; oppure come quella di New York che si era lamentata che non ci fosse la doccia perché voleva lavarsi i capelli ogni giorno, o come quell'altra ancora, arrivata da New Orleans, che era rimasta incinta e aveva dovuto essere rispedita a casa; oppure ancora come quella di Londra che si era portata dietro quattro bauli, aveva domandato dozzine di grucce e, addirittura, aveva creduto di poter usufruire del guardaroba di Lilianne per appenderci i suoi vestiti.

L'organizzazione domestica in casa della Comtesse de Vertdulac era semplice. Louise faceva tutto il lavoro casalingo, si occupava interamente della cucina, del bucato e della spesa. Lavorava diciotto ore al giorno ed era contentissima.

Ogni mattina, parecchio tempo prima della colazione, Louise andava nelle botteghe di rue de la Pompe e comperava il necessario per i pasti della giornata: esattamente l'indispensabile e niente di più. La cucina non aveva un frigorifero. Tutto quello che doveva essere tenuto in fresco, come il latte o il formaggio, veniva messo nel *garde-manger*, una cassetta ventilata, inserita nella finestra della cucina, chiusa a chiave.

Louise era abilissima nel suo mestiere, e una delle sue qualità particolari era quella di riuscire sempre a fare qualche buona spesa al mercato. I negozianti la conoscevano bene e, ormai, non si azzardavano più a cercare di venderle tutto quello che non era di ottima qualità al prezzo più basso possibile. Ma con tutto ciò, il vitto assorbiva il 35 per cento del bilancio della famiglia. Lilianne de Vertdulac sapeva con esattezza, ogni giorno, quanti soldi Louise spendeva perché li tirava fuori dal borsellino la sera prima e, non appena Louise tornava, si faceva consegnare tutto il resto. Non era per mancanza di fiducia nella sua domestica che aveva dovuto ricorrere a questa decisione, ma semplicemente perché il denaro che riceveva dalla sua ospite in pagamento della pensione serviva a far vivere l'intera famiglia. L'affitto della casetta di sua proprietà a Deauville bastava solo a pagare i suoi vestiti e la scuola delle figlie, ma il vitto, l'affitto e tutte le altre necessità venivano dalla *pensionnaire* che ospitava.

Billy ripose la sua modesta scorta di abiti, in gran parte sottane e camicette di colori scuri, e andò sul balcone della sua camera a respirare l'aria di Parigi. Aveva letto ripetutamente tante descrizioni di questa città, molto al di sotto della realtà. Dal suo stretto balconcino riusciva addirittura a intravedere i castagni e l'erba folta del Bois. La camera era arredata semplicemente, con un letto pieno di gobbe coperto da una stoffa di damasco giallo alquanto lisa, ma reso più confortevole da un cuscino rigonfio, foderato della stessa stoffa. In fondo al corridoio c'era il gabinetto, in uno stanzino minuscolo, piastrellato, con la catena da tirare e la carta sottile, lucida, marrone chiaro. In camera, aveva un lavandino con sopra un piccolo specchio. Quando avesse voluto fare un bagno, le era stato detto che avrebbe dovuto informare la Comtesse, la quale le avrebbe messo a disposizione il proprio.

L'eccitazione le aveva quasi fatto dimenticare il cibo, ma quando sentì bussare alla porta perché la cena era pronta, si accorse di avere una fame incredibile, come mai in vita sua. Entrò nel *salon* a un'estremità del quale si trovava un piccolo tavolo ovale da pranzo e annusò l'aria piena di aspettativa. A differenza delle sale da pranzo di Boston e di Emery, qui mancava completamente l'odore di cucina.

Le due figlie della Comtesse aspettavano di essere presentate a Billy. Tutt'e due le strinsero la mano e pronunciarono poche parole in francese, con una cortesia grave. Billy non aveva mai visto altre ragazze come queste. Per quanto Danielle, la più giovane, avesse sedici anni e Solange, la maggiore, diciassette, avevano tutt'e due l'aspetto di ragazzine americane quattordicenni. Erano quasi identiche, pallide, con il visetto aguzzo e un po' duro, i lineamenti severi ma perfetti, i capelli biondi, lisci e lunghi con la scriminatura nel mezzo, e gli occhi grigio chiaro. Erano vestite press'a poco nello stesso modo, con la divisa del convento di cui frequentavano la scuola: sottana blu scuro a pieghe e camicetta azzurra, non erano truccate ed emanavano un senso di dignità ancora intatta, come scolarette inglesi tutelate e protette. Non avevano niente di francese.

Un rumore sordo che si avvicinava, accompagnato da scricchiolii, annunciò che Louise, sospingendo un antiquato carrello di legno a due piani, era in arrivo dalla cucina, che era situata all'estremità opposta dell'appartamento a forma di L.

Billy venne fatta sedere vicono alla Comtesse, la quale versò col mestolo, cautamente, dalla zuppiera una deliziosa minestra di verdura prima nel suo piatto, poi in quello di Billy e infine in quello delle sue figlie. Dopo la minestra ci furono uova alla coque, una a testa, seguite da un'abbondante insalata verde e da una fetta sottile di prosciutto cotto, una a testa. Dopo ogni portata Solange o Danielle toglievano i piatti sporchi dalla tavola e li ammucchiavano sul carrello bene in ordine. Sulla tavola c'era anche un cestino col pane, ma Billy si accorse subito che nessuna ne aveva ancora mangiato e non voleva essere lei la prima a farlo. In ogni caso, scoprì con orrore e incredulità di non essere completamente sicura del modo più esatto per dire, in francese: « Mi passi il pane, per favore ». Si diceva « *Voulez-vous me passer le pain?* » oppure « *Passez le pain, s'il vous plaît?* » Sembrava della massima importanza non dirlo se non nella forma più corretta. La lingua francese che Billy aveva letto e scritto con tanta fiducia e sicurezza a Emery, non pareva che avesse la minima connessione con i suoni che sentiva roteare e sibilare e borbottare e sussurrare intorno alla tavola, mentre le ragazze parlavano con la madre. Una parola su cento le pareva vagamente familiare, ma ben presto anche quel poco che riusciva a capíre venne sommerso dal panico crescente dal quale si sentì afferrare e dal fatto di accorgersi che, in un certo qual modo, doveva aver commesso un errore madornale: se questo era il francese, lei, Billy, non sapeva affatto parlarlo. Niente del tutto.

Quando furono tolti i piatti dell'insalata e vennero messi sulla tavola quelli puliti, Madame depose davanti al proprio posto un piccolo piatto da portata. Su questo faceva bella mostra di sé un formaggino appoggiato su un pezzetto di stuoia fatta di paglia intrecciata e circondato da un'elegante composizione, di un effetto incantevole, di foglie fresche. La Comtesse se ne tagliò giudiziosamente una fetta e passò il piatto di portata a Billy. Billy se ne tagliò anche lei una fetta identica a quella di Madame, troppo intimidita per prenderne di più. Finalmente venne fatto passare il pane insieme a una terrina rotonda con il burro, una terrina molto piccola anche se, sul panetto di burro, era stampigliato un grazioso disegno. Il formaggio non venne fatto passare una seconda volta. Il dessert era formato da una fruttiera che conteneva quattro arance di quella varietà che ha la sommità stranamente incavata: le ragazze e Madame sbucciarono ciascuna la propria, con il coltello e con ammirabile destrezza in un modo che Billy non aveva mai visto prima, ma che si sforzò di imitare come meglio poteva. Quasi al centro della tavola c'era una caraffa di vino, ma soltanto Madame se ne versò un bicchiere. Le ragazze bevvero acqua e Billy, alla quale nessuno aveva mai offerto vino ai pasti, fece altrettanto.

Finita la cena, Danielle e Solange sospinsero via il carrello e Louise portò un vassoio sul quale si trovavano due tazze piuttosto grandi e un bricco di caffè. Depose il vassoio sul tavolino che si trovava davanti al divano nel *salon* e la Comtesse invitò Billy con un gesto a seguirla laggiù, mentre le ragazze venivano congedate perché andassero a continuare i loro compiti. Fino a quel momento Billy non aveva pronunciato più di quattro parole. Quando le era stata fatta una domanda dall'una o dall'altra delle due sorelle, si era limitata a rivolgere alla ragazza un largo sorriso, che doveva sembrare molto stupido, almeno così pensava, e a scuotere la testa dicendo, mentre mimava una combinazione di tristezza e di confusione: « *Je ne comprends pas* ».

Dopo cinque minuti di un silenzio sconcertante impiegati a bere caffè nero, forte, addolcito da una grossa zolletta di zucchero bruno, Billy si fece coraggio e pronunciò un timido « *Bonsoir* » prima di ritirarsi nella sua camera. Aveva una fame rabbiosa. Tuttavia, prima di abbandonarsi alla disperazione, ricordò che per i francesi il pasto più robusto della giornata è quello di mezzogiorno e quindi la cena di quella sera doveva essere considerata l'equivalente del pranzo di mezzogiorno a casa.

Purtroppo non immaginava neanche lontanamente che la cena appena consumata sarebbe rimasta impressa nella sua memoria come uno dei pasti della sera più abbondanti che avrebbe mai mangiato sotto il tetto di Lilianne de Vertdulac. La minestra di verdura e la fetta di prosciutto cotto erano tocchi festivi del tutto speciali, per onorare la nuova ospite.

Billy scoprì molto presto qual era il modo in cui avrebbero mangiato abitualmente la Comtesse, le sue figlie e lei stessa. La prima colazione consisteva in due *tartines*, due fettine triangolari di pane francese tostato e su cui era spalmato uno strato sottile di burro e marmellata, accompagnate da una larga ciotola che somigliava a quelle per la minestra, ma non aveva il manico, piena per metà di caffè bollente e per l'altra metà di latte altrettanto bollente. A pranzo c'era sempre una fondina di minestra, un passato della verdura avanzata dal giorno precedente con l'aggiunta di qualche cucchiaiata di latte prima di servirla, seguita da una fetta di discrete dimensioni, e qualche volta anche due, di vitello arrosto, agnello o manzo, tutta magrissima e saporita: erano tagli di carne che costavano pochissimo e che Billy non aveva mai visto prima. La carne era accompagnata da un contorno di patate: un mucchietto di fettine trasparenti, lunghe come stringhe di scarpe e guarnite da una spruzzata di prezzemolo. Veniva poi, a parte, un piatto abbondante di verdura appena cotta, freschissima, servita fumante e condita con pochissimo burro. Poi il formaggino, ognuna di quelle piccole forme doveva durare due giorni, un'abbondante insalata di lattuga e un piatto di frutta. La cena, normalmente, consisteva in un uovo cucinato in vari modi, formaggio, insalata e frutta. Billy, con questo vitto, veniva a ricevere millecento calorie al giorno, la gran parte delle quali ricavata da proteine magre, frutta fresca e legumi.

Dopo due giorni di questi pasti magnificamente cucinati, elegantemente presentati e che, con sua grande disperazione, non la riempivano affatto, Billy cominciò a prendere seriamente in considerazione i mezzi con i quali doveva tentare di sopravvivere. Fece un'incursione terrificante, da incubo, in cucina per foraggiarsi, passando in punta di piedi davanti alle camere da letto come una ladra, per scoprire che la *garde-manger* non era chiusa a chiave in quanto era vuota. Fino al momento in cui Louise sarebbe andata a fare la spesa, la mattina dopo, in casa non c'era letteralmente neppure una crosta di pane. Pensò all'eventualità di fare amicizia con Louise, ma era un'azione impossibile dato che non sapeva parlare francese. Pensò di andare in un caffè o in un ristorante e farsi servire un pasto decente, ma il quartiere di Parigi in cui abitava era interamente residenziale. In ogni caso, Billy sapeva benissimo che non avrebbe avuto il coraggio di sedersi da sola in un caffè e di fare l'ordinazione in francese. Studiò perfino la possibilità di comprare un po' di roba e di mangiarla in strada, ma anche questo, per qualche misteriosa ragione, non era neanche da prendere in considerazione. Non aveva visto nessun francese che mangiasse in strada negli eleganti dintorni dell'appartamento della Comtesse, che confinavano con avenue Foch e avenue Henri Martin, i due viali nei quali si trovavano le case più raffinate ed eleganti di Parigi; solo di tanto in tanto le era capitato di veder uno scolaretto che correva verso casa, mordicchiando furtivamente l'estremità di una *baguette* di pane.

I tentativi di Billy di risolvere le sue necessità alimentari erano complicati dalle intuizioni alle quali era giunta nei suoi diciotto anni di vita e che riguardavano l'avere e il non avere.

Senza possedere la minima nozione del valore del denaro liquido, tuttavia era in grado di capire abbastanza bene la quantità di soldi che una persona aveva in rapporto con quella di altre persone che vivevano nella stessa cerchia.

Sapeva giudicare quali dei suoi cugini erano più ricchi e quali meno ricchi, e quali addirittura i più ricchi di tutti; quali delle sue compagne a Emery erano veramente ricche, quali soltanto ricche e quali ancora solo agiate. Aveva passato tutta la vita ad affrontare i problemi che nascevano dall'aver diritto a qualcosa e dal non averlo. Lei, Billy, non era una persona che avesse diritto a qualcosa e non lo era mai stata. Era un concetto, questo, che ormai aveva assorbito ed era entrato a far parte del suo sistema di valori. Billy aveva meditato per molti anni sul perché c'erano alcuni che avevano diritto a tutto quello che volevano e altri no e non era mai riuscita a darsi una risposta soddisfacente. Era vergognosamente ingiusto. Però era così.

Di conseguenza si rendeva conto benissimo che l'argomento del vitto era tabù in casa di Lilianne de Vertdulac. La quantità di cibo disponibile, Billy ricevette questa comunicazione da una fonte che riconobbe e accettò immediatamente, era tutto ciò che Madame poteva permettersi di servire. Ed era anche chiaramente sottinteso che sarebbe stato estremamente scortese e maleducato far capire che quella quantità di cibo lasciava Billy con lo stomaco vuoto e in preda ai crampi per la fame.

Ogni sera Billy si addormentava piangendo. Le sue giornate erano un'agonia. Cominciò a perdere quasi mezzo chilo al giorno. Adesso viveva con tremila calorie al giorno in meno di quelle che era stata abituata ad avere fin dai giorni dell'infanzia. Se fosse stata a Maine Chance o a Golden Door, nessuno sarebbe riuscito a farcela rimanere neanche con le minacce, ma qui si sentiva legata mani e piedi dal crescente interesse che provava sia per la Comtesse, con il suo fascino misterioso, sia per la lingua francese. Del resto, non aveva un altro posto dove andare.

Dopo il primo mese, Billy cominciò a sognare in francese e a cogliere il significato di qualche frase qua e là nelle conversazioni che si svolgevano intorno a lei. Timidamente cominciò a indicare gli oggetti e a domandare come si chiamavano in francese. Quando lo parlava, era un francese atroce, appena comprensibile, però il suo accento e l'intonazione erano quelli di Lilianne de Vertdulac.

Una sera, durante la quinta settimana del soggiorno di Billy, Danielle e Solange ebbero la loro prima discussione su di lei. Erano diventate talmente indifferenti alle ospiti paganti della madre che ne parlavano raramente fra loro.

« È strano », disse Danielle con la sua voce limpida e pura, « abbiamo avuto tante ragazze che diventano grasse, a furia di bere tutto quel vino e di andare al ristorante ogni sera con il loro ragazzo, ma non ne abbiamo mai avuta una che arrivasse già grassa. »

« Una è più che sufficiente », ribatté Solange in tono tagliente.

« Non fare l'antipatica. Forse non è colpa sua, forse è una questione di ghiandole », azzardò Danielle che era più dolce.

« Forse è semplicemente una questione di razza, di americani golosi che mangiano tutto quello che vedono. »

« Solange, credo che stia diventando più magra. Sul serio! »

« Un po' difficile. Ma non ti sei accorta che prende sempre tre *tartines* a colazione, e ne prenderebbe anche quattro se fosse possibile, e poi sono sicura che ruba lo zucchero. Quando ho portato in cucina il vassoio del caffè, ieri sera, la zuccheriera era quasi vuota e Maman beve sempre il suo caffè senza zucchero. »

« Può darsi, però guardala anche tu e vedrai che la sottana le balla addosso. E anche la camicetta. »

« Le sono sempre state larghe, tanto per cominciare! »

« Cretina! Se ti dico che sta dimagrendo! Guardala anche tu e vedrai. »

« Ah no, grazie! Torna ai tuoi compiti, piccola imbecille, mi fai perdere tempo e ho da studiare Racine. »

Durante l'occupazione della Francia e negli anni duri che avevano fatto seguito alla fine della guerra, Lilianne aveva preso l'abitudine di rifiutarsi di prendere in considerazione le cose che vedeva e che la lasciavano sconvolta. Così non aveva più guardato con attenzione la sua nuova *pensionnaire* dopo quel primo giorno dell'arrivo, quando ne aveva avuto un'impressione di qualcosa di immenso e grottesco, assolutamente fuori dai limiti: una selva di capelli neri che ondeggiavano disordinati intorno a una faccia paffuta, due occhi scuri e penetranti, vestiti impossibili, scarpe sorprendenti perché erano ottime e un buon orologio da polso. Anche se compì il suo dovere di guida temporanea per Parigi, conducendo Billy a vedere tutti i posti di importanza storica che era obbligatorio vedere, vi si adattò senza entusiasmo e senza badare alle reazioni della ragazza. Non aveva nessuna intenzione di far diventare un'abitudine queste passeggiate. Le altre sue ospiti paganti avevano imparato presto a cavarsela da sole. Questo ippopotamo di Boston, al contrario, fu la riflessione di Lilianne, sembrava diventata un'appendice della famiglia: le chiedeva in prestito il *Figaro* ogni mattina quando lei l'aveva finito, leggeva Colette nella sua camera tutto il pomeriggio, girellava per il *salon* fra il pranzo e la cena senza mai perdere il tè, faceva qualche passeggiata nel Bois, occasionalmente, ma senza avventurarsi mai troppo lontano dal circondario per il timore di saltare qualche pasto a casa. E adesso, secondo Danielle, stava perdendo peso.

Quella sera Lilianne diede la seconda occhiata inquisitrice a Billy. Credeva sempre a quello che le facevano vedere i suoi occhi. Una francese crede sempre ai propri occhi, sia che si tratti di un pollastrello da ispezionare prima di comprarlo o della nuova collezione di Yves Saint-Laurent. Lilianne vide una ragazza eccessivamente grassa, troppo pesante, alta Dio solo sapeva quanto, una ragazza, però, che qualche piccola possibilità l'aveva. L'altra ragazza, quella che lady Molly le aveva mandato, non aveva nessuna possibilità. Assolutamente nessuna.

Una francese ha un debole per le possibilità: le piacciono più della perfezione. Le offrono l'occasione per combinare, trovare una soluzione, arrangiare qualcosa e questa, in tutte le sue infinite sfumature, è una passione gallica.

Arranger, s'arranger sono verbi usati in Francia e includono fra i loro significati la felice sistemazione di qualsiasi cosa, da un complicato problema legale a una relazione amorosa svuotata di significato, dalla risoluzione di un cambio di governo alla scelta del bottone giusto. « *Ça va s'arranger* », « *Je vais m'arranger* », « *L'affaire est arrangée* », « *On s'arrangera* », ecco le frasi-chiave della Francia, la promessa mantenuta, l'assicurazione data, l'obbligo adempiuto.

Lilianne prese la decisione che la questione di Billy Winthrop andava sistemata come si doveva. Per quel che le sembrava, la ragazza doveva aver perduto nove o dieci chili, forse anche di più, per quanto fosse un po' difficile stabilirlo in una persona così grassa. Se ci era riuscita in cinque settimane, non era possibile che diventasse presentabile nel giro di due o tre mesi? E se diventava presentabile, chissà che non si potesse combinare qualcosa? Intanto c'era la questione dei vestiti. Non poteva portare quella sottana di cotone marrone che, Lilianne adesso se ne accorse, era tenuta chiusa da una spilla da balia malamente infilata all'interno della cintura. E anche quella camicetta! Un orrore. Tipicamente bostoniana, senza dubbio.

« Io la trovo una combinazione molto chic, e tu? » Lilianne domandò a Billy. Si trovavano in un negozio dell'avenue Victor Hugo dove le signore eleganti del XVI⁰ Arrondissement facevano la maggior parte dei loro acquisti di generi d'abbigliamento già confezionati a un prezzo moderato. Billy rimase sbalordita. Non sapeva che cosa fosse chic.

« Sì, Madame, molto chic », rispose, perché aveva già capito dalla sua espressione che la decisione era ormai stata presa. Billy, andando indietro nei suoi ricordi fin dove era capace, rammentò di aver sempre evitato di guardarsi nello specchio di un salottino di prova. Era abile a rimanersene lì, in piedi, con aria svagata, docile e arrendevole, mentre la commessa e una delle sue zie le sceglievano i vestiti. Non aveva opinioni. Non aveva nessun motivo per interessarsi a quello che metteva addosso.

Il suo tono di voce, nel quale aveva tentato di mettere entusiasmo senza riuscirci, richiamò per la prima volta l'attenzione di Lilianne sulla estrema giovinezza di Billy. Era proprio una bambina, soltanto un anno più vec-

67

chia di Solange che andava ancora a scuola. I suoi impulsi da Pigmalione, delusi da una serie di ospiti paganti ben sicure di sé, che avevano sempre respinto le sue allusioni o i suoi consigli, non si erano mai completamente spenti e ora ritrovò ancora l'antica gentilezza.

« Ma guarda, Billy, come cade bene questa sottana di flanella grigia. È tagliata in un modo molto intelligente: ti fa sembrare talmente più magra che non riesco a credere ai miei occhi. Voltati un po' e guardati anche tu nello specchio, e capirai quello che voglio dire. La disposizione delle pieghe qui... ti toglie di dosso addirittura qualche chilo! E questi maglioncini rosso scuro sono di un colore magnifico per te. Guarda che tonalità calda ti danno alla pelle... »

Billy si girò di malavoglia. Questa era l'umiliazione che temeva di più. Ma si accorse che Madame non sarebbe stata contenta finché non le avesse dato l'impressione di interessarsi realmente a quella sottana e ai maglioncini. La Comtesse non si accontentava facilmente, come una delle sue zie.

Azzardò una rapida occhiata nel triplice specchio e distolse di nuovo, subito, gli occhi. Poi, perplessa, ne azzardò un'altra. E si contemplò di fronte. Poi si rimirò da un lato, si voltò con un gesto goffo e si guardò dall'altro. Infine dispose i tre pannelli dello specchio in modo da poter avere una veduta retrostante della propria figura. Le lagrime le inondarono gli occhi, annebbiando quella visione miracolosa. Aveva un aspetto O.K. Veramente O.K. Era la prima volta nella sua vita che le veniva spontaneo pensarlo. Allungò le braccia verso la fragile Comtesse e la strinse a sé in un abbraccio, annullando in un momento la formalità dei rapporti che c'erano sempre stati fra loro.

« *Vive la France!* » balbettò Billy, ridendo e piangendo al tempo stesso. Lilianne de Vertdulac non avrebbe mai saputo spiegare perché, ma piangeva anche lei.

L'insorgere di un'ossessione può essere una cosa magnifica, specialmente quando ci si trovano coinvolti il primo amore e la speranza. Billy non aveva amato se stessa per molti anni e, per altrettanti anni, la speranza era andata lentamente estinguendosi in lei. Parigi era il suo ultimo atto di speranza e adesso, rimirandosi nello specchio del negozio di avenue Victor Hugo, sentì il primo palpito di amore per se stessa.

E, come se le avesse usate tutta la vita, Billy cominciò a esercitare le caratteristiche dei Winthrop che si ritrovavano in suo padre: la dedizione totale a una causa, una severa autodisciplina, la volontà di lottare a tutti i costi per uno scopo preciso, la determinazione di muoversi senza sosta in direzione di un ideale di perfezione.

Billy era sempre stata intelligente, ma era sempre rifuggita da ogni impulso verso l'introspezione. Mangiava per evitare di pensare a se stessa e al perché non c'era nessuno che le voleva bene. Adesso, dapprima con grande timidezza e poi con una libertà sempre maggiore, diventò l'oggetto del proprio amore. Presto si volle abbastanza bene per cogliere con piacere la sensazione di aver fame e per scoprire che, per lei, era una sensazione necessaria. Nel giro di qualche settimana si sviluppò un terrore ossessivo di alzarsi da tavola con la piacevole impressione di sentirsi sazia, e questo le sarebbe rimasto per tutta la vita.

Al ritorno da quella prima spedizione di acquisti, Lilianne aveva presentato Billy alle sue figlie con aria trionfante, come se stesse offrendo alle due ragazze un gigantesco e inaspettato regalo di Natale. Danielle si mise a ballare intorno a Billy una festosa sarabanda, e perfino la gelida e caustica Solange fu costretta ad ammettere che la loro ospite pagante era un po' meno imbarazzante da avere in giro adesso che pesava ottantadue chili di quando ne pesava novantanove. Lilianne trovò una bilancia in un armadio e la installò nel proprio bagno. Qui, ogni settimana, le quattro donne tenevano una riunione di pesatura. Billy appariva pudicamente avvolta in una spugna, della quale era stato calcolato anticipatamente il peso, un chilo. Mangiando il vitto abituale di casa Vertdulac, Billy continuò a perdere regolarmente poco meno di tre chili la settimana: per questo veniva ricompensata con un pezzo extra di pollo arrosto, magro e senza la pelle, ogni domenica.

A mano a mano che l'adipe scompariva, Billy cominciò a scoprire le proprie ossa. Erano ossa piccole, come quelle di tutta la famiglia di sua madre e lunghe lunghe, come quelle della famiglia di suo padre. Presto si accorse di non avere assolutamente muscoli, eccetto che nelle gambe, grazie agli anni di hockey da campo obbligatorio e di gite in bicicletta su per le ripide colline di Emery. Si iscrisse a un corso di danza moderna in rue de Lille a parecchi chilometri di distanza da casa: il corso si teneva ogni giorno nel pomeriggio, e Billy non perse mai una lezione.

Diventò la schiava di un complesso rituale, che riguardava interamente il suo corpo. Doveva andare a piedi alla lezione di danza o all'andata o al ritorno e, se saltava un giorno, il giorno successivo doveva fare a piedi il tragitto sia all'andata sia al ritorno. Non doveva mai prendere la terza *tartine* alla prima colazione. Doveva bere il caffè senza zucchero. Doveva spazzolarsi i capelli duecento colpi di spazzola ogni giorno. La biancheria nuova che si era comprata doveva essere lavata ogni sera prima di andare a dormire, anche se era mortalmente stanca. Billy cominciò a scrivere in un taccuino segreto la lista dei piatti di ogni pasto per calcolare quanti grammi di cibo aveva consumato ogni giorno. Abbracciò la religione della magrezza come una neofita appena convertita. Se avesse dovuto indossare una camicia di crine, lo avrebbe fatto con letizia.

La sottana grigia nuova dovette venire ristretta una prima volta e, successivamente, una seconda, dalla sartina di Lilianne. Presto i famosi maglioncini rosso cupo cominciarono a pendere addosso a Billy da tutte le parti, ma la ragazza decise di non comperarne altri finché non fosse completamente calata di peso. Buttò via tutti i vecchi vestiti a eccezione del mantello d'inverno, di nutria marrone scuro, che le aveva regalato la zia Cornelia per il diciottesimo compleanno. Mentre continuava a dimagrire, Billy e la Comtesse fecero una spedizione da Hermès, dove Billy si comperò una cintura più alta per stringersi addosso il cappotto di pelliccia e una più bassa per i golfini. In aggiunta, si comperò il primo foulard di Hermès. Lilianne le aveva insegnato che, con una sottana di buon taglio, un bel paio di scarpe, un golfino decente e uno di quegli indispensabili fazzoletti di seta di Hermès, ogni francese si poteva considerare vestita altrettanto bene quanto la regina di Inghilterra, la regina del Belgio, la Comtesse de Paris, moglie del pretendente al trono francese, perché era proprio così che tutte quelle regali signore si vestivano sempre nella vita privata.

Billy aveva un segreto. Cominciava a capire quasi tutto quello che veniva detto a tavola. All'improvviso tutto, adesso, le sembrava che avesse un senso. Billy sentiva che il francese era per lei come il tesoro per l'avaro, il gruzzolo nascosto che le avrebbe spalancato le porte di un regno. Però non era ancora pronta a dar prova di quello che sapeva davanti a un gruppo di persone.

Danielle fu la prima ad accorgersene.

« Maman? »

« Sì, chérie? »

« Credo che Billy si sia fatta l'orecchio. »

« Sul serio? »

« Sì. Ne sono sicura. L'altro giorno siamo rimaste sole per qualche minuto e io le ho fatto i miei complimenti per la sua diminuzione di peso e allora mi ha risposto e abbiamo chiacchierato un po'. Si è fatta l'orecchio. La sua grammatica e il vocabolario non sono ancora buoni, e non capisce assolutamente il congiuntivo, però l'orecchio c'è. »

Lilianne sentì un fremito di trionfo. L'orecchio era tutto. Una persona poteva vivere in Francia vent'anni e parlare un francese ineccepibile e corretto come quello di un libro di testo, ma se non aveva l'orecchio per la lingua, non sarebbe mai stata accettata come una francese dai francesi stessi. Se Billy si era fatta realmente l'orecchio e Danielle non poteva sbagliarsi in una cosa tanto importante, il merito era tutto suo, di lei, Lilianne, la quale aveva insistito che nessuno le parlasse in inglese. Le sue figliole, che venivano mandate a casa di amici inglesi ogni estate, parlavano un inglese perfetto, da persone di elevata classe sociale. E come tutti sanno, una seconda lingua è il fondamento di una buona istruzione. Eppure Billy non aveva mai neppure sospettato che avrebbe potuto comunicare con loro nella propria lingua ed essere capita. Perché avrebbe rovinato tutto. Invece sembrava proprio che le cose si stessero mettendo benino.

Verso la fine di dicembre, la Comtesse ricevette in dono quattro conigli selvatici ben pasciuti che suo nipote, il Comte Edouard de la Côte de Grace, aveva catturato nei prati del suo casino di caccia nell'Ile-de-France a una sessantina di chilometri da Parigi. Louise, che era stata famosa per la sua cucina regionale tradizionale nei giorni dell'abbondanza, prima della guerra, una mattina fece una spedizione particolarmente importante nelle botteghe e tornò a casa con tutti gli ingredienti per un *ragoût de lapin* classico e per la sua specialità, una crostata di mele cotte nello sciroppo di zucchero. La Comtesse invitò i suoi distintissimi zii, il Marquis e la Marquise du Tour la Forêt oltre a un'altra coppia simpatica, di mezza età, il Baron e la Baronne Mallarmé du Novembre, che Billy aveva già conosciuto a una delle piccole, e rarissime, cene della Comtesse rese possibili in seguito a un omaggio di cacciagione da parte dell'uno o dell'altro dei suoi amici che andavano a caccia.

Lilianne de Vertdulac non era stata spinta a questo invito tanto da un bisogno di essere ospitale, pur tenendoci sempre molto a non perdere i contatti con la cerchia del suoi vecchi amici, quanto piuttosto dal desiderio di mettere orgogliosamente in mostra quello che era riuscita a realizzare. Billy, a suo giudizio, non poteva che fare onore e rivelare i suoi meriti. D'accordo, la ragazza mancava ancora completamente di chic. Se per averlo, fosse bastato un fazzoletto di seta di Hermès, tutto il mondo avrebbe potuto essere chic. Però aveva raggiunto qualcosa di molto più importante per la mentalità della Comtesse. Aveva classe. Aveva una pelle assolutamente perfetta, come i denti, grazie all'insistenza della zia Cornelia che andasse da un dentista, i capelli lunghi, scuri, tirati indietro in una semplice coda di cavallo, erano folti e ben curati, e la sottana come il maglioncino erano abbastanza decenti. Il suo modo di comportarsi era modesto; il portamento, da quando aveva cominciato ad andare alle lezioni di danza, eccellente; e sembrava, a guardarla, proprio quello che era, *une jeune fille américaine de très bonne famille*. La Comtesse conosceva bene i suoi amici: il loro giudizio si basava sullo standard patrizio più antico; non si sarebbero lasciati imbrogliare da un'imitazione per quanto abile potesse essere. Non li avrebbe mai invitati, in tutta intimità, a una cena con la ragazza venuta dal Texas o con quella arrivata da New York, ma la ragazza di Boston era tutta un'altra faccenda. Avrebbe passato qualsiasi esame.

Negli ultimi tempi, Billy aveva rivelato qualche segno di quella che la Comtesse considerava la bellezza autentica; ma poi Lilianne si era detta severamente che era troppo presto per capire se si trattasse della promessa di qualcosa che sarebbe sbocciato in ‘seguito, oppure di una sua speranza personale. Era già sufficiente che Billy restasse magra, si disse Lilianne, per mettersi in guardia contro un eccessivo entusiasmo.

Il Marquis du Tour la Forêt, il quale ammirava il coraggio della nipote in quella situazione finanziaria dalle disponibilità tanto limitate, arrivò con un omaggio di tre bottiglie di champagne da bere durante il pasto, e insistette galantemente che Billy ne bevesse un bicchiere ogni volta che veniva aperta una bottiglia, rifiutandosi assolutamente di prestare ascolto alle sue proteste che non era abituata a bere vino. La tavola venne allargata in modo da far posto anche ai quattro ospiti e, mentre Danielle e Solange servivano la crostata di mele, la Baronne Mallarmé du Novembre cercò di introdurre nella conversazione la timida e giovane ospite pagante di Lilianne, domandandole se era vero quel vecchio detto che aveva sentito ripetere tante volte su Boston: i Lowell parlavano ancora soltanto con i Cabot mentre i Cabot parlavano soltanto con Dio.

Non era una domanda che si potesse fare con leggerezza a una Winthrop. Neanche per scherzo. Billy, prima ancora di avere il tempo di decidere se sorridere o no in uno dei molti modi che aveva trovato per rispondere a una domanda senza essere costretta a parlare, si trovò lanciata in spiegazioni dettagliate e complicate sui relativi meriti dei

Gardner, dei Perkins, dei Saltonstall, Hallowell, Hunnenwell, Minot, Weld, e dei Winthrop in relazione ai Lowell e ai Cabot. Toccò rapidamente l'argomento dell'albero genealogico dei Wolcott, dei Bird, dei Lyman e dei Codman e prima che finisse quell'appassionato volo panoramico, ravvivato dallo champagne, sulle genealogie, qualcosa nell'espressione incredula di Madame attirò la sua attenzione... sul fatto che stava parlando... troppo?... Troppo forte?... No... in francese!

La barriera era caduta per non rialzarsi mai più. Una esperienza così completa e profonda in una lingua è più che sufficiente. Aprì tutte le porte all'intelligenza di Billy, distrusse tutte le sue esitazioni, vinse la sua timidezza.

Billy, parlando francese, si scoprì diversa dalla persona che era stata prima. In francese non era mai stata una delle « escluse » a scuola, né una parente povera, né tantomeno l'ultima e la meno importante della sua cuginanza. Come, a quanto sembrava, non era mai stata grassa. Né sola o non amata. Scoprì che le lezioni imparate meccanicamente, e subito dimenticate, le si affollavano di nuovo nel cervello, piene di una realtà così ovvia e logica da lasciarla senza fiato, sbalordita di fronte all'ignoranza del loro significato che, pure, aveva imparato a memoria soltanto un anno prima o poco più. Si mise a parlare, parlare, parlare. Ai conducenti degli autobus, a Louise, a Danielle e a Solange, ai bambini al parco, alle ragazze della sua classe di danza, ai bigliettari del métro, e soprattutto a Lilianne.

Ogni giorno estendeva la sua conoscenza del francese allo stesso modo in cui allungava e stirava il suo corpo alla lezione di danza. Cominciò ad accumulare avidamente le *minutiae* della vita francese. Era perfettamente corretto rivolgersi a una duchessa chiamandola soltanto « Madame », una volta che le si era state presentate, ma bisognava stare attenti a chiamare la *concierge* con il suo nome intero, « Madame Blanc », ogni volta che la si vedeva; una ragazza non sposata non doveva mai aspettarsi che un uomo le baciasse la mano e, cosa più sorprendente di tutto, la Comtesse si considerava una buona cattolica anche se andava a Messa soltanto a Pasqua. C'era dell'altro: mandare in regalo una composizione floreale era un insulto, perché lasciava intuire che non si attribuisse a chi la riceveva la capacità di tagliare i fiori e disporli in un vaso, però non era tanto grave quanto scrivere una lettera personale a macchina.

Adesso cominciò a comprarsi qualche vestito nuovo con quella che la Comtesse trovava la tipica cautela bostoniana. Qualche golfino e qualche gonna, svariate camicette di seta, un cappotto su misura di lana e un vestito nero molto semplice, che portava con le perle, straordinariamente belle, regalatele dalla zia Cornelia per la licenza a Emery. Ogni acquisto veniva fatto nel negozio di avenue Victor Hugo con il consiglio di Lilianne, la quale iniziò in quella occasione Billy al segreto che conosce solo un piccolo gruppo di donne e che consiste nella capacità di capire l'enorme differenza che c'è fra i vestiti che stanno bene e quelli che non stanno bene affatto. Lentamente esplorò i misteri e il significato del taglio e della qualità. Insieme andarono alle collezioni di Dior dove la direttrice, la dinoccolata Suzanne Luling dalla voce roca, che era amica di Lilianne, riuscì a procurare a tutt' e due ottimi posti di seconda fila alle sfilate, soltanto cinque settimane dopo che la collezione era stata presentata, non appena i ricchi acquirenti avevano già fatto i loro ordini, di modo che, ormai, c'era posto per chi veniva soltanto a guardare. Andarono a vedere anche altre collezioni da Saint-Laurent e Lanvin, Nina Ricci e Balmain, Givenchy e Chanel: qui i posti erano meno buoni, qualche volta pessimi addirittura, perché le *comtesses* senza soldi non vengono trattate con molto rispetto nelle case dell'alta moda, ma, in ogni modo, i commenti che Lilianne bisbigliava senza sosta negli orecchi di Billy erano acuti e incisivi come se osservassero quei vestiti con ogni intenzione di acquistarli.

« Questo modello non andrebbe mai bene per te, è troppo sofisticato per chi è al di sotto dei trent'anni; quest'altro è troppo esagerato... sarà fuori moda la prossima primavera. Ecco, questo invece potrebbe andar bene anche per tre anni, questo completo a giacca è di un tweed troppo pesante... finirà per fare le borse; questo cappotto rende goffa chi lo porta, quel colore sbatterebbe chiunque; questo vestito è la perfezione. Se tu dovessi comprare un solo nu-

mero della collezione, questo sarebbe quello che ti ci vorrebbe. » Dentro di sé, si domandava perché Billy non si permettesse almeno uno Chanel. Era un peccato che non ap-
profittasse dell'occasione. Comunque, il denaro che spendevano non era un argomento che Lilianne si sentisse in dovere di discutere con le sue ospiti paganti per quanto care
le fossero, come questa.

La donna infinitamente sofisticata e la ragazza dician-
novenne andavano spesso a passeggiare insieme per rue du
Faubourg St.-Honoré, analizzando e giudicando ogni oggetto esposto nelle vetrine come se facessero parte di una grande galleria d'arte e, loro, fossero le più difficili delle colle-
zioniste. Billy cominciò ad assorbire la capacità di giudicare
di Lilianne per quel che riguardava la classe e la qualità.
Dato che la Comtesse non aveva i mezzi per soddisfare i
propri gusti, poteva permettersi di dare la sua approvazione
soltanto alle cose veramente ottime, e anche questo lo faceva soltanto dopo i confronti più giudiziosi e impar-
ziali.

Nell'accoglienza e nei doveri di ospitalità della Comtesse verso le sue ospiti paganti non rientrava l'obbligo di pre-
sentarle a giovanotti adatti. In primo luogo non conosceva
molti uomini francesi giovani e, secondariamente, avrebbe
aggiunto una complicazione inutile alla sua vita.

Tuttavia, una tentazione le si era insinuata nel cervello
mentre osservava pensierosa la giovane donna che adesso occupava un posto tanto speciale sotto il suo tetto, una ragazza
alta e snella, inequivocabilmente distinta, sì, una ragazza che
era anche bella e parlava un francese di cui nessuna americana poteva vergognarsi, una ragazza imparentata con tutti
i più grandi patrimoni di Boston, una ragazza che le era arrivata in casa in seguito alla raccomandazione della veneran-
da, e immensamente ricca, lady Molly Berkeley.

Se Boston, si diceva Lilianne, le aveva mandato un piccolo ippopotamo che non sapeva neanche chiedere l'ora in
francese, perché doveva restituire questa ragazza, che era
stata trasformata per opera sua, a quello che, evidentemen-

te, doveva essere un ambiente triste e ben poco congeniale per lei? Billy, a differenza di altre ragazze che aveva ospitato, non aveva mai mostrato i minimi sintomi di nostalgia per la propria casa. Se quei ricchi commercianti di Boston non sapevano come cavar fuori dalle loro figliole quello che avevano di meglio, meritavano di perderle.

In fondo, perché non tenere Billy in Francia? Perché non presentarla a qualcuno dei suoi nipoti e, magari, a un paio dei loro amici? Avevano tutti una cosa in comune: la guerra aveva impoverito in vario grado le loro famiglie e questi rampolli dell'antica aristocrazia erano stati ridotti a lavorare per vivere, esattamente come chiunque altro.

In ogni caso, si rassicurò mentalmente Lilianne, sia nella eventualità che ne venisse fuori qualcosa sia in quella contraria, non era affatto normale che Billy facesse la vita di una scolaretta anche adesso che aveva già compiuto i diciannove anni da qualche mese, senza nessuna compagnia eccetto quella di altre donne, studentesse di danza e vecchi amici di famiglia.

Naturalmente, la Comtesse aveva una vita privata sua, era ancora una donna giovane, ma era una vita molto, molto discreta e nessuna ospite pagante, per quanto intima potesse essere diventata, vi era mai stata inclusa.

Eppure quando provò a suggerire a Billy che, forse, avrebbe potuto divertirla l'idea di conoscere qualche giovanotto, la risposta che ottenne fu addirittura violenta.

« No, Madame! La prego! Sono tanto felice così, la mia vita è perfetta com'è adesso. Non c'è niente di più imbarazzante di un 'appuntamento alla cieca', non so come lo chiamate in francese. Non mi interessa affatto. La sua famiglia è più che sufficiente per me. Non me ne parli più, per favore. »

Niente di quello che Billy poteva dire sarebbe servito così bene a consolidare i piani un po' nebulosi di Madame. Le cose non andavano affatto bene! Qual era lo scopo di una trasformazione se poi non c'era nessuno ad ammirarla? Come poteva Billy renderle tutto l'onore che si meritava, e far valere i suoi meriti se, dopo tanti sforzi, quella figliola si ritrovava senza neppure un ammiratore? In fondo, non era per la vita religiosa che l'aveva preparata! Era evidente che questa vergine di Boston doveva essere battuta in astuzia e in intelligenza. Bisognava « arrangiare » qualcosa, era più che un dovere.

Il Comte Edouard de la Côte de Grace era il nipote preferito di Lilianne. A differenza degli eredi di molti grandi nomi che, fisicamente, erano men che mediocri, aveva qualcosa di aristocratico nel portamento, un'aria di altri tempi. In lui si ritrovava chiaramente l'aspetto dell'ultimo dei grandi *seigneurs*, anche se Lilianne qualche volta non poteva trattenersi dal sorridere di fronte a una certa prosopopea che trovava un po' buffa. Edouard era molto alto, aveva un naso superbamente aquilino, le labbra sottili e sdegnose e una espressione austera alla quale, quando voleva, sapeva unire qualcosa di arguto. A ventisei anni abitava ancora con i genitori perché il suo stipendio all'Air Liquide non era certo tale da permettergli di mantenersi un appartamento proprio nello stile che desiderava. Comunque, il suo futuro nella gigantesca industria era già assicurato, sia pure in tempi lunghi, per mezzo di certe conoscenze di famiglia, perché da parte di madre aveva buone raccomandazioni.

Un pomeriggio, Billy rientrò dalla lezione di danza in ritardo per il tè. Aveva preferito stare fuori, sulla piattaforma dell'autobus 52, per il tragitto di una buona mezz'ora, malgrado il freddo rigido di quella giornata dell'inizio di febbraio, perché era una sera così limpida e luminosa che non voleva perdere neanche un minuto di Parigi. Aveva le guance in fiamme e le labbra che le bruciavano. I capelli le ricadevano sciolti intorno al viso arrossato, spettinati dal vento, quando entrò precipitosamente nell'appartamento di boulevard Lannes con il suo solito passo lungo e rapido, tenendosi ben dritta, già lieta al pensiero della tazza di tè che l'aspettava. Ritto davanti a un bel fuoco fiammeggiante nel camino, gambe larghe, c'era Edouard de la Côte de Grace, con indosso un tight, giacca a code e pantaloni a righe, che si riscaldava con tutta la sicumera di un Re Sole.

« Questo è mio nipote, il Comte Edouard de la Côte de Grace, Billy », disse Lilianne in tono indifferente. « Edouard, questa è Mademoiselle Billy Winthrop, che vive con noi.

Billy, devi scusare se Edouard si presenta vestito in questo modo... di solito non è parato così a quest'ora. Oggi, però, deve essere presentato al Jockey Club ed è venuto a farsi ammirare dalla sua vecchia zia prima di andare a bere un'intera bottiglia di champagne, tutto da solo, in modo da poter essere accolto ufficialmente come socio del Club. Che follia! Comunque è stato gentile da parte tua, Edouard, fare un salto da me prima di questa curiosa cerimonia. »

Cominciò così. Completamente ammaliata, annegata nel fascino di Edouard, innamorata per la prima volta nella sua vita, Billy si abbandonò alla sua romantica passione con un trasporto e un'impulsività che lasciarono un po' perplessa Lilianne de Vertdulac, malgrado la soddisfazione che provava per il successo del piano che aveva architettato.

Tutte le occupazioni di Billy diventarono nuovi mezzi per rendersi degna di Edouard, mentre il suo cervello e i suoi sentimenti si concentravano interamente su di lui. Non riusciva a credere alla sua buona sorte quando lui la conduceva a caccia di conigli selvatici durante i weekend oppure la invitava a casa a cena con i suoi genitori. Una volta la invitò perfino a bere un aperitivo al bar del sacrosanto Jockey Club, il club per uomini più esclusivo del mondo.

Da parte sua, Edouard era parecchio soddisfatto. Questa piccola americana di Lilianne era molto più attraente di quanto non si fosse aspettato, considerando la discreta qualità della sua nascita. La trovava convenientemente ingenua e opportunamente intimidita nei propri confronti. Con la pettinatura giusta, i vestiti giusti, il maquillage giusto, sarebbe diventata una donna che poteva far colpo in società. Quando suo padre e suo zio fossero morti, e lei fosse diventata Madame la Marquise de la Côte de Grace, sarebbe stata pronta per portare con dignità quel nome. Pensò al suo casino di caccia che aveva tanto bisogno di riparazioni, essere ridotto ad andare a caccia a piedi! Prese in considerazione il *château* di famiglia nell'Auvergne, che aspettava di essere ripristinato e riportato all'antica bellezza. Era chiaro che ormai era venuto il momento di sistemarsi.

Una parte del patto che Billy aveva fatto con la zia Cornelia consisteva anche nell'impegno di scriverle una lettera alla settimana da Parigi. Era stata deliberatamente piuttosto vaga per quel che riguardava il suo peso, con l'intenzione di sorprendere e sbalordire Boston al suo ritorno. Menzionava raramente Edouard e solo di sfuggita ma, con la primavera, Cornelia intuì che c'era qualcosa fra Billy e questo giovane conte, anche se trovava un po' difficile immaginare di che cosa si trattasse. Un giorno, in maggio, due lettere si incrociarono.

Cara cugina Molly,

grazie alla tua grande gentilezza nel trovare alla nostra Honey un posto in casa di Madame de Vertdulac, che è stata veramente magnifica con lei, la figliola ha avuto un anno assolutamente meraviglioso! Da quello che scrive credo che il suo francese sia migliorato enormemente: ne sono così felice! Ha cominciato perfino a prendere lezioni di danza, e questo non può farle che bene. Negli ultimi tempi mi ha menzionato abbastanza di frequente un nome, quello di un certo Comte Edouard de la Côte de Grace, che sembra le faccia da cavalier servente per Parigi. Sai per caso qualcosa di lui o della sua famiglia? Devo confessarti che sono sorpresa e molto lieta che abbia trovato un giovanotto, dato che la cara figliola, sotto questo particolare aspetto, non ha mai avuto un gran successo qui a Boston. Ho sempre sperato che fosse una di quelle creature che sbocciano più tardi delle altre... molto diversamente da te, cara Molly! Ti sarei grata se potessi darmi qualche notizia sull'argomento.

Con molto affetto,
NELIE

Nelie mia cara,

ho appena ricevuto una lettera di Lilianne de Vertdulac che mi lascia molto perplessa. A quel che pare la tua giovane nipote ha attualmente una relazione amorosa molto seria con il Comte Edouard de la Côte de Grace, del quale conosco abbastanza bene la famiglia, anche se non intimamente, e Lilianne è del parere che potrebbe trasformarsi in un fidanzamento da un giorno all'altro! Tutto molto bene, viene fuori dal cassetto più alto del comò, come direbbe la mia cameriera, però, mia cara, le sue condizioni finanziarie non sono affatto migliori di quelle della ragazza, perché ha soltanto il suo impiego. Grandi aspettative, ma niente per molti anni ancora, a quanto ho capito. La cosa straordinaria è che, a quanto sembra, Lilianne non è affatto al corrente di quella che è l'esatta situazione finanziaria di Honey, perché mi ha parlato di una dote. Anzi, mi è sembrato addirittura che pensasse che gli avvocati del padre di Honey potrebbero desiderare di mettersi in contatto con quelli del padre di Edouard, se si dovesse arrivare al fidanzamento!!!

Leggendo fra le righe, ne ho ricavato la convinzione che consideri Honey un'ereditiera, semplicemente perché è una Winthrop. Com'è spaventosamente francese, in questo! I Winthrop sono talmente tanti! D'altra parte, lei non era tenuta a saperlo, vero? La famiglia di Edouard è molto importante e molto superba anche verso gli inglesi. Sembra che si prendano molto sul serio e sono sicurissima, anzi certa, che Edouard deve sposare un'ereditiera. È fuor di questione che possa sposarsi solo per amore, a meno che non sia disposto a deludere fin nel profondo l'intera famiglia, è figlio unico, capisci? Che cosa devo dire a Lilianne? Questa faccenda mi lascia sconvolta. Honey, per caso, non ha qualche patrimonio di cui entrerà in possesso in futuro? Hai parlato di una piccola eredità, come ben ricordo, ma c'era anche qualcos'altro, o potrebbe esserci? Sono ancora abbastanza americana per disapprovare il sistema della dote come principio, ma quando uno è in Francia... In ogni caso, rispondimi immediatamente, ti prego, e dimmi come stanno esattamente le cose.

Con affetto per te, come sempre, e pensieri affettuosi anche al caro George

MOLLY

81

Cornelia non era rimasta così turbata da quando sua figlia si era rifiutata di andare al Cotillon di Natale o di diventare socia del Vincent Club. Neppure quando suo nipote Pickles non era riuscito a diventare dottore ad Harvard, era rimasta tanto sconvolta. Anzi, era addirittura peggio di quando si era temuto che suo figlio Henry si innamorasse di una ragazza ebrea che studiava a Radcliffe, anche se tutt'e due i suoi bisavoli avevano combattuto nella guerra civile! Scoprì di provare per Honey molto più affetto di quanto non si fosse mai resa conto.

Tre settimane prima che Lilianne ricevesse una risposta chiarificatrice da parte di lady Molly alla sua lettera, Edouard aveva preso la decisione di godersi per primo la verginità della sua bella americana. Se Billy fosse stata francese, forse avrebbe aspettato fin dopo le nozze, ma, visto che era americana e non cattolica per di più, pensò che ci poteva arrivare con un po' più di rapidità. In ogni modo, l'iniziazione di Billy all'amore fisico risultò una cerimonia tanto solenne quanto dolorosa. Avvenne nel letto di Edouard, nella camera da letto piuttosto disadorna del casino di caccia semidiroccato, con le sue stalle vuote e il giardino inselvatichito. Billy non doveva più dimenticare che, lungo il soffitto della stanza, erano drappeggiate certe fodere contro la polvere a righe blu scuro e rosso come la tenda da campo di Napoleone, che il mobilio era in uno stile impero pesante e aveva perduto il lucido, e che il dolore provato fu straordinario, esattamente come si aspettava. Tuttavia il ricordo che le rimase più impresso fu quello della propria meraviglia di fronte al fatto che un pene in erezione puntava verso l'alto piuttosto che in fuori, orizzontalmente, al contrario di quanto aveva sempre immaginato. Edouard le assicurò che la volta successiva sarebbe andata meglio, ma aggiunse che, per quanto fosse vergine, era la donna più tesa e difficile da penetrare che mai gli fosse capitata. Billy si sentì colmare da un orgoglio inenarrabile per questo fatto, anche se non riuscì mai a spiegarsene il motivo.

Ritornarono al casino di caccia ogni sabato e domenica

per tre settimane e le cose furono più facili, anche se non andarono particolarmente meglio, per quanto Billy non avesse nessun termine di paragone mediante il quale giudicare il piacere sessuale più di quanto ne avesse avuti, in passato, per giudicare quello che era chic. Edouard era il primo uomo che aveva baciato sulla bocca. Tutto quello che le importava era dargli piacere e soddisfarlo, mentre era sempre più ossessionata dal puro e semplice fatto di essere innamorata. Di tanto in tanto emergeva da quella trance per mormorare tra sé, con tremulo orgoglio misto a una lieve cautela: « Comtesse de la Côte de Grace, Billy de la Côte de Grace. Oh, aspetta che lo sappiano a Boston! » Poi usciva e spendeva altri soldi, tolti dal gruzzolo che avrebbe dovuto servirle a mantenersi mentre frequentava l'Istituto Katie Gibbs, per comprarsi magnifici vestiti nei quali farsi vedere da Edouard.

Quando Lilianne ricevette la lettera di lady Molly che diceva molto chiaramente come stavano le cose, si chiuse a chiave nella sua camera e si mise a piangere, tanto per sé quanto per Billy. Dall'esperienza che aveva di queste cose, era convinta che, col tempo, Billy si sarebbe ripresa da questo brutto colpo; però lei, Lilianne, non se lo sarebbe mai perdonato. L'errore era stato normale, secondo il suo giudizio; e anche il suo desiderio di combinare qualcosa per Billy, si ripeté, era stato più che ragionevole. Però il risultato era crudele, e la colpa soltanto sua.

Quello stesso giorno la Comtesse andò a parlare con Edouard. Il colloquio ebbe luogo nel salotto dei genitori di lui. Lilianne gli spiegò che Billy non poteva aspettarsi una dote. Suo padre era un uomo eminentemente rispettabile, un medico e uno scienziato, uno studioso, ma povero. Billy era una Winthrop fatta e finita, ma il ramo della famiglia al quale lei apparteneva non aveva il becco di un quattrino. A questo punto, se anche aveva nutrito una debolissima speranza che suo nipote potesse ancora sposare Billy, dovette abbandonarla non appena finì di parlare.

Edouard de la Côte de Grace si arrabbiò moltissimo. Lei avrebbe dovuto saperlo, le disse furioso. Come aveva fatto una donna così sensata e della sua esperienza a lasciargli credere che Billy possedesse una fortuna? Sì, era d'accordo con lei che Billy era deliziosa, molto più di quanto lei non potesse sapere, su questo non c'erano dubbi ed era assolutamente adatta, anzi perfetta, solo che l'intera faccenda diventava impossibile, non c'era neanche da discuterne. Assolutamente impossibile; che cosa si doveva fare? Chi doveva dirglielo? Lui, Edouard, da quel gentiluomo che era, non si era mai trovato coinvolto in una situazione così spiacevole. Il suo onore...

« No! Edouard, è tuo dovere. Ti prego di non recitare oltre, con me, la parte del gran signore. Ne ho abbastanza dei tuoi rimproveri! Glielo dirai tu e le dirai la verità, altrimenti Billy potrà credere che è lei che non vuoi sposare e non che sono le circostanze a rendere impossibile il vostro matrimonio. Forse... forse ha vissuto in Francia abbastanza per capirlo. »

Anni dopo, quando Billy poté pensare a Edouard soltanto con un po' di disprezzo per lui o con un tocco di compassione per la propria giovanile ingenuità, o forse stupidità, gli fu sempre grata per la sua schiettezza. Se non altro era fondata sulla necessità bruta e a causa della propria povertà. Se avesse posseduto una rispettabile somma di denaro, sarebbe diventata un'altra delle dozzine di giovani, noiose, contesse del rigido Faubourg St.-Germain, prigioniera per la vita della sussiegosa e soffocante convenzionalità che il marito avrebbe preteso da lei. Una versione francese di Boston, solo che il cibo e i vestiti qui erano migliori. Sarebbe rimasta soffocata prima di aver colto l'opportunità di vivere. Dai suoi futuri amanti, avrebbe imparato che Edouard era pomposo e privo di immaginazione a letto come nella vita.

Ma tutte queste cognizioni, e la prospettiva dalla quale trarre questi giudizi, appartenevano agli anni a venire. Così Billy decise di lasciare Parigi prima del tempo e di tornare a casa via mare, in modo da concedersi un intermezzo con il quale passare da un mondo all'altro.

Così, non ci sarebbe stata una conclusione alla « e vissero felici e contenti », pensò Billy mentre percorreva i ponti della nave la sera. Chissà perché questa constatazione non la lasciò sorpresa. Se fosse stata una tipica ragazza abituata tutta la vita a essere vezzeggiata, ammirata e amata, forse il gesto di Edouard l'avrebbe distrutta per sempre. Invece aveva avuto talmente tante conferme della possibilità, anzi addirittura della probabilità, di vedersi rifiutare, che, senza saperlo, ne era rimasta indurita e rafforzata. In tal modo, anche pochi giorni dopo che era avvenuta, riuscì ad accettare quell'esperienza come un altro esempio di ciò che può succedere a chi non ha soldi, piuttosto che intenderla come una questione puramente personale. C'era perfino qualcosa di gratificante, in un certo senso, nella scoperta che non aveva sbagliato a capire com'era la vita e non aveva importanza quanto doloroso potesse essere.

Era magra ed era bella, si disse Billy con fierezza. Queste erano le cose importanti. Le cose necessarie. Il resto se lo doveva procurare da sola. Non aveva intenzione di morire d'amore per un uomo come una di quelle donne dell'Ottocento nei libri che aveva letto. Non era una Emma Bovary, lei, e neanche una Anna Karenina o una Camille... non era una creatura adorante, debole, passiva che si lasciasse togliere qualsiasi ragione di vita da un uomo, se lui le rifiutava il suo amore.

La prossima volta che avesse amato qualcuno, Billy promise a se stessa, sarebbe stato alle condizioni che avrebbe posto lei.

3

L'ETEROSESSUALE ispirato, il devoto amante delle donne, l'uomo la cui vita è la celebrazione dell'esistenza delle donne nel mondo, suscita uno scarsissimo interesse psicologico. All'omosessualità e al complesso del Don Giovanni sono stati dedicati volumi, ma l'uomo che sa godere le donne profondamente, avidamente, appassionatamente e persistentemente, in tutte le loro caratteristiche e non soltanto dal punto di vista sessuale, è tanto raro quanto poco riconosciuto come tale.

Un'occhiata alla storia della vita di Spider Elliott potrebbe, o forse no, dare a uno psicologo qualche elemento per costruirci sopra un'ipotesi convincente.

Harry Elliott, il padre di Spider, era un ufficiale di Marina in servizio regolare che passava in mare il doppio del tempo che passava a terra per una sua scelta precisa, come Spider aveva sempre sospettato, visto che lui e la moglie, Helen Helstrom Elliott, una simpatica laureata dell'università di Westridge, originaria di Pasadena, avevano sempre a che dire, l'uno contro l'altra con militaresca indisciplina ogni volta che lui era di servizio a terra. Queste battaglie avevano avuto pochi risultati soddisfacenti, a eccezione dei trattati di pace che avevano prodotto Spider, il maggiore unico figlio maschio, nato nel 1946, e tre serie di due femminucce gemelle.

Holly e Heather, le più grandi, avevano due anni meno di Spider. Il paio successivo, Pansy e Petunia, erano nate dopo un altro intervallo di due anni. Le ultime due, apparse puntualmente secondo un ritmo ormai abituale, vennero chiamate June e January.

Tutte le sei sorelline, in casa Elliott, avevano fatto di Spider il centro della loro vita e gli giravano intorno come tanti piccoli girasoli pieni di adorazione. Fin dai giorni dei loro primi ricordi, c'era sempre stato nella loro esistenza questo magnifico ragazzone, di esclusiva proprietà di tutte e sei, un ragazzo robusto, biondo, che aveva insegnato loro ogni genere di cose magiche e aveva trovato il tempo di leggere ad alta voce, a tutte indistintamente, i fumetti con le avventure dell'uomo ragno, quando non erano ancora grandi abbastanza per leggerseli da sole e che continuava a ripetere quanto fossero belle; era il loro eroe adorato, di cui andavano orgogliose, che si dividevano senza litigare perché lui aveva moltissimo amore da distribuire.

Per quel che riguardava Helen Helstrom Elliott, suo figlio Peter, soprannominato Spider, con un'idea veramente infelice, dalle sue sorelle, era la pupilla dei suoi occhi. Peter non poteva mai sbagliare nella sua opinione anche se, qualche volta, si sentiva ridicolmente irritata dalla sua devozione verso le bambine. Peter, aveva notato con soddisfazione, aveva ereditato la bellezza dalla propria famiglia. Poteva darsi che l'altezza gli venisse dal padre, però i capelli biondo chiaro e gli occhi azzurri da marinaio erano quelli di un vichingo svedese autentico. Nella sua famiglia, sia da parte del padre sia da parte della madre, erano stati tutti scandinavi, biondi, finché non erano stati abbastanza anziani da diventare grigi. Il fatto che i vichinghi si fossero estinti fin dal X secolo, e non fossero mai arrivati in California, era un puro e semplice dettaglio, irrilevante per questa donna piena di romanticismo.

Spider aveva avuto una tra le esperienze americane meno usuali nella letteratura, un'infanzia completamente felice. Il comandante Elliott, un uomo sempre allegro, per il quale unico motivo di distinzione era il fatto di essere uscito dall'Accademia Navale un anno prima di Jimmy Carter, non appena era di servizio a terra cercava sempre la compagnia maschile di Spider. Era stato lui a insegnare al figlio come si andava a vela, a condurlo a sciare, ad aiutarlo nei compiti e, dopo che il bambino aveva compiuto tre anni, a portarlo via con sé a pescar trote, con il sacco sulle spalle, a montare tende da campeggio, a passare piacevoli weekend fra soli uomini tutte le volte che era possibile. Voleva abbastanza bene a sua moglie, ma, se avessero continuato a litigare come al solito, aveva una gran paura di ritrovarsi con un'altra coppia di gemelline come conseguenza.

Gli Elliott abitavano in una bella casa comoda e accogliente a Pasadena. La famiglia della mamma di Spider era fornita di quattrini in un modo discreto, e i giorni di scuola Spider li passò lì, in quel soddisfatto e compiaciuto sobborgo di Los Angeles che sembra la parte migliore di Westchester. Era cresciuto negli Anni Cinquanta, una decade piacevolmente conformista in cui essere giovani e sudcaliforniani, ed era entrato all'università nel 1964. Per i quattro anni successivi, mentre i suoi coetanei protestavano e si ribellavano con sommosse e disordini alle Università di Berkeley e di Columbia, le uniche riunioni alle quali lui aveva preso parte e chè avessero una vaga tendenza anti-*establishment* furono soltanto, occasionalmente, quelle in cui si fumava la marijuana.

In realtà c'erano soltanto due cose, in Spider Elliott, che facevano di lui un essere nettamente e permanentemente diverso da quel re dell'universo che è il maschio americano sano della classe medio-alta. Tanto per cominciare, adorava le donne. Aveva una vera passione per qualsiasi cosa facesse parte dell'elemento femminile nella società. E, secondariamente, aveva un gran gusto estetico. Il suo senso grafico era innato e istintivo. Si rivelava, per quel paio di persone che si erano prese la briga di notarlo, nel modo in cui aveva sistemato nella sua camera un enorme pannello di sughero, sul quale attaccava con le puntine una galleria, che cambiava di continuo, di fotografie ritagliate da giornali e riviste; e nel modo in cui si era servito degli scaffali della libreria per una esposizione di « oggetti trovati » molto tempo prima che del concetto degli « oggetti trovati » si sentisse parlare: una fila di barattoli vuoti di Dundee Orange Marmalade, cartelli di segnalazione stradale buttati via, un paio di pattini da ghiaccio da bambino, il tutto formava un raggruppamento di oggetti che attirava piacevolmente lo sguardo in un modo che non era facile spiegare. I jeans e le magliette che Spider portava avevano sempre qualcosa di diverso, sia pure una sottigliezza o una minuzia, dai jeans e dalle magliette che avevano addosso gli altri ragazzi.

Quando compì tredici anni, i nonni materni gli regalarono la sua prima macchina fotografica, una Kodak. Per quanto il comandante Elliott avesse fatto qualche sporadico tentativo di fotografare la sua famiglia, non era mai riuscito a radunare tutte le ragazze insieme per una foto senza dover ricorrere alle minacce; così ce n'era sempre una che, invariabilmente, faceva le boccacce in modo che la fotografia fosse rovinata. Tuttavia le ragazze dichiararono entusiaste che erano disposte a fare per Spider quello che non avevano mai voluto fare per il padre, gareggiando per superarsi reciprocamente in questo nuovo gioco, camuffandosi con i vecchi cappelli da giardino e le scarpe col tacco alto della signora Elliott, lasciandosi spenzolare dagli alberi, posando in cerchio intorno alla statua di una ninfa greca, in fondo allo spazioso giardino, trasformate in un fregio di femminilità in boccio.

Intanto Spider aveva compiuto sedici anni. Fu a quest'epoca che comperò una Leica di seconda mano in una bottega di prestiti su pegno. Aveva l'otturatore rotto, e poté averla per poco e, quando l'ebbe ripulita e lucidata, con l'obiettivo sostituito e l'otturatore aggiustato, diventò una bella macchina. Spider si pagò tutto questo lavorando, d'estate, in un negozio dove sviluppava di notte fotografie per passaporto. La macchina fotografica era il suo hobby e le sue sorelle furono non tanto la fonte della sua ispirazione quanto l'elemento-base del suo lavoro; infatti furono loro ad aver bisogno di qualche fotografia in compagnia delle migliori amiche e, nel caso di Holly e Heather, da regalare ai ragazzi. Spesso, ispirandosi ai fotografi di *Life*, usciva e scattava interi rotoli di fotografie di alberi, montagne e fabbricati industriali oppure saltava in macchina e andava nel centro di Los Angeles a cercare di cogliere delle istantanee per le strade. Tuttavia, invariabilmente, scopriva che i momenti più belli erano quelli in cui lavorava con le sue sorelle che diventavano sempre più belle ma più impacciate davanti all'obiettivo. Spider insegnò a tutte a rilassarsi e a collaborare con lui. Per la licenza della scuola superiore ricevette in regalo una nuova Nikon dagli stessi nonni che gli avevano già regalato la Kodak; all'università avrebbe avuto molte più possibilità di fotografare le donne.

Quando arrivò alla laurea in scienze politiche capì di aver scelto il campo di studio sbagliato. Il suo hobby si era trasformato gradualmente in qualche cosa che Spider intendeva fare professionalmente: aveva preso la decisione di diventare fotografo di moda e, per fare questo, era a New York City che doveva lavorare perché New York per la fotografia di moda è l'equivalente di Amsterdam per i diamanti.

Fu così che nell'autunno del 1969 Spider arrivò a New York armato di tutti i risparmi raggranellati in ventitré anni di assegni avuti in regalo per i vari compleanni e per Natale e di stipendi percepiti lavorando d'estate, duemilasettecento dollari in tutto, e cominciò subito a cercare una casa che costasse poco dove abitare. Trovò una soffitta nel tetro quartiere delle Thirties, nei quartieri bassi, vicino alla zona dei magazzini di pellicce all'ingrosso della Eighth Avenue. Era formata da un'unica stanza, enorme, lunga e spoglia, con il pavimento che sembrava incavato al centro, ma con una magnifica vista sull'Hudson. Il soffitto era alto cinque metri e mezzo e aveva ben sette lucernari. C'era anche un miserabile stanzino da bagno che poteva servire da camera oscura nei periodi di crisi, un tavolo da cucina e un acquaio. Un inquilino precedente aveva istallato nella soffitta una vecchia cucina economica e un frigorifero ancora più vecchio. Spider comperò solo il mobilio indispensabile, si costruì un letto mettendo uno strato di gommapiuma sopra una pedana e investì ancora un po' di soldi in qualche cuscino, lenzuola, due pentole e una padella.

L'edificio in cui si trovava la soffitta di Spider era una vecchia costruzione cadente adibita da sempre soltanto a uffici e nella quale, ufficialmente, non avrebbero dovuto vivere inquilini. Aveva un ascensore antiquato, con gli sportelli che sembravano cancelletti che si ripiegavano su se stessi; i piani inferiori erano occupati da una varietà di ditte che vivevano faticosamente su ordinazioni da catalogo, manifatture di bottoni sempre sull'orlo della bancarotta, inesperti grossisti di tessuti, e due uffici di contabilità che avevano toccato il fondo dello squallore tanto che la loro atmosfera aveva qualcosa di prettamente dickensiano. All'ultimo piano, dove viveva Spider, abitavano anche altre persone che avevano orari tanto strani quanto misteriosi e che gli capitava di incontrare nel corridoio solo molto raramente.

Dopo due mesi e mezzo di caccia infruttuosa a un impiego, finalmente il suo talento, la perseveranza, la pazienza e la buona sorte ebbero finalmente una ricompensa, come capita abbastanza raramente: ottenne un lavoro come assistente di camera oscura nello studio di Mel Sakowitz. Sakowitz, un fotografo di terzo, e forse anche di quarto ordine, faceva una quantità di fotografie di tipo corrente per i cataloghi e, occasionalmente, anche qualcosa per le pagine dei rotocalchi minori, in cui si descrivevano i negozi dove andare a far compere « In giro per la Città ».

Un sabato mattina verso la fine dell'autunno 1972, Spider, come Robinson Crusoe che aveva trovato un'impronta di piede umano sulla sabbia, scoprì chi era la sua nuova vicina di casa. Stava rientrando dal mercato italiano della Ninth Avenue con un sacchetto di carta pieno di roba, e aveva cominciato a salire di corsa i bassi gradini constatando, come al solito, quanto lo stesse infiacchendo quella vita senza il tennis, quando raggiunse la cima della terza rampa. Lanciato com'era girò l'angolo del pianerottolo a tutta velocità e si fermò con una slittata. Soltanto i suoi eccellenti riflessi gli impedirono di andare a sbattere contro una donna che avanzava faticosamente e imprecava furiosa contro se stessa, in francese, carica di un fagotto di biancheria pulita, due borse per la spesa stracolme, un mazzo di crisantemi gialli incartati in un giornale e due bottiglie di vino, infilate sotto il braccio.

« Ehi! Mi scusi! Ma non credevo che ci fosse nessuno sulle scale... lasci che l'aiuti. » Lei era rimasta ferma voltando la schiena a Spider, senza riuscire a girarsi, mentre le due bottiglie cominciavano a scivolarle giù dalle braccia.

« Idiota! Prenda la bottiglia! Sta per cadere. »

« Quale? »

« Tutt' e due. »

« Le ho prese! »

« Appena in tempo! 'Quale' mi chiede! Ma non lo vedeva da sé che stavano cadendo tutt'e due? 'Quale?' ma guarda un po'! »

« Be', non è un'idea tanto furba quella di portare le bottiglie di vino sottobraccio a questo modo, lo sa? » disse Spider gentilmente. « Sarebbe stato molto più sensato metterle in una borsa. »

« E come facevo a portare un'altra borsa ancora? Mi sento le dita che si staccano dalle mani già così... »

« Adesso la seguo di sopra e l'aiuto con tutta questa roba », si offrì lui educatamente. Lei per tutta risposta fece segno di sì e gli abbandonò fra le braccia tutto il resto, trattenendo per sé soltanto i fiori e il vino. Poi continuò a salire rapidamente le scale per altre tre rampe fino all'ultimo piano senza guardarsi indietro neanche una volta. Si fermò davanti alla sua porta che era a sei o sette metri da quella di Spider e tirò fuori una chiave dalla borsetta.

« Così sono finalmente riuscito a incontrare uno dei miei vicini in carne e ossa », disse Spider, sorridendo calorosamente alle spalle della ragazza.

« Pare di sì. » Lei non si voltò, non sorrise e non aprì la sua porta.

« Devo portar dentro tutta questa roba? » Spider le indicò con la testa le borse e i fagotti che portava.

« Metta pure tutto sul pavimento. Me ne occuperò dopo. » La donna infilò la chiave nella serratura, aprì la porta, scivolò dentro, si voltò in fretta e chiuse la porta in faccia a Spider. In contrasto con il corridoio buio, la sua camera era invasa dal sole e Spider ebbe una rapida visione di una massa di riccioli che sembravano di pizzo rosso, un nasino deliziosamente all'insù, e due occhi verdi, ma fu solo un lampo.

Rimase lì un momento, sbalordito per quel modo di fare così brusco, a fissare il pannello della porta con l'immagine di quel volto ancora impressa nella mente. Poi si voltò e tornò giù di corsa, fino in fondo alle scale, provando una strana sensazione che non riusciva a definire completamente. Per i primi ventidue anni della sua vita in California e durante i quasi tre anni e mezzo in cui aveva lavorato a New York, nessuna donna lo aveva mai trattato con una simile mancanza di interesse. Aveva conosciuto donne che non avevano fatto mistero dell'antipatia che provavano per lui per i più svariati motivi, ma se non rientravano in questa categoria, gli rispondevano sempre con un certo calore, spesso con ardore. Una donna che non lo aveva nemmeno notato! Spider si strinse nelle spalle, e uscì di nuovo dirigendosi verso Madison Avenue per il solito giro settimanale delle gallerie d'arte.

Ritornò alla fine del pomeriggio. Davanti alla porta della sua soffitta c'era il sacchetto di carta con la sua spesa, del quale si era completamente dimenticato. Vicino al sacchetto, una bottiglia di vino e un foglio di carta ripiegato sul quale erano scarabocchiate queste parole: « La beva alla mia salute ». Neppure un nome, notò divertito. Percorse il corridoio con la bottiglia in mano, e bussò alla porta della ragazza. Quando lei aprì, restò fuori e non fece neppure il gesto di voler entrare.

« La mamma mi ha fatto promettere di non accettare mai quello che mi offrono da bere le persone che non conosco », disse in tono solenne.

Lei gli tese la mano. « Mi sono dimenticata di presentarmi quando ci siamo incontrati prima. Sono Valentine O'Neill. Per favore... entri e lasci che le faccia le mie scuse. Ho paura di essere stata molto villana... o sbaglio? »

« Direi che la descrizione è accurata... forse anche un po' benevola. »

« Una carognetta di cattivo umore che non ha saputo esprimere la sua gratitudine? »

« Questo va già molto meglio: dice quasi tutto. » Gli occhi di Spider girarono lentamente per la camera della ragazza notandone la penombra ravvivata qua e là da qualche lampada con il paralume rosa. Aveva un sofà ampio e accogliente di velluto rosso guarnito da una passamaneria ottocentesca e con una frangia a palline, varie poltrone in *toile de Jouy* bianca e rosa con il volant, un tappeto con un disegno a fiori e le tende rosse con le frange. Come sottofondo, Spider riconobbe Edith Piaf che cantava qualcosa sulla disperazione poetica che comporta un amore infelice. Ogni tavolino nel locale era pieno zeppo di roba: fotografie in cornice, felci e fiori, libri ricoperti con la fodera di carta, dischi e riviste.

« Mi piace la sua camera », disse.

« Oh, è solo il mio vecchio mobilio », rispose lei scomparendo dietro un paravento rivestito anch'esso della stessa *toile* un po' stinta. « Ho paura che sia troppo per stare tutto in questo locale, ma ho bisogno di avere l'altro libero per il mio lavoro. » Quando ricomparve, portava un vassoio sul quale c'erano una bottiglia stappata di vino bianco, ghiacciato, due bicchieri, una pagnotta di pane francese, una terrina di pâté e mezzo Camembert ben stagionato su un piatto di ceramica. Depose il vassoio sul tappeto davanti al sofà. « Vogliamo bere qualcosa? O forse, prima, vuole dirmi il suo nome? »

Spider balzò in piedi di scatto. « Mi scusi... sono Spider Elliott. » Per quanto fosse un po' assurdo, si strinsero la mano di nuovo. Lui le diede una seconda, rapida occhiata. Tutto quello che notò fu come i capelli, solo di qualche sfumatura più scuri di una carota, le coprissero la testa in una massa di riccioli indisciplinati e rigonfi, ricadendo su una faccia piccola, delicata, bianca. Tutto gli fu chiaro, quella camera con il suo arredamento, il vassoio di cibo, la voce di lei, il disco della Piaf.

« Ehi, me ne accorgo adesso, lei è francese, questa stanza ... è come essere a Parigi. Non ci sono mai stato, a Parigi, ma sono sicuro... »

La ragazza lo interruppe. « E invece, guarda un po', sono americana... nata a New York, per di più. »

« Come può guardarmi con quella sua espressione tanto francese e, per di più, parlarmi con quel leggero accento straniero, oltre al fatto che qualche volta sbaglia le parole, e venire a dirmi che è americana? »

Valentine ignorò deliberatamente la domanda. Invece

dcmandò in tono aggressivo: « Che razza di nome è Spider? »

« È il mio soprannome, come Spider Man. » Lei lo guardò senza capire. « Un momento, aspetti... non lo sa... e dice di essere americana! È una truffa! »

« Mi rifiuto di avere un vicino di casa che si chiama Spider », disse lei imbronciata. « Sono allergica ai ragni, io!... Mi vengono le macchie rosse sulla pelle solo a pensarci. Che nome. È una vergogna! Io la chiamerò "Elliott". »

« Magnifico. Mi chiami come preferisce », sorrise lui. Ma si può sapere cos'aveva quella strana ragazza? Bastava la domanda più innocente a farla inalberare. Non c'era neanche da pensare che fosse amèricana e poi lui non credeva che fosse allergica ai ragni.

Per dimostrarsi all'altezza della condiscendenza con cui il giovanotto la trattava, Valentine si degnò finalmente di soddisfare la sua curiosità. « Sono nata a New York, ma quando ero una bambina sono andata a vivere a Parigi e fino al mese scorso ho sempre vissuto là. E adesso, vogliamo bere? »

« A che cosa? »

« Al mio futuro lavoro », rispose pronta Valentine. « Ne sto cercando uno. »

« A lei, perché trovi un lavoro; a me, perché ne trovi uno migliore. »

Mentre si toccavano il bicchiere, Valentine pensò com'era prettamente americano quel ragazzo, così noncurante, così... contento di vivere.

« Che cosa fa, lei? » gli domandò, perché le era venuto in mente di aver letto in un articolo di *Elle* che tutti gli americani si pongono questa domanda immediatamente dopo essere stati presentati.

« Sono fotografo di moda... al momento, anzi, solo un aiuto-fotografo. E lei? »

« Venga, le faccio vedere. » Lo condusse nella seconda camera, più piccola della prima. Vicino alla finestra c'era una seggiola e un tavolo con una macchina da cucire. Su un altro lungo tavolo erano ammucchiati ordinatamente alcuni rotoli di tessuto. Un manichino da sarta sul quale era drappeggiata una stoffa, che ricadeva in pieghe morbide, stava al centro del locale, mentre qua e là, alle pareti, erano attaccati con le puntine vari schizzi. Oltre a questo, non c'era nient'altro.

« Lei fa la sarta? Non ci credo. »

« Sono una disegnatrice di moda. Ma non guasta saper cucire un vestito. O non lo immaginava? »

« Be', non ci avevo mai pensato », rispose Elliott. « Ha disegnato lei quello che porta? » La ragazza indossava un abito lungo e morbido, tagliato a camicia da uomo, con il collo aperto, dalla linea scivolata, in una pesante lana color albicocca; anche se non era particolarmente appariscente o strabiliante in nessuno dei suoi particolari, da Valentine emanava un'aria di lusso raffinato, una nota di originalità semplice eppure molto elegante che Spider non si sarebbe mai aspettato di trovare in un altro topo di soffitta come lui.

« Disegnato e confezionato, un punto dopo l'altro... ma torniamo nell'altra stanza. Il formaggio è stagionato al punto giusto. Dobbiamo mangiarlo prima che coli giù dal piatto. »

Mentre gli porgeva un pezzetto di pane croccante spalmato di Camembert, Valentine rivolse a Spider il più piccante, ma non provocante, sorriso che il giovanotto avesse mai ricevuto da una donna. Si accorse che la ragazza non stava flirtando con lui, neanche un po'. Com'era possibile che fosse mezza francese? O anche mezza irlandese? O addirittura di sesso femminile, a ben pensarci?

Spider Elliott aveva perduto la sua verginità l'ultimo anno della scuola superiore per merito di un'allenatrice di pallacanestro, dall'abbondante esperienza e dal petto altrettanto prosperoso, che lo ammirava per i punti che segnava soltanto un po' meno di quanto non ammirasse la linea aderentissima dei suoi calzoncini da ginnastica che una delle sue sorelle aveva fatto restringere di almeno tre numeri in un amoroso tentativo di farli diventare più bianchi del bianco. Per il resto dei suoi giorni, a Spider bastò sempre sentire l'odore di uno spogliatoio di palestra per avere un'erezione, imbarazzante se voleva andare a fare ginnastica. Così optò per il tennis e la corsa.

L'UCLA, l'università che aveva frequentato, non era soltanto impregnata del sole californiano che filtrava attraverso la foschia, ma anche di un'intensa attività sessuale; eppure Spider scoprì che « il cuore del sesso » batte solo negli studi dei fotografi di moda. Anche se gran parte dei fotografi sono omosessuali, tuttavia creano un'aura di sessualità intorno a loro affinché il lavoro abbia buoni risultati. Qualche volta l'atmosfera carica di sensualità che si viene a formare nello studio di qualcuno di questi fotografi è abbastanza autentica, ma molto spesso viene a galla la verità; si tratta, cioè, fondamentalmente di una sessualità sintetica, falsa, con un sottofondo nervoso e fragile nel quale si sente un tocco di ostilità nascosta da parte del fotografo per la modella che non riesce ad arrivare alla perfezione.

Quando Spider venne assunto da Mel Sakowitz, arrivò sulla scena con un impatto molto simile a quello provocato nelle corti europee decadenti di centinaia di anni fa dall'apparizione dei capitani di lungo corso, che tornati a terra dopo lunga navigazione, venivano a esibirvi i loro « nobili selvaggi ». Spider in abito da lavoro: un vecchio paio di pantaloni di tela bianca e una maglietta dell'UCLA, era una prova tangibile che gli uomini, i veri uomini, esistevano perfino dentro la serra della moda.

Nel giro di qualche settimana le modelle, che non distinguevano il liquido per fissare la stampa dalla schiuma da bagno, cominciarono a mostrare un interesse insolito per i negativi e gli ingrandimenti, rendendo così necessaria una serie di visite alla camera oscura di Sakowitz dove si aggrappavano all'avambraccio muscoloso di Spider. « Te li sei fatti col tennis, questi muscoli? Incredibile! » Presto Spider cominciò ad accorgersi che anche l'odore della camera oscura gli faceva venire un'erezione. In questo caso, però, la soluzione c'era e la sfruttò. Riuscì perfino a introdurre di nascosto nella camera oscura un mucchio di cuscini per maggior comodità delle sue ragazze, perché non sopportava l'idea che si ammaccassero le delicate ossa del sederino sull'impiantito. Gran parte delle modelle di Spider insistevano per il *cunnilingus* perché non rovinava i vestiti o la pettinatura. Bastava soltanto che si togliessero il collant. Non provavano un grande entusiasmo per la *fellatio*, invece, perché con quella, in un modo o nell'altro, si rovinavano il trucco e dovevano star molto attente a non guastarsi le unghie, ma Spider aveva idee molto rigide sul *do ut des*, come impararono presto. In ogni caso non ci furono mai lamentele e il personale delle agenzie in cui ci si procurava le modelle scoprì che diventava sempre più facile persuadere le ragazze ad accettare un lavoro da Sakowitz.

Spider avvertiva sempre ogni ragazza di quello che doveva aspettarsi da lui, prima di cominciare.

« Ti prometto soltanto che le cose non dureranno molto, bambina. Con me c'è un principio e un seguito, ma non c'è assolutamente una fine. Non sono interessato all'impegno, a una relazione duratura, a tutte quelle balle di un rapporto unico. E non faccio promesse, neanche per domani sera. »

« Spider, tesoro, che cosa mi risponderesti se ti dicessi che c'è sempre una prima volta per ogni cosa? »

« Direi soltanto quello che ho già sentito dire molte volte. L'unica cosa che non riuscirò mai a capire nelle donne è perché si rifiutano di crederti quando tu spieghi molto onestamente che non c'è assolutamente un futuro. D'altra parte, come si fa a spiegarlo più chiaramente di così? »

« La speranza non muore mai e tutte le altre frottole del genere. Perché non taci, Spider e non ti metti a darmi una scopata, bella e lenta? Correrò tutti questi rischi. »

All'epoca in cui fece la conoscenza di Valentine, Spider aveva migliorato la sua situazione e dalla camera oscura era passato ad altri due lavori, uno migliore dell'altro, come assistente di fotografi ben qualificati. Nel giro di tre anni, era diventato una specie di istituzione nel mondo della moda.

Durante i primi mesi di vita a New York, Spider aveva scoperto che gran parte delle modelle non si considerano ragazze « reali ». Quando finalmente sono arrivate al punto di capire che cosa possono fare con la loro faccia e hanno scoperto che il loro corpo slanciato, con la mancanza assoluta di seno e di fianchi, le rende perfetti appendiabiti viventi, l'idea che hanno di se stesse è praticamente ridotta allo zero, o molto vicino allo zero.

Man mano che crescevano e diventavano adulte, quasi

tutte avrebbero dato chissà che cosa per essere quella specie di cucciolona, che adora essere coccolata e coccolare. Spider le faceva sentire proprio così, ragazze da coccolare, baciare, vezzeggiare e abbracciare, stuzzicare e, naturalmente, adorare. Gli piacevano tutte, le spilungone dinoccolate oriunde del Texas, che portavano ancora la macchinetta sui denti e se la mettevano, religiosamente, fra un lavoro e l'altro; quelle indurite e scaltrite alle quali piaceva infarcire i loro discorsi di parolacce anche se, poi, le uniche a essere sciocche erano loro; quelle che perdevano di continuo le lenti a contatto sui folti tappeti; le ventiquattrenni tristi che aspettavano il venticinquesimo compleanno come se fosse la fine del mondo; le solitarie che erano state scoperte in Europa prima ancora di essere abbastanza adulte e mature per lasciare la casa dove erano sempre vissute.

I giorni degli espedienti e della confusione erotica sul pavimento della camera oscura di Sakowitz furono presto dimenticati quando Spider scoprì che quello che gli piaceva più di tutto era scopare in un letto, nel letto di una ragazza, nella camera da letto di una ragazza, respirando l'odore di una ragazza. Anche se faceva buoni progressi nella sua professione, gli mancava sempre l'atmosfera caratteristica di una casa abitata da una donna, e l'unico posto dove riusciva a coglierla parzialmente era l'appartamento di una modella, dove poteva annusare l'aria e ritrovarvi tanti piccoli particolari. Gli piacevano soprattutto le ragazze disordinate che lasciavano roba dappertutto, la biancheria sul pavimento, gli asciugamani bagnati sul bordo della vasca, le scarpe abbandonate dove lui finiva per inciampare, con le vestaglie stravecchie alle quali erano affezionatissime, i cestini per la carta traboccanti di Kleenex, il bordo del lavandino ingombro di rossi per labbra consumati a metà e di spazzolini per l'ombretto: tutti questi prodotti della ragazza bambina davano a Spider un piacere immenso. Le sue sorelle, pensava con nostalgia, erano sempre state un tal branco di piccole sciattone!

L'unico posto che Spider non prendeva mai in considerazione per fare l'amore, era il suo appartamento. Non avrebbe mai portato una ragazza lì dentro, neanche se fosse stato innamoratissimo di lei. Ma Spider sapeva di non esserlo mai stato. Il suo cuore dolce amaro, profondamente sensibile, era tutto, cocciutamente, suo. Era diventato un uomo intelligente e pieno di sentimento, però capiva benissimo di amare le donne in senso generico, come un gruppo o una specie. Il fatto stesso di essere sempre disponibile era un segno che, anche una donna speciale, diversa da tutte le altre, non sarebbe riuscita a farlo innamorare. Un giorno, egli sperava, si sarebbe innamorato di una donna, ma quel giorno non era ancora venuto.

Intanto aveva le sue pupe e un'amica, Valentine. L'appartamentino bizzarro di quest'ultima, nell'attico, con la sua atmosfera accogliente e assurdamente parigina, era diventato un rifugio tutto speciale per lui, il posto dove aveva bisogno di trovarsi quando si sentiva particolarmente in forma o, come capitava ogni tanto, quando era abbacchiato e imbronciato. Il miscuglio tutto particolare che Valentine gli offriva fatto di cibo, comprensione e quattro chiacchiere alla buona, otteneva sempre lo scopo di rimetterlo di buon umore.

Una sera, parecchi mesi, molte bottiglie di vino, molti saporiti stufatini di Valentine, molte lunghe conversazioni dopo il giorno in cui si erano conosciuti, Spider piombò nel suo attico senza neppure bussare.

« Val, dove cavolo sei? » gridò e poi si fermò di botto, tutto confuso, appena la vide talmente rannicchiata, che quasi non la si vedeva, in una delle poltrone con la fodera a volant. Teneva l'estremità accesa di una sigaretta *Gauloise Bleu* a trenta centimetri dal naso, aveva gli occhi chiusi, e stava assaporando l'aroma di quel fumo con infinito piacere.

« Così ho finalmente scoperto quello che fai! Mi ero sempre chiesto perché qui dentro c'era un odore di sigarette francesi anche se tu non fumi; dunque le bruci come fosse incenso. Ah, tesoro! » L'abbracciò. Lei sbatté le palpebre, guardandolo, strappata dalle sue fantasticherie e imbarazzata perché il suo segreto sentimentale era stato svelato.

« Oh, a dire la verità, non hanno proprio il profumo

vero di Parigi, non c'è niente che l'abbia, però questo, finora, è il più simile che ho trovato. Mi sai dire, Elliott, perché non bussi prima di entrare? »

« Troppo eccitato. Senti, ho qualcosa per te che ha quasi il sapore di Parigi... *Bollinger Brut.* » E tirò fuori una bottiglia di champagne che teneva nascosta dietro la schiena.

« Ma è talmente caro... Elliott, è successo qualcosa di bello? »

« Puoi scommetterci. La settimana prossima comincio a lavorare come assistente-capo da Hank Levy. È avanti qualche anno-luce rispetto alla gente con la quale ho lavorato fino adesso. Sakowitz, Miller, Browne, nessuno di loro lavora tanto per l'alta moda quanto Levy. Il suo studio ha un daffare maledetto, un mucchio di lavoro commerciale. Lui non è più richiesto come una volta, però è ancora nel giro, forse non è più nel giro ad altissimo livello, non ci è mai stato, ma per me è un passo da gigante. Ho saputo stamattina da una ragazza che Joe Verona, il suo assistente, sta per ritornare a Roma e sono corso a presentarmi da Levy appena sono potuto venir via dallo studio. Fortuna che era una giornata morta... a ogni modo, comincio la settimana prossima. » Esaltato e felice, fece un salto e si lasciò cadere sul tappeto ai piedi di Valentine.

« Oh, Elliott, come sono contenta! È una notizia meravigliosa, assolutamente fantastica. Sento che è una cosa buona per te e lo sai che le mie sensazioni sono sempre giuste. » Anche se era una donna essenzialmente molto pratica, Valentine aveva una gran fiducia nelle sue « sensazioni ». Spider, per prenderla in giro, diceva che era il suo selvaggio sangue irlandese che cercava di annegare le voci del realismo francese. Guardando Spider che stringeva fra le dita la bottiglia di champagne, Valentine si congratulò con se stessa perché quel ragazzo non era proprio il suo tipo. Era un lussurioso, correva dietro a ogni donna che passava e le faceva morire di crepacuore, e la ragazza che si lasciava prendere dal sentimento nei suoi riguardi era destinata all'infelicità. Lei, Valentine, era felicissima di averlo per amico, ma non sarebbe mai andata più in là, aveva troppo buon senso per considerare un uomo del genere, tanto amato dalle donne, come qualcosa di diverso da quello che era: semplicemente un buon vicino di casa. Grazie a Dio, lei era francese e sapeva come difendersi dagli uomini di questo tipo.

« A guardarti si direbbe che hai fame, Elliott. Pensa un po'! Ho appena preparato qualcosa da mangiare, troppo abbondante per una persona sola. E va benissimo con lo champagne. »

Hank Levy era quasi una persona simpatica, o giù di lì. Aveva comunque un sacco di fascino. Si vestiva con lo stile standard di un regista di Hollywood: jeans francesi, camiciole da lavoro accuratamente slacciate fin quasi alla vita, al collo una catena d'oro, pesantissima, di Bulgari. Il particolare più caratteristico del suo abbigliamento, una specie di marchio di fabbrica, era un cardigan « da professor Henry Higgins » di lana cashmere a quattro capi, che gli era costato cinquantacinque sterline da Harrods. Ne possedeva una dozzina, di differenti colori, e aveva il vezzo di legarseli intorno alla vita o di buttarseli sulle spalle con le maniche che penzolavano alla Balanchine. Se avesse immaginato, quando aveva assunto Spider, che quest'ultimo, d'inverno, portava maglie di cotone a maniche lunghe, come quelle degli atleti durante gli allenamenti, irresistibili perché autentiche, afrodisiache perché lise e sgualcite, nonché maglioni da marinaio che provenivano dalla collezione che suo padre si era fatto ad Annapolis, forse non avrebbe gradito di avere in giro per lo studio un tipo simile, troppo autentico e reale per lasciarlo tranquillo.

Il doppio fardello della bisessualità e della colpa ebraica pesavano notevolmente su Hank. Era convinto di essere stato raggirato. Cavoli, un giorno eccolo lì a dare una sbattuta sperimentale a una simpatica, piccola coordinatrice di moda, una biondina che sembrava disposta a tutto, ed eccolo a breve distanza di tempo, diavolo, sembrava che fossero passate solo quarantotto ore, ad accorgersi che lei non solo si era fatta mettere incinta indiscutibilmente da lui, ma che era anche una Simpatica Ragazza Ebrea con parecchie dozzine di parenti a Brooklyn, alcuni dei quali appartenevano allo stesso ramo di Hadassah al quale apparteneva anche sua madre.

Tuttavia, non era stata la rovina totale. Anzi. Chicky era molto più in gamba di lui. E anche più aggressiva e ambiziosa. Aveva cominciato a portare il cappello di zibellino prima che se ne fosse visto un altro in giro, eccetto che nella versione cinematografica di *Anna Karenina*. Si era messa a truccarsi senza il rossetto sulle labbra prima che questo tipo di trucco fosse stato inventato, o forse fu proprio lei a inventarlo; aveva indossato il primo completo pantaloni, la prima minigonna e la prima *midi* e riusciva ad arrivare alle pagine di *Women's Wear Daily* almeno cinque volte l'anno. Chicky aveva reso più raffinato il « contorno » del lavoro di Hank, offrendo piccole cene preparate con astuzia e molto calcolo, nelle quali riusciva ad attirare quelle poche celebrità, maleducate e insopportabili, sufficienti a dare l'impressione agli altri invitati di aver potuto dare un'occhiata al mondo favoloso dell'alta moda. Con tutto ciò le offerte di collaborazione arrivavano in continuazione al grande studio di Levy, dove i dischi più nuovi, com'era obbligatorio, suonavano tutto il giorno sul non meno obbligatorio, nuovissimo, sistema di filodiffusione e il blocco di legno da macellaio, che fungeva da tavolo, obbligatorio anche quello, era sempre sovraccarico dell'inevitabile scelta di formaggi francesi, salumi italiani e salsicce tedesche, oltre al pane nero a treccia, che arrivavano direttamente dal Reparto Ghiottonerie di Bloomingdale. Tutto considerato, era stata una combinazione fantastica.

L'assistente di un fotografo passa nove decimi del suo tempo a porgere la macchina appena caricata di pellicola nuova al suo capo, a tirarsi giù i rotoli di carta che servono da piano di fondo, a controllare l'esposimetro, a spostare il treppiede da un posto all'altro, ad armeggiare con uno stroboscopio capriccioso e a muovere qua e là i siparietti e i vari accessori. L'ultimo decimo del suo tempo è dedicato a cambiare i nastri sulla filodiffusione. In ogni caso, Hank Levy era pigro e impegnatissimo a non perdere tutta una massa di contatti sociali, ragion per cui finì per lasciare che Spider scattasse un bel po' di fotografie al posto suo. Questo voleva dire che Spider, finalmente, poteva fare tutte le cose che gli avevano fatto venir voglia di diventare un fotografo di moda, come mettere in posa le modelle e decidere da quale angolo prendere la foto e inventare le luci adatte e mettere a fuoco la macchina fotografica e schiacciare i bottoni e sentire la macchina che faceva « click ». Anzi era addirittura meglio di quel che sembra, quando si assiste alla proiezione di uno di quei film ambientati nello studio di questi fotografi, perché Spider si rivelò ben presto un genio nel modo di trattare con le modelle.

Hank Levy, però, non era tanto cretino o tanto distratto dalla sua intensa vita sociale da permettere a Spider di fare tutte le fotografie ordinate dalle riviste. Hank lasciava mano libera a Spider soltanto quando si trattava di qualche piccola pubblicità di orologi o scarpe o creme per ossigenare i peli superflui, e- poche anche di queste; solo quando c'erano di mezzo le agenzie pubblicitarie più piccole ed era ben sicuro che non mandassero quelli del loro ufficio artistico a sorvegliare il lavoro. Spider lavorava esclusivamente per la parte più trascurabile del complesso giro di affari di Hank, però era pur sempre la parte che serviva a pagare quasi tutto l'affitto.

La foto pubblicitaria che rese famoso Spider fu quella di un nuovo preparato per rinforzare le unghie, creato da una ditta di stringhe per scarpe. La modella, che avrebbe dovuto essere la personificazione nonché l'essenza del romantico Sud, era giovane, inesperta e dura come un baccalà nella crinolina e nei lacci del corpetto. Spider osservò la ragazza goffa e impacciata con aperta ammirazione.

« Perfetto! Tesoro, sei perfetta. Finalmente abbiamo preso qualcuno che è l'incarnazione della parte che deve fare. Ora stammi a sentire, bambina; tu sei proprio il classico tipo della civetta, fiera e orgogliosa, che costringeva i ragazzi della vecchia Virginia a darsi all'alcool. Peccato che tu non sia nata in tempo per fare la parte di Rossella O'Hara in *Via col vento*. Dio mio, questa ragazza è irresistibile... un po' più a destra, cara... scommetto che non so che cosa darebbero tutti gli uomini che conosci per risalire a morsettini e a leccatine sotto quella crinolina... adesso cerca di prendere un'aria un po' distaccata, piccola, ricordati che sei la bella della piantagione... è per lei che i baldi giovani sono andati in guerra. Fantastico! Così va magnificamente... chinati un po' verso sinistra, no, quella è la tua destra, cara... Cristo, com'è bello lavorare con un faccino fresco. Oh, sei intelligente e sei una delizia... ma questa è meglio della macchina del tempo... chiamami Ashley o chiamami Rhett, tutto quello che vuoi, perché quando una ragazza è bella come te, ottiene sempre l'uomo che vuole. Su, incantevole Rossella, proviamo una posa su quella altalena da giardino... magnifico! »

E la ragazza che si era messa a ridacchiare come una scioccherella e non si era mai mossa dal New Jersey per tutta la vita, finiva per credere a ogni parola di Spider, anche perché si accorgeva dell'erezione che aveva, e che gli veniva sempre quando stava lavorando con la macchina fotografica. Bastava questo semplice fatto a farla diventare divina cento volte più in fretta che se Spider le avesse detto soltanto: « Passati la lingua sulle labbra, pupa, e fammi ancora quel sorriso ».

La differenza fra l'espressione e l'aspetto di una modella quando un fotografo finocchio le lanciava meccanicamente un: « Favoloso, assolutamente favoloso, cara! » e quelli che assumeva la stessa modella quando Spider si metteva a scattare una foto dietro l'altra con il pene eretto che si delineava chiaramente sotto i pantaloni di tela bianca attillati, e lei si sentiva tutta eccitata e, Dio, era addirittura bagnata sotto quella ridicola crinolina, era la differenza fra una buona foto di moda e una grande foto di moda.

Harriet Toppingham, la redattrice di moda che scoprì Spider, era arrivata al culmine della carriera nel suo campo. Tuttavia le redattrici di moda, per quanto importanti siano, non si limitano solo a respirare l'aria profumata ed elettrizzante dell'alta moda e a spettegolare consumando costosissimi pranzi, ma lavorano anche come cani. Uno dei suoi incarichi era quello di esaminare la pubblicità di tutte le riviste, non soltanto quelle di moda, perché la pubblicità è la linfa vitale nel mondo del rotocalco. Il costo della carta e della stampa, nonché quello della distribuzione di ogni singola copia di una rivista, generalmente è più alto del prezzo a cui viene esposta dal giornalaio o venduta in abbonamento. Senza gli introiti della pubblicità non esisterebbe nessuna rivista, come non avrebbe ragione di esistere il lavoro di redattrice di moda.

Negli Stati Uniti le redattrici di moda dei grandi rotocalchi si contano sulle dita di una mano. Ogni rivista di moda che si rispetti ha un redattore, o redattrice, capo, assistita generalmente da due o tre redattrici di moda subordinate.

Soltanto le redattrici di moda ad altissimo livello hanno un ottimo stipendio. Le altre non sono pagate più di una buona segretaria, ma lavorano volentieri come schiave per il rango, l'interesse e il prestigio che quella posizione offre. Queste redattrici minori non devono avere solo talento ma anche ambizione. In più sono favorite se vengono da un ambiente sociale in cui la donna che lavora non deve ricorrere ai propri soldi per permettersi una saponetta costosa oppure, occasionalmente, una depilazione alle gambe.

Quando una redattrice di moda come Harriet Toppingham ha raggiunto il massimo, o quasi, della carriera, è corteggiata dalla gente che aspira alla sua attenzione esattamente come lo era Madame de Pompadour quando era la favorita di Luigi XV. I pranzi le vengono sempre offerti in un limitato numero di ristoranti francesi considerati decenti, dai proprietari di grandi industrie di confezioni, da stilisti e da gente incaricata delle pubbliche relazioni; i vestiti che indossa, se non sono proprio regalati, le costano comunque assai meno del loro prezzo ufficiale; e, a Natale, è costretta a noleggiare un'automobile con autista per portar via i regali dal suo ufficio due volte il giorno. Naturalmente, viaggia gratuitamente. Basta includere, con discrezione, anche solo una parte della sigla di una linea aerea o l'immagine dell'angolo di una piscina d'albergo in una fotografia di moda, accompagnata da qualche parola di precisazione nella didascalia, per risolvere gratuitamente il problema del trasporto e dell'alloggio per la redattrice, il fotografo, le modelle e gli assistenti.

Harriet Toppingham era arrivata al gradino più alto della carriera per i suoi meriti e non perché se lo fosse comprato, anche se il suo reddito personale, fornitole da un padre che fabbricava le vasche da bagno a decine di migliaia, era considerevole.

Era una donna con uno stile così duro e aspro che sembrava sempre tagliente come un rasoio. Il senso dell'autorità che provava era talmente genuino da ispirare un terrore altrettanto genuino nel personale del suo ufficio, la sua fantasia creativa, al pari di quella di Fellini, era illimitata. Le sue innovazioni, generalmente, venivano al principio detestate e poi imitate, diventando infine dei « classici ». Quando notò per la prima volta il lavoro di Spider, aveva passato da poco la quarantina e la gente la definiva brutta. Non era mai diventata quello che i francesi chiamano una *jolie laide*, perché non vedeva il motivo di tentare di mettere in risalto i pochi lati buoni che il suo aspetto e la sua figura potessero avere. Preferiva essere quell'altra cosa che i francesi sanno come ammirare, il mostro sacro. Si era accettata così come era e si presentava senza indulgere a nessun compromesso: capelli bruni, lisci, sottili, tirati indietro in una pettinatura severa, un grosso naso mascolino eccessivamente sporgente, labbra sottili truccate in un bel rosso vivo, occhi marrone, piccoli e opachi, disposti ai lati della faccia come quelli di una tartaruga di palude, che coglievano ogni particolare ma scartavano tutto a eccezione di quello che era più delicato, più intricato, più importante. Era un po' più alta della media, magra come un bastone, e portava sempre abiti splendidamente e inequivocabilmente chic. Non faceva concessioni alla moda corrente. Se era la stagione dello « sportivo all'americana » o del « ritorno alla morbidezza » o del « vestito di un colore chiaro », si poteva star certi che Harriet si presentava abbigliata in un certo modo che non si poteva definire quello di un determinato anno o decennio ma che faceva sembrare qualsiasi altra donna, per quanto perfettamente curata nei particolari, una del gregge.

Non si era mai sposata e abitava sola in un grande appartamento di Madison Avenue che aveva riempito delle sue collezioni, tesori che riportava dagli innumerevoli viaggi in Europa e in Oriente, in massima parte troppo strani e troppo contrastanti, qualche volta fin troppo grotteschi, per adattarsi a qualsiasi altro posto che non fossero i suoi locali tutti arredati in tonalità marrone, dove si ammucchiavano.

Almeno una volta all'anno ad Harriet Toppingham piaceva « dare un po' di notorietà » a un fotografo sconosciuto in modo da mettere da parte, almeno temporaneamente, uno di quelli che lavoravano per lei regolarmente. Nella sua posizione di capo redattrice per la moda della rivista *Fashion and Interiors*, poteva scavalcare il suo nemico, il direttore artistico, e intervistare i fotografi di persona, si rifiutava di trattare con gli. agenti dei fotografi, nel proprio ufficio conosciuto nell'ambiente come il Buco Marrone di Calcutta.

Quando vide la pubblicità del prodotto per rinforzare le unghie, nascosto in fondo a *Redbook,* si mise in contatto con l'agenzia per sapere chi avesse fatto quella fotografia. « Dicono che sia stato Hank Levy », disse alla sua segretaria, « ma non posso crederci. È dalla fine degli anni Sessanta che Hank non fa più niente di originale. Chiama Eileen o una delle altre agenzie al telefono e cerca di sapere chi ha posato per questa fotografia. E poi fammi chiamare qui dalla ragazza. »

Due giorni dopo convocava Spider per un colloquio. Lui portò la sua cartella che conteneva le migliori riproduzioni delle migliori fotografie che aveva preso: qualcuna era il risultato del suo lavoro per Levy ma, per la maggior parte, erano quelle che aveva fatto durante i weekend per il proprio piacere personale. Spider teneva sempre carica la Nikon F-2 perché la sua passione era quella di cogliere le donne nei momenti in cui non si mettevano in posa, negli attimi di rapida e intima comunicazione con se stesse. Celebrava ed esaltava la donna quando lei si sentiva a tu per tu con se stessa, mentre faceva cuocere le uova o sognava a occhi aperti davanti a un bicchiere di vino o si spogliava con gesti stanchi o si svegliava sbadigliando o si lavava i denti.

Harriet Toppingham fece passare quel fascio di fotografie con aria di finta indifferenza, riuscendo a nascondere senza fatica l'incredulità che provava se le capitava di riconoscere ragazze con una faccia da cinquecento dollari l'ora, che comparivano infagottate in un vecchio accappatoio o drappeggiate con disinvoltura in una spugna.

« Hmmm... interessante, molto carine. Mi dica, signor Elliott, qual è il suo artista preferito, Avedon o Penn? »

Spider le sorrise. « Degas, quando non fa le ragazze del balletto. »

« Santo cielo. Comunque Degas è sempre meglio di Renoir... con quei bianchi e rosa talmente scontati! Mi dica, ho sentito che lei è famoso per la sua intensa virilità. È una leggenda o è un fatto reale? » Ad Harriet piaceva attaccare quando il suo interlocutore meno se lo aspettava.

« Un fatto reale. » Spider le lanciò un'occhiata di simpatia. Gli ricordava la sua professoressa di matematica di quinta.

« E allora perché non ha mai lavorato per *Playboy* o per *Penthouse*? » Harriet non cedeva facilmente.

« Una ragazza che si intreccia un filo di perle false nei peli del pube o, bardata con un reggicalze di Frederick di Hollywood, si masturba guardandosi in uno specchio, mi sembrano cose un po' squallide. Non è che la masturbazione sia una delle cose che mi eccitano di più... » rispose Spider cortesemente. « Quando poi fotografano due ragazze insieme, il risultato è talmente voluto nella sua falsa presunzione artistica e talmente privo di stimoli da non sembrare neanche più un rapporto sessuale. Anzi, mi deprime... e mi sembra un peccato che quelle due modelle siano sprecate in quel modo... »

« Sì. Forse. Hmmm. » Harriet accese una sigaretta e si mise a fumare come se fosse stata sola, lanciando ogni tanto un'occhiata alle fotografie che le ingombravano il tavolo. Ma era un'occhiata indifferente, che non rivelava nulla. Di colpo, parlò.

« Potrebbe farci qualche pagina di *lingerie* per il numero di aprile? Ne abbiamo bisogno per la settimana prossima al più tardi. »

« Signorina Toppingham, darei qualsiasi cosa a eccezione del mio testicolo sinistro per lavorare per lei, ma ho un impiego a tempo pieno da Hank Levy... »

« Pianti in asso Levy », comandò lei. « Non avrà certo intenzione di lavorare per lui in eterno, no? Apra il suo studio. Cominci con poco. Io le darò abbastanza lavoro fino all'uscita del numero di aprile. Se è capace di fare il lavoro come spero, non avrà problemi nel pagare l'affitto. »

Harriet lanciò a Spider un'occhiata che era, quasi, di incoraggiamento. Quell'attimo, quell'uso tangibile del potere, quell'abilità a cambiare il corso della vita delle persone nel modo che preferiva, era una delle cose per cui viveva. Si sentiva eccitata, potente, superefficiente. Le fotografie che aveva appena chiesto a Spider, erano già state concordate con Joko dal direttore del reparto artistico. Joko, negli ultimi tempi, era diventato un po' noioso, troppo mite, addomesticato e senza fantasia. Aveva bisogno di un bel calcio nel culo. Il direttore artistico aveva bisogno anche lui di un bel calcio nello stesso posto. Non solo, ma questo Spider Elliott aveva fatto le fotografie delle donne più sexy che Harriet avesse mai visto. Le stesse ragazze che si facevano pagare per apparire supremamente belle quando erano truccate, nelle foto di Spider avevano un aspetto ancora più reale, incantevole e accessibile di quanto non avesse mai creduto.

Negli ultimi tempi, adesso se ne rendeva conto meglio, c'era stato qualche problema con le fotografie di *lingerie* su *Fashion and Interiors*. Le pagine di quella pubblicità erano diventate talmente raffinate da ottenere quasi l'effetto opposto a quello voluto. Alcune delle più grandi agenzie pubblicitarie, con clienti molto importanti nell'industria dei busti e reggiseni, si erano fatte vive per avvertire che, pur apprezzando i risultati editoriali, quegli stessi clienti erano avviliti perché perfino le modelle dei saloni di esposizione della Seventh Avenue non potevano competere neanche lontanamente con le ragazze di *Fashion*. A sua volta questo fatto preoccupava i compratori per i grandi magazzini i quali temevano che la donna qualunque si aspettasse di somigliare

110

a quelle fotografie indossando quegli indumenti. Insomma, tanto per dirla in due parole, quelle fotografie erano un imbroglio. Quando i pubblicitari si lagnavano delle pagine degli editoriali, c'era qualcosa che non andava, e quando c'era qualcosa che non andava, Harriet Toppingham si affidava sempre alle proprie intuizioni. Quel giorno sentiva che Spider Elliott poteva diventare importante per lei.

Spider trovò uno studio in una vecchia costruzione poco distante dalla Second Avenue, che non era ancora stata trasformata in un ristorante o in uno di quei night-club che ospitano, come attrazione, un attore o un cantante. Era in così pessime condizioni che soltanto una persona che ne avesse avuto un bisogno disperato poteva adattarsi ad affittarlo. In ogni caso c'era l'acqua corrente per la camera oscura e, all'ultimo piano, dove Spider trovò liberi due locali, i soffitti erano alti. L'appartamento dove abitava sarebbe stato molto più adatto a uno studio, ma Spider sapeva che si trovava troppo fuori mano.

Per questo primo servizio Spider decise di non servirsi delle solite modelle per la *lingerie*, ragazze con un corpo tanto perfetto che nessuna persona di buon senso sarebbe riuscita a credere che, nei loro diciotto anni di vita, avessero portato almeno una volta una mutandina elastica o un reggipetto. Così non sfruttò nessuna delle solite pose: studentesse di danza classica colte di sorpresa mentre indossano soltanto la biancheria intima per fare gli esercizi, o languide visioni di spiagge in cui la modella, cosparsa di sabbia, sembra che abbia sostituito il bikini con la biancheria, oppure quelle foto che lasciano molto alla fantasia di chi guarda, dove compaiono in un angolo la mano di un uomo dalla quale penzola un braccialetto di brillanti, o un piede maschile, in una lucidissima scarpa da sera.

Preferì, invece, assumere modelle che avessero più di trent'anni, sempre belle ma con volti e corpi senza più la freschezza della gioventù. Ricostruì nello studio un camerino identico a quelli dei grandi magazzini. Mucchi di *lingerie* provata e scartata si ammassava alla rinfusa sull'unica seg-

111

giola e giacevano buttati malamente sulla piccola mensola, pressoché inutile date le sue dimensioni, che costituisce l'unico arredo di quelle celle. Le modelle si fissavano con aria dubbiosa nella specchiera a tre ante; sedevano sull'orlo della seggiola seminude nella sottoveste infilata a metà e si accendevano quella sigaretta di cui sentivano un enorme bisogno, oppure lottavano furiosamente per liberarsi da fascette elastiche troppo strette o cercavano in enormi borse rigurgitanti di roba il rosso per le labbra, che forse avrebbe migliorato il loro aspetto... insomma, nelle foto di Spider, facevano tutte le cose che fa una donna quando deve andare a comprarsi la biancheria intima.

Gli uomini che videro quel numero di *Fashion and Interiors* provarono la sensazione di poter dare finalmente una occhiata a qualcosa che, di solito, non avevano mai avuto il permesso di osservare, rapide occhiate ai misteri femminili molto più intime di quel che non avrebbe potuto offrire neppure una panoramica più completa. Le donne cercarono il confronto fra se stesse e le modelle, com'era loro abitudine, e anche se si sentivano nel fare questo confronto infelici trovarono che il risultato non le deprimeva come di solito. Anzi, quei reggipetti davano proprio l'impressione di poter sostenere un paio di tette normali, che strano! E com'era rassicurante!

Il direttore artistico di *Fashion* aveva minacciato di dare le dimissioni appena viste le prove di stampa, mettendosi a strillare in uno sconosciuto dialetto dell'Ungheria meridionale... anche se, di solito, strillava in francese. Harriet non poté frenare una risata quando lo sentì.

All'epoca in cui il numero di aprile fece la sua apparizione dai giornalai, Spider aveva già completato altri tre lavori per *Fashion*: pagine di profumi tanto smaccatamente sentimentali, tanto romanticamente vittoriane che un critico cinematografico le avrebbe premiate con tre asterischi; una serie di foto di scarpe che i feticisti di piedi conservarono come pezzi da collezione; e un delizioso paginone di camicie da notte e pigiami da bambini, che persuase più di una donna a smettere di prendere la pillola per vedere che cosa sarebbe successo. Con tutto ciò, negli ultimi quattro mesi aveva dovuto dipendere interamente da Harriet Toppingham, che gli centellinava le ordinazioni di lavoro come una padrona di casa taccagna che è stata costretta a servire caviale fresco. In ogni caso, le piccole somme con le quali viene compensato un fotografo che lavora per i giornali di moda, in confronto a quelle ben più grosse che riceve per le foto pubblicitarie, sono a malapena sufficienti per pagare i rotoli di pellicola, la crema da barba e i cereali per la prima colazione.

La pubblicazione delle foto di *lingerie* non gli portò altro lavoro commerciale. E se i grandi magazzini che vendevano quegli indumenti rimasero entusiasti dei risultati, i direttori artistici delle agenzie di pubblicità, per quanto rispettassero Harriet, furono dell'opinione che forse questa volta, finalmente, aveva esagerato. Tuttavia, le foto dei profumi erano qualcosa che potevano capire e, nel giro di qualche mese, verso la fine del 1975, Spider poté cominciare a considerarsi un fotografo di discreto successo, con molte belle prospettive. A quasi trent'anni era finalmente un fotografo di moda di New York, con il proprio studio, la propria Hasselblad, il proprio parco lampade. Ci erano voluti quasi sei anni dal giorno della laurea.

Melanie Adams entrò nello studio di Spider uno dei primi giorni di maggio, nel 1976. Era arrivata a New York esattamente tre giorni prima da Louisville, Kentucky, e con la disarmante ingenuità dell'ignoranza, con la più grande semplicità del mondo, si era diretta all'Agenzia Ford ed era entrata nella sala d'aspetto ad attendere. Sia Eileen sia Jerry Ford, i quali hanno più esperienza di chiunque altro in fatto di modelle per fotografi, quel giorno per caso erano fuori città, ma per una ragazza con l'aspetto di Melanie Adams non c'era posto migliore dove restare ad aspettare. I Ford avevano addestrato tutto il loro personale ad attendersi sempre il miracolo.

Di conseguenza non appena una delle assistenti di Eileen posò gli occhi su Melanie, decise di darsi subito da fare per sapere se una ragazza dalla bellezza tanto incredibile fosse fotogenica. Telefonò a Spider e gli chiese di farle qualche foto di prova perché quelle che Melanie aveva portato con sé erano un disastro. La ragazza, infatti, non aveva mai lavorato come modella di professione e quindi tutto quello che aveva con sé erano alcune istantanee troppo vecchie tolte dall'album di famiglia e quella ricavata dall'annuario della scuola superiore che aveva frequentato.

Melanie rimase ferma sulla soglia della porta aperta dello studio di Spider finché quest'ultimo non si accorse della sua presenza. «Salve», gli disse timidamente, tirandosi via con una mano dalla faccia i folti capelli. «Quelli dell'Agenzia Ford mi hanno detto di venire a fare qualche foto di prova... »

Spider credette che gli si fermasse di colpo il cuore in petto. Rimase lì dov'era, immobile, a guardarla. Fu come se tutte le altre ragazze della sua vita non fossero state altro che una serie di quei flash che si adoperano per il montaggio dei titoli di apertura di un film. Adesso la macchina fotografica era finalmente messa a fuoco sulla diva e il film stava per cominciare. Anzi era già cominciato.

«Già. Mi hanno telefonato. Ti stavo aspettando.» Parlava automaticamente, per pura abitudine. «Bene, cominciamo. Prima di tutto voglio qualche foto alla luce naturale; butta il cappotto su quella seggiola e vai a metterti alla finestra là in fondo. Guarda fuori.» Gesù, pensò tra sé, ci saranno almeno trenta sfumature di colore diverse nei suoi capelli, tutte quelle che ci possono essere dal colore del curry a quello dello zucchero d'acero. «Adesso avvicinati po' di più alla finestra e appoggiati al davanzale con il gomito destro, il profilo verso di me. Mento alto. Un piccolo sorriso. Sorridi un po' di più. Adesso voltati verso di me, abbassa la mano. Bene. Abbassa il mento. Rilassati.» Si accorse che, fortunatamente era impossibile riprendere quella ragazza con una brutta angolatura. «O.K. Adesso vieni qui e siediti su questa seggiola sotto le luci. Guardati in giro quanto vuoi e non badare alla macchina fotografica.»

Mentre lei girava la testa di qua e di là, Spider, osservandola, si sentiva quasi inebetito per la violenza delle emozioni che provava. Il suo cervello lottava inutilmente per dare un significato logico ai propri sentimenti. Era convinto di essere l'ultimo uomo al mondo a poter subire con tanta forza l'influsso della bellezza, soltanto della bellezza, in una ragazza. Si aspettava la bellezza e cercava sempre, oltre a questa, la personalità vera. Adesso, invece, sentiva che sarebbe stato disposto a passare il resto dei suoi giorni a cercar di capire che cosa rendeva così singolare quel volto. Il suo sorriso era impudico, deliziosamente impudico, eppure colmo di mistero. Qualcosa, nel modo in cui la sua ossatura era disposta sotto la pelle, gli disse che non sarebbe mai riuscito a possederla. Era lì, davanti a lui, eppure la sua realtà lo eludeva in un modo esasperante, incomprensibile.

« Ho tutto quello che mi serve », disse spegnendo le luci.

« Qui... vieni qui. » La guidò a un divano e sedette vicino a lei. « Dimmi un po', quanti anni hai? Vuoi bene a tuo padre e a tua madre? Ti capiscono? Non c'è mai stato nessuno che si sia comportato male con te? Quali sono le cose da mangiare che ti piacciono di più? Chi è stato il primo ragazzo che ti ha dato un bacio? Gli volevi bene? Sogni molto...? »

« Adesso basta! » La sua voce aveva un accento chiaramente meridionale con quel tanto di dolcezza appena sufficiente e tutto il ghiaccio bollente dell'archetipo della bella del sud. « Nessuno da Ford mi aveva avvertito che lei era matto! Si può sapere perché mi fa tutte queste domande? »

« Senti... Io... credo di essermi innamorato di te. No, per piacere, non sorridere in quel modo. Oh, Dio! Non sto giocando. È necessario che te lo dica subito perché voglio che tu cominci a pensarci... non prendere quell'aria così sospettosa. Non ho mai detto a una donna di amarla, mai prima d'ora, prima che tu entrassi qua dentro. » Spider le prese una mano e se la posò sul petto. Il cuore gli batteva con la stessa violenza che se avesse fatto di corsa un chilometro e mezzo per scampare alla morte. Lei alzò le sopracciglia, e fu il suo unico commento; poi lo guardò diritto in faccia. Le sue iridi erano chiare, del colore caldo di un bicchiere di saporoso e dolcissimo sherry guardato contro luce, e la sua espressione era quella di chi cerca la verità suprema con un'angoscia struggente eppure delicata.

« Dimmi a che cosa stai pensando in questo momento », la implorò Spider.

« Odio sentirmi fare questa domanda », rispose gentilmente Melanie.

« Anch'io. Non l'ho mai fatto prima. Però promettimi che non ti sposerai subito con qualcuno. Dai una possibilità anche a me. »

« Non faccio mai promesse », rise Melanie. Aveva imparato molti anni prima a non impegnarsi. Risparmiava sempre un sacco di fastidi, presto o tardi. « In ogni modo, come puoi dire una cosa del genere? Non mi conosci neppure! » Quel giochetto non l'aveva incantata, però la divertiva perché, da quando aveva compiuto gli undici anni, si era sentita fare ogni genere di dichiarazione. I ricordi più lontani erano quelli delle molte volte in cui si era sentita dire come fosse bella. E qualcosa in lei non aveva mai creduto a quelle parole, non ne era mai rimasta soddisfatta. Passava la vita a fare esperimenti con la gente, a vedere quali fossero le loro reazioni come se, dal modo in cui reagivano, potesse scoprire se stessa. « Non faccio mai promesse », ripeté, perché sembrava che lui non l'avesse sentita, « e non rispondo a nessuna domanda. »

Il suo atteggiamento era quasi vittoriano; si teneva con la schiena diritta, con un'espressione attenta, come una brava bambinetta ben educata. Eppure il lieve, inequivocabile invito del suo sorriso in quella posa che aveva una quiete senza tempo, sembrava il segno della certezza del suo trionfo. Fece per alzarsi.

« No! Aspetta! Dove vai? » domandò Spider al colmo dell'agitazione.

« Muoio di fame, ed è l'ora del pranzo. »

Spider provò un immenso sollievo. Quello del pasto era un terreno più familiare. Se poteva sentire la fame, voleva dire che era un essere umano.

« Ho un frigorifero pieno di roba. Aspetta un momento e ti faccio il miglior panino di segale imbottito di formaggio svizzero che tu abbia mai mangiato in vita tua. » Men-

116

tre faceva i sandwich, Spider pensò che, se avesse potuto sbarrare la porta, buttar via la chiave e tenerla lì con sé, sarebbe stata la cosa più bella che il mondo potesse offrirgli. Voleva sapere tutto il possibile su questa ragazza, dal giorno in cui era nata in poi.

Spider non era mai stato un tipo introspettivo. Era cresciuto vivendo la vita piacevolissima che aveva sempre avuto, senza autoanalizzarsi. Così si innamorò di colpo, allo stesso modo in cui chiunque sarebbe potuto cadere dentro un buco nel pavimento che, fino al giorno prima, era stato solido e compatto. Era impreparato per la passione come uno scolaretto.

Mangiarono senza parlare. Lei non si sentiva imbarazzata dal silenzio che era sorto fra loro. Era sempre stata quieta, Melanie, serenamente, evasivamente quieta. Era talmente assorta in se stessa da provare ben poca curiosità di scoprire qualcosa negli altri. Però cominciò a fissare Spider con attenzione, cercando di cogliere un riflesso di se stessa nei suoi occhi. L'immagine sarebbe risultata deformata, ma poteva dirle qualche cosa che aveva bisogno di sapere. In quel momento, allora, avrebbe avuto la sensazione di com'era l'esistenza in un mondo reale; poi quel momento sarebbe passato e lei sarebbe rimasta sola nella sua eterna ricerca.

La luce nello studio mutò man mano che il sole del pomeriggio si ritirava dalla stanza. Spider guardò l'orologio.

« Cristo! Fra cinque minuti mi arriveranno tre bamberottoli con le loro mammine... devo fotografare una serie di vestiti di gala, e non c'è niente pronto! » Balzò in piedi e si precipitò nello studio, mentre Melanie si infilava il cappotto. Spider si fermò di botto e si voltò rapidamente, incredulo.

« Ehi, come hai detto di chiamarti? »

Due settimane dopo, davanti a uno dei lunghi specchi che si trovavano nello spogliatoio di Scavullo, una delle ex ragazze di Spider disse a un'altra: « Hai saputo la notizia? »

« Di quale notizia stai parlando, si può sapere? Ce ne sono talmente tante in giro! »

« Il nostro divino Spider, lo Spider che ci siamo scambiate, ci è cascato finalmente. »

« Ma si può sapere di che cosa parli? »

« Tesoro, quel povero, adorabile sciocco è innamorato della nuova Greta Garbo. Sai di chi parlo... l'ultima scoperta di Eileen, il misterioso bocciolo di magnolia. »

« Chi te l'ha detto? Non ci credo! »

« Me l'ha detto lui... altrimenti non ci avrei creduto. Ma Spider non riesce a star zitto. Sembrerebbe, a sentirlo, che sia stato lui a inventare l'amore. Da come si comporta, sembra di rivedere Cole Porter in *Dixie*. Lo trovo assolutamente stomachevole, soprattutto se ti ricordi che lui non ha mai... Non ha mai voluto... »

« So benissimo quello che vuoi dire. »

« Immaginavo che mi avresti capita! »

« Oh... quella fighetta del Sud! »

« La definizione mi piace! »

4

Quando Billy Winthrop tornò a Boston tre mesi prima che si compisse il suo anno di studio a Parigi, spiegò alla zia Cornelia che non aveva saputo resistere alla nostalgia. Disse che aveva sentito improvvisamente un gran desiderio di passare l'estate con la famiglia a Chestnut Hill, prima di partire per New York per cominciare i corsi al Katie Gibbs. Cornelia accettò questa bugia fingendosi convinta, ma l'ultima lettera di lady Molly le aveva svelato tutta la storia del modo vergognoso in cui quel ragazzo Côte de Grace aveva piantato in asso la nipote. Il suo cuore materno le doleva per non poter dire a Honey, a Billy, quanto fosse triste per lei, ma la grandissima dignità della ragazza le impediva di affrontare qualsiasi colloquio intimo.

E il suo aspetto! Non si faceva che parlarne in tutta Boston, nella parte che contava di Boston, naturalmente. Certe madri, occhieggiando le proprie scialbe figliole, finirono quasi per perdonare a Billy il suo lungo corpo snello, la massa dei capelli neri, l'andatura superba, la pelle perfetta, ma vi si costrinsero a poco a poco, esaminando una fattezza dopo l'altra e solo perché, dopo tutto, era una Winthrop. Dopo aver pensato a lei come alla patetica, grassissima Honey per tanto tempo, era estremamente faticoso anche per la donna migliore sentirsi costretta ad accettare il fatto che Honey era tornata dalla Francia trasformata in una figliola stupenda.

Le ragazze dell'età di Billy trovarono quel cambiamento ancora più irritante. Il brutto anatroccolo che diventa un cigno bellissimo andava bene nella favola dei fratelli Grimm, ma a Boston era troppo! Si sarebbe addirittura potuto dire che era un po' troppo d'effetto... forse un filo... volgare?

Cornelia si buttò nella mischia. « Amanda, tua figlia Pee-Wee dovrebbe vergognarsi! A sentirla sembra la volpe con l'uva acerba. Ho sentito per caso quello che ha detto della mia Billy al Myopia proprio ieri. Ah, dunque sarebbe "assurdo" cambiarsi nome alla sua età, vero? Faresti meglio a ricordarti che l'hanno battezzata con il nome di una tua seconda cugina, Wilhelmina. Non ha "cambiato" nome, ha semplicemente ripreso quello di prima. Ah, e così Billy non sa vestirsi nel modo giusto per andare a vedere una partita di polo? Se Pee-Wee si decidesse finalmente a togliersi quei calzoni da equitazione, forse potremmo scoprire se sa come ci si veste anche per qualcos'altro. E poi, cos'ha intenzione di fare? Di continuare a farsi chiamare Pee-Wee finché sarà nonna? Se fossi in te, Amanda, scriverei a Lilianne de Vertdulac per sapere se ha una camera per tua figlia per l'anno prossimo. Non farebbe male a quella ragazza scoprire che c'è una vita anche fuori dalle stalle. »

Con Billy, Cornelia fu molto franca e molto gentile.

« Billy, ho l'impressione che il tuo anno a Parigi ti sia costato più di quello che ti aspettavi. »

« Ho proprio paura di sì, zia Cornelia. Mi sono lasciata prendere la mano... »

« Non dire sciocchezze! Qualsiasi ragazza che abbia un corpo stupendo come il tuo merita di sfruttare un soggiorno a Parigi nel miglior modo possibile. Non ti rimprovero assolutamente perché ti sei comprata quei vestiti. Li porti bene, e dopo tutto, li hai comprati con i tuoi soldi. Avrei insistito per mandarti via con un bell'assegno per rifarti il guardaroba, quando sei partita, ma eri così paffuta che non mi è sembrato che ne valesse la pena. »

« Paffuta. Come sei cara, zia Cornelia. Ero grassa in un modo disgustoso. Sembravo un baule. »

« Be', non stiamo lì a spaccare il pelo in quattro. Eri una ragazza completamente diversa. Il problema non è questo, è quello del tuo futuro. Non ti piacerebbe restare a

120

Boston e deciderti ad andare al Wellesley? » domandò Cornelia speranzosa. Questa nuova Billy avrebbe potuto sposare chi voleva. Non c'era bisogno che andasse al Katie Gibbs a fare quel corso per diventare una disgraziata e triste segretaria.

« Buon Dio, no! In autunno compirò vent'anni, sono troppo vecchia per ricominciare ad andare a scuola. »

Cornelia sospirò. « Non avevo neppure pensato a questo aspetto del problema. Ma non c'è tutto questo bisogno che tu te ne vada subito da casa, non ti pare? Sai che lo zio e io siamo felicissimi di averti qui con noi. »

« Lo so, e ne sono profondamente commossa, zia Cornelia. Ma devo andarmene da Boston, almeno per un po'. Conosco tutta la gente che c'è qui da sempre e non ho neppure una vera amica, soltanto te e lo zio George. Papà è sepolto nelle sue ricerche; mi ha dato un'occhiata, ha detto: "L'avevo sempre saputo che tu avevi le ossa dei Minot" e poi ha ricominciato a lavorare. Oh, dannazione, è difficile spiegarlo, ma voglio andarmene in un posto dove non ci sia nessuno che, incontrandomi, dica: Mio Dio, che cosa ti è successo? Quanti chili hai perso? Non riesco a crederci. Quella grassona di Honey Winthrop! »

Cornelia tacque, ma la sua espressione le fece capire che non poteva non essere d'accordo. Aveva sentito dire anche lei quelle stesse cose.

« Zia Cornelia, non ti ricordi che mi avevi fatto promettere che avrei seguito il corso del Katie Gibbs quando fossi tornata da Parigi? »

« Ma adesso, cara, non ci penso più a tenerti impegnata con quella promessa... Voglio dire che hai tante scelte... tanti simpatici ragazzi che ti telefonano... »

« Tanti bambini, vorrai dire. Mi pare di avere dieci anni più di loro. Non posso starmene qui seduta a occuparmi di opere di carità, vivendo alle spalle tue e dello zio George, nell'attesa di trovare qualcuno, che non sia proprio un adolescente, disposto a sposarmi. D'altra parte, a pensarci bene, non sono capace di fare nient'altro. »

« Be', mia cara, è quello che abbiamo fatto anche noi, quasi tutte perlomeno. »

« Oh, sai benissimo che cosa voglio dire. »

« Infatti, lo so benissimo. » Cornelia provò una fitta di dispiacere al pensiero di lasciarla partire, ma non era la donna che si rifiutava di ammettere l'evidenza. « Così, vada per il Katie Gibbs! » E si buttò nella consolazione, che le era familiare, di organizzare la vita di qualcun altro con la solita abilità ed efficienza. Dopo tutto l'istituto Katie Gibbs, fondato nel 1911, era l'unica scuola per segretarie in America che le famiglie delle giovani donne di buona posizione sociale trovassero del tutto accettabile.

Nel giro di una settimana, Cornelia era andata a scovare anche una compagna adatta con cui Billy potesse alloggiare. Una sua vecchia amica, era un'amicizia che risaliva all'epoca della scuola, aveva una figlia. Questa lavorava a New York e abitava in un quartiere molto decoroso. Nel suo appartamento c'era una camera da letto in più che sua madre era ansiosa di farle affittare. Cornelia non perse tempo e pagò anticipatamente la retta di un anno di scuola, basandosi sulla corretta supposizione che, dopo i suoi acquisti parigini, Billy dovesse essere a corto di soldi sia per questa sia per le altre spese. Con il pretesto di « approfittare » dei saldi estivi delle pellicce, convinse Billy a seguirla da Roberts-Neustadter in Newbury Street e qui le offrì in regalo, un po' in anticipo, per il suo ventesimo compleanno, un mantello di foca dal pelo nero e vellutato, aderente, con una cinturina che le segnava la vita dietro, la gonna scampanata e un bordo di visone al collo e ai polsi. « Tieni quella vecchia per le giornate di pioggia », le consigliò, fermando con un gesto Billy che stava per buttarsi ad abbracciarla per la gioia.

In una giornata torrida e senza un filo d'aria della prima settimana del settembre 1962, Billy si trovò seduta nella vettura di un treno che viaggiava da Back Bay Station a Grand Central Station. Si sentiva lo stomaco sconvolto da una crisi di nausea ogni volta che pensava all'incontro con la ragazza con la quale avrebbe dovuto dividere l'alloggio in futuro, Jessica Thorpe. Che nome sussiegoso: sembrava così austero, così arido e perfetto! Quel che era peggio, la sconosciuta ragazza aveva ventitré anni, si era laureata a pieni voti a Vassar e lavorava nella sezione editoriale di McCall's. Che termine di confronto spaventoso doveva essere, pensò Billy. Perfino la sua origine era impeccabile. Sia il padre sia la madre discendevano dalle più antiche famiglie di Providence, Rhode Island. Non era come se fosse stata originaria di Boston, le fece notare la zia Cornelia, ma fortunatamente non era neppure tanto banale e ordinario come se fosse nata a New York. Il suo appartamento si trovava nell'Ottantaduesima Strada, fra Park e Madison Avenue. Bastarono solo questi particolari a convincere Billy che quest'inevitabile e ineluttabile compagna di stanza non poteva che essere una donna arrivista, sofisticata e piena di sé, competente e già con il proprio destino in pugno. Forse perfino un'intellettuale.

Nel frattempo, Jessica Thorpe stava passando una mattinata estremamente sgradevole. Aveva incominciato ad andare male, nel momento in cui Natalie Jenkins, la redattrice che si occupava degli articoli di varietà, aveva stracciato e ridotto in mille pezzi l'ultima stesura del profilo di Sinatra fatta da Jessica. La signora Jenkins, famosa come la prima donna nel campo dell'editoria e capace di sopravvivere a un pranzo accompagnato da quattro martini, aveva trovato odioso il suo primo tentativo, infelice il secondo tentativo e, proprio quel giorno, si era decisa a prendere il terzo tentativo e a riscriverlo interamente, di persona, nel giro di tre quarti d'ora, eliminando quello che era il succo del pezzo e demolendo tutte le parti che significavano qualcosa.

Come se questo non fosse già abbastanza tragico, era il giorno in cui doveva arrivare la ragazza di Boston: Wilhelmina Hunnenwell Winthrop. Quel solo pensiero bastava a far afflosciare la nuvola di capelli sottilissimi e preraffaelliti di Jessica. Jessica era sempre sul punto di afflosciarsi, indipendentemente dalle circostanze. Le gonne le cadevano flosce e pendevano da ogni parte perché aveva i fianchi troppo sottili per tenerle su nel modo migliore, e non le era mai venuto in mente di far accorciare gli orli quel tanto che era necessario. Le sue camicette ciondolavano flosce intorno alla vita perché si dimenticava sempre di infilarle nella gonna. Il suo corpo tendeva ad afflosciarsi perché era alta solo un metro e cinquantotto e non si ricordava mai di stare diritta. Ma perfino quando era il suo spirito ad afflosciarsi, come tutto il resto, era irresistibile. Gli uomini trovavano che il modo in cui Jessica si afflosciava era deliziosamente femminile. Jessica aveva un naso minuscolo, un mento molto piccolo e due occhi immensi, tristi, color lavanda, nonché una fronte spaziosa e incantevole. Quando la sua adorabile boccuccia era rivolta all'ingiù, gli uomini si sentivano sopraffatti, da una gran voglia di baciarla. Quando non aveva gli angoli all'ingiù, provavano ugualmente la stessa identica voglia.

Gli uomini erano la cosa che Jessica preferiva. Si era illusa di essere riuscita a nascondere questa pericolosa tendenza a sua madre, ma era evidente che doveva aver fatto fiasco, altrimenti sua madre non avrebbe insistito con tanta decisione perché si prendesse una compagna con cui dividere l'alloggio o si trasferisse, come unica alternativa, all'Hotel Barbizon per Signore, l'isola del diavolo della castità. E la castità era la cosa che Jessica metteva all'ultimo posto fra le sue preferenze.

La ragazza di Boston era certo una spia di sua madre, rifletté Jessica mentre tornava a casa con la sua aria meravigliosamente afflosciata, rovinando la serata ad almeno una dozzina di uomini sull'autobus che passava in Madison Avenue perché non li aveva neppure sfiorati con lo sguardo. In normali condizioni di spirito, Jessica guardava direttamente ogni uomo che vedeva per una frazione di secondo, giudicandolo in base a una graduatoria che andava da uno a dieci, fondata unicamente su questo criterio: « Come sarebbe a letto? » Un uomo doveva essere estremamente poco attraente per prendere un voto inferiore al quattro perché Jessica era molto miope e non sopportava l'idea di mettere gli occhiali in pubblico.

Billy fece un po' di fatica a trovare un tassì durante l'ora di punta, e fu soltanto dopo le sei e mezzo che arrivò, con i nervi tesissimi, all'appartamento di Jessica. Il portiere citofonò dall'atrio della casa per annunciarla a Jessica che aveva appena finito di nascondere cinque calzini da uomo scompagnati, una cintura dei Brooks Brothers e, nell'affanno dell'ultimo minuto, il sacchetto con l'occorrente per le irrigazioni. Se era vergine, la ragazza lo avrebbe usato o no? Jessica era troppo terrorizzata per trovare una risposta a questo interrogativo. Rimase sulla soglia dell'appartamento a contemplare un mucchio di valigie straordinariamente belle su un carrello sospinto verso di lei. Dietro il bagaglio veniva il portiere e dietro a lui avanzava quella che, agli occhi miopi di Jessica, parve un'amazzone. Scambiò qualche saluto impacciato con quella figura alta che vedeva confusamente, mentre l'uomo scaricava il bagaglio, aspettando con tristezza il momento in cui si sarebbero trovate sole. L'amazzone si era fermata, silenziosa, incerta e senza voce, in mezzo al soggiorno. Anche se Billy si era scoperta relativamente disinvolta la prospettiva di vivere in comunanza con una ragazza « superiore » che proveniva dal suo stesso ambiente, una ragazza che aveva tre anni più di lei, le faceva tornare in mente, uno per uno, le dozzine di motivi di insicurezza dai quali era stata segnata, come da un tatuaggio, durante i suoi primi diciotto anni di vita. E la vista dell'esile e piccola Jessica, così sottile, quasi fragile, ebbe lo strano effetto di far sentire Billy di nuovo enorme, come se fosse stata ancora la grassona di un tempo.

Il portiere se ne andò e Jessica ricordò le sue buone maniere. « Ah... perché non ci sediamo? » mormorò timidamente a fior di labbra. « Devi essere completamente esausta... fa così caldo fuori. » Abbozzò un gesto esitante in direzione di una seggiola e la figura alta vi si lasciò cadere con un sospiro di sollievo e di stanchezza. Jessica brancolava alla ricerca di un terreno comune per i primi approcci, di qualche cosa che inducesse la sconosciuta a parlare. « Perché non beviamo qualcosa... sono così nervosa... » A queste parole gentili l'amazzone scoppiò in lagrime. E, per non essere da meno, Jessica la imitò. Scoppiare in lagrime era un'altra delle cose che le piacevano di più, perché aveva scoperto che, in realtà, erano più utili di qualsiasi altra cosa nei momenti difficili.

Cinque minuti dopo Jessica aveva inforcato gli occhiali e aveva esaminato Billy con la massima attenzione. Era tutta la vita che avrebbe voluto avere l'aspetto di Billy e glielo disse. Billy rispose che, quanto a lei, aveva sempre sognato di essere come Jessica. Raccontavano la verità, tutt'e due, e se ne accorsero. Nel giro di due ore Billy le aveva raccontato tutta la storia di Edouard e Jessica aveva parlato a Billy dei tre uomini che avevano totalizzato un nove nella sua graduatoria e con i quali aveva una relazione in quel momento. Da allora la loro amicizia progredì secondo una proporzione geometrica. Prima di ritirarsi nelle rispettive camere, alle quattro del mattino, dopo aver tirato fuori dal suo nascondiglio, con la dovuta solennità, il sacchetto con il necessario per le irrigazioni, fecero il patto di non raccontare mai a nessuno a Providence o a New York o a Boston, niente che riguardasse l'altra a eccezione del nome, seguito dalla formula sacra « una ragazza molto simpatica ». Tennero fede a quel patto per tutta la vita.

Quando Billy uscì dall'ascensore nell'ingresso dell'Istituto Katie Gibbs, la prima cosa che incontrarono i suoi occhi fu lo sguardo della defunta signora Gibbs, conservato in tutta la sua severa e implacabile espressione nel ritratto appeso al di sopra del banco dell'impiegata che doveva accogliere le allieve. Non aveva l'aria arcigna, pensò Billy, sembrava soltanto che sapesse tutto di te e non avesse ancora deciso se doveva disapprovarti definitivamente, oppure darti un'altra possibilità. Con la coda dell'occhio notò che c'era qualcuno fermo vicino alla porta dell'ascensore con l'incarico di controllare ogni ragazza: guanti, vestito, cappello e trucco che non doveva essere pesante. Questo, perlomeno, non era un problema per una ragazza che ricordava anche troppo bene le abitudini di Boston.

Invece Gregg lo era. Billy malediceva di tutto cuore Gregg e Pitman, chiunque fossero. Si domandava perché la gente era stata così crudele da inventare la stenografia mentre trillavano quegli infernali, eterni campanelli alla fine di ogni ora, e si spostava rapida, ma con la precisione richiesta, dall'aula di stenografia a quella di dattilografia e poi ancora, indietro, a quella di stenografia. Si aspettavano sul serio che fosse capace di produrre cento parole al minuto stenografando e di scrivere a macchina, senza il minimo errore, almeno sessanta parole al minuto quando avesse finito il corso? Sì, se lo aspettavano proprio.

Nel giro di una settimana, Billy si rese conto che era inutile coprire di improperi Gregg e Pitman. Tanto non scomparivano né l'uno né l'altro, come le leggi di gravità. Era come dimagrire. Aveva sofferto quasi più di quanto riuscisse a ricordare, ma alla fine ne era stata contenta. E poi Billy si accorse che il suo solito, ossessivo amor proprio le veniva in aiuto ancora una volta per affrontare energicamente lo studio con la fiducia che sarebbe riuscita a impadronirsi di tutte quelle nozioni e farle sue.

Jessica, d'altra parte, si preoccupava per la mancanza da parte di Billy di quelli che, con un eufemismo, chiamava i suoi sostegni.

« Ma, Jessie, non conosco un'anima a New York e sono venuta qui per studiare. Lo sai che la mia aspirazione è quella di diventare indipendente e di trovarmi in mano un po' di soldi che siano veramente miei. »

« Quanti uomini hai guardato oggi, Billy? » le domandava Jessica, accantonando con indifferenza le ambizioni dell'amica.

« Come faccio a saperlo? Dieci o quindici... qualcosa del genere. »

« E in graduatoria, che voto avevano? »

« Ma che ne so! Non faccio questi giochetti io; è roba che riguarda soltanto te. »

« Billy, ci ho pensato. Tu sei il tipico esempio della persona che è caduta da cavallo e non vuol più risalire in groppa. Hai una gran paura degli uomini per via di quello che ti è successo, vero? » Jessica mormorò tutto questo con la sua flebile vocina, ma Billy la conosceva abbastanza bene per rendersi conto che sotto quegli adorabili piagnucolii stava in agguato una lucida intelligenza che era inutile contraddire. Jessica vedeva attraverso i muri e dietro gli angoli.

« Probabilmente hai ragione », ammise con aria afflitta. « Ma anche se avessi voglia di conoscere qualche uomo, vedi anche tu qual è la realtà dei fatti. Non posso fermare un ragazzo, che magari si merita un nove, se lo incontro per la strada, ti pare? No, Jessie, non guardarmi in quel modo, questa è una cosa che non faresti neanche tu. Almeno credo. Adesso, l'unica alternativa è quella di scrivere due righe alla zia Cornelia e di lasciarla scatenare fra le sue amicizie newyorkesi. Lei saprà scovare un "bravo ragazzo" legato a Boston con un filo del telegrafo che gli passa per l'ombelico. Qualsiasi cosa succeda fra noi due, verrà risaputa e discussa al Vincent Club entro una settimana! Non immagini neanche come sono pettegole. No, io voglio prendere la licenza al Katie Gibbs, trovarmi un impiego fantastico, lavorare solo finché non arrivo al successo e non tornare mai più a Boston! »

« Be', e chi ti ha detto di andare a impegolarti con qualcuno che proviene dal tuo stesso ambiente, stupidina? » esclamò Jessica indignata. « Non lo farei neanch'io, mai e poi mai. Tutti i miei uomini meravigliosi, quelli con un bel nove come voto, non hanno la minima idea della famiglia dalla quale provengo. Il trucco è di cercarli fuori. »

« Fuori? »

« Oca », piagnucolò Jessica, sorridendo di fronte alla modesta conoscenza di Billy circa quelle che erano le possibilità della vita. « Fuori del tuo mondo, voglio dire. Tu non immagini neanche come sia limitato quel piccolo mondo. Se anche loro si conoscono tutte, e se le persone che le tue zie conoscono a Boston, Providence, Baltimora e Filadelfia sono tutte legate da parentele o da amicizie con le persone che tu potresti conoscere a New York, questo non significa assolutamente che, quando tu ti distacchi .di un passo, un passettino minuscolo, da tutto quel giro di relazioni sociali, devi perderle di vista e scomparire completamente! ».

« Non vedo come potrei fare, davvero », rispose Billy perplessa. Qualche volta Jessica era oscura in un modo addirittura esasperante nelle sue spiegazioni.

« Ebrei. » Jessica rivolse a Billy il sorriso del gatto più furbo dell'isolato, quello che ha appena finito un giro al mercato dove si è sbafato sardine e panna montata. « Gli ebrei vanno alla perfezione. Anche loro non vogliono aver niente a che fare con le brave ragazze ebree, perché sono tutti imparentati come lo siamo noi, e non vogliono che la cosa si sappia in giro esattamente come non lo vogliamo noi. Così tutti i miei 'nove' in graduatoria sono ebrei. »

« E se ti capita di trovare un ebreo che merita il dieci? »

« Allora me la do a gambe, o almeno spero di riuscire a farlo. Ma non cercare di cambiare argomento. E adesso, quanti ragazzi ebrei conosci? »

Billy prese un'aria smarrita. « Via, ne conoscerai pure qualcuno », disse Jessica.

« Non mi pare, a eccezione di quel simpatico commesso della calzoleria Jordan Marsh », rispose Billy sempre più perplessa.

« Sei una disperazione. Lo immaginavo. E sono anche i migliori, fra l'altro », borbottò Jessica tra sé, mentre i suoi occhi color lavanda prendevano un'espressione assorta e fissavano il vuoto, e il suo cervello lavorava febbrilmente a trovare, scartare, scegliere le eventuali possibilità.

« I 'migliori'? » domandò Billy. Non aveva mai sentito dire che gli ebrei fossero i migliori in qualche cosa, eccetto che nel suonare il violino, forse, e negli scacchi e poi naturalmente c'era Albert Einstein e, be', anche Gesù, ma lui non lo si poteva contare. Si era convertito.

« Per farsi sbattere, naturalmente », rispose Jessica in tono distratto.

Billy cominciò ad andare a letto con i ragazzi ebrei con un tale entusiasmo da superare forse quello di Jessica. Gli ebrei erano come Parigi, pensò. Un mondo nuovo, un mondo libero, un mondo sconosciuto, tanto più eccitante perché proibito. In questo mondo segreto e ignorato non aveva segreti da mantenere. Una Winthrop? Di Boston? Interessante dal punto di vista storico, forse, ma assolutamente poco importante. Se avevano frequentato Harvard, era estremamente improbabile che avessero conosciuto i suoi cugini, ma, tanto per non correre rischi, Billy non usciva con un laureato di Harvard più di una volta e non si lasciava mai baciare da lui. Anche se gli aveva dato un nove. Sembrava che ce ne fossero talmente tanti! Era un mondo immenso e meraviglioso di « nove » ebrei: questo, a saper bene dove cercarli, e presto Billy diventò un'esperta. NBC, CBS, ABC, Doyle-Dane-Bernbach, Grey Advertising, *Newsweek*, la *Viking Press*, *The New York Times*, la casa editrice Doubleday, i programmi di addestramento per funzionari di Saks e Macy, l'elenco era vasto e infinito.

Dagli ebrei Billy imparò quanto la propria sensualità fosse profonda. Gradatamente imparò ad abbandonarsi, a lasciarsi andare con la corrente. E mentre si permetteva di alimentare i suoi appetiti, questi appetiti crescevano. Diventò avida, avida della sensazione di potenza assoluta che provava quando sentiva la protuberanza rigida di un pene rigonfio sotto la stoffa costosa di un paio di pantaloni, e sapeva che le sarebbe bastato un rapido movimento per scoprirlo e tenerlo, liscio, palpitante e caldo, in mano. Diventò avida del momento elettrizzante in cui la mano di un uomo, in una lenta esplorazione, si fermava finalmente sul suo clitoride e lo trovava già umido, pronto a offrirsi alla sua carezza ardente e ripetuta. Diventò avida del momento meraviglioso dell'attesa, che prolungava fin quando diventava quasi una sofferenza, prima che il suo nuovo amante aprisse le labbra della vagina con il pene e lei finalmente sentisse com'era, penetrante fin su, il più in alto possibile.

Diventò così carica di sessualità che, qualche volta, fra una lezione e l'altra al Katie Gibbs, doveva infilarsi rapidamente nella toilette, chiudersi in un gabinetto e cacciarsi un dito fra le cosce, per procurarsi, dopo un frettoloso sfregamento, un orgasmo immediato, silenzioso, necessario.

Billy ricevette sette proposte di matrimonio da « nove » che non amava e, sia pure con riluttanza, dovette sostituirli. Non sarebbe stato onesto tenerli sulla corda dopo che avevano dichiarato che le loro intenzioni erano onorevoli. Jessica ne ricevette dodici nello stesso periodo di tempo, ma le due ragazze decisero che potevano considerarsi pari nei loro successi in quanto quelli che avevano proposto il matrimonio a Billy erano soltanto uomini alti più di un metro e ottanta, mentre Jessica con la sua statura bassa poteva attirare l'interesse di un numero molto più vasto di ragazzi.

Tutto considerato, verso la fine della primavera e mentre si avvicinava l'esame di licenza del corso al Katie Gibbs lei e Jessica decisero che era stato un anno molto buono. Una buona annata. Era la primavera del 1963 con Jack Kennedy presidente degli Stati Uniti e Billy, che doveva presentarsi a vari colloqui per trovare lavoro, decise di andare nel reparto modisteria di Bergdorf Goodman, per ordine della zia Cornelia, per farsi fare da Halston, lo stilista di cappelli preferito da Jackie Kennedy, un solo cappellino, la famosa calotta che sembrava una scatoletta per le pillole, ma che fosse perfetto. « Voglio sembrare intelligente, efficiente, capace e chic... ma non troppo chic », furono le istruzioni che gli diede con fermezza.

L'anno al Katie Gibbs, con la sua disciplina severa e l'alto livello di profitto richiesto, insieme alla rivelazione delle possibilità del proprio corpo e degli usi infiniti che ne poteva fare, diedero l'ultimo tocco alla trasformazione di Billy che era cominciata a Parigi. Anche se mancavano ancora cinque mesi al suo ventunesimo compleanno, aveva l'aria, il tono e il portamento di una venticinquenne stupendamente equilibrata. Forse era la sua statura, forse il portamento, elegante come quello di una ballerina che aspetta fra le quinte il momento di entrare in palcoscenico; forse l'accento inconsciamente patrizio di Boston, addolcito ma non completamente soffocato da una combinazione della Accademia Emery, di Parigi e di New York; forse era il modo in cui portava i vestiti, ma la si notava immediatamente in mezzo alla folla come si sarebbe notato un fenicottero in mezzo a uno stormo di piccioni di New York. Nell'insieme, una ragazza formidabile.

« Linda Force? Vuoi dire che andrai a lavorare per una donna? » esclamò Jessica incredula. « Dopo tutto quello che ti ho detto di Natalie Jenkins, come hai potuto? »

« Prima di tutto, ci sono i soldi. Offrono centocinquanta dollari la settimana, cioè il venticinque per cento più di qualsiasi altro. Secondariamente, si tratta di una società gigantesca, con un mucchio di possibilità di muoversi in su, sempre più su e via! E poi, la donna per la quale lavorerò è in stretto contatto con chi ha il vero potere nelle mani. È l'assistente con poteri esecutivi del misterioso Ikehorn in persona. Comunque, quando mi ha intervistata, mi è piaciuta e io sono piaciuta a lei. L'ho capito subito, qualche volta bisogna fidarsi dell'istinto. »

« Be', non venire a dirmi che non ti ho avvertita », rispose Jessica afflosciandosi su se stessa in un modo quanto mai lugubre.

Durante le prime settimane che Billy trascorse al nuovo lavoro, il grande ufficio adiacente a quello della signora Force rimase vuoto. Il quartier generale newyorkese delle Ikehorn Enterprises occupava tre piani del palazzo della Pan Am e dall'ufficio del presidente, al trentanovesimo piano, si spaziava con lo sguardo su tutta Park Avenue fino ai dodici e lontani quartieri di Harlem. Ellis Ikehorn stava facendo un giro del mondo per visitare le varie società consociate. Il complesso industriale di sua proprietà, che Billy cominciava soltanto adesso a conoscere, aveva diramazioni in una cerchia di industrie con interessi affini: terreni, fabbriche, legname, assicurazioni, trasporti, società di costruzioni e finanziarie. Linda Force gli parlava molte volte al giorno per telefono, qualche volta anche per un'ora di seguito, e dopo ogni colloquio dettava a Billy una gran quantità di lettere.

Billy rimase piacevolmente sorpresa quando la signora Force, un giorno in cui non era stata costretta a mangiare alla scrivania in paziente attesa di una delle telefonate giornaliere intercontinentali, le chiese se aveva piacere di andare a pranzo con lei . La signora Force la incuriosiva: era una donna piuttosto grassoccia con i capelli brizzolati, aveva appena passato la cinquantina, e non mostrava mai alcun lato caratteristico della sua personalità né qualche stravaganza nel suo abbigliamento, ma rivelava una calma e una forza singolari non appena la si conosceva un po' meglio. La signora Force sapeva imporsi, ma in un modo abilissimo, cioè senza farlo notare. Billy, questo, l'aveva già osservato. Era addentro in tutti i numerosi e complicati affari delle Ikehorn Enterprises; era in confidenza con i presidenti di tutte le società Ikehorn e la sua parola, in assenza di Ellis Ikehorn, era definitiva come quella di lui e altrettanto indiscutibile. Si trattava, senza dubbio, di quel che si dice una donna « arrivata ».

« Vengo anch'io dal Katie Gibbs », le confidò Linda Force dopo aver fatto le ordinazioni, sorridendo a quel ricordo. « Che inferno, eh? »

« Un autentico inferno », sospirò Billy, felice di scoprire una conferma delle sue teorie sul come arrivare al successo. « Ma ne vale la pena, non le sembra? »

La signora Force, intanto, continuava a rievocare il suo passato. « Quando penso che, in tutti quegli anni di college, non ho mai potuto studiare la stenografia... un vero delitto! »

« Quali erano i corsi in cui si è specializzata al college? » azzardò Billy.

« Il corso preparatorio di legge a Barnard, con particolare riguardo alle leggi commerciali, e poi sono riuscita a ficcarci dentro anche qualche corso estivo di amministrazione al CCNY », rispose la signora Force sorseggiando il suo tè ghiacciato. « Poi sono riuscita a fare un anno di Legge alla Columbia prima che finissero i soldi. Avevo studiato contabilità durante l'estate, per fortuna, e così sono riuscita a prendere il diploma senza perdere troppo tempo. Anzi, a dire la verità, è stato proprio durante quell'ultimo anno che sono andata al Katie Gibbs, nel caso avesse dovuto servirmi come ripiego. » Attaccò con gusto l'insalata di pollo.

Billy era senza parole. Lei aveva sempre trascurato algebra e geometria all'Emery ed era un disastro nelle divisioni di tre cifre. Legge, contabilità, amministrazione!

« Oh, adesso sembra un po' complicato, ma quando bisogna guadagnarsi da vivere... » continuò la signora Force, guardando Billy con aria incoraggiante. « Be', venticinque anni fa io ho cominciato proprio con il posto che hai tu oggi, come segretaria della segretaria del signor Ikehorn. »

« Ma lei è la sua assistente con poteri esecutivi! » ribatté Billy.

« Oh... quello... quello è il titolo che mi viene dato allo scopo di stimolarmi, immagino... Ma, in realtà, sono soltanto la sua segretaria. Naturalmente sono una super segretaria con poteri esecutivi, non lo nego. Ed è un lavoro magnifico, però in una società come questa una donna non può andare più in alto di così. Del resto, a pensarci bene, che cosa potrei essere? Direttrice di fabbrica? Membro del consiglio di amministrazione? Capo dell'ufficio legale? Non ho la preparazione adatta e neanche l'ambizione di esserlo, francamente. Certo, senza i miei studi di legge e di contabilità non sarei arrivata fino a questo posto! »

« Non è un po' troppo modesta, forse? » disse Billy.

« Figuriamoci, mia cara! Sono soltanto realistica », rispose con vivacità la signora Force. « A proposito, il signor Ikehorn rientrerà lunedì e ho chiamato altre due ragazze ad aiutarmi oltre a te. Quando è qui lui, il lavoro diventa il triplo. Forse non lo vedrai molto, ma ti garantisco che sentirai subito che c'è! »

« Ne sono sicura anch'io », rispose Billy con voce spenta. Così eccola diventata una delle tre segretarie della segretaria del boss, e in trappola. Sarebbe stato fatale per il suo curriculum, nel caso di futuri impieghi, se non fosse riuscita a rimanere per lo meno un anno in quel primo posto soprattutto dato che si trattava di una società tanto prestigiosa. Billy Winthrop, lanciata in una splendida carriera a New York, pensò con tristezza! Se non altro aveva il necessario per vivere.

Quando Ellis Ikehorn entrò nel suo regno il lunedì mattina, osservò Billy, fu come se Napoleone fosse rientrato da una campagna di guerra di successo.

Venne presentata frettolosamente a Ellis Ikehorn dalla signora Force quando uscì dall'ufficio per andare a pranzo e, mentre si alzava per stringergli la mano, ebbe l'impressione di trovarsi davanti a un occidentale, non a un newyorkese: era un uomo alto, abbronzatissimo, con folti capelli bianchi tagliati a spazzola, assomigliava vagamente a un Pellerossa per via degli occhi dalle palpebre pesanti, il naso aqui-

134

lino e le due rughe profonde che segnavano ai lati la bocca larga, le labbra sottili.

Qualche ora più tardi, quello stesso giorno, Ellis Ikehorn domandò alla signora Force con aria noncurante: « Chi è la nuova ragazza? »

« Wilhelmina Hunnenwell Winthrop. Katie Gibbs. »

« Winthrop? Quali Winthrop? »

« Quelli di Boston, della scogliera di Plymouth e della Colonia della baia del Massachusetts. Suo padre è il dottor Josiah Winthrop. »

« Gesù! E cosa ci sta a fare una ragazza del genere fra le tue dattilografe, Lindy? Suo padre è uno dei massimi ricercatori del paese nel campo degli antibiotici. Non sovvenzioniamo noi le sue ricerche? Sono sicuro che è così. »

« Certo, insieme a molte altre. Sua figlia è qui per la stessa ragione per la quale ci siamo anche tutti noialtri. Deve lavorare per vivere. Non ci sono soldi in famiglia, mi ha detto, e dovresti sapere che suo padre, anche se avesse una cattedra per la ricerca, non potrà mai guadagnare più di venti o ventiduemila dollari all'anno. I soldi che dai tu servono per l'attrezzatura e i costi dei laboratori, non per gli stipendi. »

Ikehorn la guardò con aria interrogativa. Lei guadagnava trentacinquemila dollari all'anno con qualche opzione sulle azioni e valeva ogni centesimo di quello che guadagnava. Non ci poteva essere che Lindy a conoscere con esattezza lo stipendio di tutti.

« Hai preso l'appuntamento con il mio dottore? »

« Domattina alle sette e mezzo. Non mi è sembrato che l'ora gli andasse molto a genio. »

« Peggio per lui. »

« Ellis, tu sei un fottutissimo miracolo dal punto di vista medico », disse il dottor Dan Dorman, il più eminente specialista di medicina interna a est di Hong Kong.

« Come mai? »

« Non capita tanto spesso di vedere un uomo che sta

135

per toccare la sessantina con il corpo di un quarantenne e il cervello di un bambino di due anni. »

« Come mai? »

« Abbiamo controllato tutto due volte da quando sei stato qui l'altro giorno. Abbiamo fatto ogni esame di laboratorio e ogni raggio X che la scienza conosca, più qualche altro che ho inventato io strada facendo. Ti ho dato una passata tale che non sarebbe potuto sfuggirmi neanche un poro dilatato. Non c'è una ragione al mondo perché tu debba sentirti così giù di corda. »

« Già. Però è la verità. »

« Ti credo. Non hai fatto un check-up da cinque anni malgrado le mie insistenze. Se non ti sentissi giù di corda non saresti qui da me. »

« Che cosa c'è che non funziona, allora? Cosa mi credi, rimbecillito? »

« Ho detto che hai il cervello di un bambino di due anni perché ti tratti con una monumentale mancanza di gentilezza: i "terribili due anni", li chiamano. »

« Dicono così adesso? »

« A due anni un bambino fa i capricci perché non ottiene quello che vuole, è attivo, fisicamente, tutte le ore del giorno, combinando un sacco di guai, fracassa ogni cosa che gli capita sotto gli occhi; dorme soltanto quando crolla esausto; mangia soltanto quando è affamato, e fa impazzire tutti quelli che gli stanno intorno. »

« Nient'altro? »

« Per parecchi mesi della sua vita non si diverte gran che in quanto è troppo occupato a battere la testa contro gli ostacoli. Fortunatamente per la razza umana, intorno ai due anni e mezzo comincia ad acquistare un briciolo di buon senso. »

« Da' un taglio a tutte le scemenze preliminari, Dan. Vieni al sodo. »

« Ellis, devi smetterla di trattarti in questo modo. Tu sei OK dal punto di vista fisico però, mentalmente, stai preparandoti per un attacco di cuore. »

« Vuoi dire che devo ridurre un po' il lavoro? »

« Questo sarebbe troppo ovvio, Ellis. Non giocare al

dottore con me. Ti ho capito molti anni fa. Da quanto tempo non ti diverti un po'? »

« Io mi diverto sempre. »

« È per questo che ti senti giù di corda, immagino. E se provassi un po' a spassartela? »

« Spassarmela? Ma quella è roba da bambini. Non dire idiozie, Dan. Ma che cos'è che vuoi dirmi? Giocare a golf? Schifo! Far collezione di oggetti d'arte? Schifo! Giocare a backgammon? Doppio schifo! O devo darmi alla politica, pilotare il mio apparecchio personale, far la pesca d'alto mare, allevare cavalli di razza, mettermi a osservare gli uccelli, diventare un mecenate del balletto? Su, parla chiaro, dottore. Non sono troppo vecchio per fare quel cavolo che mi piace, ma la cultura e lo sport non rientrano nelle mie aspirazioni. »

« E come vai a donne? »

« Mi lasci di stucco, Dan. »

« Ci voleva! Ci sono due cose che ti hanno sempre dato un grande piacere, Ellis, da quando ho l'onore di essere il tuo medico: il lavoro e il letto. Quanto tempo dedichi a quest'ultima occupazione di questi tempi, Ellis? »

« Quanto basta. »

« Ma quanto con esattezza? »

« A sentirti sembri una minaccia. Da quando è morta Doris, credo un paio di volte o anche tre alla settimana, quando ho qualche ragazza in giro. Meno, se non è così facile averne una a disposizione. Magari una sola volta alla settimana, o anche niente per una settimana o due... quando ho molto da fare. Mi piacerebbe vedere quanto tempo avresti tu per andare a letto con una ragazza, Dan, se lavorassi diciotto ore al giorno! »

« Mi hai dimostrato che ho ragione. Ellis, bisogna che tu cominci a comportarti con un po' di buon senso. Trovati una donna con la quale stare regolarmente, che non ti dia preoccupazioni o il batticuore. Comincia a trattarti come un essere umano. Sii buono con te stesso per una volta nella vita! Hai tutti i soldi che vuoi, ma non hai tutto il tempo che vuoi. Dirti di prendertela un po' comoda, sarebbe come sprecare il fiato, però quello che posso raccomandarti è questo: concediti qualche piccola cosa, sii indulgente con te stesso. »

« Essere indulgente con me stesso? »

« Senti, Ellis, come faccio io a sapere cos'è quello che vuoi? Chi, fra tutti, può sapere veramente che cosa vuoi fare dell'ultima parte della tua vita? Però, di qualsiasi cosa si tratti, farai meglio a cominciare a pensarci. »

« Sei sempre stato molto esplicito, Dan. Terrò presente quello che mi hai detto. Il corpo di un uomo di quarant'anni è così? »

« Si tratta di una pura semplice opinione medica. »

« Proprio quello per cui ero venuto. Non quell'altra, psicologo da camera da letto che non sei altro! » I due uomini si alzarono e si avviarono alla porta dello studio dello specialista tenendosi affettuosamente abbracciati. Dan Dorman era uno dei pochi uomini in cui Ellis aveva la più completa fiducia.

Billy e Jessica avevano un rito: una sera alla settimana cenavano insieme, ed era un impegno inderogabile. Altrimenti, con la loro complicata vita sociale, rischiavano di non vedersi addirittura per settimane.

« Che tipo è Ikehorn, Billy? »

« A dire la verità l'ho visto soltanto per pochi minuti; è difficile dirlo con sicurezza, ma sono quasi sicura che deve essere stato un "dieci" secondo la tua graduatoria. »

« Dev'essere stato? »

« Jessie, ha quasi sessant'anni. Voglio dire, in fondo... »

« Uhm. Ebreo, vero? »

« Il *Wall Street Journal* dice di sì. *Fortune* è di parere contrario. Il *Journal* dice che deve valere almeno duecento milioni di dollari e *Fortune* pensa che sia più vicino ai centocinquanta milioni. Nessuno lo sa con precisione. Non ha concesso un'intervista a nessuno negli ultimi vent'anni e ci sono sei persone nel nostro ufficio di pubbliche relazioni che hanno l'incarico di impedire che si faccia il suo nome nei mass media, di respingere ogni richiesta di parlare con lui e via dicendo. »

138

« Ma tu che cosa ne pensi? »

« Assomiglia un po' a un Robert Oppenheimer nonisraelita. »

« Ah-ah! »

« Oppure a un Nelson Rockfeller israelita, solo che è più alto. »

« Buon Dio! »

« D'altra parte... »

« Su, vai avanti! »

« Assomiglia moltissimo... ma non ridere, Jessie! a un Gary Cooper israelita. »

Jessica la guardò con gli occhi che le uscivano dalle orbite. Era la miglior combinazione che riuscisse a immaginare, forse non ne sarebbe mai capitata una simile, neanche se avesse vissuto fino a cent'anni!

« Dimmi tutto quello che sai. Da dove viene? Come ha cominciato a far quattrini? Insomma, parla! »

« Ho fatto qualche piccola indagine, zitta, zitta, tranquillamente, senza farmi accorgere. Tutto quello che si sa è che ha cominciato a lavorare in una vecchia fabbrica nel Nebraska con una società in pessime condizioni. Da dove fosse arrivato, o cosa facesse nel Nebraska, è un mistero. Ha rimesso in sesto la società e ne ha comprata un'altra, anche quella sull'orlo del fallimento. Quando questa seconda società è tornata fiorente e redditizia ne ha comprata un'altra, ma questa volta non era in cattive acque. Infine, si è arrivati al punto che la società di conserve ha comperato la società di imbottigliamento la quale a sua volta ha comperato la società di trasporti, che ha comperato una società di assicurazioni e la società di assicurazioni ha comperato la società che pubblicava i rotocalchi perché era proprietaria della società di legname che forniva la carta per le tipografie, che sono state comprate anche quelle. O forse è viceversa. E questo non è stato che il principio. Adesso capisci? »

« Veramente non avevo capito affatto, ma adesso sì. Ti ringrazio, sai? »

« Be', sei stata tu a chiedermelo, sì o no? »

Ellis Ikehorn, con suo gran divertimento, si scoprì a prendere in considerazione seriamente il consiglio di Dan. Di tanto in tanto, nel bel mezzo di una riunione o di una telefonata, gli tornava in mente una delle frasi che il suo medico aveva adoperato, « l'ultima parte della tua vita ». In linea di principio non aveva niente contro l'idea di avere una certa indulgenza con se stesso. Ma non sapeva da dove cominciare. Sua moglie Doris, morta dieci anni prima, aveva imparato a essere indulgente con se stessa non appena lui aveva cominciato a fare forti guadagni, se si può applicare questa espressione, allevando in un lusso da favola quaranta rarissimi esemplari di gatti persiani. Personalmente, Ikehorn lo aveva considerato sempre un capriccio patetico e stomachevole, un modestissimo sostituto per i bambini che non avevano avuto. Comunque decise di tenere gli occhi aperti nel caso gli capitasse l'occasione di mostrarsi indulgente verso se stesso. Era come cercare una nuova società da comprare: prima bisognava sapere che cosa si stava cercando e poi, a un bel momento, l'opportunità doveva saltar fuori.

Una notte, nel bel mezzo del sonno, Billy venne svegliata di soprassalto da Jessica che le era piombata sul letto e la stava scuotendo disperatamente per farle aprire gli occhi.

« Billy, Billy, tesoro... è successo. Ho trovato un uomo al quale dare dieci, è l'uomo più affascinante e simpatico del mondo e ci sposiamo! »

« Chi è? Quando l'hai conosciuto? Oh, smettila di piangere, Jessie, smetti subito e raccontami tutto. »

« Ma sai già tutto, Billy. È David naturalmente. Chi altri potrebbe essere così meraviglioso? »

« Jessie, David è ebreo. »

« Be', naturalmente David è ebreo... non dormo con altri uomini! »

« Ma avevi detto... »

« Ero una cretina. Credevo che sarei riuscita a tenere tutto sotto controllo. Ah! Ma allora non conoscevo David.

Oh, sono talmente felice, Billy! Terribilmente felice! Non riesco a crederci. »

« E la tua mammina? Come credi che prenderà la faccenda? »

« Non si sentirà. male neanche la metà di quello che si sentirà male la madre di David. Non ti ho mai detto che suo padre è il socio anziano del secondo studio di investimenti bancari che ci sia a New York? Mia madre reggerà benissimo il colpo e mio padre sarà l'uomo più sollevato di tutta Rhode Island al pensiero di avermi sistemata. Sarà sollevato in un modo addirittura indecente, credimi! In fondo, Billy, ho ventiquattro anni e papà è un po' di tempo che sta rimuginando nel suo cervello che conduco una vita peccaminosa! »

« Deve avere un debole per i pensieri sporchi! Una cara ragazza come te! »

Ellis Ikehorn stava aspettando con impazienza Linda Force. Non si era presentata al lavoro quel mattino ed erano in ritardo per la partenza per le Barbados dove si sarebbero incontrati con i direttori di due delle sue società di legname brasiliane.

Billy bussò timidamente alla porta del suo ufficio.

« Mi scusi, signor Ikehorn. La signora Force ha telefonato adesso sulla mia linea perché le sue erano tutte occupate. Dice che ha paura di avere l'influenza. Questa mattina quando si è svegliata stava così male che non ha potuto neanche alzarsi dal letto. Dice di non preoccuparsi, ha la sua cameriera che potrà assisterla, però era spiacentissima di doverla lasciare partire solo. »

« Gesù, telefono a Dorman di andare subito a visitarla. Figuriamoci! Mai successo che Lindy non riuscisse ad alzarsi dal letto. Probabilmente ha la polmonite doppia. OK, prenda cappello e cappotto mentre telefono a Dorman. E non dimentichi il blocco per gli appunti. Lei ha qualcuno da avvisare che parte per le Barbados? »

« Cosa? Venire via con lei? Così come sono? »

« Naturalmente. Può comprarsi quello che le serve quando arriviamo alle Barbados. » L'uomo alto e abbronzato, con i capelli bianchi tagliati a spazzola, si voltò spazientito verso il telefono. « Oh, acchiappi una delle altre ragazze quando esce. Deve mettersi alla scrivania di Lindy a prendere le telefonate. Io comincerò a chiamare qui appena arriviamo. E lei si spicci, siamo in ritardo. »

« Sì, signor Ikehorn. »

Mentre correvano verso l'aeroporto dove il Learjet delle Ikehorn Enterprises li stava aspettando, Billy si trovò seduta, e innervosita, accanto al suo capo, mentre questi le dettava una lettera dopo l'altra. Nel suo cuore cominciava a provare qualcosa di molto simile all'affetto per la defunta Katherine Gibbs.

Billy, in vita sua, non era mai stata più a sud di Filadelfia. Quando scese dall'aeroplano dotato di aria condizionata nell'atmosfera umida, voluttuosa intensamente profumata, delle Barbados entrò in una nuova sensuale dimensione. La carezza del vento che arrivava furtivo era insinuante; il profumo ignoto e intenso della terra dolcemente stimolante e stuzzicante e dava a Billy la sensazione di respirare cose che capiva immediatamente ma non avrebbe mai conosciuto a fondo. Si trovò disorientata dall'isola in se stessa, dalla rapida corsa sul lato sbagliato della strada stretta e piena di curve, ai lati della quale si succedevano gruppi di baracche dai colori vivaci e arbusti di un verde intenso dall'arrivo fra le colonne e gli archi eleganti delle antiche costruzioni in mattoni di Shady Lane. Il suo appartamentino dava direttamente sulla spiaggia immensa, ombreggiata dagli alberi. Provò l'impressione di poter spaziare su centottanta gradi di orizzonte, sul quale cumuli di nuvole gialle e viola correvano, laggiù, lontano, appena sopra il sole che tramontava.

Il signor Ikehorn le aveva detto che aveva appena il tempo sufficiente per comprare quello che poteva servirle per due giorni nei negozi che si trovavano sotto la galleria nell'interno dell'albergo e, sentendosi accaldata e madida di sudore nel vestito di lana, Billy scelse rapidamente qualche abitino di seta, dritto, a tubino, sandali, biancheria, un bikini, una camicia da notte, un accappatoio e qualche articolo di toilette. Disse che segnassero il conto sotto il numero della sua camera e tornò indietro in tutta fretta appena in tempo per vedere il sole che tramontava in un ultimo impressionante e splendido bagliore di luce prima che la notte calasse di colpo e milioni di insetti locali intonassero una combinazione di stridori di tale vigore da ridurre i nervi in pezzi. Provò un gran sollievo nel trovare un messaggio del signor Ikehorn infilato sotto la porta, nel quale egli le consigliava di ordinare la cena in camera e di andare a letto presto. Il giorno dopo la riunione sarebbe cominciata subito dopo la prima colazione. Billy doveva essere pronta per le sette.

Nei due giorni che seguirono, mentre Ikehorn e i suoi due direttori sudamericani parlavano per ore e ore di seguito, lei e una segretaria brasiliana presero appunti, chiesero comunicazioni intercontinentali al telefono e, mentre gli uomini andavano a pranzo insieme, riuscirono anche a fare un tuffo nell'acqua calda e incantevole dove i coralli irti di punte taglienti affioravano qua e là fra la sabbia chiara. Nina, la ragazza brasiliana, parlava un inglese eccellente. Lei e Billy consumarono pasti insieme, a un tavolo situato a una buona distanza da quello dei tre uomini. A cena, invece, mangiarono tutti insieme sulla grande terrazza curva, che dava sul mare, illuminata da centinaia di candele. L'albergo era mezzo vuoto e sarebbe rimasto così fino a Natale, quando lo avrebbero affollato le famiglie che prenotavano le camere con un anno almeno di anticipo.

La mattina del terzo giorno, i sudamericani ripartirono in volo all'alba per Buenos Aires e Ikehorn avvertì Billy di tenersi pronta per lasciare l'albergo a mezzogiorno. Quando il comandante pilota telefonò verso la metà della mattinata per informarli che il tempo era cambiato e che si stavano prendendo d'urgenza tutti i provvedimenti necessari per difendersi dall'uragano in arrivo, non se ne meravigliarono affatto. Fra le loro finestre e la spiaggia cadeva una cortina di pioggia fitta fitta e i rami degli alberelli striminziti, dai quali pendevano piccoli frutti, si erano piegati fino a sfiorare la sabbia.

« Puoi prendertela con comodo, Wilhelmina », disse infine Ellis Ikehorn. « Qui il tempo cambierà quando ne avrà voglia lui! È la stagione degli uragani in tutti i Caraibi, questa, ecco perché l'albergo è così vuoto. Credevo che ce l'avremmo fatta a tornarcene indietro prima che questo accadesse, ma ormai è troppo tardi. »

« A dir la verità, signor Ikehorn, è Billy... il mio nome, voglio dire. Nessuno mi chiama Wilhelmina. Mi hanno battezzata così, effettivamente, ma non lo adopero. Ma non ho creduto opportuno accennare a questo fatto fintanto che c'erano il signor Valdez e il signor de Heiro. »

« Avresti dovuto pensarci prima. Per quel che mi concerne tu sei Wilhelmina. Oppure lo detesti, questo nome? »

« No, signore, niente affatto. Solo che mi suona un po' strano. »

« Già. Be', sai che cosa ti dico, chiamami Ellis. Anche questo è un nome strano. »

Billy rimase in silenzio. Non esistevano regolamenti al Katie Gibbs, quanto a questo. Che cosa avrebbe fatto Jessie? Che cosa avrebbe fatto Madame de Vertdulac? Che cosa avrebbe fatto la zia Cornelia? Jessie, pensò in un batter d'occhio, probabilmente si sarebbe talmente afflosciata su se stessa da rischiare di sciogliersi, la Comtesse gli avrebbe lanciato uno dei suoi sorrisi più enigmatici e la zia Cornelia lo avrebbe chiamato Ellis, senza tante storie. Billy si trovò a combinare queste tre reazioni.

« Ellis, non si può fare una passeggiata sotto la pioggia? Oppure può essere pericoloso? »

« Non lo so. Vediamo. Hai un impermeabile? No, naturalmente non ce l'hai. Non importa. Mettiti il costume da bagno. »

L'idea che aveva Billy di una passeggiata sotto la pioggia era basata essenzialmente sulle sue esperienze di un giretto ai giardini pubblici di Boston sotto una pioggerellina. Qui era come trovarsi sotto una cascata calda. Furono costretti a tenere la testa bassa per evitare di soffocare sotto quell'acqua torrenziale e, d'un tratto, si misero a correre

144

istintivamente verso l'oceano, tuffandosi, come se il mare potesse proteggerli dalla pioggia. Tre camerieri, colti dallo scroscio, si cacciarono al riparo sotto il baracchino del bar della spiaggia e si misero a sghignazzare nel veder quei due turisti un po' matti che sguazzavano nell'acqua bassa. Ma pochi minuti sotto quel violento tempestare d'acqua accecante li convinse a rinunciare all'impresa, a tornare indietro di corsa sulla sabbia umida e appiccicosa e a rientrare precipitosamente nelle loro camere.

Quando si trovarono per il pranzo, Billy non si trattenne: « Mio Dio, Ellis, come mi spiace. È stata proprio un'idea stupida. Io sono quasi annegata e il tuo impermeabile era fradicio ».

« Era tanto tempo... che non mi divertivo così! E tu, ti sei rovinata la pettinatura. »

I folti, lunghi capelli di Billy che, prima, erano stati accuratamente pettinati e spruzzati di lacca secondo lo stile Jackie Kennedy prima maniera, adesso erano stati frettolosamente asciugati con una salvietta e le scendevano pesanti sulle spalle. Portava un vestito semplicissimo, a tunichetta, rosa acceso e aveva la pelle leggermente abbronzata in seguito alle nuotate che aveva fatto durante l'ora del pranzo. Mai, in tutta la sua vita, era stata così bella, e lo sapeva.

Ellis Ikehorn sentiva profondamente il peso della distanza che l'ironia della sorte aveva voluto mettere e mantenere fra lui e l'altra gente. Ma gli parve che si dissolvesse o svanisse nell'atmosfera della sala da pranzo chiusa, fornita di aria condizionata dove sembrava di sentire gli ultimi fremiti dell'uragano. Dan, rifletté sarcasticamente, gli aveva raccomandato di concedersi qualche cosa, ma neanche quel maniaco con la fissazione delle donne poteva aver pensato a una ragazza di poco più di vent'anni, una Winthrop di Boston, la figlia del dottor Josiah Winthrop.

Mentre chiacchieravano piacevolmente del più e del meno, durante un pasto consumato senza fretta, sia Billy sia Ellis Ikehorn si lasciarono trasportare almeno da cinque diversi stati d'animo senza che nessuno dei due si accorgesse di quello che stava pensando l'altro. Il primo era quello in cui si fa un inventario di base di ogni nuova conoscenza, domandando e rispondendo a domande assolutamente superficiali sulle proprie rispettive vite. Un altro era quello di prendere nota delle caratteristiche fisiche dell'altro come fanno tutti senza accorgersene: particolari della pelle, il tono dei muscoli, l'incisività dello sguardo, dei movimenti delle labbra o dei denti, la lucentezza dei capelli, il modo di muoversi, i gesti e tutto ciò che un occhio ancora attento può registrare. Un altro era che tutti e due stavano pensando di andare a letto con l'altro. Non come una possibilità, ma come un evento di cui decidere il momento e il luogo. Inoltre ognuno dei due stava esaminando tutte le eccellenti imprescindibili ragioni per le quali non poteva e non doveva prendere seriamente in esame un'eventualità del genere. Il quinto, quello fondamentale, tutti e due, con lucidità ed eccitazione, avevano la consapevolezza intima, fisica, che per quante e buone ragioni ci fossero contro questa idea, sarebbe successo inevitabilmente. Qualcosa si era messo in moto mentre correvano insieme sotto quella pioggia tiepida e scrosciante, ed era nato un legame sensuale che anni di conoscenza reciproca non avrebbero forse saputo far scaturire. Avevano saltato di pari passo i soliti preliminari e, mentre consumavano quel pranzo da persone civili, il grand'uomo, condiscendente e cortese per mettere a proprio agio la sua segretaria, la segretaria mostrando tutta la propria classe e le proprie origini di razza insieme al dovuto rispetto per il grand'uomo, erano tutti e due in fregola come lo sarebbero stati un maschio e una femmina qualsiasi.

Si tratta di una condizione la quale, per quanto velata dalle convenzioni e dalle proibizioni, solo raramente, e forse mai, è riuscita a non mostrarsi evidente. Le parole non sono necessarie. Gli esseri umani conservano ancora quel che basta delle loro percezioni animali per sentire quando desiderano e sono desiderati.

Dopo il pranzo, Ikehorn suggerì a Billy di andare a riposarsi mentre lui cominciava a fare qualche valutazione preliminare degli incontri con i brasiliani. In effetti, voleva prendere tempo. Aveva bisogno di mettere una certa distanza fra sé e questa donna. Si era fatto una filosofia del tutto personale fondata sulla misura del desiderio che provava per qualsiasi cosa ci fosse al mondo, ed era stata studiata con un rigore grandissimo ed espressa in percentuali. Per Ellis Ikehorn esistevano certe cose che valevano solo un investimento del 58 per cento di tempo più un investimento del 45 per cento di energia. Altre invece valevano un investimento del 70 per cento di tempo, ma solo del venti per cento di energia.

Wilhelmina Winthrop? Non capiva se si sentiva più un vecchio o più un giovane idiota, ma la voleva al 100 per cento. Cominciò a camminare su e giù a grandi passi, nel salottino del suo appartamento, maledicendo in cuor suo Dan Dorman, Lindy Force e l'uragano, più felice di quanto non fosse stato da decenni e senza la minima idea di quello che avrebbe fatto.

Billy si era seduta davanti allo specchio e si stava spazzolando i capelli. Aveva deciso che voleva Ellis Ikehorn. Il calcolo non c'entrava con questa decisione; veniva direttamente dal suo cuore e dalla sua vagina. Lo desiderava e, per quanto fosse pressoché inconcepibile, lo avrebbe avuto, e subito, prima che qualcosa potesse rovinarle l'occasione che il maltempo le aveva offerto. Socchiuse gli occhi per concentrarsi meglio su quello che doveva fare; le sue labbra senza rossetto, come di solito, erano di un rosa più carico dell'usuale: se le morse per non farle tremare. Muovendosi con gesti precisi, come seguendo un ritmo preordinato, infilò la vestaglia bianca, trasparente, sul corpo completamente nudo e a piedi nudi attraversò con passo rapido e audace, come una cacciatrice, il tratto vuoto di corridoio che la separava dalla porta dell'appartamento di Ikehorn.

Prima ancora di apparire, quando sentì bussare, lui intuì di chi si trattava. Billy rimase immobile, in silenzio, altissima. Ellis la tirò dentro, chiuse a chiave la porta e la prese fra le braccia senza una parola. Rimasero uniti a lungo, senza baciarsi, stretti stretti, l'uno appoggiato al corpo dell'altro come due persone che si ritrovano dopo un'assenza troppo lunga per interromperla con le parole. Poi Billy lo prese per mano e lo condusse nella camera da letto dove le tende erano state chiuse, a difesa dall'uragano. Le due lampade ai lati del letto erano già accese. Di colpo, si lasciarono cadere sul letto, strappandosi i pochi indumenti che portavano, consumati da un desiderio che non conosceva barriere, esitazioni, orgoglio, età, limiti. Dimentichi del tempo.

L'uragano durò altri due giorni. Dalla sua camera Billy portò via la borsetta, la spazzola per i capelli e lo spazzolino da denti. Ogni tanto uscivano dal letto, ordinavano qualcosa da mangiare in camera e davano un'occhiata fuori, alla spiaggia spazzata dall'acqua e dal vento, pensando con terrore al momento in cui sarebbe cessato. La mattina del terzo giorno Billy si svegliò con la sicurezza che fosse tornato il sole. Si potevano sentire le voci di dozzine di uomini che rastrellavano e ripulivano la spiaggia, i falegnami già al lavoro e i cani che abbaiavano rincorrendosi sulla sabbia.

Ellis fece segno a Billy di non aprire le tende e sollevò il microfono per dire alla centralinista di non passargli nessuna telefonata.

« Per quanto tempo potremo giocare ancora all'uragano, tesoro mio? » gli domandò lei pensosamente.

« È proprio quello a cui ho pensato dalle cinque di stamattina. Mi sono svegliato e ho visto che la pioggia era cessata. Dobbiamo parlarne. »

« Prima di colazione? »

« Prima che qualcosa o qualcuno entri in questa stanza. Nel minuto stesso in cui succederà, non riusciremo più a pensare con chiarezza. L'unica cosa che importa è quello che decidiamo tu e io. Adesso, oggi, possiamo fare la nostra scelta. »

« Ma è davvero possibile? »

« È una delle cose che i soldi possono comprare. Non l'avevo mai capito completamente, prima. Abbiamo la libertà di scegliere. »

« Che cosa dobbiamo scegliere? » Si circondò le ginocchia con le braccia, provando un'enorme curiosità. Anche nel bel mezzo di una riunione, non lo aveva mai visto così concentrato, così potente.

« Te. Io scelgo te. »

« Tu mi hai già, non lo sai ancora? Il sole non cambierà niente. Non mi sciolgo, io. »

« Non sto parlando di una relazione amorosa, Wilhelmina. Voglio sposarti. Ti voglio per il resto della mia vita. »

Lei annuì, sbalordita, incapace di dire una parola, pronta ad accettare l'idea con tutto il suo essere, un'idea che non le era mai balenata coscientemente fino a quel momento. Anche se avevano passato gli ultimi due giorni in perfetta uguaglianza di nudità e di passione, in fondo al cervello non aveva mai preso in considerazione un futuro. Si era data liberamente e spontaneamente, senza aspettative, perché aveva voluto quell'uomo. Adesso lo amava.

« Che cosa vuol dire quel gesto? Sì o no? » Il cenno del capo con cui gli aveva risposto Billy poteva significare sia l'una cosa che l'altra, pensò, inquieto e incerto come un ragazzino.

« Sì, sì, sì, sì, sì! » Si lanciò verso di lui e lo costrinse a sdraiarsi sul letto coprendolo di pugni per dare maggiore enfasi alla sua risposta.

« Oh, amore mio! Tesoro, tesoro mio! Non ce ne andremo da quest'isola finché non saremo sposati. Ho paura che tu possa cambiare idea. Lo terremo segreto, per quanto sarà possibile. Possiamo restare qui per la nostra luna di miele... o anche per sempre, se vuoi. Basta che faccia una telefonata alla povera Lindy. Lei saprà quello che bisogna fare. »

« Vuoi dire che non posso avere un matrimonio in chiesa con il vestito bianco, lungo, e otto cugine come damigelle e Lindy che ti accompagna all'altare? » Lo stuzzicò lei. « Sarebbe uno degli avvenimenti celebri dell'anno a Boston... ci penserebbe la zia Cornelia. »

« Boston! Ma quando trapelerà la notizia verrà stampata sui giornali di tutto il paese: ' Anziano milionario va all'altare con sposa bambina'... bisognerà che ci prepariamo anche a questo. A proposito, quanti anni hai amore, ventisei, ventisette? »

« Che giorno è oggi? »

« Il due novembre. Perché? »

« Ieri ho compiuto ventun anni », rispose lei, in tono fiero.

« Oh, Gesù! » gemette Ellis, prendendosi la testa fra le mani. Dopo un attimo cominciò a ridere irrefrenabilmente, mormorando ansante, fra una risata e l'altra: « Buon compleanno! » E la cosa lo faceva ridere ancor di più. Alla fine, Billy fu costretta a mettersi a ridere anche lei. Era talmente comico, piegato su se stesso a quel modo, a sghignazzare! Però non riusciva a capire che cosa ci fosse di così terribilmente divertente.

Durante i sette anni successivi, nessun ufficio di pubbliche relazioni al mondo sarebbe stato capace di evitare che Billy e Ellis Ikehorn costituissero la curiosità del pubblico. Per i milioni di persone che leggevano gli articoli e vedevano sui rotocalchi e sui giornali le fotografie della giovane donna, bellissima, aristocratica e vestita all'ultima moda, e dell'uomo asciutto, alto, con i capelli bianchi e il naso aquilino, sembrava che gli Ikehorn rappresentassero la quintessenza della vita nel mondo della ricchezza e del potere. I trentotto anni di differenza d'età e l'ambiente bostoniano, patrizio e carico di storia, dal quale Billy proveniva, vi aggiungevano quel tocco solleticante fatto di romanticismo e di esuberanza fisica che mancava in altre coppie dell'alta società più giustamente equilibrate.

La domanda se Billy avesse sposato Ellis per il suo denaro non cessava mai di venire proposta e riproposta ed era evidente che, conoscendo gli ambienti in cui vivevano, tutti e due si rendevano conto che questo interrogativo, piccante e meschino, doveva sempre affiorare nel cervello di tutti quelli con cui entravano in contatto e che, per la massima parte, la gente doveva tirare la conclusione che il motivo di base di quel matrimonio fosse stato il denaro. Però soltanto due o tre persone sapevano quanto Billy amasse Ellis, come dipendesse totalmente da lui.

Ma l'avrebbe sposato anche se fosse stato povero? Questa era, fondamentalmente, una domanda senza senso. Ellis era l'uomo che era perché era immensamente ricco. O forse era immensamente ricco perché era l'uomo che era. Senza i suoi soldi, sarebbe stato un uomo completamente diverso. Era un esercizio altrettanto futile come quello di domandarsi se Robert Redford sarebbe sempre stato Robert Redford anche se fosse stato brutto, oppure se Woody Allen sarebbe stato lo stesso, identico Woody Allen, se non avesse avuto il minimo senso dell'umorismo.

Sei mesi dopo il matrimonio alle Barbados gli Ikehorn si recarono in Europa per quello che doveva essere il primo dei numerosi viaggi che avrebbero compiuto. La sosta iniziale fu Parigi, dove Billy voleva ritornare in un completo trionfo, e fu un trionfo, infatti. Un appartamento di quattro stanze al Ritz, che dava sulle nobili linee simmetriche di place Vendôme, diventò la loro base per un mese. Le loro camere avevano i soffitti alti, le pareti tinteggiate nei più delicati toni di azzurro, grigio e verde, modanature intricate e superbe, in oro, e i letti più comodi che esistessero sul continente. Perfino Ellis Ikehorn, con tutte le sue prevenzioni antifrancesi, fu costretto ad ammettere che non era un brutto posto dove alloggiare.

Lilianne de Vertdulac aveva visto Billy partire in treno per il porto francese dal quale doveva salpare per gli Stati Uniti, esattamente due anni prima. Adesso rimase senza parole nel vedere il cambiamento che la ragazza aveva fatto in così poco tempo. La stessa faccia, lo stesso corpo ma un'aria completamente diversa, qualcosa di nuovo, nuovo in un modo commovente, nel modo di muoversi e di osservare gli altri, qualcosa di inaspettatamente splendido, vagamente imperiale, eppure del tutto naturale nel suo insieme.

Adesso anche Billy vide emergere un lato del carattere della Comtesse che era una novità per lei. Lilianne aveva cominciato a flirtare con Ellis come se avessero tutti e due vent'anni o poco più. Trovava incredibilmente affascinanti i suoi goffi tentativi di pronunciare qualche parola di francese, lo chiamava ogni momento, e quasi per qualsiasi motivo « mio povero tesoro » ed esibiva orgogliosamente la padronanza di un inglese fornito di un impeccabile accento oxfordiano.

Ellis accompagnò le due donne alle collezioni di moda. Avevano chiesto al portiere del Ritz di procurare per telefono i biglietti d'invito per ogni sfilata come è consuetudine per i turisti che visitano Parigi, ma, naturalmente, quali fossero poi i loro posti nel salone della sfilata, questo era un

151

particolare sul quale il portiere non poteva dare alcuna garanzia. Le stesse altezzose direttrici che, soltanto pochi anni prima, avevano benevolmente concesso alla Comtesse i posti nella quinta o sesta settimana della presentazione dei modelli, adesso diedero solo un'occhiata a Ellis, che sembrava un grande capo pellerossa in un impeccabile abito di Savile Row, si degnarono appena di registrare la presenza di Billy e di Lilianne con un'occhiata periferica, e li condussero subito a occupare tre dei posti migliori.

Prima andarono dalla Chanel: i suoi vestiti da duemila dollari venivano portati come un'uniforme da ogni donna chic di Parigi. Era l'epoca in cui le signore, quando si trovavano insieme a pranzo al Relais Plaza dell'Hotel Plaza Athenée, il più elegante snack bar di Parigi, dedicavano invariabilmente la prima ora del loro pasto a decidere quale delle altre donne che si trovavano nel locale portava « *une vraie* » o « *une fausse* » Chanel. C'erano quelle che sapevano copiarla con astuzia, tanto da riprodurre ogni particolare, perfino la catena d'oro che teneva basso l'orlo della fodera in modo che la giacca « cadesse » perfettamente, eppure qualcosa denunciava sempre « *une fausse* », un bottone non autentico, la frangia alle tasche più lunga o più corta di un millimetro, il tessuto giusto nel colore sbagliato.

Nel salone della Chanel, Billy, ancora guidata in parte dai consigli di Lilianne, ordinò sei tailleur. Ellis, con grande stupore di Billy, sembrava intento a prendere appunti sui minuscoli blocchetti che si erano visti offrire all'entrata, servendosi della vecchia penna stilografica Parker e non di una delle civettuole matite d'oro che avevano fatto girare fra il pubblico. Quando uscirono avviandosi verso il Ritz per rue Cambon, Ellis disse: « Lilianne, hai la prima prova fra dieci giorni ».

« Mio povero tesoro, sei completamente impazzito », rispose lei.

« Niente affatto. Ho ordinato tre vestiti per te, i numeri cinque, quindici e venticinque. Non ti sarai aspettata che restassi lì seduto a guardare quella roba senza cercare il modo di divertirmi un po', vero? »

« Non se ne parla neanche », disse Lilianne, profondamente sconvolta. « Non potrei assolutamente permettermelo. Mai. Assolutamente mai. Sei troppo gentile, Ellis, ma la risposta è no, semplicemente no. »

Ellis sorrise con indulgenza alla sbalordita francese. « Non hai scelta. La direttrice mi ha solennemente promesso di prendersi la responsabilità personale di far cominciare la confezione immediatamente. »

« Impossibile! Non mi hanno preso le misure e non possono far niente, se non le hanno. »

« È un'eccezione, questa. La direttrice mi ha garantito che poteva calcolare con buona approssimazione. Ha quasi la tua stessa figura. No, hanno l'ordine di fare quei vestiti, succeda quel che succeda. E se non li porterai tu, li regalerò alla direttrice della casa di mode! »

« Ma è ridicolo » esclamò Lilianne mettendosi a protestare violentemente. « Ti ho detto a pranzo che sono anni che quella donna mi è antipatica. Ellis, devo accusarti di adoperare il ricatto! »

« Uff! Chiamalo pure come vuoi, povero tesoro. Prova un po' a guardare le cose sotto questo punto di vista, Lilianne: o fai a modo mio o ti sei messa nei guai, e grossi, con me. Non credo che sia questo quello che vuoi, vero? Ti sto facendo violenza, poverina, da quel bruto americano che sono e tu non puoi farci niente. »

« Certo, naturalmente », rispose la Comtesse un po' più calma. « Sono con le mani legate, è vero? Lo so, quando si ha tanto affetto per un pazzoide, non si può correre il rischio di offenderlo. »

« Bene, così è tutto sistemato », disse Ellis.

« Ah, un momento! Domani andiamo da Dior e devi promettermi che là non mi farai un altro scherzetto di questo genere! »

« Non ordinerò niente senza che ti abbiano preso le misure », le assicurò Ellis « Ma quei vestiti della Chanel sono tutto per oggi, vero, Wilhelmina, amore mio? »

Billy fece un cenno di assenso mentre gli occhi le si riempivano di lacrime di orgoglio. Poter dare a qualcuno che le aveva dato tanto era una gioia che, fino a quel giorno, non aveva creduto di poter provare.

153

« E poi, Lilianne, devi avere ancora qualcosa da metterti alla sera, dico bene o no, Wilhelmina? Mi sembra che sia soltanto logico. »

« No. A queste condizioni, non ci verrò. »

« Oh, Lilianne, per piacere », la supplicò Billy. « Ellis è così contento. E io non mi divertirei neanche un momento se tu non venissi. Ho bisogno dei tuoi consigli. Devi assolutamente venire... per piacere. »

« D'accordo », acconsentì la Comtesse addolcendosi e sentendosi al settimo cielo per la felicità, « in questo caso vi accompagnerò. Però, Ellis, potrai scegliere soltanto un modello, un solo e unico vestito, per me. »

« Tre », disse Ellis partendo al contrattacco. « È il mio numero fortunato. »

« Due, e non parliamone più. »

« Affare fatto. » Ellis si fermò nel bel mezzo del lungo corridoio pieno di luci, ai cui lati una serie di vetrine esponeva il meglio che Parigi avesse da offrire, che collegava la facciata anteriore del Ritz con quella posteriore. « Qua la mano, tesoro. »

La stampa cominciò presto a restare affascinata dal guardaroba di Billy. In media una donna ricca non riesce a crearsi lo stile che più le si addice, per quel che riguarda la moda, se non dopo che è sposata da un buon numero di anni, se mai ci riesce. Billy, invece, aveva fatto un apprendistato intensivo con Lilianne de Vertdulac che l'aveva educata a capire come l'eleganza sia potenzialmente senza limiti e ora, con Ellis che insisteva perché si vestisse nel modo più superbo che avesse mai osato sognare per fare piacere non solo a se stessa ma anche a lui, Billy diventò una delle più importanti clienti del mondo della moda.

Billy poteva portare qualsiasi vestito. La *carte blanche* ricevuta all'età di ventun anni avrebbe potuto farla diventare lo zimbello di tutti se fosse stata una donna con meno gusto e una statura più modesta: Billy, invece, non esagerava mai. Il rigido senso delle perfezione di Lilianne oltre il proprio buon gusto innato le impediva di cadere nell'eccesso. Con tutto ciò, quando era necessaria la *grandeur*, non conosceva limiti. A un pranzo di gala alla Casa Bianca fu giudicata l'ospite più smagliante quando vi apparve, a soli ventidue anni, con un abito di satin lilla chiaro, di Dior, e gli smeraldi che erano appartenuti all'imperatrice Giuseppina. A ventitré anni, quando lei e Ellis furono fotografati a cavallo nel loro ranch brasiliano di trentamila acri, Billy portava un semplice paio di pantaloni di equitazione, stivali e una camicetta di cotone aperta sul collo, ma alla sfilata di una nuova collezione di Yves Saint-Laurent due settimane dopo, andò indossando il vestito che era stato il modello più importante della collezione precedente. Intanto Ellis, che stava diventando un vecchio *habitué* di Parigi, le sussurrava i numeri dei modelli che, secondo lui, avrebbe dovuto ordinare, così che le persone che avevano alle spalle molti anni di lavoro nell'ambiente della moda, ricordarono istintivamente la collezione di primavera di Jacques Fath nel 1949, sedici anni prima: a quella sfilata il defunto Alì Khan, seduto vicino a una giovane e splendente Rita Hayworth, aveva decretato: « Quello bianco per i tuoi rubini, quello nero per i brillanti e quello verde chiaro per gli smeraldi ».

Anche Billy aveva un tesoro di gioielli principeschi, ma i suoi preferiti rimanevano sempre gli impareggiabili Gemelli Kimberley, i due orecchini di brillanti da undici carati, perfettamente identici, che Harry Winston aveva giudicato fra le gemme più belle che avesse mai venduto. Senza preoccuparsi delle consuetudini, Billy li portava mattina pomeriggio e sera, e non sembravano mai inadatti. Durante il suo ventitreesimo anno di età, Billy spese più di trecentomila dollari in vestiti, senza contare le pellicce e i gioielli. Quello fu l'anno in cui comparve per la prima volta sulla lista delle donne meglio vestite.

Poco dopo il loro ritorno a New York, gli Ikehorn affittarono e riarredarono completamente un piano intero in cima alla torre dell'Hotel Sherry-Netherland nella Quinta Avenue, che diventò il loro recapito fisso. Da quelle finestre avevano un panorama di 360 gradi sulla città: tutto Central Park si allargava come una fiumana verde ai loro piedi. Ellis Ikehorn era un personaggio di primo piano per le grandi società finanziarie delle quali possedeva la maggioranza delle azioni. Da quando le Ikehorn Enterprises erano diventate una società con diversi azionisti, i quadri dirigenti erano stati accuratamente scelti da Ikehorn in modo che fossero in grado di portare avanti il lavoro anche dopo la sua morte. Erano tutti proprietari di un numero di azioni sufficiente a garantire la loro serietà e lealtà. Adesso Ellis si accorse che poteva passare sempre più tempo con Billy in posti anche lontanissimi. Quando Billy ebbe ventiquattro anni, comprarono una villa a Cap Ferrat con giardini leggendari e terrazze erbose che scendevano verso il Mediterraneo come una grande tela di Matisse; avevano in permanenza un appartamento di sei stanze al Claridge per i frequenti viaggi che facevano a Londra, dove Billy collezionava argenteria georgiana e dell'epoca della regina Anne ogni volta che Ellis doveva passare una parte della giornata alle riunioni di lavoro. Comperarono una casetta che dava su una spiaggia solitaria alle Barbados, dove andavano in aereo a passare spesso il weekend; viaggiarono a lungo in Oriente. Di tutte le loro case quella che preferivano era la villa vittoriana di Napa Valley, dove potevano seguire la coltivazione dell'uva per il loro Château Silverado in una campagna tanto bella e piena di serenità da sembrare d'essere in Provenza.

Quando Billy e Ellis erano a New York, la zia Cornelia, rimasta vedova poco dopo il matrimonio di Billy, veniva a passare una settimana o due con loro. Fra Cornelia e Ellis era nata una profonda amicizia tanto che anche lui rimase addolorato e commosso quando Cornelia morì improvvisamente tre anni circa dopo il matrimonio di Billy. Billy non aveva mai voluto tornare a Boston durante quegli anni perché la città era piena di ricordi sgradevoli per lei; adesso però, naturalmente, ci andò con Ellis per il funerale di Cornelia.

Scesero al venerando Ritz-Carlton locale, una specie di parente povero degli altri Ritz che conoscevano così bene.

Prima di uscire per andare alla chiesa di Chestnut Hill dove avrebbe avuto luogo la funzione religiosa e dove Cornelia stava per essere sepolta vicino allo zio George, Billy si guardò un'ultima volta nello specchio. Portava un sobrio vestito di lana nera con cappotto analogo di Givenchy e un cappello nero che si era fatta mandare urgentemente da Adolfo, raggiunto con una telefonata non appena aveva saputo la notizia della morte di Cornelia da sua cugina Liza. Ellis restò a guardarla mentre si toglieva i brillanti dalle orecchie e li faceva scivolare nella borsetta.

« Niente orecchini, Wilhelmina? » le domandò.

« Siamo a Boston, Ellis. Secondo me, stonerebbero. »

« Cornelia diceva sempre che eri l'unica donna di sua conoscenza che avrebbe avuto un'aria naturale anche se li avesse portati nella vasca da bagno. Mi sembra un peccato. »

« Mi ero dimenticata che dicesse così, caro. E poi, perché sto tanto a preoccuparmi per Boston, tesoro? Povera zia Cornelia. Ha passato tanti anni a cercare di trasformare in cigno questo brutto anatroccolo... hai ragione, deve essere orgogliosa di me. A lei farebbe piacere che li mettessi. » E si infilò di nuovo gli orecchini. Mentre le due gemme raccoglievano, e rimandavano, un barbaglio di luce invernale nello specchio brillando in modo poco adatto a un funerale, Billy disse sotto voce: « Volgari al massimo per la chiesa, specialmente una chiesa di campagna. Mi chiedo se qualcuno avrà la faccia tosta di dirmelo ».

Se ci fu qualcuno che lo pensò durante la versione bostoniana di una veglia funebre che seguì il funerale e si tenne in un salotto della grande casa di Wellesley Farms, di cui era proprietaria una delle sorelle della zia Cornelia, tuttavia non venne detto ad alta voce. Presto Billy si accorse che lei e Ellis erano il centro di un gruppo di parenti che sembravano sinceramente e apertamente felici di rinnovare l'antica conoscenza: alcuni di loro arrivarono addirittura a vantarsi di un'intimità che non era mai esistita. Si era preparata a osservazioni come: « Che genere di nome è Ikehorn, Billy? Mai sentito in vita mia. Ma dove diavolo è nato, mia cara? Quale hai detto che è il nome di sua madre da ragazza? » Ma queste osservazioni non arrivarono.

« Sai, Ellis, che non capisco? » disse Billy quando tornarono finalmente all'albergo. « Chissà perché mi ero immaginata che sarebbero stati semplicemente cortesi con me e riservati con te. Invece i miei zii ti trattavano come se tu fossi nato qui, e io sono rimasta sommersa dagli abbracci delle zie e delle cugine. Perfino mio padre che non parla con nessuno, eccetto che con i suoi microbi, da anni, chiacchierava con te in un modo che potrei definire addirittura animato. Ti garantisco che non l'ho mai visto così vivace in vita mia! Se non fossimo a Boston e non li conoscessi anche troppo bene, direi che sono rimasti tutti impressionati dai tuoi soldi. »

No, pensò Ellis tra sé, non erano impressionati dai soldi a meno che non si trattasse, piuttosto, di quelli che erano stati offerti a nome di Ellis e Wilhelmina Winthrop Ikehorn ai loro ospedali, ai centri di ricerca scientifica, alle università e ai musei.

Il senso di protezione che Ellis provava verso la moglie era completo e si estendeva a ogni particolare della loro vita a due. Man mano che gli anni passavano, Billy cominciò ad abituarsi a vivere entro questo cerchio magico, dimenticando sempre di più i piccoli problemi della vita di ogni giorno, talmente preparata a veder realizzato ogni suo desiderio che si trasformò in una creatura sempre dolce, ma notevolmente egoista, senza che né Ellis né lei se ne accorgessero. Quando gli Ikehorn si trasferivano in una delle case che possedevano, portavano con sé lo chef, la cameriera personale di Billy e la governante a complemento della servitù che si trovava già in permanenza sul posto. Lo chef, che conosceva alla perfezione i loro gusti, presentava ogni giorno a Billy il menu per avere la sua approvazione e la sua cameriera era anche un'esperta massaggiatrice e parrucchiera. Billy fu viziata in un modo che solo poche centinaia di donne in tutto il mondo potevano appena permettersi. Questo tipo di vita fatto di ogni comodità e di ogni raffinatezza possibile è uno dei mezzi più insidiosi che esistano per trasformare il carattere di una donna e darle una sete di dominio che diventa naturale come il bisogno di acqua per l'assetato.

Nessuna persona che leggesse i moltissimi articoli pubblicati sugli Ikehorn da giornali e riviste, avrebbe potuto capire che, per quanto sembrasse che Billy e Ellis partecipassero alla vita dell'alta società dotata di ogni privilegio, in realtà se ne tenevano sempre un po' in disparte. Jessica Thorpe Strauss e suo marito erano gli unici amici intimi che avessero, anche se ricevevano molto in casa loro ed erano invitati spessissimo fuori. Quando dovevano dedicare un po' di tempo ai collaboratori di lavoro di Ellis e alle loro mogli, Billy si sentiva di colpo non in sintonia con quel mondo. Perché era seduta a un tavolo con quegli uomini sulla sessantina e con le loro mogli che sembravano nonne quando agli altri tavoli, intorno a loro, era seduta tanta gente giovane, gente della sua età?

Billy si sentiva molto più a suo agio nel mondo di quel gruppo di newyorkesi, o parigini, o londinesi che vengono fotografati al Prix Diane, a Marbella, ad Ascot. Lì c'erano molte donne giovani, della sua età, mescolate alle signore di mezza età del gran mondo. E lì, in quella folla che portava il marchio della celebrità e del lusso, Billy e Ellis Ikehorn rappresentavano una coppia affascinante e misteriosa perché non si lasciavano mai classificare e tantomeno mettere un'etichetta, o, in un certo senso, « possedere » da chi preparava le coreografie per quel particolare ceto sociale e le sue turbinose attività. Lo spettacolo che avevano davanti agli occhi li poteva divertire o distrarre, ma non lo prendevano mai sul serio. Era come se avessero fatto un tacito patto il giorno in cui avevano deciso di sposarsi, che nessuna delle convenzioni tipiche dell'ambizione e di una determinata posizione sociale li avrebbe mai potuti incatenare.

Nel dicembre 1970, quando aveva sessantun anni e Billy ne aveva appena compiuti ventotto, Ellis Ikehorn ebbe il primo colpo apoplettico di modesta entità. Sembrò che si riprendesse rapidamente nel giro di una decina di giorni, ma un secondo colpo, molto più grave del primo, tolse qualsiasi speranza di una guarigione.

« Il suo cervello è attivo, anche se non sappiamo fino a che punto », disse Dan Dorman a Billy. « Quella colpita è stata la parte sinistra. Una doppia disgrazia perché il centro della parola si trova proprio localizzata nella parte sinistra del cervello. Ha perduto la capacità di parlare oltre all'uso del lato destro del corpo. » La guardò, seduta come era davanti a lui, impietrita, ed ebbe la sensazione di passare la lama di un coltello su quella pelle liscia e tesa. Ma sapeva di doverle anche dire subito, adesso, fintanto che Billy era ancora sotto choc che le cose avrebbero potuto peggiorare.

« Potrà riuscire a comunicare con te con la mano sinistra, Billy, però non posso prometterti niente per ora. Attualmente preferisco tenerlo a letto, ma nel giro di qualche settimana, se non succede nient'altro, potrà sedersi su una seggiola a rotelle. Ho ordinato che vengano tre infermieri in modo che lo assistano, a turno, ventiquattro ore su ventiquattro. E saranno sempre necessari, in futuro, per tutto il resto della sua vita. Abbiamo già iniziato la terapia fisica per tenere in funzione i muscoli del lato sinistro di Ellis. »

Billy gli rispose con un cenno del capo, muta, mentre apriva e chiudeva con le mani una molletta di metallo per le carte, come se non riuscisse a distaccarsene. « Billy, una delle mie maggiori preoccupazioni è che Ellis possa diventare tremendamente irrequieto e che possa soffrire di claustrofobia, se restate chiusi a New York. Quando potrà andare in giro in carrozzella, dovreste vivere in un posto dove possa stare seduto all'aperto, andare in giro, sentirsi a contatto con la natura, vedere i fiori e le piante che crescono. »

« Dove dovremmo andare? » gli domandò lei, sottovoce.

« San Diego ha, probabilmente, il clima migliore di qualsiasi altra città degli Stati Uniti », rispose Dan, « ma ti annoieresti a morte laggiù. Non devi cadere nell'errore di credere che potrai restare seduta al fianco di Ellis ogni minuto del giorno per il resto della sua vita! Lui si ribellerebbe a quest'idea più ancora di te. Mi stai ascoltando, Billy? Sarebbe il massimo della crudeltà per lui e non potrebbe neanche spiegarti quello che prova. »

Billy annuì. Aveva sentito quello che Dan stava dicendo e sapeva che aveva ragione, ma non sembrava importante. « Capisco, Dan. »

« Credo che fareste meglio a trasferirvi a Los Angeles. Tu conosci tanta gente laggiù. Però bisognerebbe restare a vivere al di fuori della zona dello smog. Ellis non può respirarlo nelle sue condizioni perché, in realtà, ha un solo polmone che funziona. Prova a cercare una casa su in alto, dalle parti di Bel Air, e io verrò a visitarlo una volta al mese. I medici, là, sono in gambissima e ti affiderò al migliore che ci sia. Naturalmente verrò con voi e lo lascerò soltanto quando lo vedrò sistemato. »

Il dottor Dorman evitò di guardare ancora Billy, la quale era seduta impettita e rigida come una regina, ma si sentiva sperduta come una bambina. Per tutti e due sarebbe stato molto meglio se Ellis fosse morto. Dal giorno in cui aveva saputo la notizia del loro matrimonio, Dan aveva sempre temuto qualcosa del genere. E aveva raggiunto presto la conclusione che Ellis doveva aver avuto le stesse paure. Soltanto così si poteva spiegare il fastoso tenore di vita che avevano, mentre Dan lo sapeva agli antipodi di quello che era sempre stato lo stile del suo vecchio amico, e il modo, così anacronistico per le sue abitudini, con il quale Ellis si era lanciato in una vita mondana che, prima, aveva sempre ignorato, come se lo scopo principale della sua vita fosse quello di dare a Billy un'esistenza favolosa fintanto che poteva.

« Sei sicuro che non possiamo andare a stare nella casa di Silverado, Dan? Credo che Ellis preferirebbe andare là invece che in un posto che non conosce. »

« No, non te lo consiglio. Andateci pure per la vendemmia se questo può farvi piacere, ma dovreste sempre essere vicino a un grosso centro di medicina, per quanto è possibile. »

« Manderò Lindy domani a comprare una casa da quelle parti. Probabilmente riuscirà ad averla pronta per noi non appena Ellis potrà sopportare il viaggio. »

« Credo che potresti pensare a una partenza per la metà di gennaio », disse Dorman alzandosi per andarsene. Mentre lo accompagnava alla porta, Billy sentì com'era angosciata la voce di Dan, anche se cercava di adoperare un tono posato ed efficiente. E capì che avrebbe dovuto offrirgli un po' di conforto anche se la situazione era drammatica. Quando ebbe infilato il cappotto, lei gli appoggiò le mani sulle spalle e abbassò lo sguardo su di lui sorridendo lievemente; era il primo sorriso da quando Ellis aveva avuto il secondo attacco.

« Sai che cosa faccio domani, Dan? Vado a comprarmi qualche vestito nuovo. Non ho assolutamente niente da mettermi che sia adatto per la California. »

5

NELLA sua collezione di ricordi sentimentali ce n'era uno che Valentine preferiva a tutti gli altri. Non era una fotografia di famiglia, ma semplicemente un ritaglio di giornale ingiallito, con un'illustrazione, una delle centinaia che erano state prese il 24 agosto 1944, il giorno in cui gli Alleati avevano liberato Parigi. Raffigurava un gruppo di soldati americani sorridenti che salutavano la folla passando trionfalmente nei Champs-Elysées a bordo dei loro mezzi armati. Le ragazze e le donne francesi, quasi in delirio per la gioia, si erano issate su carri armati con mazzi di fiori fra le mani e avevano distribuito i loro baci ai vincitori che attendevano da tanto tempo. Uno di quei soldati, che non si vedeva nella fotografia che le era così cara, ma si trovava in qualche altro punto di quella gloriosa e leggendaria parata, era suo padre, Kevin O'Neill; e una di quelle donne festanti che piangevano per la felicità, era la mamma, Hélène Maillot. Chissà come, nella baraonda di quella giornata, erano riusciti a restare insieme il tempo sufficiente perché il comandante di un carro armato, un giovanotto con i capelli rossi, scrivesse su un pezzo di carta il nome e l'indirizzo della piccola ragazza con i grandi occhi grigi. Il suo reparto era di stazione alle porte di Vincennes, ma prima di ricevere l'ordine di rimpatrio negli USA, alla fine della guerra in Europa, aveva preso in moglie una francese.

Kevin O'Neill fece venire negli Stati Uniti Hélène non appena fu possibile e andarono a vivere in un appartamentino di una casa senza ascensore nella Third Avenue a New York City, dove il geniale e impetuoso irlandese, cresciuto in un orfanotrofio di Boston, si mise a imparare rapidamente i segreti dell'arte tipografica. Fino alla nascita di Valentine nel 1951 sua madre lavorò per Hattie Carnegie. Anche se era molto più giovane delle altre espertissime sarte di quella celebre casa di moda, il suo apprendistato parigino l'aveva messa in condizione di eseguire il suo lavoro in modo impeccabile. Nel giro di tre anni era diventata abilissima nel provare gli abiti e si era specializzata in quei tessuti che sono i più difficili da trattare come lo chiffon, il crèpe de Chine e il velluto di seta.

Quando nacque Valentine, Hélène O'Neill lasciò l'impiego e si adattò facilmente alla vita domestica, dedicandosi prevalentemente a un altro dei suoi grandi talenti, la cucina. Con Valentine, ancor prima che la piccola fosse in grado di capire una parola di una lingua qualsiasi, parlava sempre in francese. Quando Kevin era a casa, parlavano tutti in inglese e che allegro rumore, che battibecchi affettuosi, che parole tenere venivano alle loro labbra! Così almeno pensava Valentine. Non aveva molti ricordi precisi di quei primi anni però sentiva ancora, e li avrebbe sentiti per tutta la vita, l'allegria, il calore, l'ottimismo della piccola famigliola che sembrava chiusa in un alone di felicità, come se vivessero su una minuscola isola sicura fatta di grazia e di serenità. Fra le canzoni più popolari di quei giorni non mancavano quelle francesi: Charles Trénet, Jean Sablon, Maurice Chevalier, Jacqueline François, Yves Montand, Edith Piaf. L'unico modo in cui la mamma tradiva, di quando in quando, qualche momento di nostalgia era nella scelta di questi dischi e nelle parole delle canzoni che cantava qualche volta, come quella che cominciava *J'ai deux amours, mon pays et Paris...*

Nel 1957 quando Valentine aveva appena compiuto i sei anni, nell'estate prima che cominciasse ad andare a scuola, Kevin O'Neill morì in pochi giorni di polmonite virale. Una settimana dopo, la vedova decise di tornare a Parigi. Hélène O'Neill doveva guadagnarsi da vivere e Valentine aveva bisogno di una famiglia alla quale voler bene, adesso che erano rimaste solo loro due. Tutta la grande famiglia dei Maillot abitava nei dintorni di Versailles e, se Hélène e Valentine fossero rimaste a New York, si sarebbero sentite sole.

Nell'alta moda è quasi impossibile trovare un impiego che sia al di sopra di quello della pura e semplice lavorante, a meno che non salti fuori all'improvviso per un caso fortuito qualcosa di meglio. Nella Parigi della fine degli anni Cinquanta le donne che lavoravano nelle grandi sartorie avevano la stessa dedizione per il loro lavoro che se avessero preso i voti. Soprattutto le première sulle quali gravava la responsabilità di un intero atelier composto da un numero di lavoranti che andava da trenta a cinquanta, vivevano per la gloria della ditta.

All'inizio dell'autunno, nel 1957, in uno dei periodi di maggior lavoro di tutto l'anno, subito dopo la presentazione della collezione autunnale, accadde una cosa incredibile: una première della sartoria di Pierre Balmain, la cui dedizione al lavoro pareva assoluta, scappò. Il suo spasimante, un gagliardo ma attempato proprietario di un ristorante di Marsiglia, le aveva parlato chiaro: dopo quattro anni di collezioni di primavera e di autunno che le erano servite come una scusa per rimandare il matrimonio, doveva decidersi: adesso o mai più. La première, che aveva quasi quarant'anni, si era guardata nello specchio e aveva capito che il suo innamorato aveva ragione a insistere. Con molta intelligenza aveva abbandonato il campo senza avvertire nessuno. Il giorno successivo, quando si scoprì l'enormità del suo gesto, nella sartoria di Balmain si scatenò un tal putiferio che, per poco, il palazzo di rue François Ier 44 non prese fuoco.

Il pomeriggio di quello stesso giorno Hélène O'Neill si presentò da Balmain a cercare lavoro. Normalmente non avrebbe avuto nessuna possibilità di cominciare da un livello superiore a quello di una lavorante qualificata, ma Balmain, trovandosi di fronte a un diluvio di ordinazioni nel periodo più proficuo dell'anno, non ebbe altra scelta e l'assunse immediatamente come première. Però, già la sera del primo giorno, capì di essere stato molto fortunato. Le mani sottili di Hélène maneggiavano lo chiffon con l'abilità e la pazienza che quella stoffa richiedeva. E passò il collau-

165

do definitivo quando venne incaricata di provare un vestito a Madame Marlene Dietrich. La Dietrich, che sapeva meglio di qualunque altra persona come dovesse essere fatto un vestito, ed era due volte più difficile e piena di pretese di chiunque altro al mondo. Da Balmain, tutti emisero un respiro di incredulità mista a sollievo, quando la prova terminò senza una parola: la Dietrich non diceva niente, significava che il lavoro era perfetto. La reputazione di Madame O'Neill come sarta del miracolo era fatta, e il posto assicurato.

Le ore di lavoro di una première sono tante. In una casa di moda come quella di Balmain che veste non soltanto le donne ricche del mondo ma anche le attrici piene di impegni di lavoro, molti appuntamenti per le prove vengono fissati nelle prime ore del mattino o il pomeriggio tardi. Se una sola cliente arriva in ritardo, e c'è sempre una ritardataria ogni giorno, il programma di lavoro, già intenso, diventa una gara snervante con le lancette dell'orologio. Una première resta in piedi o in ginocchio tutto il giorno, eccetto nell'ora di pranzo, e la sera le capita molto di frequente di sentirsi prossima al collasso fisico e nervoso. Prima del lancio di una collezione, qualche volta lavora fino alle quattro o alle cinque del mattino a provare i nuovi modelli su indossatrici che molto spesso svengono per la fatica. Negli anni Cinquanta e Sessanta, la moda francese non era fatta tanto di una successione senza fine di nuovi modelli di cui i giornali di moda potevano parlare con il fiato mozzo, quanto del taglio di un vestito o di un cappotto. Senza un'ottima première, qualsiasi casa di moda che avesse o no gli stilisti ricchi di ispirazione era destinata a chiudere i battenti nel giro di un anno.

Quasi subito dopo aver cominciato a lavorare per Balmain, Hélène O'Neill si rese conto di non poter vivere assolutamente con tutta la sua famiglia a Versailles. La fatica del viaggio di andata e ritorno su un trenino stracarico tutti i giorni, non le avrebbe certo lasciato l'energia necessaria per il suo lavoro pieno di difficoltà. Trovò un piccolo appartamentino per sé e per Valentine in un vecchio caseggiato in un dedalo di vie non molto distante da Balmain che poteva raggiungere a piedi, e organizzò le cose in modo che sua figlia potesse cominciare la scuola lì nelle vicinanze.

Quasi tutti i bambini francesi vanno a casa a pranzo. La sartoria di Balmain diventò la casa di Valentine. Già all'età di sei anni e mezzo, lei era abituata a varcare l'ingresso dei dipendenti senza farsi notare, e qui era salutata con una stretta di mano dal custode. Poi scivolava senza far rumore al piano di sopra passando lungo i corridoi deserti per l'esodo di mezzogiorno e trovava la mamma che l'aspettava in un angolo del suo laboratorio, uno degli undici della sartoria Balmain. Nel cestino chiuso di Hélène c'era sempre qualcosa di caldo, nutriente e gustoso da spartire con la sua bambina. Anche molte altre lavoranti portavano il pranzo da casa e presto Valentine si trovò adottata da quaranta donne, molte delle quali evitavano quasi di parlarsi, se potevano, ma avevano tutte una parola gentile per la educatissima figlioletta di Madame Hélène, una povera bambina orfana di padre.

Valentine si rifiutava di tornare a casa in quel piccolo appartamento vuoto, dopo la scuola. Allora prendeva in mano di nuovo la cartella piena di libri e tornava nel suo angolino dell'atelier; qualche volta si metteva a fare il compito e qualche altra restava a osservare attentamente tutto quello che succedeva di importante nella stanza. Stava ad ascoltare le storie incredibili dei litigi, che avvenivano nei salottini di prova, dei lati buoni e cattivi di clienti che si chiamavano Bardot, Loren e Duchessa di Windsor, delle lotte quasi all'ultimo sangue che si verificavano fra una *première vendeuse* e l'altra per la disposizione dei posti alle sfilate o per il possesso di una nuova cliente e delle scenate di gelosia nella *cabine* dove si vestivano le indossatrici, stupende ragazze che facevano una tragedia di ogni piccola cosa, con gli occhi pesantemente truccati e nomi come Bronwen, Lina e Marie Thérèse. Ma, quando a Valentine rimaneva un po' di tempo, dopo che aveva finito i compiti, ciò che l'affascinava maggiormente era, più che i pettegolezzi, il lavoro che vedeva progredire: il modo in cui un vestito che vedeva inizialmente cominciare sotto la forma promettente di pezzi di mussolina rigida, bianca, tagliati secondo il modello e messi insieme, si trasformava, dopo un certo numero di settimane e almeno centocinquanta ore di lavoro a mano e tre o più prove, un punto dopo l'altro, in un vestito da ballo di chiffon per una Duchesse de La Rochefoucauld e pagato un prezzo che, già a quell'epoca, andava fra i due e i tremila dollari.

Inutile dire che da Balmain i direttori erano completamente all'oscuro del fatto che una bambina veniva fatta praticamente crescere in uno dei laboratori della casa di mode. Pierre Balmain, per quanto fosse una persona molto gentile, e Madame Ginette Spanier, la potentissima direttrice che dava ordini nella sartoria dal suo scrittoio in cima allo scalone principale, avrebbero giudicato in modo decisamente sfavorevole una simile scorrettezza. Nelle rare occasioni in cui Madame Spanier, un tipo esplosivo con i capelli corvini, un'esuberanza incontenibile e irrefrenabile, era piombata nell'atelier per soffocare sul nascere una lite, Valentine era sempre stata nascosta dietro un attaccapanni a carrello, che veniva tenuto vicino al suo sgabellino proprio a questo scopo, al quale era appesa una serie di vestiti da sera già finiti.

Quando finalmente si concludeva la giornata di lavoro di Hélène e la sua ultima cliente si allontanava nella Parigi avvolta dalla sera a bordo della berlina chiusa che l'aspettava, madre e figlia tornavano a casa a piedi per la cena. Quando avevano finito quel pasto semplicissimo, Valentine aveva sempre un po' di compiti da fare ancora, ma capitava di rado che passasse una sera senza che lei chiedesse alla mamma di raccontarle quello che era successo da Balmain durante la giornata. Erano i particolari della fattura di un vestito ad affascinarla. Voleva sapere la ragione di ogni orlo e di ogni occhiello. Perché Monsieur Balmain metteva sempre ai suoi vestiti un numero dispari di bottoni e mai pari? Perché un atelier era incaricato della confezione della giacca e della gonna di un tailleur, mentre un altro lavorava alla camicetta e alla sciarpa che facevano parte di quello stesso tailleur, se poi tutta quella roba doveva essere portata insieme?

Hélène trovava facilmente la risposta a quasi tutte le domande, ma ce n'era una che interessava enormemente Valentine e, proprio a quella, non sapeva rispondere. « Dove prende le sue idee Monsieur Balmain? » Non le rimase che dire alla bambina che insisteva: « Se lo sapessi, piccina mia, sarei Monsieur Balmain... o magari Mademoiselle Chanel o Madame Grès ». E scoppiavano a ridere tutt'e due a quel pensiero.

Valentine non faceva che chiederselo. Un giorno, quando aveva tredici anni, cominciò a disegnare le sue idee per i vestiti e fu così che trovò la risposta. Le idee venivano, tutto qui.

Però non era sufficiente, naturalmente. Bisognava sapere se quegli schizzi potevano andar bene per un corpo umano. Lei, Valentine, sapeva cucire magnificamente. Aveva imparato dalla mamma fin da quando aveva otto anni. Però il fatto di saper cucire poteva portarla, nel migliore dei casi, a trovare un lavoro come quello della mamma che sembrava più estenuante ogni anno che passava. O forse sarebbe potuta diventare una piccola sartina di quartiere, di quelle che rubacchiavano le idee dalle grandi collezioni e le riproducevano, come meglio potevano, per la loro clientela fatta di brave borghesi. Ma già a quel tempo Valentine capiva che un simile futuro non era abbastanza interessante.

Era diventata una ragazzina che non passava inosservata. Le sue fattezze sottili e delicate, l'espressione pronta e intelligente erano quelle classiche dei francesi. Però i suoi colori, i capelli di un rosso acceso, gli occhi verdi, luminosi, arguti e splendenti, le tre lentiggini sul naso, la pelle bianchissima e stupenda erano classici della razza celtica. Perfino nella divisa delle allieve della scuola pubblica francese, un brutto grembiule sempre un po' troppo corto, che portava sulla camicetta con le maniche lunghe o corte a seconda del modo particolare in cui si legava con un nastro scozzese, a colori vivaci, le trecce pesanti dalle quali sfuggiva inevitabilmente qualche ricciolino. Forse era la vitalità prorompente che non poteva essere costretta nei rigidi, limiti della docilità che si pretendeva dalle scolare. Valentine era una creatura che amava gli estremi opposti. Era la prima della classe in inglese e in disegno, l'ultima in matematica, e quanto alla condotta era meglio non parlarne.

Durante l'adolescenza, Valentine era stata l'unica ragazza della sua scuola a far collezione di dischi dei Beach Boys; tutte le altre adoravano Johnny Halliday. Andava a vedere i film americani il sabato pomeriggio quasi con un senso di dovere, e preferiva andarci sola perché nessuno la distraesse. Anche se pensava in francese, non trascurava mai l'inglese e cercava di non dimenticarlo come può capitare quando si parla più di una lingua correntemente da bambini. Ricordava sempre di essere per metà americana ma non parlava con nessuno di questo, neanche con la madre. La doppia cittadinanza era una specie di talismano magico per Valentine. Troppo prezioso e troppo remoto per metterlo in mostra.

Quando Valentine si avvicinò ai sedici anni prese la decisione di abbandonare gli studi, continuare non aveva senso. Compiuta quell'età, poteva smettere legalmente di andare a scuola e lavorare. Aveva deciso di diventare disegnatrice di moda, ma nessuno lo sapeva tranne lei.

Anche se a Parigi ci fosse stata una Parsons School of Design o un Fashion Institute of Technology, come ci sono negli Stati Uniti, a quell'epoca Valentine non avrebbe avuto i soldi per pagarsi gli anni di istruzione. L'unica strada per lei era quella di fare l'apprendista. Non si richiede di essere creativa a un'apprendista. Non lo si richiede neppure alle grandi première e ai grandi tagliatori, la creatività deve essere lasciata al *couturier*, che ha imparato il mestiere lavorando per qualche altra casa di moda oppure cominciando a fare il bozzettista. Perfino la Chanel mancava delle nozioni tecniche necessarie quando cominciò nella modisteria che le aveva aperto l'amante in carica in quel periodo. È anche raro che uno stilista sappia tagliare e cucire, come sanno fare Monsieur Balmain e Madame Grès.

Tuttavia, pochissimi grandi stilisti, e forse nessuno, sono partiti da un impiego così modesto come quello da cui cominciò Valentine. Nel 1967, diventò lavorante, una delle schiave della couture. Se ottenne il posto, fu per merito della posizione che occupava sua madre, però, dopo, dovette contare soltanto sulle proprie risorse. Una lavorante può rovinare un metro di broccato del valore di duecento dollari, e allora, per lei, è la fine. Il prezzo di ogni vestito della collezione include perfino il costo di ogni singolo punto, di ogni gancio e di ogni centimetro di guarnizione, di ogni bottone, fino al numero di fogli di carta velina necessari per avvolgerlo prima che venga posto in una delle grosse scatole che portano il nome di Balmain scritto sopra. Una lavorante disattenta può costare alla casa di mode il suo intero guadagno su un vestito o su un tailleur.

Per cinque anni, dal 1967 al 1972, Valentine fece continui progressi, da semplice lavorante a seconda lavorante, da seconda a prima lavorante, compiendo in pochi anni un balzo in avanti che di solito richiede almeno vent'anni, e non sempre si verifica del tutto. Aveva cominciato avvantaggiata per l'attività tecnica, rispetto alle altre, grazie all'addestramento intensivo cui la madre l'aveva sottoposta alla macchina da cucire di casa: in seguito Valentine cominciò a imparare quella parte di lavoro che avviene fuori del laboratorio. Dopo i primi due anni, la sua presenza cominciò a venire richiesta nei salottini di prova dove principesse, stelle del cinema e le mogli degli uomini più ricchi del Sudamerica stavano in piedi, in sottoveste, per ore e ore, qualche volta il sudore che colava sulla faccia in quell'atmosfera profumata e soffocante, qualche altra piangendo lagrime di rabbia e di stizza per la figura che facevano addosso a loro i vestiti nuovi. Dalle donne che venivano a provare e che spesso soffrivano le pene dell'inferno, costrette a restare assolutamente immobili per ore e ore consecutive con i piedi chiusi in bellissime scarpe fatte a mano, con il tacco alto, Valentine imparò la potenza della vanità e la cocciutaggine della determinazione che spingono a possedere solo e soltanto il vestito giusto, indipendentemente dalle sofferenze che ciò comporta. Imparò molto più di quanto qualsiasi ragazza della sua età avrebbe potuto sapere sulle donne, specialmente sulle donne ricche.

Adesso Valentine aveva la possibilità di assistere alle prove generali delle nuove collezioni che si tenevano soltanto per il personale della sartoria. Così poteva osservare i vestiti ai quali aveva lavorato lei stessa e centinaia di altri modelli che non aveva mai visto prima e che sfilavano sulla pedana portati dalle indossatrici con passo rapido e scattante, e con un'aria tesa e nervosa. Adesso poteva assistere al lavoro di Balmain e dei suoi assistenti che discutevano sul gioiello, i guanti, il cappello, la stola di pelliccia che erano necessari per dare l'ultimo tocco a ogni completo in modo che fosse perfetto. Valentine aveva un buon gusto innato. E adesso ogni giorno, si sviluppava sempre più con gli insegnamenti di Balmain. Si accorse di essere capace di prevedere quasi esattamente, vedendoli alle prove generali della sfilata, quale vestito e quale tailleur sarebbero stati venduti con molta facilità e, invece, quali modelli non sarebbero mai stati venduti neppure se fossero andati a finire fra i saldi al termine della collezione. I saldi erano costituiti dai vestiti sui quali le clienti si avventavano come falchi dopo aver aspettato pazientemente l'occasione propizia, che erano stati portati ogni giorno per quattro o cinque mesi dalle indossatrici che sudavano tutte come purosangue in arrivo al traguardo durante una corsa, mentre cercavano di persuadere una cliente a ordinare il modello col quale stavano sfilando assicurandosi, se fossero riuscite, una modestissima percentuale.

Quanto a lei, Valentine non si sarebbe mai abbassata a comprare qualcosa nei saldi, neppure se avesse potuto permetterselo. Si cuciva da sola tutti i vestiti, ed erano tutti studiati ad arte. Non era conveniente che si presentasse al lavoro portando qualcosa di diverso dalla gonna e golfino neri, tradizionali, accompagnati da una camicetta bianca, eppure anche quell'abbigliamento severo, studiato appositamente per indicare il netto divario che separava la categoria sociale delle lavoranti dalle clienti, prendeva un carattere speciale portato da Valentine, ma non abbastanza speciale perché qualcuno se ne accorgesse. Si era tagliata cortissimi quei suoi capelli ricci e aveva riposto in un cassetto i nastri di stoffa scozzese: adesso aveva quasi l'aspetto di una ragazza che lavorava, sobria, industriosa, purché a nessuno venisse in mente di lanciare un'occhiata più in su del suo collo o di guardarla negli occhi, e le clienti totalmente assorbite dalla propria immagine, lo facevano di rado.

Pur avendo un temperamento impetuoso, Valentine non si sentiva irritata al pensiero di essere costretta a camuffarsi in questo modo. Perfino la stessa Madame Spanier, che si vestiva esclusivamente da Balmain, portava sempre un completo fatto di gonna e giacca di taglio severo, di flanella nera o grigia, sul quale spiccava l'inevitabile collana di perle a tre giri. Tuttavia, nell'atelier circolava, sussurrato con reverenza, il pettegolezzo che avesse una serie di magnifici vestiti da sera che portava quando andava con il marito alle « prime » importanti di Parigi con gli amici più intimi, come Noel Coward, Laurence Olivier, Danny Kaye e la terribile Madame Dietrich in persona.

La domenca e nei giorni di vacanza, Valentine si vestiva come più le piaceva, e metteva sempre gli abiti che lei stessa si era disegnata. Da quando aveva compiuto quattordici anni, era diventata l'indossatrice di se stessa e sua madre la aiutava durante le prove dei suoi vestiti. Dopo aver puntato e ripuntato con gli spilli i vestiti addosso a persone completamente sconosciute, Hélène O'Neill era felice di passare ore e ore a lavorare sulle creazioni della sua straordinaria figliola. Naturalmente non glielo aveva mai detto, a Valentine, che era straordinaria. Era l'opinione personale di una madre, e forse era un'opinione un po' parziale, ma quella ragazzina magra, vivace, pronta, con il carattere irlandese, imprevedibile e mutevole di suo padre, con le mani abili e il suo stesso modo realistico di affrontare la vita non era certamente una creatura qualsiasi: di questo Hélène O'Neill era ben sicura, e il fatto che si trattasse di sua figlia non c'entrava affatto.

Valentine sapeva benissimo, lo sapeva dal giorno in cui aveva cominciato a buttare giù i suoi schizzi che, perfino nel caso in cui fosse riuscita a convincere Monsieur Balmain a prendere in considerazione i suoi disegni, sarebbe stata tutta una fatica inutile. Qualunque fosse stato il suo giudizio sul talento di Valentine, il suo stile non si adattava al tono prevalente della sartoria che confezionava abiti sontuosi per donne ricche. Valentine non disegnava modelli per le mogli multimilionarie di mezza età che passavano il loro tempo fra un ballo di beneficenza e un pranzo al Ritz. Quando buttava giù lo schizzo di un vestito non pensava certo alla maestosa Begum dell'Aga Khan o alla fin troppo rigidamente dignitosa principessa Grace. Nella sua fantasia, si figurava un genere di clientela completamente diverso. Ma chi erano queste clienti, oltre a se stessa? Sapeva con assoluta certezza che le sue clienti esistevano. Ma dove? Come trovarle? Non aveva importanza, si diceva con l'enorme carica di ottimismo che coesisteva con l'enorme carica di impazienza che la divorava: un bel giorno si sarebbero incontrate, era destino. E correva allegramente giù in rue François Ier, a *La Belle Fêté*, il caffè dall'ingresso rosso che poteva quasi considerarsi parte della Casa Balmain, a prendere un bricco di tè forte per una prosperosa contessa inglese che aveva annunciato di sentirsi svenire con il vestito per il matrimonio di sua figlia ancora lì da provare per metà.

Hélène O'Neill cominciò a diventare sempre più magra. Le sue mani lavoravano i tessuti con la stessa abilità di sempre, ma adesso doveva infilare spilli su spilli nella stoffa prima di considerarsi soddisfatta, e le clienti si spazientivano. Aveva insegnato a Valentine a cucinare bene come lei. E adesso, molto spesso non riusciva neanche a finire la cena che sua figlia le aveva preparato. Qualche volta si lasciava sfuggire un gemito se era ben sicura di essere da sola. Quando finalmente Valentine la convinse a farsi visitare, le restavano soltanto pochi mesi di vita. Quando morì a quarantotto anni per un cancro che si era diffuso rapidamente in tutto il corpo Hélène O'Neill venne compianta da tutto il personale della casa di mode di Balmain e tutti vennero al suo funerale nell'antico cimitero di Versailles.

Una settimana più tardi Valentine si presentò all'Ambasciata americana con il suo certificato di nascita, che la mamma aveva sempre conservato religiosamente insieme al certificato di matrimonio e ai documenti del marito, che riguardavano il suo servizio militare. Non aveva discusso la decisione di chiedere il passaporto americano con nessuno, né con i parenti della madre, tutta gente piena di buon senso ma senza slancio e senza fantasia, né con qualcuno di Balmain.

Non aveva ancora venticinque anni però poteva contare su cinque anni di esperienza da Balmain e sul fatto di essere stata prima lavorante per un anno: avrebbe potuto dire a occhi chiusi qual era il suo destino, altri cinque anni nello stesso posto che già occupava e infine la promozione a première, se restava a Parigi. A questo punto la sua carriera avrebbe dovuto considerarsi finita. A meno, naturalmente, di non sposarsi e ritirarsi dalla moda. Però l'idea di diventare una casalinga più interessata al prezzo di un chilo di manzo che agli avvenimenti del gran mondo con il quale aveva avuto contatti nell'atmosfera raffinata dell'alta moda parigina... oh, no! L'avevano sempre annoiata a morte le sue simpatiche cugine della buona borghesia che si profondevano in espressioni di ammirazione per i bei vestiti che le vedevano addosso alla domenica e che, per il resto, avevano ben poco in comune con lei. E comunque, l'ultima volta che si era innamorata era stato a sedici anni, del giovane curato di Versailles che diceva la messa domenicale, e anche quella passione deliziosamente impossibile era durata sei mesi. No... no... Parigi era da considerarsi finita per lei, pensò Valentine, piangendo per la mamma. Avrebbe imballato tutto ciò che l'appartamento conteneva per mandarlo a New York. Dopo aver dato un mese di preavviso e ritirato i risparmi suoi e della madre dal Crédit Lyonnais, avrebbe seguito i suoi mobili e si sarebbe cercata la fortuna... negli Stati Uniti. Dopo tutto, non era la cosa più tradizionale da fare?

New York era cambiata nei quindici anni in cui era stata lontana e, decisamente, in peggio, pensò Valentine mentre si aggirava, piena di sconforto, per le strade nei dintorni della Third Avenue dove aveva giocato da piccola. Era una settimana che cercava un appartamentino a buon prezzo in quelle vie che ricordava confusamente, ma Bloomingdale, questo favoloso fiore della cultura americana e una molte-

175

plice confusione di cinéma d'essai avevano richiamato un tal movimento e un tal giro di affari nel quartiere, da far salire gli affitti in modo addirittura assurdo.

Valentine aveva una bella sommetta da parte, messa insieme con i risparmi e con l'eredità materna: sarebbe servita a mantenerla intanto che cercava un impiego come stilista. Alla peggio sapeva che, con la sua abilità tecnica e la sua esperienza, l'avrebbero assunta in un milionesimo di secondo in un posto qualsiasi della Seventh Avenue, ma non aveva nessuna intenzione di ricominciare a cucire per guadagnarsi da vivere. Non era per questo che aveva lasciato tutta la famiglia che le restava al mondo, i parenti francesi e soprattutto la serie delle affettuosissime mamme e zie acquisite: le colleghe nella sartoria che avevano trasformato il suo ultimo mese di lavoro in una serie pressoché ininterrotta di scene di pianto e di disperazione tanto da rallentare il ritmo delle prove e da rattristare perfino Monsieur Balmain in persona. Le cose erano arrivate al punto che, quando non una, ma due baronesse de Rothschild erano state lasciate ad aspettare in un salottino, la direttrice del laboratorio in cui lavorava Valentine aveva tentato addirittura di far intervenire Madame Spanier in persona per persuadere la ragazza a non lasciare la Francia. Invece Madame la Direttrice, la quintessenza dell'abilità affaristica francese se c'erano di mezzo motivi commerciali, aveva un cuore pieno di coraggio e prettamente anglosassone. Nata e allevata in Inghilterra, anche se sua madre era di origine francese, questa donna che sembrava una parigina fatta e finita, era per l'85 per cento di temperamento anglosassone e per il rimanente 15 per cento aveva l'animo di una newyorkese. Dopo aver dato una lunga occhiata penetrante al visetto delizioso e pieno di vita di Valentine e dopo aver saputo che parlava perfettamente l'inglese, il suo spirito avventuroso ebbe un fremito di piacere al pensiero del successo che avrebbe potuto ottenere la ragazza. Così, informò la povera Valentine smarrita ed esitante che secondo lei non c'era niente di più eccitante, entusiasmante, assolutamente divino per Valentine dell'idea di diventare un grande, grande personaggio proprio a New York. Non si sognasse neppure di sprecare la sua vita chiusa in un laboratorio, lei stessa, Jenny Spanier, non aveva cominciato al banco degli articoli da regalo nel seminterrato di Fortnum & Mason a Londra e non era diventata in un batter d'occhio la commessa speciale, prescelta dal principe di Galles quando veniva a scegliere i suoi regali di Natale? Ma certo che Valentine doveva partire! E quando fosse tornata, sarebbe venuta da cliente... e le avrebbe fatto un prezzo speciale!

Ricordando il colloquio incoraggiante con Madame Spanier, Valentine riprese coraggio e decise di seguire l'indicazione che le aveva dato il portiere dell'alberghetto dove alloggiava mentre cercava casa. L'uomo le aveva detto che in tutta la città esistevano vecchie costruzioni adibite a uffici, ma era una notizia da non strombazzare in giro perché c'era qualcosa di non perfettamente legale nella faccenda, dove era facile ottenere in affitto le mansarde. I pavimenti erano vecchi per reggere il peso di un macchinario pesante, però gli attici e le soffitte erano rese abitabili purché non si fosse troppo schizzinosi.

Valentine andò a vedere, ma si rifiutò di prendere in affitto ben quattro di queste soffitte, ognuna più decrepita e malridotta dell'altra. La quinta che andò a visitare si trovava in cima a un vecchio edificio intorno alla Thirtieth Avenue. Il portiere la informò che altre tre soffitte erano già abitate: da una coppia che lavorava di notte, da un vecchietto che stava scrivendo un libro da dieci anni e da un fotografo. Le due stanze che andò a vedere non avevano buchi nell'impiantito e qualcosa della loro atmosfera, forse le finestre che davano sull'Hudson, forse i due lucernari, le ricordarono Parigi. Valentine le affittò immediatamente. Nel giro di quindici giorni aveva fatto portar fuori dal magazzino tutti i suoi mobili e li aveva sistemati nelle due stanze press'a poco con la stessa disposizione che avevano nell'appartamentino di Parigi. La sua abitazione mancava soltanto di una dispensa piena per farla sentire proprio come a casa, pensò, e uscì per fare una vera e propria razzia nei negozi che terminò con il salvataggio delle due bottiglie da parte di Spider.

Questo Elliott, fu la riflessione di Valentine quando lui

se ne fu andato dopo aver ampiamente giustificato con il suo appetito gli abbondanti acquisti di pâté e di formaggio che aveva fatto, era un uomo con il quale si chiacchierava piacevolmente. Certo avendo superato l'imbarazzo dovuto al fatto che si intratteneva con una persona dell'altro sesso, un americano per di più, tutta sola nel suo appartamento e per la prima volta nella sua vita. Le cugine francesi le avevano presentato dei ragazzi che sarebbero potuti piacerle, ma nessuno di loro le aveva dato, neppure alla lontana, una vaga idea di come dovesse essere un uomo. Aveva arricciato il nasino lentigginoso perfino davanti a quei buoni partiti che, provvisti di un lavoro sicuro alla Renault o in un altro degli stabilimenti industriali che c'erano intorno a Parigi, avrebbero potuto permettersi l'acquisto di una piccola *Simca*. Valentine non se ne rendeva conto, ma l'idea che si era creata di come dovesse essere un uomo le era venuta dopo aver visto ogni sabato, per anni, un film americano. Era andata a vedere *Butch Cassidy* almeno nove volte, sei volte *Bullitt* e otto volte *Bonnie e Clyde*. L'uomo ideale per lei era un miscuglio di Redford, Beatty, Newman e McQueen. Non c'era da meravigliarsi che non lo avesse trovato nel francese della classe media.

In confronto a una ragazza americana della sua stessa età, Valentine era molto ingenua in fatto di sesso. A ventun anni e sette mesi, era ancora vergine. Fino a sedici anni, aveva trascorso le serate sempre studiando. Dai sedici anni in poi, aveva lavorato e aveva passato le serate in compagnia della mamma, a disegnare e cucire vestiti. I rari momenti liberi li aveva passati al cinema o con la famiglia materna, la domenica, a Versailles. Come si faceva a non essere vergine in quelle circostanze, si domandava spesso Valentine con indignazione?

Valentine, che gravitava sempre verso gli estremi in cui si combinavano, a volte con risultati sbalorditivi, la logica francese e l'immaginazione irlandese, non era mai riuscita a capirsi bene. La sua mancanza di esperienza sessuale non aveva niente a che vedere con la sua attitudine alla sensualità. Esisteva, c'era sempre stata in lei, tenuta a freno dall'enorme impegno che richiedeva la vita che doveva fare a Parigi. Comunque, la sua sensualità aveva trovato uno sfogo di cui non si era mai accorta, in quell'attività della vita quotidiana che era sua e sua soltanto: i disegni dei modelli. Questi avevano una qualità affascinante che esprimeva la sua stessa personalità. Quando una donna ha *du chien*, come Valentine, ha qualcosa che non è lo chic, o l'eleganza o addirittura il *glamour*, eppure rientra in certo qual modo in questa stessa categoria di donne. Chic è il modo in cui una donna porta i vestiti, non lo sono i vestiti in se stessi. L'eleganza consiste nella linea e nella qualità dei vestiti e nelle linee del corpo nonché sull'accento personale che una donna pone nel dare importanza ai particolari affinché siano perfetti. *Glamour* è una parola che non è possibile definire con precisione, tanto che non esiste in nessun'altra lingua eccetto che in quella inglese ed è una combinazione di sofisticazione, mistero e magia. *Chien* è solleticante, provocante, pungente, tentatore e costringe il mondo maschile a riconoscere nella donna, che lo è, una creatura fuori del comune. Chic ed eleganza non hanno niente a che vedere con la sessualità; il *glamour* ha moltissimo a che vederci e *chien* ha tutto a che vedere con la sessualità. Catherine Deneuve ha *glamour*, Jacqueline Bisset e Jacqueline Onassis hanno *glamour*, però Susan Blakely, Brenda Vaccaro, Sara Miles e Barbra Streisand hanno tutte *du chien*. L'avevano anche Becky Sharp e Scarlett O'Hara, come l'aveva Valentine O'Neill sia nel proprio modo di essere sia nel proprio lavoro. Lo *chien* si riconosce soltanto dall'effetto che ha sugli altri e l'ignoranza di Valentine riguardo a questa sua qualità era normale, considerando il fatto che era sempre stata circondata da donne, a scuola come al lavoro. Lo *chien* è uno degli aspetti di una donna che si nota, di riflesso, negli uomini. Le altre del suo stesso sesso non gliene danno credito perché è una qualità che non suscita nessuna reazione particolare in loro.

Valentine aveva cominciato a comprare *Women's Wear Daily* fin dal giorno del suo arrivo negli Stati Uniti. È un giornale dell'industria della moda indispensabile per chiunque abbia un rapporto di carattere creativo o esecutivo con l'importantissimo e vastissimo giro d'affari del campo dell'abbigliamento. Chi fabbrica bottoni nell'Indiana o produce scarpe da tennis in Giappone, disegna tessuti a Milano o fa il compratore per un grande magazzino del Wisconsin oppure è in stretti contatti con la quarta industria di abbigliamento degli Stati Uniti in ordine di grandezza, è uno sciocco se non legge *Women's Wear*. Si tratta infatti del quotidiano commerciale più importante del mondo. Oltre a ottime critiche in ogni campo dell'arte e a interessantissimi reportage, nonché a importanti panoramiche sul mondo del cinema e del teatro, pubblica gli articoli di una serie di bravi giornalisti. Infine, si occupa di moda, di disegnatori di moda e della gente che porta i vestiti più eleganti e frequenta i ricevimenti più sontuosi di tutto il mondo. Una donna dell'alta società, messa di fronte alla scelta fra *Women's Wear* e tutte le riviste di moda e di cronaca mondana messe insieme, finisce sempre per optare a favore del quotidiano.

Valentine aveva potuto formarsi un'ottima opinione dei posti dove cercare lavoro limitandosi semplicemente a far tesoro delle informazioni ricavate da *Women's Wear*; il lunedì successivo allo spuntino inaspettato con Spider, dopo essersi abbigliata con cura indossando il vestito e il cappotto più originali e meglio riusciti fra le sue creazioni completati da accessori perfetti, uscì con la cartella dei suoi schizzi sotto il braccio. Sapeva esattamente quello che voleva essere: l'assistente di uno stilista.

Qualunque stilista che abbia un minimo di importanza deve avere un assistente che traduca gli schizzi appena abbozzati in veri e propri modelli, che serva da intermediario fra lui e il laboratorio, che abbia ben presente tutto quello che è già stato fatto così da poter creare qualcosa di nuovo e qualche volta si presti a fornire addirittura le idee.

Valentine aveva compilato una lunga lista di stilisti di cui ammirava le creazioni, ricavandola dal *Women's Wear*, e li aveva localizzati servendosi della guida del telefono. Il centro dei disegni di moda degli Stati Uniti è situato in pochi, alti, edifici sulla Seventh Avenue. A Valentine era bastato leggere nell'atrio l'elenco dei nomi delle persone che occupavano i vari appartamenti di quei palazzi per restare senza fiato, se gliene fosse rimasto ancora dopo essersi fatta largo fra la folla nelle strade, la folla nell'atrio e quella che si trovava negli ascensori! Il centro della Seventh Avenue è una specie di incubo che dà la claustrofobia, brulicante di folla e di traffico come se tutte le viuzze di Hong-Kong fossero state comprese in pochi palazzi dall'aspetto anonimo e interamente privo di fascino.

Ogni salone di vendita all'ingrosso possiede una centralinista-segretaria con occhi d'aquila che è capace di guardare un redattore capo di *Harper's Bazaar* con lo stesso sospetto con cui guarderebbe un rabbino Hasid che viene a chiedere un'offerta per il suo tempio. Valentine, però, aveva un'abilità tutta particolare per trattare con le donne sospettose: un francese che si occupi di moda sa battere in furberia perfino la direttrice di una prigione, se ha a che fare con gente di livello inferiore. Soltanto con la massima sfrontatezza, Valentine lo sapeva benissimo, aveva una possibilità di riuscire.

« Sono Valentine O'Neill », annunciò pronunciando chiaramente il suo nome, con l'aria di arroganza tranquilla e lo stesso lieve sorriso vagamente condiscendente, che aveva osservato in tante vere clienti che erano ben decise a comprare, quando si facevano annunciare da Balmain. Anzi, accentuò il suo accento francese.

« Vorrei vedere Monsieur Bill Blass. »

« A proposito di che cosa? »

« Per favore, dica a Monsieur Blass che Valentine O'Neill, assistente di Monsieur Pierre Balmain, vorrebbe parlargli. »

« A proposito di che cosa? »

« Affari. Sono appena arrivata da Parigi e non ho tempo da perdere. La prego di far avvertire Monsieur Blass che sono qui. »

Qualche volta non funzionava; qualche volta Valentine si sentiva rispondere di ripassare, ma quasi sempre c'era abbastanza autorità nel suo modo di fare, un'eleganza talmente singolare nel suo vestito e una tale sicurezza di sé nel modo di comportarsi che riusciva a farsi introdurre nello studio dello stilista, o, più frequentemente, in quello del suo assistente. Generalmente nessuno si prendeva mai· la briga

181

di informarsi più a fondo sulla veridicità della sua asserzione di essere stata assistente di Balmain. Malgrado la giovane età, recitava talmente bene quella parte che riusciva a ottenere di mostrare gli schizzi che aveva portato con sé. Gli stilisti della Seventh Avenue non si lasciano sfuggire la possibilità di un'iniezione di sangue nuovo. Sono stati tutti, in passato, novellini pieni di speranza che andavano a caccia di un lavoro con la cartella degli schizzi sotto il braccio e sanno che, in ognuna di quelle cartelle, c'è sempre la possibilità di trovare qualcosa di buono.

Però il 1972 era un pessimo anno per cercar lavoro nella Seventh Avenue con una cartella piena di disegni originali che si distaccavano completamente dalle solite cose. L'industria dell'abbigliamento era appena venuta fuori dal bagno di sangue della lunghezza degli abiti scesa fino al polpaccio. Le vendite di saldi nei grandi magazzini non erano mai state peggiori perché le americane si rifiutavano di comprare vestiti nuovi e restavano attaccate ai loro vecchi pantaloni in un gesto di sfida. Nessuno sapeva con esattezza in quale direzione muoversi per il futuro della moda.

« Elliott, ventinove stilisti in tre settimane mi hanno detto chiaro e tondo che non hanno bisogno di me. Se hai la forza di dirmi che non devo scoraggiarmi, ti tiro addosso questo pollastro morto! »

Spider aveva preso l'abitudine di accompagnare Valentine nelle sue spedizioni al mercato nelle strade italiane intorno alla Ninth Avenue. Lo aveva fatto adducendo il pretesto che la ragazza non poteva portare a casa, da sola, tutte le provviste che comprava, ma era anche molto interessato a vedere che cosa progettava di cucinare in modo da pensarci già in anticipo con piacere. La modella con la quale aveva una storia d'amore in quel momento teneva in frigorifero soltanto creme rinfrescanti per la pelle. Le sere in cui non portava la sua ragazza fuori, saliva le scale che portavano al suo appartamento il più rumorosamente possibile. Valentine, la quale si lamentava che non era divertente cucinare per una persona sola, aspettava di sentire il suo disco di Ella e Louise che cantavano *A Foggy Day in London Town* prima di fargli scivolare un bigliettino sotto la porta con scritto: « *Choucroute alsacienne* »; Elliott era l'unica persona che conoscesse in tutta New York e non c'era motivo che mangiasse da sola. Era più che logico.

« Non è questione di scoraggiarsi o no », rispose lui. « Secondo me, tu affronti la situazione dalla parte sbagliata. Tu vuoi che ti assumano a lavorare con loro sulla base di quei tuoi schizzi che fanno una paura maledetta a tutta quella gente. Io trovo straordinariamente interessante la roba che disegni, ma io non faccio vestiti per vivere e non devo preoccuparmi di quello che le signore di Oshkosh vogliono mettersi addosso. Sei in anticipo sul tuo tempo nel Paese sbagliato, e sei troppo testarda per ammetterlo. Non puoi cacciare in gola al prossimo le tue idee, per quanto brillanti possano essere! »

« E allora? Che cosa mi suggerisci di fare? » gli domandò imprigionandogli lo sguardo con gli occhi e mettendo nella sua voce una buona dose di stizza. « Se non trovo un lavoro presto, potresti anche morire di fame! »

« Questo è un colpo basso! Carognetta francese! Quante volte ti ho pregata di lasciarmi pagare la roba che compri? » La prese fra le braccia in un impeto di affetto, rifiutandosi di risponderle a tono.

« Oggi, Elliott, pagherai, per tutto. E la lista è lunga. »

« Ti sei decisa finalmente? E visto che sei di umore ragionevole, cosa ne diresti di un'altra modestissima concessione? »

« Dimmi di che cosa si tratta, prima..., non mi fido di te, Elliott. »

« Fai qualche schizzo nuovo. Una fottuta cartella piena. Butta via tutte quelle tue idee su come dovrebbero vestirsi le donne del migliore dei mondi possibili, e mettiti a girare per la città per qualche giorno. Prova a guardare quello che portano addosso effettivamente le donne, non quelle enormemente ricche, non quelle povere, ma quelle che sono una via di mezzo, al di sopra dei diciotto e al di sotto dei sessant'anni. »

Valentine lasciò cadere tre pomodori nella cesta dalla

quale li aveva appena tolti, ammaccandoli spietatamente, e lo esaminò con occhi pieni di orrore.

« Tu vuoi dire che devo copiare! Vuoi che i miei disegni siano basati su quello che le donne hanno già addosso? Che idea volgare, disgustosa... è vile, Elliott, te lo giuro, è... »

« Ma sei proprio tonta! Dove sei cresciuta? » A Spider piacevano da matti le donne quando si indignavano per qualche cosa. A casa, perlomeno una delle sue sorelle era sempre indignata per un motivo o l'altro. « Stammi bene a sentire. Chiudi la bocca e sta' a sentire. Vai in giro a guardare quello che le donne portano già addosso e poi disegna modelli che siano migliori ma non tanto diversi da costringerle a cambiare completamente le loro idee in fatto di moda. La gente, tutto sommato, odia i cambiamenti, ti garantisco che li detesta. Ma tutta la fottutissima industria dell'abbigliamento è basata sul fatto che deve obbligarla a cambiare, perché se le donne non cambiano, non hanno bisogno di vestiti nuovi. Persuadi gli stilisti con l'astuzia prendili senza che se ne accorgano... nessuno ama un profeta. »

Valentine taceva, imbronciata. Era divisa fra la sua intera concezione della moda come espressione individuale dello spirito creativo e l'immediata comprensione della verità di ciò che quel bastardo di Elliott stava dicendo. Lo sapeva già, vista la reazione di tutti gli stilisti dai quali era stata, che non avrebbe mai trovato lavoro se continuava a far vedere il materiale che aveva già mostrato in giro. Anche il più gentile, il più sinceramente colpito dal suo lavoro, il più incoraggiante di loro le aveva detto che le sue idee erano troppo diverse e troppo poco pratiche. Ma come le·dispiaceva rinunciare! Come detestava la necessità di dover adattare le sue convinzioni alla realtà! Per cinque minuti si concentrò nella ricerca di un cespo perfetto di lattuga, mentre schiumava di rabbia dentro di sé. Spider, che le leggeva in faccia quello che provava, sentì una gran comprensione per lei, ma prese la decisione di non mollare neanche di un millimetro.

« *Bourgeois*, merda conservatrice! » lo insultò lei. Spider si mise a ridere. Voleva dire che era riuscito a convincerla. « Che cosa ti fa credere di sapere tutte queste maledette cose riguardo alle donne, Elliott? Ma guardati! Sei vestito come un barbone e vorresti avere la presunzione di sapere quello che passa nel cervello di una donna, pezzente con le scarpe da tennis! » La sicurezza di sé che Elliott mostrava ebbe il potere di infuriarla, soprattutto perché Valentine sapeva che aveva ragione e che lei era stata incredibilmente ottenebrata per non averlo capito da sola.

« La modestia mi impedisce... » cominciò a risponderle Spider. Valentine afferrò un grosso grappolo d'uva e avanzò verso di lui minacciosamente. Spider lasciò cadere la borsa della spesa che portava e sollevò le braccia, alzandola dal marciapiede senza fatica quel tanto che bastava perché i loro occhi fossero allo stesso livello.

« So che vuoi esprimermi la tua gratitudine, ma non posso accettare quest'uva, Valentine. Invece puoi darmi un bacio, se preferisci. » E sostenne senza incertezza lo sguardo attonito della ragazza, pensando che i suoi occhi avevano il colore dei germogli appena spuntati.

« Se non mi metti giù subito, Elliott, ti do un calcio nelle palle! »

« Le donne francesi mancano di poesia », rispose lui, continuando a tenerla stretta contro di sé. Si stava domandando se darle un bacio o no. Ne aveva una gran voglia, questo sì, e di solito non stava mai a chiedersi se doveva fare certe cose. Se aveva voglia di baciare una donna, la baciava. Ma Valentine era un tal fico d'India, un cosino talmente buffo, e orgoglioso... e adesso, poi, l'avrebbe giurato, si sentiva umiliata. Un bacio avrebbe potuto sembrarle un gesto di condiscendenza. La riabbassò delicatamente, tornando a farle appoggiare i piedi sul marciapiede, e le tolse il grappolo d'uva dalle mani. E poi, ci tenne a ricordare a se stesso, era la sua vicina di casa, l'amica; voleva che tutto restasse così fra loro. Non voleva portarsi a letto Valentine, perché se le dava una sbattuta presto o tardi la storia d'amore sarebbe finita. E se anche, dopo, fossero riusciti a rimanere buoni amici, come capitava quasi sempre con le sue ragazze, non sarebbe stato più lo stesso tipo di amicizia che c'era adesso fra loro.

« Ti perdono », le disse, « la tua mancanza di poesia, per

185

non parlare della tua mancanza di romanticismo, ma solo perché sei un'ottima cuoca. Cosa si mangia per cena? »

« Ti conosco, sai, Elliott! Ti leggo nel pensiero. Un uomo come te si rifiuta di accettare un insulto perché pensa soltanto al suo stomaco. Solo per questo: stasera a cena avremo testina di vitello in gelatina. » E si avviò verso il negozio del macellaio italiano dove pendevano macabri e raccapriccianti, nella vetrina, conigli scuoiati e teste di vitello.

« Oh, Valentine. Andiamo, non è bello da parte tua! »

« Ti piacerà moltissimo. È ora che tu perda un po' certe abitudini retrograde e ristrette da provinciale americano. Hai bisogno di allargare il tuo orizzonte, Elliott. »

« Valentine! » Le afferrò una mano, costringendola a fermarsi. « Non sono ancora arrivato al punto da sopportare un ricatto. Che cosa c'è per cena? »

Sconcertata, lei si fermò bruscamente e fissò con attenzione il marciapiede coperto di rifiuti: bucce d'arancia, peperoncino rosso calpestato, pezzi di giornale, croste di pane. Com'era tipicamente americano! Niente fantasia gastronomica, papille gustative vive solo a metà. Eppure... provava un curioso impeto di gratitudine verso questo grosso barbaro.

« Scusami se ti ho offeso, Elliott. Non mi ero accorta che eri così affamato. Se la *tête de veau* non è un piatto troppo familiare per te, mangeremo una semplice *côte de porc* alla normanna, cotta con il Calvados, e una salsa di crema densa e contorno di mele e scalogni. Non sarà una pietanza troppo esotica per i tuoi gusti? » Sapeva che era il piatto preferito di Elliott fra tutti quelli che gli aveva fatto assaggiare.

« Accetto le tue scuse », disse Spider con dignità, e le allungò una leggera sculacciata, tanto per farle capire come stavano le cose fra loro.

Per le due settimane successive Valentine non fece che girare per la città da Greenwich Village fino al museo Guggenheim, da sud a nord. Perlustrò i grandi magazzini, si aggirò per i mercati migliori, negli atrii dei palazzi che ospitavano solo uffici e, naturalmente, percorse tutte le strade possibile e immaginabili, soprattutto Madison Avenue, la Fifth e la Third Avenue nonché la Fifty-seventh e la Seventy-ninth nell'East Side. Per cinque sere consecutive Spider la condusse a ispezionare una serie di locali molto in voga, dove si mangiava e beveva e dove i prezzi erano a livello medio. Non portò con sé album per gli schizzi, affidandosi soltanto ai suoi occhi e alla sua memoria. Voleva abbandonarsi alle impressioni immediate, pure e semplici. Poi si chiuse in casa per una settimana, sola, con un terribile raffreddore di testa, i piedi che le dolevano e il cervello ridotto a un caleidoscopio di idee. Dopo una settimana di lavoro quasi ininterrotto, Valentine ne riemerse con una cartella piena di schizzi. Spider li sfogliò con interesse e una grande curiosità.

« Santa Madre di Dio! »

« Non sapevo che tu fossi cattolico! »

« Non lo sono, infatti... è che non so più quello che dico. È un'espressione che adopero soltanto per i grandi avvenimenti, come quando i Rams hanno vinto nei tempi supplementari. »

« Eh? »

« Non importa... te lo spiegherò un giorno o l'altro, quando avrò sei o sette ore a disposizione. Adesso alzati e cammina! Devi darti subito da fare, gentile signora! Il tuo lavoro è talmente buono che non so neanche come fare a dirtelo! »

Il giorno dopo Valentine entrò di nuovo nel personaggio della ex assistente di Monsieur Balmain e andò a presentarsi agli assistenti di parecchi stilisti con i quali non aveva ancora preso contatti. I primi due la pregarono di lasciare i suoi schizzi in modo che potessero guardarli con calma e forse, chissà, le avrebbero trovato un posto. Ma Valentine non si lasciò sedurre da quelle buone parole. Da Balmain c'era un lungo elenco di persone, inclusi alcuni stilisti americani, i quali non avevano mai il permesso di varcare la soglia della sartoria perché possedevano una memoria foto-

grafica in grado di registrare le caratteristiche di un'intera
serie di modelli di una collezione e riprodurli fin nei minimi
particolari prima ancora che a Parigi fosse arrivata l'ordinazione della prima cliente. Nel migliore dei casi, gli assistenti con cui aveva parlato, Valentine aveva questo sospetto,
erano capaci di rubarle le idee senza neppure parlare della
sua visita al loro boss.

La terza ditta che tentò era nuova e si chiamava semplicemente Wilton Associates. Lo stilista era fuori città, ma
la segretaria, un vero miracolo, era giovane e nuova per quel
lavoro. Invitò Valentine ad aspettare: avrebbe potuto parlare con il signor Wilton in persona. « Lui non è uno stilista, cara, ma decide per tutte le assunzioni e i licenziamen-
ti... È lui la persona con cui parlare, di qualsiasi cosa si
tratti. »

Alan Wilton era un uomo singolare e interessante. Vestito non meno bene di Cary Grant e altrettanto misterioso
e sfuggente nell'aspetto. In tutto il bacino del Mediterraneo
lo avrebbero preso per un uomo di quelle parti, ricco, che
avesse viaggiato molto. In Grecia l'avrebbero scambiato per
un armatore di medio calibro, in Italia per un prospero fiorentino, in Israele per un ebreo ma non nato sul posto. In
Inghilterra, invece, l'avrebbero scambiato subito per uno straniero. A New York sembrava l'incarnazione dello spirito
della città. Aveva gli occhi marrone, impenetrabili come quelli di un gatto selvatico, la pelle olivastra e magnifici capelli
neri, curatissimi. Dimostrava trentacinque anni, anche se, in
effetti, ne aveva otto di più e aveva maniere piacevolissime.
La sua voce dalla tonalità profonda era assolutamente priva di accento dal quale capire quale fosse il suo luogo di
nascita o l'ambiente da cui proveniva.

Succhiando pensieroso la pipa vuota, esaminò con attenzione gli schizzi di Valentine, facendo ogni tanto un segno di approvazione con la testa.

« Perché ha lasciato Balmain, signorina O'Neill? » Era
la prima persona che si prendesse la briga di farle quella
domanda. Valentine si sentì impallidire, come le capitava
sempre nei momenti in cui qualsiasi altra persona sarebbe
diventata rossa.

« Non avevo un futuro. »

« Capisco. Quanti anni ha? »

« Ventisei », mentì lei.

« Ventisei e già assistente di Balmain. Hmmm. Secondo me, è una posizione molto promettente alla sua età. » Dal modo in cui si mordicchiava il labbro inferiore, Valentine si rese conto che non aveva creduto a nulla di ciò che gli aveva detto, fin dal principio.

« Signor Wilton, la questione è un'altra: non si tratta di sapere perché ho lasciato Balmain, ma piuttosto se i miei disegni le piacciono. » Valentine raccolse tutta la sua spavalderia irlandese e parlò con l'accento francese più stretto che le veniva.

« Sono sensazionali. Perfetti per il mercato pazzo di oggi. Esattamente quello di cui ho bisogno per convincere le donne a ricominciare a comprar vestiti. Il problema è che ho già uno stilista, il quale, a sua volta, ha già un assistente con cui lavora da anni. »

« È... una vera sfortuna. »

« Non per lei. L'assistente di Sergio dovrà andarsene. Non dirigo questa azienda per divertire la gente, signorina O'Neill. Non sono soltanto quello che ci mette i quattrini... ma sono anche quello che prende le decisioni qui dentro. Quando può cominciare? »

« Domani? »

« No... non è una buona idea. Ho qualche spostamento da fare prima. Perché non comincia, diciamo, lunedì mattina? A proposito, sa cucire a macchina? »

« Naturalmente. »

« Tagliare? »

« Certo. »

« Fare campioni? »

« È ovvio. »

« Provare? »

« Sicuro! »

« Fare modelli in carta? »

« È fondamentale. »

« Dirigere un laboratorio? »

« Se è necessario. »

« Se è in grado di fare tutte queste cose, può guadagnare molto di più dei centocinquanta dollari alla settimana che avrei intenzione di darle. »

« Me ne rendo perfettamente conto, signor Wilton. Però io non sono una lavorante addetta alla confezione del campionario, né tantomeno a quella dei modelli di carta. Sono una disegnatrice di vestiti. »

« Capisco. » La fissò dritto negli occhi, mentre le sue folte sopracciglia si sollevavano in modo perplesso e divertito. La sua esperienza tecnica era troppo completa per averle lasciato il tempo di fare da assistente a Balmain che, in ogni caso, aveva sempre avuto come assistenti persone di sesso maschile e mai ragazze giovani come questa.

Valentine raccolse i suoi schizzi e li chiuse nella cartella con tutta la rapidità possibile, senza perderci troppo in dignità.

« Sarò qui lunedì », gli disse, uscendo dall'ufficio di Wilton con l'aria seria e disinvolta della persona per la quale il colloquio che precede un'assunzione è la cosa più naturale del mondo.

Nulla, nell'esperienza di lavoro di Valentine, avrebbe potuto prepararla all'incontro con Sergio, lo stilista della Wilton Associates. La sua conoscenza dell'ambiente degli omosessuali era limitata, in massima parte, alle settimane precedenti passate a girare per le ditte di confezioni all'ingrosso. Tutto quello che sapeva sui disegnatori gay era questo: si erano rivelati bravissimi nel liquidarla. Da Balmain, invece, c'era un'atmosfera che addirittura trasudava femminilità.

Quando fece la conoscenza di Sergio, il lunedì mattina, nel momento in cui si presentò al nuovo impiego, si accorse che non si trattava soltanto di un'altra « regina », ma piuttosto di una « principessa » molto regale, molto grandiosa, molto petulante. Era giovane, con un collo e un mento squisitamente modellati. Aveva le labbra provocanti e facili al broncio e la faccia dalla classica espressione voluttuosa, i capelli lucidi, bruni, piuttosto lunghi. Si vestiva seguendo rigidamente la moda italiana, con la camicia aderentissima di seta pura, sbottonata fino all'ombelico, in modo da mettere abbondantemente in mostra il petto liscio e abbronzato, e la vita sottile stretta da una cintura a maglie d'oro massiccio. I suoi pantaloni non sarebbero sembrati troppo attillati in un'arena spagnola ma nella Seventh Avenue erano il simbolo di una presa di posizione molto chiara.

Sergio, in quel momento, era una principessa molto, molto arrabbiata, che rientrando da una vacanza troppo breve che l'aveva paurosamente sfiancata, aveva scoperto che quella brava bestia da soma del suo assistente era stato rimpiazzato da una piccola furbacchiona che Alan gli aveva imposto durante la sua assenza.

« Smettila con i piagnistei, Sergio. La ragazza ha talento e tu ne hai bisogno. Se hai intenzione di metterti a pestare i piedini per terra e di fare una scena isterica, vai a farla altrove. » Alan Vilton guardò Sergio senza tentare di nascondere il suo disprezzo.

« Te ne pentirai, Alan. »

« Non arrischiarti a fare minacce, sai, fighetta! Non ti sarai dimenticato, per caso, chi comanda qui dentro, vero? Te lo ricordi, sì o no? E allora, girati e porta quelle due melette sode e presuntuose nel tuo studio, e mettiti a lavorare. E se, per caso, hai l'intenzione di adoperare con Valentine i tuoi ben noti metodi da carognetta... non lo farei proprio, se fossi al tuo posto. »

Sergio uscì, un po' ammorbidito dalle parole di Alan. In certe situazioni aveva un debole per... farsi dire quello che doveva fare. Alan poteva essere un tal figlio di mignotta! Figuriamoci se andava subito a lavorare, con l'uccello così duro che doveva scaricarsi in qualche modo, altrimenti gli sarebbe venuto l'orgasmo lì, subito, dentro i pantaloni. Sergio infilò la scala antincendio e ne salì due rampe, raggiungendo un locale frequentato da soli uomini, ben altri dello stesso genere. C'erano dentro una dozzina di uomini: qualcuno chiacchierava a bassa voce, qualche altro passeggiava con l'aria innervosita, mentre altri ancora stavano semplicemente fermi, in piedi, a fumare con gli occhi che giravano rapidi per la stanza. Sergio riconobbe un importante compratore di indumenti da uomo, un magazziniere portoricano, il vice presidente di un grande magazzino di importanza primaria, un indossatore biondo e un giovane imballatore che lavorava per un grossista di vestiti confezionati in serie. Non salutò nessuno di loro e nessuno salutò lui. Sergio aveva il cuore che gli batteva da scoppiare quando cominciò a frugarsi in tasca come se cercasse una sigaretta, mentre in realtà voleva soltanto mettere bene in evidenza il suo pene in erezione manipolando la stoffa sottile dei pantaloni attillatissimi. Uno degli altri, un uomo che non aveva mai visto, vestito in un modo un po' conservatore, da impiegato di banca, gli si avvicinò subito con l'accendisigari in mano.

« Come ti piace? » domandò a Sergio.

« Nel culo. »

« Hai scelto un posto un po' difficile per questo. »

« Già... non si può aver tutto... e allora, vuoi succhiare? »

« Come hai fatto a capirlo? » Le labbra dello sconosciuto erano socchiuse per la voglia che ne aveva.

« Percezione sensoriale esterna. Vai in quello stanzino, il terzo dal fondo... è all'altezza giusta. »

Lo sconosciuto ubbidì immediatamente, chiudendosi dentro a chiave. Sergio si avvicinò con calma allo stanzino, la cui porta era provvista di un foro del diametro di dieci centimetri circa, con il bordo imbottito di gommapiuma. Tutte le altre porte che davano sul locale centrale erano identiche a questa. Sergio si avvicinò alla porta aderendovi il più possibile col corpo voltando le spalle alla stanza affollata di uomini e si aprì la cerniera lampo dei pantaloni, infilando il pene rigido attraverso quel foro fino ad avere i testicoli schiacciati contro il legno dell'uscio. L'uomo nell'interno, che si era inginocchiato, prese in bocca il membro di Sergio con un gemito soffocato di piacere. Aveva già tirato fuori dai pantaloni di tweed il proprio pene quasi in erezione e, mentre afferrava quello di Sergio con una mano, mettendosi a succhiare appassionatamente, si servì dell'altra per lisciare il proprio con un ritmo frenetico e spietato. Sergio rimase immobile, con le braccia penzoloni lungo i fianchi e gli occhi chiusi, perduto nelle sensazioni deliziose che gli davano le tirate, le leccate, gli strappi provenienti dall'altra parte dell'uscio. Confusamente, sapeva che avrebbe dato una delusione a quello che stava chiuso dentro. Era talmente teso e pronto, dopo essere stato strapazzato così duramente da Alan, che raggiunse l'orgasmo in meno di un minuto con una serie di violenti sussulti liberatori. Lo sconosciuto, chiuso nello stanzino, aveva appena cominciato a darsi da fare sull'uccello di Sergio che si trovò con la bocca piena di sperma. Lo inghiottì freneticamente, cercando di trattenere fra le labbra quel pene sussultante il più a lungo possibile. Ma appena finì, Sergio si tirò fuori senza troppe cerimonie dal foro dell'uscio e raggiunse l'uscita, dopo essersi tirato su rapidamente la cerniera dei pantaloni, con un movimento veloce ed esperto. Lo sconosciuto, imprecando sottovoce, infilò di nuovo con cautela nei pantaloni il suo pene gonfio, rosso e dolente e lasciò lo stanzino.

Valentine avrebbe voluto stare alla larga da Sergio più che poteva. Non la trattava male in un modo aperto e diretto dandole così la possibilità di reagire in qualche modo, ma aveva assunto, piuttosto, un'aria talmente sussiegosa e piena di un tale disprezzo che l'atmosfera stessa, intorno a loro, sembrava pregna di questi sentimenti, come se si fosse creato uno spazio solido, invalicabile. Sergio aveva gusto, di questo Valentine era ben certa, e lo aveva soprattutto per la specialità della ditta, indumenti sportivi da donna, in lana fine e cashmere, cuoio, lino e seta pura. Anche se la Wilton Associates aveva solo sei mesi di vita, possedeva un robusto capitale versato interamente da Alan Wilton, il quale in precedenza era stato uno dei soci di una grandissima ditta di abbigliamento. Valentine venne a sapere a poco a poco, per mezzo dei soliti pettegolezzi di ufficio, che Wilton aveva venduto la sua quota in azioni della società precedente il giorno in cui aveva divorziato dalla moglie, figlia del fondatore della ditta più grossa. Ma sembrava che nessuno conoscesse in tutti i particolari il suo passato perché anche gli altri, come Valentine, erano stati assunti da poco tempo. L'unica eccezione era Sergio. Lui aveva lavorato per Alan nell'altra ditta e lo aveva seguito quando Alan se n'era andato.

Sergio era molto preso nella preparazione della collezione estiva della Wilton Associates, ma non tanto lanciato nel lavoro già fatto da non trovare il tempo di incorporare nei propri schizzi anche un numero abbondante di idee di Valentine. Qualche volta gettava giù uno schizzo copiando un disegno di Valentine, senza neanche prendersi la briga di cambiare qualche piccolo particolare.

Un pomeriggio, due mesi dopo essere stata assunta, Valentine fu chiamata da Alan nel suo ufficio.

« Tu non hai chiesto niente, Valentine, però voglio che tu sappia che hai aggiunto qualcosa di molto importante alla nostra nuova linea. »

« Oh, grazie! Sergio le ha... »

« Sergio è famoso per non dividere i meriti con gli altri... non ha detto proprio niente. Solo che io, vedi, ho un'ottima memoria. » Gli occhi da gatto selvatico la fissarono penetranti. « Vuoi uscire a cena con me, venerdì? Mi faresti molto piacere... o devi andare in qualche posto per il weekend? »

Valentine si sentì rabbrividire, fino alla punta dei capelli. Alan Wilton, fino a quel momento l'aveva sempre trattata con cortesia ma senza confidenza, nelle frequenti occasioni in cui era venuto nel suo studio. Trovava che metteva soggezione, anche se non l'avrebbe mai voluto ammettere con nessuno, neanche con Elliott.

« No! Cioè... non vado in nessun posto per il weekend... sarò lietissima di venire a cena. » Era piena di confusione.

« Perfetto! Allora vengo a prenderti a casa? » Valentine ebbe l'improvvisa visione di quest'uomo dalla squisita eleganza che saliva a piedi sei piani per raggiungere la sua soffitta alla tenue luce di una lampadina da quaranta watt che illuminava le scale.

« Forse non sarebbe una buona idea. » Idiota, si disse, è una risposta che non ha senso. « Voglio dire... il traffico... venerdì sera. Perché non posso venire a incontrarla in qualche posto? » Ma che traffico, si disse, mortificata. Al venerdì sera tutto il traffico era quello delle macchine che lasciavano la città.

« Come preferisci. Vieni a bere qualcosa da me, prima, e dopo andremo da *Lutèce*. Mi dirai se regge il confronto con *La Tour d'Argent*. » Guardò il camice bianco che Valentine indossava. « Così ti darò l'opportunità di mettere una delle tue creazioni di Balmain. E potremo chiacchierare del caro, vecchio Pierre. Sono almeno tre anni che non ceniamo insieme. »

« Credo che Sergio abbia bisogno di me », rispose lei in fretta.

« Be', su questo non c'è assolutamente alcun dubbio! Facciamo alle otto! Io abito nell'East Sixties. Qui c'è il mio indirizzo. È una vecchia casa di città. Basterà suonare il campanello fuori e ti aprirò. Avanti dritto la prima porta. »

« Sì. Va bene... allora... a venerdì... » E Valentine uscì precipitosamente dall'ufficio di Wilton, accorgendosi troppo tardi che, probabilmente, prima di venerdì, per i più svariati motivi di lavoro lo avrebbe rivisto ancora almeno una dozzina di volte.

Valentine arrivò alla porta di Alan Wilton con indosso un vestito di chiffon nero, corto, morbido, con una giacchina aperta dello stesso tessuto, guarnito da un nastro di raso nero, disegnato e confezionato con le sue mani, che Balmain sarebbe stato orgoglioso di riconoscere come opera propria. Si aspettava di trovare la sua casa arredata nello stesso spirito dell'ufficio, nel quale erano incorporati tutti gli stereotipi della classe dirigenziale: pareti grigio-fumo, tappeto di David Hicks bianco e nero, a disegni geometrici e mobili di acciaio e vetro, un ufficio severamente maschile e rigidamente funzionale com'era Alan Wilton in persona.

Ma quand'egli venne ad aprire la porta, le fece strada in un appartamento distribuito su due piani nel quale l'arte e la fantasia si fondevano con stupefacente prodigalità. Una collezione di mobili rari Déco era armoniosamente sistemata su tappeti persiani dai colori vivaci; seggiole cinesi del diciottesimo secolo erano disposte ai lati di uno splendido busto nudo, di fattura greca, di Alessandro il Grande; sinuosi draghi cambogiani stavano a guardia di un sarcofago tolemaico verticale. I colori erano tutti intensi e scuri: vino, bronzo, lucido nero laccato, e terracotta. Dappertutto c'erano specchi che facevano a gara per trovarsi uno spazio tra i libri, antichi arazzi cinesi appesi alle pareti, fotografie in cornice e piccoli quadri cubisti, due Braque, un Picasso, parecchi Léger. Divani di velluto e di cuoio erano seminascosti da coperte di pelliccia e da cuscini foderati dei tessuti più sorprendenti, come il lamé d'oro e d'argento. Su ogni tavolino si ammassava una quantità sorprendente di vasi e piccole sculture, vetri di Lalique e Gallé, ceramiche cinesi, figurine assire in pietra, pesci di metallo snodabile. Era un appartamento arredato con un gusto così personale che Valentine si convinse che, se avesse avuto il tempo di assorbire e analizzare tutto, sarebbe riuscita a conoscere a fondo l'uomo che l'aveva creato; eppure era talmente ricco di contrasti sorprendenti e di contrapposizioni che non ci sarebbe stato da meravigliarsi se fosse stato ideato così perché servisse a mimetizzare la sua vera personalità.

Valentine era muta per lo stupore. Aveva davanti agli occhi un'opera d'arte talmente completa che non riusciva a provare nient'altro che un grande sbalordimento. Wilton aspettò, assaporando con piacere quella reazione da parte della sua ospite.

« Vedo », disse infine la ragazza, « che lei non crede nella formula 'meno è più'. »

Alan Wilton, a questo punto, le rivolse il sorriso più schietto e aperto che mai Valentine gli avesse visto sul volto. « Sono sempre stato del parere che il vecchio Le Corbusier si è dimostrato inutilmente dogmatico a questo proposito », rispose e cominciò ad accompagnarla in una visita dell'appartamento su due piani e del piccolo, curatissimo giardino con l'evidente piacere di poter mostrare i suoi tesori. Dal momento stesso in cui era venuto ad aprirle la porta, Valentine aveva cessato di sentirsi intimidita di fronte a lui. In casa propria, sembrava un uomo completamente diverso.

Non aveva menzionato più, neanche una volta, il « caro, vecchio Pierre », e Valentine intuì che, ormai, non aveva più intenzione di punzecchiarla su quell'argomento.

Era rimasta sbalordita quando Wilton aveva accennato all'idea di andare a cena da *Lutèce*. Anche dopo aver vissuto soltanto tre o quattro mesi a New York, sapeva che aveva la reputazione di essere il ristorante più caro della città, famoso per il suo standard di *haute cuisine*. E si aspettava quella specie di *grandeur* di cui aveva letto nelle riviste francesi quando descrivevano le glorie di Maxim's o di Lasserre. Scoprì invece che era situato in una casa alta e stretta, di arenaria, dall'aspetto vecchiotto e accogliente, con un minuscolo bar. Salirono per una scala a chiocciola di ferro, aperta, ed entrarono in una stanzetta color crema e rosa, illuminata soltanto dalla luce di tante candele, che dava su un giardino pieno di rose, dove si trovavano anche altri tavoli. Mentre sorseggiavano un Lillet con ghiaccio in bicchieri a calice panciuti, di vetro sottilissimo, con il lungo stelo, Valentine lesse il menu sul quale, con sua grande sorpresa, non era indicato il prezzo di nessun piatto. Soltanto dopo si accorse che i prezzi erano segnati sul menu che era stato presentato alla persona che offriva la cena, un modo delicato di non imbarazzare l'ospite con il costo del piatto prescelto. Che fosse chi pagava a tremare, o, se proprio era il tipo da tremare per questo, che rinunciasse a venire da *Lutèce*.

Anche se una buona parte della timidezza di Valentine era scomparsa nell'appartamento di Wilton, dove ogni oggetto poteva fornire un argomento di conversazione sicuro, quando furono fatte le ordinazioni, la ragazza si domandò di che cosa avrebbero parlato durante il pasto. Come se intuisse questo nuovo attacco di perplessità da parte della sua ospite, Wilton cominciò a raccontarle la storia del ristorante. Ci veniva da quando lo avevano aperto.

« Speravo fin dal primo giorno che fosse un successo », disse, « ma ne sono stato assolutamente sicuro il giorno in cui ho sentito che André Surmain, il padrone, si rifiutava di servire a un cliente abituale tè ghiacciato con la cena, anche se quell'altro gli giurò che non avrebbe mai più rimesso piede nel suo locale se non glielo avessero portato subito. »

Valentine si accorse che la sua solita sicurezza riprendeva il sopravvento. Anche lei non avrebbe permesso a nessuno di bere tè ghiacciato con la cena, soprattutto quando il piatto che stava gustando era anatra arrosto con pesche bianche lessate.

Alan Wilton sentì risvegliarsi in fondo al proprio essere il fremito di qualcosa che vi era rimasto sopito per molti anni. Era proprio una bambina deliziosa, questa Valentine. Come aveva sospettato subito. Così giovane, così innocente, malgrado tutte le arie che si dava, così straordinariamente semplice a dispetto della sua bellezza. Com'era riposante, com'era commovente farle conoscere un po' di quello che c'era al mondo. E come sapeva accentuare bene le caratteristiche del suo tipo fisico, snella come un giovinetto, con quei seni alti e piccoli, quel caschetto di capelli lisci di un rosso tanto incredibilmente acceso che spiccava sulla semplicità del vestito di chiffon nero... tutto perfetto.

Durante le prime cinque settimane, Valentine uscì a cena con Alan Wilton quattordici volte, una più una meno. Lui le fece conoscere la autentica e rumorosa atmosfera da bistro del *Veau d'Or*; lo chic tutto diverso di *Pearl's*, male illuminato; il fascino tutto speciale di *Patsy's*, un ristorante del West Side dall'aspetto semplice ma carissimo. Però, in genere, cenavano da *Lutèce*, qualche volta da basso, nella sala da pranzo meno formale e più grande, qualche altra volta nel giardino, in un'alcova protetta fra il verde sotto la luce di alti lampioni che irradiavano calore nelle notti un po' rigide, o anche nella saletta della prima volta. Lentamente Valentine cominciò a conoscere meglio Alan Wilton. Egli usava il piccolo trucco di offrire briciole di informazioni su se stesso nei momenti più impensati, mentre, contemporaneamente, riusciva, senza parlare, a far capire che le domande curiose o indagatrici non solo erano fuori discussione, ma addirittura non erano gradite. Aveva due figli, tutti e due adolescenti; era divorziato da cinque anni, dopo un matrimonio che ne era durati dodici; sua moglie si era risposata e viveva contenta e felice nella Locust Valley.

Con Valentine non parlava mai di lavoro. In realtà, sembrava che il suo massimo interesse fosse per Valentine in se stessa, per il suo passato che, gradatamente, la ragazza finì per raccontargli in tutti i particolari. Che sollievo potergli apparire come realmente era! Adesso che era diventata l'assistente di uno stilista, poteva ammettere la verità riguardo agli anni passati da Balmain.

Invece il proprio rapporto con Wilton la lasciava perplessa e confusa. Tutti, in ufficio, sapevano che si frequentavano fuori delle ore di lavoro perché era la sua segretaria a occuparsi delle prenotazioni nei ristoranti. Quanto a Sergio, le sembrava di capire fino in fondo il suo atteggiamento. Quanto più spesso lei si vedeva con Alan, tanto più lo stilista diventava freddamente antipatico e maligno. Più che naturale, se si considerava che Valentine era una concorrente in potenza nel suo lavoro, con l'ingiusto vantaggio di avere una relazione uomo-donna con il boss.

Ma era proprio così? Ecco il punto nero nel nocciolo della questione. Le serate che passavano insieme avevano uno svolgimento sempre uguale e prestabilito. Valentine andava a casa di Alan a bere un aperitivo, poi uscivano per la cena e, in seguito, bevevano un paio di brandy in un bar dopo aver fatto quattro passi; successivamente Alan la riaccompagnava a casa in tassì, insistendo per salire fino alla sua porta. Le dava invariabilmente il bacio della buona notte sulle guance, alla moda francese, ma non entrava mai da lei anche se, dopo i primi tre inviti a cena, Valentine lo aveva invitato a farlo.

Wilton possedeva un fascino sottile ed esercitava una forte attrazione. Valentine non era mai stata corteggiata da un uomo che fosse riuscita a prendere sul serio e adesso cominciava a sentire sempre più profondamente la sua attrattiva. Sempre più di frequente si accorgeva di contemplare incantata la sua bocca morbida, immaginando come dovesse essere il sentirsela contro le proprie labbra finché, con un lieve sussulto, si riscuoteva e abbassava gli occhi. Qualche volta nell'espressione di Alan appariva un lampo di qual-

199

cosa di molto simile alla sofferenza, e allora si affrettava a distrarlo con un aneddoto di quella che era stata la sua vita frenetica e pazzesca nella sartoria di Balmain perché temeva, senza saperne bene la ragione, ciò che lui forse era stato sul punto di dire. D'altra parte, che cosa stava aspettando, Alan? C'era qualcosa che forse avrebbe dovuto fare lei? Dargli un segno, dire una parola? Pensava di essere troppo vecchio per lei? Forse non era il suo tipo? No, concludeva Valentine, questo non era assolutamente possibile. Nessun uomo avrebbe buttato via centinaia e centinaia di dollari per portare a mangiare una donna che non era il suo tipo, ecco che cosa le diceva il suo buon senso e, il suo buon senso, non aveva mai sbagliato. Forse lei non conosceva il modo giusto di flirtare, forse Alan in fondo in fondo era terribilmente timido, forse era stato così ferito dalle donne che non voleva trovarsi coinvolto in un'altra relazione, forse...

Valentine era disgustata di se stessa. Tutte queste finte perplessità e questi dubbi quando quello che voleva sapere, in fondo, era soltanto se sarebbe andata a letto con Alan Wilton o no? Era già passato il suo ventiduesimo compleanno ed era sempre una vergine così intatta che, se fosse stata una cattolica praticante, sarebbe andata a confessarsi senza bisogno di arrossire. Via, perfino quello sciocco di Elliot non aveva mai azzardato una mossa...

Con amarezza ricordò una conversazione che aveva avuto di recente con una modella famosa venuta da Wilton a provare qualche capo della nuova collezione per un sfilata di moda.

« Vuoi dirmi che Spider il Mandrillo è il tuo vicino di casa? Che favolosa fortuna! »

« Come hai detto? Vorresti spiegarti un po' meglio? » rispose Valentine con voce tagliente. « Che cos'è questa espressione che hai adoperato per Elliott? »

« È un famosissimo stallone, capisci che cosa vuol dire 'stallone', Valentine? Tanto per dirla chiara, è uno cui piace scopare le ragazze quanto e più che può. Sempre pronto, sempre a disposizione, il nostro Spider, e si specializza nelle creature più incantevoli. Io non ho mai avuto a che fare con quel bel tipo, sono proprio sfortunata, però ho sentito dire che è fantastico. »

« *Salope. Conasse!* »

« Come mi hai chiamata? »

« Pettegola », disse Valentine, che aveva adoperato due parole che, tradotte, significavano all'incirca « sporca puttana » e « lurida baldracca ».

« Be', il pettegolezzo è l'anima di questo commercio, lo dico sempre. Così... devo arrivare alla conclusione che non ti sei fatta una bella sbattuta con quel tesoro di Spider. Non badarci, carissima, probabilmente ti considera una sorella. Ho sentito che adora le sue sorelle... ooohi! Che male! »

« Scusami », disse Valentine, togliendo lo spillo.

Allora, a che punto si trovava adesso? Per Elliot, era una sorella... e un punto interrogativo per Alan Wilton. Doveva esserci qualche cosa che non funzionava in lei, Valentine.

Una settimana dopo, Alan Wilton propose a Valentine di tornare a casa sua a bere qualcosa dopo cena, e lei provò un'ondata di sollievo. Aveva visto abbastanza film per sapere che questo è il punto di partenza nel classico schema della seduzione. Adesso che Alan aveva finalmente fatto la prima mossa, Valentine si congratulò con se stessa per essere riuscita ad aspettare fino a quel giorno senza mostrare la propria impazienza.

Quando erano usciti dal suo appartamento poche ore prima, Alan aveva spento quasi tutte le luci, e adesso si affrettò a riaccenderle a una a una. Con commovente nervosismo versò a tutti e due un brandy abbondante e poi, in silenzio, tremando leggermente, prese il gomito di Valentine nella sua mano ardente e la guidò verso la camera da letto. A questo punto scomparve nel bagno e Valentine bevve in un sorso tutto il liquore che aveva nel bicchiere, si tolse le scarpe e andò a guardar fuori dalla finestra, fissando il giardino buio. Improvvisamente si accorse che Alan le era venuto alle spalle, le stava vicinissimo, interamente nudo, e le baciava la nuca, slacciando a uno a uno la fila di bottoncini che correva lungo il vestito.

« Incantevole, incantevole », mormorò, facendole scivolare giù dalle spalle l'abito, slacciandole il reggiseno, abbassandole le spalline della sottoveste corta. Lei cercò di voltarsi per averlo di fronte, ma Alan la costrinse a rimanere in quella posizione mentre le faceva scivolare giù dalle gambe quello straccetto trasparente che erano le sue mutandine. Con le dite seguì lentamente la linea della spina dorsale e dello sterno, le sue mani salirono per un attimo a stringerle, a coppa, i seni, e poi ritornarono alla deliberata esaltazione della schiena di Valentine, scendendo gradatamente fino al sederino piccolo e sodo. Qui si soffermarono più a lungo, stringendo le natiche con le dita ardenti e frementi, comprimendole l'una contro l'altra e poi, alternativamente, sfiorandole la linea che le separava in modo da insinuarvi dentro un dito per un centimetro o due. Valentine aveva sentito il pene di Alan che si induriva e si sollevava contro il suo dorso ma fino a quel momento lui non aveva fatto che ripetere « incantevole » un numero infinito di volte.

Adesso lui si inginocchiò sul pavimento e la costrinse ad allargare leggermente le gambe per restare in equilibrio. Sentì la sua lingua calda che seguiva la linea delle natiche, e la sensazione fu talmente esaltante e piacevole che le spinse ancora di più contro di lui: e si scoprì a ruotare inconsciamente il bacino. Quando si accorse di non saper resistere un minuto di più senza voltarsi, Alan la prese fra le braccia e la portò sul letto. Non c'era nessuna luce a eccezione di quella di un faretto vicino al letto, e Alan lo spense prima di deporla sulle coperte cominciando, finalmente, a baciarla più volte sulla bocca aperta, in attesa.

Mentre si sentiva diventare sempre più umida, Valentine cercò di stringerlo a sé, esplorando con le mani quel corpo saldo, peloso e muscoloso che non poteva vedere. Ma non ebbe il coraggio di toccargli il pene. In tutta la sua vita non ne aveva mai sentito neppure uno sotto le dita e non sapeva che cosa fare, come toccarlo. Ma i baci di Alan erano così intensi, così divoranti che finì per smettere di chiedersi se lei gli stesse rispondendo nel modo giusto. D'un tratto, con un gesto inequivocabile, lui cercò di voltarla bocconi. Valentine si sentì afferrare da un impeto di delusione, voleva altri baci sulla bocca, le dolevano i capezzoli che aspettavano soltanto di essere toccati da quelle labbra, ma si voltò ubbidiente. Alan cominciò a baciarle dolcemente la schiena, ma quasi subito riprese a passarle la lingua e a succhiarle le natiche, facendole quasi male con la ferocia delle labbra avide, dei denti messi a nudo, delle mani forti che gliele palpeggiavano in un impeto di passione. Valentine, in quel buio profondo, si accorse di aver perduto il senso dell'orientamento: non sapeva neppure più in quale punto del letto lui si trovasse, ma presto si accorse che era inginocchiato su di lei, con le gambe fra le sue che le tenevano le cosce divaricate, e con le mani strette intorno alle natiche, in modo da allargarle il più possibile. Sentì la punta dura del suo pene che si infilava nella vagina. Entrò facilmente per un attimo, poi si fermò mentre a lei sfuggiva un gemito semi-soffocato. Alan continuò a spingere e di nuovo Valentine ebbe un sussulto di dolore. Allora lui lo tirò fuori e la voltò bruscamente.

« Non sarai vergine? » sussurrò inorridito.

« Sì, naturalmente. » La sua verginità le era talmente fissa in mente che non aveva mai preso in considerazione il fatto che Alan non potesse saperne niente.

« Oh, cazzo... no! »

« Per piacere, per piacere, Alan... continua... vai avanti... non preoccuparti se mi fa un po' male... lo voglio », disse lei in fretta, mentre tentava di trovare il membro di lui, annaspando al buio con le mani, in modo da fargli capire che parlava seriamente. Lo sentì stringere i denti, poi, all'improvviso, si trovò distesa sulla schiena, a gambe larghe, e provò confusamente una strana sensazione in cui si confondevano l'inizio dell'orgasmo, il dolore e un enorme imbarazzo: si accorse che Alan le aveva spinto dentro, senza troppe cerimonie, due dita con la forza di un ariete. Si morse un labbro, sforzandosi di non gridare. Quando Wilton si fu assicurato che il passaggio era aperto fino in fondo, la voltò di nuovo sulla pancia e la penetrò con un pene meno rigido di quel che era stato qualche minuto prima. Mentre si insinuava dentro, Valentine lo sentì diventare più duro, più grosso finché, troppo presto, con un grido di trionfo che pareva quasi di agonia, Alan arrivò all'orgasmo

Dopo restarono distesi in silenzio. Valentine si sentiva colma di parole non pronunciate. Era totalmente confusa, quasi in lacrime. Era così che si faceva? Ma perché non era stato più tenero e affettuoso? Come poteva non accorgersi che lei era eccitata ma non soddisfatta? Però un minuto dopo lui la abbracciò, attirandola a sé in modo che vennero a trovarsi faccia a faccia.

« Valentine, carissima... lo so che non ti è piaciuto, ma non potevo credere... ero così sorpreso... perdonami... lascia che... » e si mise a giocare con la sua clitoride con una tale abilità che Valentine finalmente ebbe l'orgasmo con un tale impeto di piacere da dimenticarsi tutte le domande che prima si era posta.

Le settimane successive furono fra le più strane e incomprensibili di tutta la vita di Valentine. Usciva a cena con Alan Wilton ogni due o tre giorni. Poi, invariabilmente, andavano a casa di lui a fare l'amore. Dopo quella prima volta lui si era mostrato molto più deciso a eccitarla prima di penetrarla, portandola all'acme del piacere con un esperto gioco delle labbra e delle dita, però insisteva sempre che tutto fosse fatto in silenzio e al buio, cosa che Valentine trovava tremendamente frustrante. Voleva vedere il corpo nudo di lui e voleva che Alan vedesse il suo. Con vanità innocente Valentine sapeva che la sua pelle perfetta, bianchissima, il corpicino fragile con i seni alti, delicati, le cosce piene, il sedere saldo potevano piacere molto a qualsiasi uomo. Ma ancora peggio era l'evidente riluttanza di Alan a penetrarla dal davanti, come aveva sempre immaginato che un uomo facesse. Adesso, quando spingeva il pene dentro di lei mentre stava distesa sul grande letto, le sollevava il sedere su parecchi cuscini in modo da poterle eccitare con le sue esperte carezze la clitoride, mentre la penetrava da dietro, e capitava di rado che volesse provare la posizione usuale che lei desiderava. Le spiegò che, a quel modo, lei non avrebbe provato molto, che era la stimolazione manuale a portarla all'orgasmo e non la semplice penetrazione, la quale, in qualsiasi caso, non le avrebbe mai stimolato direttamente la clitoride. Ma c'era in lei qualcosa che pretendeva il confronto a faccia a faccia che le sembrava dovesse essere da un punto di vista simbolico, un incontro fra persone pari, nel gioco dell'amore.

E amore doveva essere, si disse quando si accorse che non era più capace di pensare ad altro che non fossero i sentimenti, che diventavano rapidamente sempre più profondi, provati per Alan Wilton. Non era soltanto innamorata; era ossessionata da lui perché continuava a disorientarla. La trattava come si tratta una persona amata, le mostrava una immensa ammirazione e considerazione, adesso gridava ad alta voce il suo nome quando arrivava all'orgasmo, ma Valentine non aveva l'impressione che fra loro ci fosse niente di... chiarito? No, quella non era la parola giusta. Era una specie di comprensione intima e profonda a mancare... una *compréhension*. Malgrado tutte quelle cene e le chiacchiere, tutto quel fare l'amore, lei stava ancora aspettando di scoprire la vera personalità di Alan che sapeva benissimo di non conoscere ancora.

Mentre si stava portando a termine la lavorazione di una nuova « linea » di modelli, Valentine si vide costretta a lavorare fino a tardi, alla sera, in quelle due ultime settimane. Normalmente, Wilton usciva dall'ufficio alle sei, lasciando Valentine, Sergio e i loro aiutanti a continuare senza di lui. Un lunedì, piuttosto tardi, Valentine stava passando davanti alla porta del suo ufficio nell'uscire per andarsene a casa, quando si accorse con stupore che era socchiusa e che ne uscivano due voci, quella di Alan e quella di Sergio. Fece per affrettare il passo, ma sentì pronunciare il proprio nome. Chissà se era Sergio che si lamentava di lei, pensò, e si fermò ad ascoltare. Sapeva che era capace di tutto.

« ... quella tua sudicia battona francese. »

« Sergio, ti proibisco di parlare in questo modo! »

« Mi fai venir voglia di vomitare! Tu mi impedisci? Il signor Tutto Perbene mi impedisce di parlare così! Non c'è niente di più patetico di un finocchio che tenta di convincersi di riuscire a farcela con una donna... »

« Sentimi bene, Sergio! Per il semplice fatto... »

« Per che cosa? Perché puoi tirarlo su per lei? Certo che puoi... non è una sorpresa. L'hai tirato su per Cindy per quasi dieci anni, sì o no? L'hai tirato su abbastanza per avere due figli, vero? Ma perché Cindy ha divorziato da te, Alan, schifoso ipocrita che non sei altro? Non è stato perché non riuscivi più a tirar su l'uccello per lei, Alan, ma quando hai finalmente capito quello che volevi veramente. Credi di non essere un finocchio, o di esserlo un po' meno degli altri, soltanto perché lo fai a me invece di essere io a farlo a te? »

« Sergio, smettila! Ammetto che tutte queste cazzate sono vere, ma è acqua passata... storie vecchie! Valentine è diversa, è fresca, giovane! »

« Cristo! Ma sentilo, il leccaculo più grosso del mondo. Quante panzane racconta! Finché non è arrivata lei, non ne avevi mai abbastanza di me, vero? E si può sapere dov'eri soltanto ieri notte? Mi pare di ricordare che eri a infilarmi quel tuo grosso coso su per il culo finché ho creduto di scoppiare... e poi, chi era quello che mi succhiava e gemeva e si lamentava... Babbo Natale? Eri proprio tu, testa di cazzo... e ogni attimo è stato un paradiso, per te! »

« È stato un momento di debolezza. Non succederà mai più... è chiuso. »

« Chiuso! Figuriamoci se è chiuso! Ma guardami, Alan. Guarda il mio uccello. Non vuoi prenderlo in bocca? Bello, e pieno di succo? Guardami il culo, Alan, adesso mi curvo su questa seggiola e lo allargo, lo tengo bello aperto, proprio come piace a te. Dimmi che non ti senti diventar già duro, eh? Sì o no? Muori dalla voglia... è l'unica cosa che vuoi sul serio... smettila di ingannare te stesso. Adesso chiudo a chiave la porta e me lo metti dentro qui, proprio qui, sul pavimento... in tutti i modi che vuoi, Alan, in tutti i modi che vuoi... Oh, le cose che mi farai! Non è vero, Alan? Non è vero? »

Valentine sentì soltanto un ansante « Sì! Sì! » nel tono di chi si arrende felice della propria abiezione, prima di riu-

206

scire a riscuotersi dalla trance in cui era caduta e di correre via per il corridoio.

Quando arrivò a casa, Valentine cessò di funzionare. Non riuscì a fare altro che pulirsi i denti e lavarsi la faccia. Poi passò due giorni e due notti rannicchiata nel suo letto, accoccolata sotto le coperte e la trapunta, avvolta nella vestaglia più pesante che avesse, ma senza riuscire a scaldarsi neanche un momento. Bevve qualche bicchiere d'acqua soltanto, e non mangiò niente.

Fu la mattina del terzo giorno che Spider cominciò a preoccuparsi sul serio. Aveva notato distrattamente che dalla sua mansarda non venivano segni di vita, ma da quando Valentine aveva cominciato a uscire con Alan Wilton non la vedeva più con regolarità.

Andò alla porta di Valentine e bussò a lungo. Non ebbe risposta, eppure non riuscì a scacciare la quasi completa sicurezza che Val, o qualcun altro, fosse nell'interno. Vari mesi prima si erano scambiati la chiave dei rispettivi appartamenti. In caso di emergenza, le aveva detto lui. Così andò a prenderla, bussò di nuovo e, quando per la seconda volta non ottenne risposta, entrò. In principio credette che la camera fosse vuota. Si guardò intorno imbarazzato. Niente. Nessun rumore eccetto il ronzio del frigorifero. Infine si accorse che quel rigonfiamento quasi impercettibile sotto la trapunta era un corpo. In punta di piedi, terrorizzato, si avvicinò a osservare meglio. Sapeva che era suo dovere. Con infinita delicatezza sollevò la trapunta e scoprì la nuca della testa di Valentine, e la faccia, schiacciata contro il materasso, lateralmente, appena quel tanto necessario per respirare.

« Valentine? » Girò intorno al letto e si curvò a tendere l'orecchio per sentire il suo respiro. Le osservò attentamente la faccia. Non era addormentata, di questo era quasi certo, però non poteva o non voleva aprire gli occhi. « Valentine, sei malata? Mi senti? Valentine, baby, tesoro, cerca di parlare! Dimmi qualcosa! » Lei rimase distesa dov'era, senza un gesto, senza rispondere. Però, a questo punto, Spider si convinse che l'aveva sentito. « Valentine... si siste-

207

merà tutto. Adesso chiamo il Saint-Vincent e dico che mandino un'ambulanza... qualsiasi cosa sia, ti cureranno subito... non preoccuparti... telefono immediatamente. » Mentre si allontanava dal letto dirigendosi verso il telefono, lei aprì gli occhi.

« Non sono malata! Vattene! » disse con voce rauca.

« Non sei malata! Gesù! Se tu potessi vederti... Valentine, vado subito a chiamarti un dottore. »

« Per piacere... per piacere, lasciami stare. Ti giuro che non sono malata. »

« E allora, cosa sei? Su, andiamo, baby. »

« Non lo so », mormorò lei e si mise a piangere disperatamente, aggrottando tutta la faccia, in un fiume di lagrime, le prime che riuscisse a versare. Per più di un'ora Spider rimase seduto sul letto tenendola stretta fra le braccia, senza riuscire a fare o a dire qualcosa che le desse conforto.

Quando i singhiozzi calarono di tono, scendendo a un livello in cui fosse possibile per lei sentire quello che le diceva, Spider azzardò qualche domanda cauta, andando un po' a tentoni. Cattive notizie da Parigi? Aveva perduto l'impiego? Poteva fare qualcosa per lei?

Valentine alzò gli occhi, tanto gonfi che erano ridotti a due sottili fessure, e gli parlò con una violenza che non le aveva mai sentito.

« Niente domande. È finita. Non è mai successo niente. Mai e poi mai. »

« Ma, Valentine, tesoro... non puoi eliminare semplicemente una cosa... »

« Elliott... non una parola di più! » Lui rimase come folgorato. Qualcosa di terribile e di spaventoso nella sua voce gli fece capire che, se avesse fatto un'altra domanda ancora, non l'avrebbe mai più vista.

« Sai di che cosa hai bisogno, bambina? » disse Spider. « Adesso ti preparo una bella crema di pomodoro Campbell con qualche Ritz Cracker imburrato. » La madre di Spider era convintissima che questa combinazione fosse talmente prelibata da costituire un vero e proprio trattamento di favore, il solo da offrire a un bambino malato, anzi molto

208

malato: e ognuno dei suoi sette rampolli lo consideravano il non plus ultra in fatto di rimedi.

Per tutta la settimana successiva Valentine visse di crema di pomodoro, cereali e latte, e dell'unica altra cosa che Spider sapesse preparare: tartine di formaggio fuso. Si lasciò persuadere da lui a uscire dal letto, a fare una doccia e a tornare a sedersi nella sua poltrona preferita, ma non a vestirsi. Su questo punto, si impennò, rifiutandosi completamente di cedere alle sue pressioni. Ogni mattina, Spider le portava tè bollente e fiocchi d'avena. Lei restava seduta tutto il giorno in quella poltrona, a fissare il vuoto, torturata da spasimi tormentosi per la perdita che sentiva, da un dolore lacerante per il modo in cui era stata usata e da una tremenda umiliazione vergognosa, perché il dono dei suoi sentimenti ad Alan Wilton era stato trasformato in una beffa grottesca nel duro scontro con la realtà, la realtà dei ricordi. Spider tornava a casa in fretta ogni sera, finito il lavoro, per prepararle la minestra di crema di pomodoro e i panini al formaggio, poi stava a farle compagnia fino a mezzanotte facendole ascoltare qualche disco di tanto in tanto ma, in genere, restando in silenzio.

Spider non era soltanto allarmato dal crollo di Valentine, ma anche profondamente incuriosito. Sapeva che non era di medici e medicine che la ragazza aveva bisogno. Così fece l'unica cosa che gli venne in mente: sfogliò con attenzione minuziosa *Women's Wear* cercando un indizio, perché era evidente che Valentine non lavorava più per Alan Wilton. Non trovò niente per sei giorni. Già cominciavano ad apparire articoli di commento sulle collezioni di primavera degli stilisti americani. E ogni giorno, durante la settimana di vendita, *Women's Wear* dedicava un paginone, e qualche volta anche due, a schizzi e fotografie delle cose migliori delle nuove linee che erano state lanciate. Il sesto giorno quegli articoli parlavano della collezione della Wilton Associates con una vera e propria bordata di espressioni elogiative. La collezione aveva avuto l'onore di vedersi dedicare un intero paginone che includeva quattro schizzi di modelli, molto particolareggiati. Spider ne riconobbe immediatamente tre, che uscivano direttamente dalla cartella di disegni di

Valentine, anche se il suo nome non veniva menzionato neppure una volta. Sembrava impossibile che potesse essere questa la spiegazione del suo collasso nervoso; in fondo, sapeva anche lui che altri aiuto-stilisti erano passati per un'esperienza identica; ma era tutto quello che aveva in mano. Spider fece qualche telefonata.

Quella sera, quando andò a far compagnia a Valentine, Spider le disse sottovoce, con calma: « Hai un appuntamento con John Prince domani alle tre ».

« Oh, certo... va bene... » rispose lei senza la minima curiosità. Non dava l'impressione di essere stata a sentirlo.

« Gli ho telefonato oggi e gliel'ho detto. »

« Ma di che cosa stai parlando? » Prince, come Bill Blass o Halston, era uno dei grandissimi stilisti con un nome talmente famoso e prezioso che lo sfruttava, cedendone la licenza di usarlo per qualsiasi cosa, dai profumi alla valigeria, e portandosi a casa, in certi casi, almeno cento milioni di dollari di vendite al minuto senza contare i guadagni che faceva con i vestiti disegnati da lui.

« Ho telefonato a Prince e gli ho detto quanta parte della collezione Wilton è tua; e lui ha controllato con Wilton, il quale glielo ha confermato, e adesso vuole avere un colloquio con te per il posto di sua assistente-capo a ventimila dollari l'anno, cominciando subito. Ti aspetta nel suo ufficio domattina. »

« Sei completamente impazzito? » Era la prima volta che Spider la vedeva animarsi dal giorno in cui l'aveva trovata a letto.

« Vuoi fare una scommessa? Gli ho raccontato che ero il tuo agente... il che significa che mi devi una commissione. Non so ancora di quanto. Ma non credo che verrò a ritirarla. »

Niente suona più autentico e vero della verità stessa. Che Spider non inventasse tutta quella storia fu subito chiaro per Valentine, anche se fece finta di non crederci, riluttante a strapparsi da quel limbo di dolore e di depressione.

« Ma, con questi capelli! » esclamò, tornando bruscamente alle necessità più fondamentali.

« Forse potresti prendere in considerazione l'idea di lavarteli! » rispose Spider con aria giudiziosa. « E magari anche di metterti un po' di trucco in faccia. E adesso, togliti quella vestaglia. Non mi dirai che non hai qualche cosetta da metterti addosso! »

« Oh, Elliott, perché mi hai giocato questo tiro? » gli domandò, e per poco non ricominciò a piangere.

« Mi sono stancato di preparare panini al formaggio fuso », rispose lui ridendo. « E se ti vedo ancora con una lagrima che ti scende dagli occhi, ti giuro che non ti farò mai più neanche una minestra di crema di pomodoro. »

« Per piacere, Signore Iddio », ansimò lei, « niente più crema di pomodoro! » e scappò in bagno a lavarsi i capelli.

211

6

La grandiosa residenza di Bel Air che Lindy scelse per Ellis Ikehorn colpito dalla trombosi, era stata costruita in origine, verso la fine degli anni Venti, per un magnate del petrolio il quale aveva subìto profondamente il fascino dell'Alhambra di Granada. Questa specie di castello moresco-spagnolo, autentico per quel tanto che avevano permesso i molti milioni spesi nella sua costruzione, si trovava in cima a una collina a più di settecento metri di altezza dalla conca di Los Angeles, ed era circondato da quindici acri di giardini dalla struttura accurata e regolare nei quali il punto focale era sempre costituito dal gioco di una moltitudine di fontane. Migliaia di cipressi e di olivi, piantati ai lati di lunghi viali, partivano dalla casa e si allungavano a perdita d'occhio in ogni direzione, sempre in lieve pendio perché la costruzione si trovava sul punto più alto della collina. Da diversi punti poteva avere qualche fuggevole scorcio della casa, ma non si rivelava mai completamente e appariva misteriosa, incantevole e romantica nel suo stile esotico, tanto che era opinione comune che fosse l'edificio più ragguardevole e fantastico di tutta quella remota zona, costituita interamente dalle proprietà dei milionari.

Malgrado gli inconvenienti provocati dalla sua posizione, la lussuosa residenza che, molto spesso e giustificatamente, veniva chiamata « cittadella », fortezza o castello, aveva un vantaggio formidabile: un clima tutto suo. Lassù era sempre primavera, tutto. l'anno, eccetto che nelle rare giornate piovose d'inverno. Tuttavia, per gran parte di quella stagione, i numerosi balconi, le terrazze e i cortili erano talmente riparati che Ellis poteva stare fuori al sole per buona parte della giornata. D'estate, quando soffiavano i venti torridi da Santa Ana, i patio interni, di una struttura simile a quella dei chiostri, nei quali crescevano a centinaia i rosai e le erbe aromatiche, erano freschi, riparati e pieni del mormorio dell'acqua scrosciante delle fontane. Quando c'era lo smog, lo si poteva vedere come una specie di strato d'aria giallo-bruna al di sotto, e le nebbie che salivano dal Pacifico non arrivavano mai fino in cima alla collina.

Soltanto quando si rese conto della quantità di gente che avrebbe dovuto alloggiare nella villa, Billy riuscì ad apprezzare fino in fondo la bravura di Lindy nel fare quella scelta. Tutta la servitù doveva vivere nella casa, eccetto i cinque giardinieri. C'erano cinque automobili destinate in permanenza alla servitù, in modo che tutti potessero servirsene nelle giornate di libertà. Nessuno, che vivesse lassù, poteva stare senza un mezzo di trasporto perché c'erano almeno sei chilometri per arrivare ai cancelli est e ovest di Bel Air su Sunset Boulevard e la più vicina fermata dell'autobus. I tre infermieri di Ellis vivevano nell'ala destinata agli ospiti. E nella solitaria cittadella in vetta alla collina venti persone consumavano tre pasti al giorno.

La signora Post, la governante, dedicava tutta la mattinata a ordinare e farsi arrivare le provviste.

Lindy aveva fatto miracoli per preparare la grandissima casa a riceverli. Era stata installata una nuova cucina; la vecchia piscina in fondo a un viale di alti e neri cipressi, era stata dotata di un nuovo sistema di filtri e di riscaldamento, e il padiglione annesso, che serviva da spogliatoio, era stato arredato completamente a nuovo. Gran parte dell'immensa casa era stata lasciata chiusa, però gli ambienti che dovevano servire per viverci abitualmente erano stati rifatti e arredati lussuosamente; un brillante e vivace stile spagnolo aveva fatto scomparire completamente l'atmosfera tetra, lugubre, moresca che aveva avuto la casa in precedenza. Non c'era nulla nel nuovo arredamento, che si accordasse con i gusti di Billy, ma lei era troppo rattristata per badarci. I giardini erano stati restituiti solo in parte all'antico splendore, e i lavori procedevano nelle ali degli ospiti e della servitù. Per fortuna, i vecchi garage potevano accogliere una dozzina di automobili.

Quando Lindy ebbe reso abitabile la villa, Billy e Ellis, in compagnia di Dan Dorman, partirono in volo per la California a bordo del jet della società, che era stato adattato in modo da poter ospitare un invalido.

I problemi concernenti l'assunzione degli infermieri, la trasformazione del jet, l'approvazione da dare a Lindy per la scelta della nuova casa, la chiusura dell'appartamento di New York e la vendita delle case nella Francia del sud e alle Barbados, avevano occupato completamente il cervello di Billy e le avevano concesso solo un minimo di tempo per pensare alla nuova realtà della sua vita. Sotto l'ala protettrice dell'amore di Ellis, colui che per lei era stato amante, marito, fratello, padre e nonno, tutti i personaggi maschili che le erano mancati durante la vita, Billy era rifiorita senza diventare però realmente matura e adulta.

Adesso, nel castello in collina, a quattromila chilometri dalle sue conoscenze di New York, dalle sue attività di New York, tutta sola in una casa piena di domestici e infermieri e con un vecchio paralizzato, si sentì cogliere dal panico. Niente l'aveva mai preparata a queste responsabilità. Ogni cosa la spaventava, non c'era conforto in nessun posto, non c'era un luogo sicuro, nulla a cui aggrapparsi. « Piantala, Billy! » si rimproverò con lo stesso tono brusco usato dalla zia Cornelia. Con un gesto deciso accese tutte le lampadine nella sua camera da letto e nel salotto e andò a chiudere le tende per lasciar fuori l'oscurità. Che cosa aveva fatto la zia Cornelia ogni giorno della sua vita? Billy sedette alla scrivania, prese un blocco di carta e una matita e cominciò a fare un elenco. Primo, trovare un negozio di libri, domani. Due, imparare a guidare la macchina. Tre, combinare per le lezioni di tennis. Quattro, non riuscì a pensare al quattro. Avrebbe dovuto compilare una lista di persone a cui telefonare, ma non c'era nessuna persona con cui si sentisse tanto in confidenza da chiamarla al telefono. In ogni modo, una parte del panico di prima le era già passato.

Nel giro di un mese Billy aveva trovato una formula adatta per organizzare la propria vita. La priorità, ogni giorno, andava al tempo da passare con Ellis, quattro o cinque ore, sia leggendo a voce alta per lui sia leggendo per sé soltanto, sia guardando la televisione con lui oppure anche solo restandogli seduta tranquillamente vicino e tenendogli la mano sana, in uno o nell'altro dei tanti giardini che avevano. Restava con lui due ore ogni mattina, poi, dalle tre alle cinque del pomeriggio e un'ora dopo la sua cena, prima che si addormentasse. Gli parlava più che poteva, ma Ellis rispondeva sempre meno. Avevano scoperto che, per lui, era più facile comporre le parole con piccoli blocchetti, sui quali erano scritte le lettere dell'alfabeto che venivano fissate con un minuscolo pezzetto di magnete a una lavagnetta di metallo, piuttosto che imparare a scrivere con la sinistra. Ma con il passare del tempo, anche questo era venuto a costargli uno sforzo sempre più grande. Dan Dorman aveva spiegato a Billy durante una delle sue visite mensili che era inevitabile che, nel cervello di Ellis, si verificassero un certo numero di minuscoli, successivi attacchi di trombosi e, di conseguenza, il danno alla materia cerebrale aumentava lentamente. Le condizioni di salute generali del paralitico continuavano a essere eccellenti e il suo corpo discretamente forte. In quelle circostanze, pensò Dorman tra sé, ma non lo disse a Billy, Ellis avrebbe potuto vivere ancora sei o sette anni e forse anche più.

Billy aveva seguito il consiglio di Dorman di non passare tutto il suo tempo con il marito. Ogni giorno prendeva una lezione di tennis al Los Angeles Country Club, e tre volte la settimana andava a fare ginnastica nella palestra di Ron Fletcher a Beverly Hills. In tutti e due questi posti aveva fatto qualche amicizia con altre donne e si preoccupava sempre di procurarsi un appuntamento con l'una o con l'altra di loro per pranzare insieme, ogni settimana. Questi pranzi rappresentavano il novantanove per cento della sua vita moderna.

Ellis non voleva che lei fosse presente quando veniva imboccato ai pasti e dopo pranzo dormiva a lungo, di modo che, nelle ore centrali della giornata, Billy non aveva alcun obbligo che la trattenesse nella lussuosa villa.

La tensione costante di cui era vittima veniva in parte alleviata dalle scorribande giornaliere che faceva nelle boutique e nei grandi magazzini di Beverly Hills, comprando, sempre comprando. Che importanza aveva che quei vestiti le servissero? Aveva centinaia di abiti eleganti da portare a cena; dozzine di completi pantaloni di taglio stupendo; quaranta vestitini da tennis, centinaia di camicette di seta, cassetti e cassetti pieni di biancheria di Juel Park, dove un paio di mutandine costava duecento dollari; guardaroba pieni di vestiti da duemila dollari da portare alle pochissime cene a cui veniva invitata; tre dozzine di costumi da bagno, che teneva nell'elegante e raffinato spogliatoio vicino alla piscina dove si cambiava per la nuotata quotidiana. Tre camere da letto vuote della grandissima villa erano state arredate con una serie completa di armadi a muro che contenessero tutti i suoi vestiti nuovi.

Billy sapeva benissimo, quando entrava nel General Store, o da Dorso's o da Saks che stava cominciando a dedicarsi anche lei all'occupazione classica delle donne ricche e oziose: comprarsi un numero assolutamente inutile di vestiti per riempire, ma senza mai colmarlo del tutto, il grande senso di vuoto che aveva dentro. « O questo o ridiventare grassa », si diceva. L'eccitazione stava tutta nel provarsi quella roba, nel comprarla. D'altra parte non poteva comprare roba qualsiasi. Doveva essere roba che valesse la pena di comprare. La capacità di distinguere fra ciò che aveva stile e classe e ciò che non l'aveva, che Billy aveva imparato dopo il soggiorno a Parigi, era diventata ancora più importante per lei da quando aveva osservato il modo casuale e indifferente con il quale si vestivano le altre donne a Beverly Hills. Col passare dei giorni diventò una cliente sempre più difficile. Un bottone mancante o un orlo mal rifinito erano considerati da Billy come un affronto personale. E la zona carnosa intorno alla sua bocca morbida si induriva in una smorfia di furore quando scopriva un difetto qualsiasi.

Di quando in quando *Women's Wear* faceva qualche

216

servizio sul modo in cui le donne si vestivano in California e la fotografia di Billy non mancava mai come esempio singolare dello chic sulla West Coast. Vestire alla perfezione il proprio corpo, restare nella lista delle donne meglio vestite, frequentare le lezioni di ginnastica che le conservavano la muscolatura salda, forte ed elastica, andare frequentemente dal parrucchiere, dalla manicure e dal pedicure, tutto ciò diventò l'ossessione con la quale cercava disperatamente di nascondere il suo disperato e crescente bisogno di sesso.

Fino al giorno in cui aveva avuto il primo colpo apoplettico, Ellis era stato capace di dare a Billy un godimento sessuale sufficiente a soddisfarla se non a saziarla. Adesso, da oltre un anno, non aveva avuto più rapporti sessuali, eccetto un po' di masturbazione di tanto in tanto.

Billy cominciò a passare lunghe ore pensando al problema di procurarsi una vita sessuale normale. Tentò, come sempre, di pensare con il cervello della zia Cornelia, ma dovette abbandonare quel tentativo con la stessa rapidità con la quale si sarebbe liberata di un pezzo di sterco per la strada. La zia Cornelia avrebbe soffocato quei pensieri se mai avessero osato insinuarsi nella sua mente. Allora provò a pensarci con il cervello di Jessica. Jessie, lo sapeva benissimo, non avrebbe sprecato il suo tempo in simili considerazioni: sarebbe andata a farsi scopare, proprio per bene, già da molti mesi. Ma lei non era Jessie. Era ancora sposata a un uomo che amava profondamente anche se adesso era vivo meno che per metà, e non poteva, non voleva offendere e sciupare quell'amore con una storia senza senso con uno dei maestri di tennis del club o con il marito di una delle sue amiche.

Per quel che ne sapeva lei, altre possibilità non c'erano. Billy accettava soltanto pochi degli inviti che riceveva, acconsentendo ad andare solo in casa di quelle donne che, ne era sicura, non si servivano di lei come di un'attrazione, quasi un piccolo spettacolo a parte, per soddisfare la curiosità degli altri ospiti. Ma anche in questi casi, quando la presentavano a persone sconosciute, si accorgeva che la trattavano come si tratta una vedova di fresca data alla quale

217

non si possono offrire le condoglianze e in compagnia della quale si resta imbarazzati. Quella gente, e non solo loro, tutto il mondo aveva visto sui giornali le fotografie di Billy che camminava di fianco alla carrozzina di Ellis mentre attraversavano la pista di cemento, diretti al jet, quando avevano lasciato New York per la California e le sembrava che chiunque, appena sentito il suo nome, pensasse immediatamente all'uomo morente nella fortezza lassù, in cima a Bel Air mentre le stringeva la mano. A questi sontuosissimi pranzi di Beverly Hills-Bel Air Holmby Hills ai quali Billy veniva invitata come « donna extra », l'« uomo extra » invitato a sederle vicino a tavola era un omosessuale oppure un tizio che faceva la sanguisuga di professione e cenava fuori ogni sera soltanto in virtù del fatto di non essere sposato e appena appena presentabile. Il raro uomo presente, appena divorziato, portava sempre la propria partner con sé, e si trattava di solito di una donna che aveva vent'anni meno di lui. Billy, in ogni caso, sapeva benissimo di essere diventata troppo famosa come « faccia », troppo oggetto di pettegolezzi, per poter iniziare e mandare avanti una relazione anonima anche nel caso che ci fosse stato un uomo disponibile.

Più importante per Billy di tutti questi deterrenti, era l'assoluto bisogno che provava di difendersi dalla speculazione che sarebbe inevitabilmente seguita a qualsiasi relazione avesse avuto con un uomo. Era la signora Ikehorn, la moglie di Ellis Ikehorn, e bastava questo a renderla invulnerabile, indipendentemente dalla solitudine in cui capiva di trovarsi.

L'unica compagnia regolare maschile di Billy erano i tre uomini, tutti infermieri diplomati, che si occupavano di Ellis. Spesso invitava quei due che non erano di servizio a cenare con lei, e si divertiva alla loro compagnia gentile e piacevole. Erano omosessuali tutti e tre, e frequentavano i bar « gay » di Los Angeles e di San Fernando Valley.

Quando si resero conto del bisogno che Billy aveva della loro compagnia, persero buona parte del loro riserbo e riuscirono a farla ridere chiamando l'ala degli ospiti dove alloggiavano « La città dei ragazzi » e raccontandole le loro avventure, senza mai dimenticare la discrezione e il buon gusto. I millecinquecento dollari al mese, mantenimento a parte più l'uso di un'automobile, che si guadagnavano con il proprio lavoro, erano un ottimo stipendio davvero, tutti e tre badavano bene a non far niente che potesse metterlo in pericolo, lasciandosi andare a una familiarità eccessiva.

Billy non si accorse di quanto contasse sulla presenza del terzetto fino al giorno in cui due di loro le annunciarono che dovevano andarsene. Jim, che veniva da Miami, doveva tornare a casa per ragioni di famiglia. Harry, un arguto occidentale, era diventato il suo amante negli ultimi mesi e ammise francamente con Billy di sentirsi troppo legato a Jim per lasciarlo partire da solo.

« Siamo molto spiacenti tutti e due, signora Ikehorn », le dissero cercando di rassicurarla, « però a Los Angeles c'è un'eccellente agenzia di collocamento per infermieri. Non avrà difficoltà a sostituirci. Niente paura. »

« Oh, Harry, non è questo il punto... siete stati con noi fin dal principio. Il signor Ikehorn sentirà la vostra mancanza. »

« Signora, sarebbe successo ugualmente presto o tardi, noi ci spostiamo da un lavoro all'altro, altrimenti ci si impigrisce dopo un po', se non si cambia. Non dico così per offenderla, è il miglior lavoro che abbia mai avuto. »

Billy ebbe un mese davanti a sé prima della partenza di Jim e Harry per intervistare nuovi candidati a quell'incarico. Ricevette quindici uomini prima di trovare i due che fossero adatti sia per un ottimo addestramento sia per la personalità che ispirasse simpatia. Il primo, John Francis Cassidy, soprannominato Jake, aveva l'espressione buffa e furba di un monello da strada e i colori degli irlandesi bruni, con la pelle soda e bianca e due occhi azzurri imperturbabili. Il secondo infermiere, Ashby Smith, era nato e cresciuto in Georgia. Portava i capelli rossi un po' lunghi e nella sua voce morbida c'era una sfumatura di meticolosità e di orgoglio che si armonizzavano piacevolmente con la figura alta e snella e le mani lunghe e aggraziate. Erano stati infermieri, tutti e due, durante la guerra e Billy sospettava, senza esserne del tutto sicura, che nessuno dei due fosse un omosessuale.

Passarono i mesi, una primavera insolitamente calda calò sulla California meridionale e Billy si accorse di sprofondare sempre di più nella depressione. Ogni giorno doveva sforzarsi di vestirsi e andare in macchina alla lezione di tennis o a quella di ginnastica perché, se fosse rimasta a casa, sapeva che non sarebbe riuscita a dormire di notte. Quando diventò troppo caldo per rincorrere una palla da tennis sotto il solleone, si dedicò a lunghe nuotate nella grande piscina, cercando di stancarsi; ma anche quando nuotava tanto da sentirsi i muscoli che le tremavano per la fatica e lo sforzo, era costretta a prendere quasi sempre una pastiglia di sonnifero, qualche volta anche due, prima di riuscire ad addormentarsi. Trovò che l'alcool facilitava questo processo, anche se sapeva come fosse pericoloso. Non si permetteva più di un piccolo bicchiere da vino pieno di vodka calda. Senza ghiaccio, sembrava una medicina, e Billy la buttava giù in un sol colpo: il sapore sgradevole smorzava un po' il gusto del piacere proibito che seguiva.

Billy finì per trascorrere un numero di ore sempre maggiore nel padiglione adibito a spogliatoio, vicino alla piscina. Lì l'arredatore scelto da Lindy, si era abbandonato a tutto quello che non aveva avuto il permesso di fare nella villa. Si trattava di una grande costruzione con un ampio locale centrale, che avrebbe dovuto essere usato per ricevere gli ospiti e come stanza di soggiorno; da esso si staccavano due ali dove si trovavano gli spogliatoi e le docce per uomo e donna. Girando gli occhi per il padiglione lussuosamente arredato, quasi con toni voluttuosi, Billy si domandò depressa se l'arredatore avesse avuto in mente che lei avrebbe dato molti ricevimenti in piscina. C'erano tre soffici divani, quadrati, di tre metri per tre ciascuno, rivestiti di tessuto di spugna pesante rossa; il pavimento era a piastrelle con un disegno marocchino in diverse sfumature rosso cupo, verdi e bianche. Grandi, soffici cuscini, di spugna anch'essi, in svariate sfumature di rosso cupo, si ammucchiavano un po' ovunque. Il soffitto a cupola era stato dipinto ad arabeschi stilizzati, e tende di perline producevano un suono fluido, bisbigliante non appena qualcuno le spostava per passare. In un angolo c'era il bar, che era stato via via ricoperto dai libri che Billy portava sempre con sé. La costruzione sulla piscina era diventata il suo posto preferito per la lettura in quanto era così isolato, privato, solitario; lì, per ore e ore di seguito, poteva dimenticare la casa sulla collina e tutti i suoi occupanti. Nessuno, neppure i giardinieri, avevano il permesso di lavorare nelle vicinanze del padiglione dalla metà della mattinata in poi.

Una sera di quella afosa primavera, Billy si trovò a cenare sola con Jake Cassidy. Morris, l'unico infermiere rimasto dai primi tempi, era di servizio e Ash era uscito con la sua macchina. Billy non aveva appetito, però si sforzò ugualmente di mangiucchiare qualche pezzetto di avocado e di insalata di polpa di gamberi. Ogni volta che portava la forchetta nel piatto scorgeva i peli neri sulla pelle bianca sotto il polsino di Jake. Era quasi ipnotizzata dal movimento dei suoi polsi forti. Sentiva un senso di pesantezza piena di avidità, un dolore sordo che le cominciava a farsi acuto in mezzo alle gambe. Abbassò le palpebre sugli occhi scuri in modo che Jake non potesse vederli, non potesse supporre che lei stava immaginando quanto dovevano essere folti e ispidi i peli sul suo pube; che stava domandandosi fino a che punto del ventre gli salivano.

« Jake », domandò Billy in tono falsamente indifferente, « perché non ti servi mai della piscina? »

« Non voglio disturbare le sue ore di solitudine, signora Ikehorn. »

« Molto gentile da parte tua, però è un peccato non sfruttarla. Vieni giù domani a fare una nuotata... non mi darai fastidio. »

« Ehi, grazie! Ne approfitterò di sicuro, se è il mio pomeriggio di libertà. »

Billy sorrise. Lo sarebbe stato di certo. Se ne sarebbe assicurata subito dopo cena.

Billy era sdraiata su uno dei divani rossi, coperta soltanto da un ampio asciugamano soffice, con un grande cuscino morbido sotto la testa. Il padiglione che dava sulla piscina era avvolto nella penombra: vi penetrava soltanto un riflesso aranciato del sole che splendeva fuori con qualche occasionale bagliore di luce che rimandava, scintillante, la superficie dell'acqua. Teneva gli occhi semichiusi nella luce morbida e a un certo punto sospirò profondamente per l'impazienza quasi insopportabile che provava. Finalmente sentì il fruscio delle tende di perline mentre entrava Jake Cassidy, il quale portava soltanto un paio di calzoncini da atleta di nailon sottile. Si arrestò di botto, quando la vide distesa, con i capelli neri sciolti e spettinati in un modo che non aveva mai visto, con le lunghe gambe abbronzate allargate con disinvoltura sul tessuto di spugna rossa.

« Fa quasi troppo caldo per nuotare, vero? » mormorò Billy.

« Be'... farò un tuffo soltanto... »

« No. No, non lo farai. Non ancora. Vieni qui, Jake. »

Lui si mosse con un po' di esitazione verso di lei e si fermò vicino al divano.

« Siediti, Jake. Qui... proprio qui... c'è tanto spazio. » Il giovanotto si appoggiò imbarazzato sull'orlo del divano che Billy gli aveva indicato. Lei allungò un braccio, gli prese la mano e lo attirò verso di sé.

« Muoviti un pochino, Jake. Vieni verso di me. Non sei abbastanza vicino. »

Questa volta ubbidì con prontezza, mentre cominciava a capire qualche cosa. Billy afferrò la sua grossa mano e la guidò sotto la spugna che la ricopriva. Jake trattenne il fiato mentre Billy gliela faceva scivolare lungo il suo corpo fino a raggiungere la vagina. La sua clitoride, già gonfia, sporgeva dai peli del pube. Billy gli prese il dito medio e lo fece appoggiare sulla carne umida e ardente, facendolo scivolare avanti e indietro sul punto preciso dal quale si irradiava il piacere nel suo corpo eccitato. Lui seguì subito il ritmo. Billy buttava via l'asciugamano di spugna e si lasciava guardare, magnifica nella sua nudità. Jake si chinò a succhiarle avidamente i capezzoli bruni. Tutto il corpo di Billy si inarcò verso l'alto in un impeto di desiderio mentre rispondeva a quel dito autoritario, alla mano dura dell'uomo,

alla bocca calda dell'uomo. Oh, che differenza quando era
la carne di un altro a toccarla! Dopo un minuto contemplò
il proprio corpo in tutta la sua lunghezza mentre Jake continuava ad avventarsi sempre più frenetico contro i suoi seni. La punta del suo pene imprigionato dai calzoncini puntava contro la cordicella che glieli teneva allacciati sui
fianchi. Billy gliela slacciò, trattenendo il fiato, e guardò il
grosso pene, duro e roseo contro il candore della pelle del
ventre e il ciuffo scuro di peli.

« Mettimelo dentro », ordinò.

« Un momento... voglio... »

« Adesso! »

Jake si mise a cavalcioni sul suo corpo, inginocchian-
dosi sul divano. Billy prese il pene rigido nelle mani e se lo
fece scivolare dentro centimetro per centimetro, prolun-
gando il godimento finché lui si lasciò sfuggire un gemito
di frustrazione. Finalmente, quando fu completamente dentro di lei lo sentì spingere e cercare di penetrare ancora di
più a fondo.

« Aspetta, Jake », gli bisbigliò sulle labbra, « ho una bella cosa da insegnarti... ti piacerà... » Gli appoggiò le mani sui
fianchi e lo staccò da sé quasi completamente, poi, con len-
tezza, piegò di nuovo gli avambracci in modo da farlo rientrare nella vagina. Ripeté questa manovra varie volte e l'ultima volta lo spinse talmente lontano da sé che il pene uscì
completamente. Allora lo prese fra le mani e lo fece striscia-
re lentamente per tutta la lunghezza della parte inferiore contro la sua clitoride e più verso l'ombelico, poi lo sospinse
di nuovo fino all'entrata della vagina. Lui intuì subito quello che Billy voleva che facesse e continuò a sfregarlo su e
giù, su e giù contro il ventre di Billy, senza mai perdere il
contatto con la clitoride tumescente che Billy ormai vedeva
nella sua fantasia come un frutto maturo, rosso cupo.

« Guardalo, guardalo », mormorò lui. Billy non riusciva
a staccare gli occhi da quel pene stupendo, luccicante, sul
quale le vene spiccavano in rilievo. La punta era diventata
grossa il doppio mentre era stata dentro di lei e adesso Billy
si lasciò sfuggire un gemito per il bisogno tormentoso di sen-
tirselo dentro di nuovo.

« No, adesso no », sussurrò lui. « Non così in fretta...
lo volevi così... e ce l'avrai, va bene, l'avrai bello e duro...
l'avrai tutto... non preoccuparti... guardalo... guardalo... ecco
quello che avrai... tutto quello che puoi ricevere... adesso! »
E si tirò indietro per penetrarla poi brutalmente, meravigliosamente, fino in fondo, mentre Billy raggiungeva l'orgasmo
in un susseguirsi di fremiti violenti, incontrollati, che la
squassavano tutta.

Restarono distesi sul divano per lunghi attimi, aspettando senza parlare che il pene di Jake, ancora un po' teso
dentro di lei, si afflosciasse. Billy sentì uno sgocciolio caldo
di sperma fra le gambe e non riuscì a spiegarsi come avesse fatto a restare senza questa cosa, questa realtà palpitante,
appiccicosa, sudaticcia.

Quella sera Billy cenò nel suo salotto, ordinando al
maggiordomo di lasciarle tutto sul tavolino senza servirla.

« Lasci pure tutto qui, John », disse. « Sono un po' stanca. Per favore, dica che non voglio essere disturbata. »

Non toccò cibo. Mentre con una parte del cervello era
concentrata sui ricordi del pomeriggio, mentre la sua vagina pulsava involontariamente a quel pensiero, perfino mentre giocherellava distrattamente con il viluppo dei peli del
pube sotto la leggera vestaglia, rimuginava ansiosamente sulle ripercussioni dell'incidente. Lo avrebbe detto agli altri?
Se ne sarebbe vantato? Avrebbe tentato di ricattarla? E se
la cosa fosse diventata di dominio pubblico? Che cosa pensava di lei? Non che importasse, rifletté scuotendo la testa
per un secondo a quel rimasuglio di puritanesimo. Ma lei,
che cosa ne sapeva lei di Jake? Fino a che punto poteva fidarsi di lui? Billy non aveva la risposta a nessuna di queste
domande, né c'era qualcuno a cui potesse farle. L'unica cosa di cui era certa in tutto questo era che doveva avere
Jake Cassidy ancora. Dentro di lei. Fino in fondo. Presto.

Abbandonò quasi completamente le sue gite a Beverly
Hills limitandosi ad andare solo dal parrucchiere, e rifiutò
tutti gli appuntamenti per uscire a pranzo. Aveva paura di
cambiare l'orario degli infermieri in modo che Jake potesse

avere tutti i pomeriggi liberi, per non insospettire gli altri.

Dopo quel primo pomeriggio, Jake le si rivolse in pubblico esattamente come aveva sempre fatto. Non ci fu un lampo nei suoi occhi, non un'occhiata allusiva a indicare che si ricordava di quello che era successo fra loro. Era rispettoso e meticoloso nel suo lavoro come di solito. E i sensi di Billy, che erano all'erta, le confermarono che nessuno sospettava di niente. E avrebbero continuato a non sospettare nulla, fintanto che lei non si fosse tradita.

L'erotismo di Billy si concentrò totalmente su quello che avveniva, in segreto e illecitamente, nel padiglione della piscina. Niente di tutto quello che accadeva là dentro contava nel mondo reale, eppure niente di quello che esisteva nel mondo reale aveva importanza se veniva messo a confronto con quello che avveniva nel padiglione.

In principio, quando aveva cominciato a passare il pomeriggio con Jake Cassidy, Billy si era stupita per il modo, che le sembrava anormale, con cui l'infermiere riusciva a realizzare una separazione completa delle ore che passava insieme a lei con tutte le altre in cui si trovavano inevitabilmente in contatto durante la giornata. Poi si accorse che anche lei desiderava che fosse così, non soltanto perché era meno pericoloso ma anche perché non voleva conoscere Jake meglio di quanto lo conoscesse. E la questione non era che Billy lo volesse tenere deliberatamente fuori dal suo cuore ma piuttosto che lui non era riuscito, fondamentalmente, a suscitare qualcosa in quel cuore, un cuore intransigente che si rifiutava con energia di confondere la sensualità con il sentimento. Billy ricordava troppo bene cos'era stato l'amore. Jake non aveva niente a che fare con l'amore. E lei, Billy, poteva vivere senza amore, se ci si fosse trovata costretta. Non aveva scelta.

Dan Dorman considerò Billy con occhio inquisitore. Dalla sua ultima visita doveva aver trovato il modo di risolvere la sua vita sessuale, con qualcuno e in qualche posto: era pronto a scommetterci la testa. Aveva quell'aria luminosa che non le vedeva più da quando Ellis si era ammalato. Buon per lei. Era ora che si decidesse.

« Hai un bell'aspetto, Billy. Mi metterei anch'io a giocare a tennis se non fossi convinto di morire sul campo la prima volta che ci scendo, alla mia età! »

« Nuoto, Dan, non tennis. Adesso nuoto per quasi un chilometro e mezzo al giorno, è un magnifico esercizio. Ma perché non dovresti farlo anche tu? Basterebbe cominciare con poche bracciate al giorno. »

« A New York? Di' piuttosto che potrei fare un po' di piegamenti. E adesso, senti: a proposito del tuo progetto di portare Ellis di nuovo a Palm Springs quest'inverno, be' non sono sicuro che sia proprio necessario. Quest'anno non servirebbe a cambiare le cose per lui, a meno che andarci non possa essere un divertimento per te, naturalmente. »

« No, buon Dio! È un paradiso geriatrico, Dan. Perfino le persone giovani sembrano vecchie e rinsecchite in quel posto! E la nostra casa non è comoda e confortevole come questa... anzi, vorrei venderla. »

« E il jet... hai intenzione di tenerlo? »

« Sicuro. Sono certa che a Ellis fa ancora piacere andare a Silverado e vale la pena di tenere quell'aeroplano anche se lo adoperiamo soltanto un paio di volte all'anno: con gli infermieri e tutto il resto, è come partire per un safari ogni volta che ci muoviamo. In ogni modo, il capo cantiniere a Silverado mi ammazzerebbe se non ci facessimo vedere per la vendemmia, quest'anno. Hai un'idea di quanti barbatelli di vite ha dovuto sradicare per far posto alla pista di atterraggio? Ma dimmi una cosa, Dan: perché non cambierebbero molto le cose se Ellis non andasse a Palm Springs quest'anno? »

« È molto più distaccato dalla realtà, Billy. Probabilmente tu non te ne accorgi come me, perché stai sempre con lui, ma, ogni mese che passa il suo interesse per la vita diminuisce e se ne distacca sempre di più ogni volta che lo vedo. »

« L'ho notato anch'io questo fatto, Dan... questo suo... enorme... distacco. Avevo paura che fosse colpa mia, che non facessi qualcosa nel modo più giusto. »

226

« Non pensare mai più una cosa simile, Billy. È circondato di tutte le cure possibili e immaginabili. Tu non puoi sopperire a quello che succede nell'interno del cervello di una persona quando si rompe un piccolo vaso sanguigno. Fai già quello che puoi. Quanti anni hai, adesso, Billy? Quasi trenta? Non è una gran vita, questa, per te! »

« Oh, me la cavo, Dan, me la cavo. »

Mentre i pomeriggi di Billy nel padiglione che dava sulla piscina continuavano, la giovane donna si accorse di un ulteriore cambiamento che era avvenuto in lei. Non aveva mai immaginato di poter diventare così aggressiva con un uomo. Eccetto che per le due uniche volte in cui aveva preso l'iniziativa, quella volta in cui aveva attraversato il corridoio dell'albergo alle Barbados per andare da Ellis e adesso con Jake, era sempre stata convinta che dovesse essere l'uomo a proporre qualcosa alla donna, a mostrare il suo desiderio, a eccitare la femmina passiva e al tempo stesso seducente. Adesso assaporava fino in fondo il brivido di eccitazione che le procurava il piacere fresco e quasi tormentoso di essere lei quella che cercava, che chiedeva, che esplorava, che esauriva. Quando Jake arrivava al padiglione della piscina, lei era sempre lì, avida di lui. Al principio dell'autunno, quando lui cominciò ad arrivare prima con una mezz'ora e poi con un'ora di ritardo, Billy scoprì che l'attesa e l'incertezza erano più insidiosamente penose che se avesse saputo che Jake non sarebbe arrivato del tutto. L'infermiere aveva sempre una scusa plausibile, ma Billy non ci credeva. Cominciò ad avere il sospetto che all'uomo facesse piacere il potere che gli dava il fatto di saperla là in piscina, eccitata fin quasi al parossismo, trasformata in una prigioniera volontaria, totalmente concentrata sulla sensazione liberatoria e animalesca che solo lui poteva darle. Billy lo aveva voluto e preso. Adesso Jake stava cercando di capovolgere la situazione. Ne fu sicura il pomeriggio in cui non si fece vedere del tutto, spiegandole in seguito che si era semplicemente addormentato al sole. Sconvolta da una furia impotente, inorridita e umiliata di sentirsi sempre più nelle spire del bisogno e dell'ossessione che provava, incapace di trovare un'altra soluzione, Billy gli portò lo stipendio a mille dollari al mese.

Un lunedì mattina, dopo un weekend durante il quale Jake era stato via, lo incontrò mentre stava passando davanti alla porta della sua camera e lo afferrò per il polso. Lo trascinò dentro la camera, chiuse a chiave la porta gli aprì la lampo dei pantaloni, gli cercò con gesti frenetici il pene e glielo fece diventare duro ed eretto con le proprie mani. Poi gli si strofinò contro finché raggiunse l'orgasmo, senza neppure togliersi la camicia da notte, appoggiata a Jake contro il muro, ansanti come una coppia di adolescenti. Un'altra volta in cui Jake era stato di servizio nel pomeriggio, lo trattenne dopo la cena e lo condusse in uno dei bagni che servivano per gli ospiti, al primo piano della grande villa. Si strappò convulsamente il collant e le mutandine, sedette sul coperchio del water e lo obbligò a inginocchiarsi, attirandogli la testa fra le gambe allargate, avvicinandogli con la forza la vagina umida e dolente alle labbra. Lui le fece avere un orgasmo rapido ed esasperato con la lingua, ma Billy si accorse che non era abbastanza e non la soddisfaceva del tutto. Lo costrinse a mettersi in piedi davanti a lei e, sempre seduta, gli prese in bocca il pene e glielo succhiò con la sensazione che tutto il mondo fosse ridotto a quella protuberanza di carne alla quale si era attaccata con tanta sete, con un desiderio talmente esasperante. Quando lui sgusciò fuori dalla porta, Billy dopo essersi richiusa dentro a chiave rimase seduta nel bagno, per quasi un'ora, sconcertata e non completamente soddisfatta. Si accorgeva di cominciare a perdere il controllo. L'incidente nella sua camera da letto, o anche la loro sparizione contemporanea di quella sera, potevano essere stati osservati da qualcuno dei domestici che andavano e venivano per la casa.

Al principio di novembre, da un giorno all'altro, il tempo cambiò. La lunga, tiepida primavera, l'estate e l'autunno erano definitivamente finiti. La California del sud era stata colpita da un inverno insolitamente piovoso, un inverno che, in qualsiasi altro posto, avrebbe potuto essere considerato semplicemente come un autunno deludente per la troppa pioggia ma qui, con la temperatura che oscillava sui dieci gradi, i lunghi pomeriggi nel padiglione non riscaldato vicino alla piscina, in fondo a un viale di alberi con le foglie gocciolanti di acqua, diventavano automaticamente impossibili. Billy si rese conto che, fino al ritorno della primavera, magari fino ad aprile, a quasi sei mesi di distanza, avrebbe dovuto trovare un'altra sistemazione per la sua vita segreta.

Passò un lungo pomeriggio, attenta e pensierosa, a girare per la grande fortezza sulla collina, vagando per le tante camere vuote e soppesandone i pro e i contro; erano tutti locali che Lindy non si era data la pena di arredare nuovamente perché non servivano. Qualcuna di quelle camere poteva essere sorvegliata da un'altra parte della casa, altre ancora non le piacevano perché dalle loro finestre poteva vedere l'ala in cui si trovava la suite delle sue stanze e di quelle di Ellis, che le facevano pensare istintivamente alla funzione che avevano, quella di una casa di cura privata. Però, alla fine, in cima a una lunga scala in disuso, che conduceva a una delle torrette, scoprì un locale a forma ottagonale che avrebbe potuto essere costruito solo per il bizzarro aspetto che aveva dall'esterno del castello perché era evidente che non era mai stato usato. Si sporse da una delle finestre strette e lunghe e si sentì spettinare i capelli da una fresca brezza. Le nuvole gonfie di pioggia che gravavano su Bel Air sembravano quasi sfiorare quell'alta stanza e le venne in mente Rapunzel, la principessa tenuta prigioniera in una torre. Questa nuova Rapunzel che era lei, Billy, pensò, stava per scegliersi un hobby. Che cosa avrebbe potuto fare? Schizzi a penna, acquarelli o dipinti a olio? E se invece avesse scelto i pastelli? Non aveva molta importanza. La cosa importante della sua arte era un'altra, doveva richiedere lunghe ore di solitudine nello studio, ore durante le quali nessuno avrebbe dovuto meravigliarsi del fatto che era impossibile comunicare con lei.

Nel giro di qualche giorno, il nuovo studio di Billy venne completamente arredato. Per prima cosa fece una rapida incursione da Gucci, dove aveva adocchiato poco tempo prima una coperta di volpe argentata, col bordo di seta, che doveva essere larga almeno quattro metri quadrati. Poi piombò alla May Company, dove uno sbalordito commesso, abituato a clienti che misuravano, esitavano, facevano confronti, riuscì a malapena a compilare i moduli per le ordinazioni mentre, nel giro di mezz'ora, Billy comperò un divano che era un pezzo unico da esposizione, del designer più originale di Milano e aveva dato varie preoccupazioni all'esperto che l'aveva acquistato perché era troppo costoso e troppo imponente per adattarsi a una stanza di dimensioni normali; un bel tappeto orientale antico che, nell'opinione del venditore, era troppo raro per essere usato altrimenti che come un arazzo da appendere al muro, e parecchie lampade dalla forma stravagante che, non lo disse a Billy, davano solo una luce molto blanda.

La puntata successiva di Billy fu Sam Flax, un negozio di articoli per artisti, dove il commesso ebbe l'esilarante esperienza di vendere l'attrezzatura completa per dipingere, per un valore di quasi duemila dollari, a una signora che sembrava più interessata ai pennelli di martora che a tutto il resto di quello che stava acquistando. Sarebbe rimasto ancora più meravigliato e perplesso se avesse visto la fatica con la quale Billy, il giorno dopo, si accinse a montare quel cavalletto nuovo che non era certo un attrezzo familiare per lei. Quando finalmente ci riuscì, andò a prendere una delle tele che aveva comprato, ve l'appoggiò sopra con cura e vi tracciò una striscia rossa irregolare con un pastello. Poi scrisse a lettere grosse e chiare su una pagina dell'album: « Studio. Lavoro in corso. Non disturbare per nessun motivo ». Attaccò il foglio fuori della porta, che poteva essere chiusa a chiave dall'interno e, finalmente soddisfatta, portò tutti i pennelli di martora nel suo spogliatoio dove potevano esserle comodi per le sopracciglia.

Durante il tempo che occorse per arredare lo studio, Billy notò che, malgrado il cambiamento del tempo, Jake continuava a comportarsi nel solito modo imperturbabile e riservato in pubblico. In principio, Billy aveva pensato di non dirgli niente dello studio per fargli una sorpresa ma, adesso, l'istinto la persuase a tenere il segreto.

Quando finalmente l'arredamento fu completato, una sera raggiunse Jake e Ash a cena indossando un abito di lamé d'argento lungo fino ai piedi, bordato di visone nero; aveva i capelli sciolti sulle spalle e una pesante collana di smeraldi a *cabochon*, perle barocche e rubini che le sottolineava il collo perfetto. Studiò spassionatamente Jake seduto di fronte a lei e questi le rivolse uno dei suoi soliti sorrisi spavaldi, ma impersonali. D'un tratto Billy scoprì che quell'uomo non solo era inutile ma anche pericoloso. Non gli aveva mai perdonato tutte le volte che l'aveva fatta aspettare no, non glielo avrebbe mai perdonato per tutto il resto dei suoi giorni.

Arrivò alla decisione che Josh Hillman, il suo avvocato, avrebbe potuto sistemare la faccenda di Jake subito, il giorno dopo. No, era meglio occuparsene personalmente. Josh non avrebbe mai capito il perché della grossa somma, assolutamente inappropriata, che Jake avrebbe ricevuto al momento della sua improvvisa partenza. Quella, e poche parole ben scelte avrebbero sistemato ogni cosa a dovere.

Billy guardò Ash in fondo alla tavola: Ash con la sua dolce voce del Sud e le dita lunghe e sottili. Ash che tremava quando Billy gli stava troppo vicino. Ash che la seguiva con occhi languidi ogni volta che credeva di non essere osservato, lo snello, galante Ashby. Che aspetto avrebbe avuto nudo?

« Ash », domandò, « l'arte ti interessa? »

« Sì, signora Ikehorn, mi ha sempre interessato. »

Billy sorrise lievemente, guardandolo dritto negli occhi. « Non mi stupisce affatto. Chissà perché avevo immaginato che dovesse essere così. »

7

TwIGGY, Verushka, Penelope Tree, Lauren Hutton, Marisa Berenson, Jean Shrimpton, Susan Blakely, Margàux Hemingway: Harriet Toppingham le aveva adocchiate subito, non appena erano comparse sulla scena. Qualche volta arrivava troppo tardi e le nuove ragazze si identificavano talmente con un' altra rivista o un particolare rotocalco che non voleva o non poteva più servirsene. La concorrenza fra i redattori di moda per trovare la prossima nuova bellezza prima che ci arrivasse un'altra rivista è enorme. In genere, devono basarsi sulle soffiate da parte delle loro spie all'interno delle agenzie di collocamento delle modelle, oppure sui loro fotografi preferiti. Naturalmente Spider portò a Harriet le foto di prova che aveva preso a Melanie non appena ebbe finito di svilupparle e di ingrandirle.

Gli occhietti opachi, marrone, di Harriet si strinsero impercettibilmente, mentre esaminava gli ingrandimenti. Si sentì salire dalle viscere la brama del possesso. Ecco da dove nascevano le sue emozioni, dalla possibilità di metter le mani sulle cose illusorie, di impadronirsi di ciò che era raro e speciale.

« Bene. Uhm. Sì, davvero. »

« È tutto quello che dici, Harriet? » domandò Spider, quasi in collera.

« È di una bellezza strabiliante, Spider. Era questo che volevi sentirmi dire? Bella in un modo strabiliante, inumano. »

« Mio Dio, a sentirti sembra che sia venuta fuori da qualcosa come *Bonnie e Clyde*. »

« Niente affatto, Spider. Dico semplicemente che questa non è una faccia che possiamo dimenticare. Intimidisce un po', non trovi? No? Be', tu sei giovane. »

« Harriet, queste sono idiozie. Non hai mai avuto paura di nessuno, tu, da quando sei nata! Ammettilo. »

« Non ammetto niente. » Gli soffiò un po' di fumo in faccia. Naturale che dovesse avere quella ragazza. Una grande modella deve essere unica. Le ragazze solamente belle finiscono per assomigliarsi tutte, ma questo era un volto assolutamente diverso. Possedeva qualcosa di speciale, che richiamava l'attenzione, qualcosa che non si poteva definire. Infine continuò: « La prenoto per le prossime due settimane e le farò indossare per le fotografie la parte più importante della collezione di autunno. Farà anche la copertina ». Teneva la voce deliberatamente inespressiva, senza esaltarsi né esilararsi, ma si sentiva il cuore gonfio per l'eccitazione. Il senso del potere le scatenava un'ondata di calore intenso.

« Farò piazza pulita », disse Spider felice. « Posso finire tutto quello che ho in sospeso. »

« Oh? Davvero? » Harriet parte vagamente sorpresa, un tantino imbarazzata.

« Harriet! Harriet! L'ho trovata io! Lo darai a me il lavoro? » A Spider non era neanche passato per il cervello che potesse usare Melanie senza servirsi di lui.

Le labbra rosse di Harriet si curvarono in un sottile sorriso rosso, come se si permettesse un piccolo divertimento. Attese, pensosa, spegnendo meticolosamente la sigaretta in un massiccio portacenere di giada prima di parlare.

« Tu sei bravo, Spider. Non lo nego. Ma molto nuovo, senza grandi prove alle tue spalle. Che cosa hai fatto per noi finora? Reggiseni? Scarpe? Pigiama per bambini? Ricordati, il numero di settembre è il più importante dell'anno per noi. Non posso assolutamente permettermi di fare uno sbaglio. » Prese un'altra sigaretta dalla scatola di bronzo in stile Impero e l'accese accuratamente con l'aria di una persona che ha concluso quell'argomento.

Spider inghiottì la rabbia e cercò di parlare con calma.

233

« Non correresti un rischio, Harriet. Mi rendo conto che, per il semplice fatto che ho portato Melanie da te per prima invece di andare a far vedere le sue fotografie a *Vogue* o a *Bazaar*, questo non vuol dire che l'incarico devi offrirlo a me. Vuoi adoperare Melanie? È tutta tua. Però non credo che esista nessun altro con il quale lavorerà bene come con me. È inesperta, non ha mai posato prima d'ora. Non lo sapevi questo, vero? Non risulta da queste fotografie, ma io gliele ho prese vestita com'era quando è venuta da me, senza trucco e senza una pettinatura particolare. Fidati di me, Harriet. Io sono pronto per questo lavoro. Più che pronto. »

Harriet alzò gli occhi al soffitto guardandolo con aria incerta e cominciò a picchiettare le dita sulla scrivania, riflettendo. Il lavoro di Spider aveva già sollevato più chiacchiere e commenti di quelli che poteva aver suscitato qualsiasi altro nuovo fotografo da anni. Se lei se lo fosse fatto scappare dalle mani, qualcun altro se lo sarebbe acchiappato in un attimo.

« Bene, bisognerà che ci pensi... no... forse... in fondo, Spider, ripensandoci, correrò questo rischio. Ti farò tentare. »

Mai, prima d'allora, in tutta la sua vita, Spider aveva saputo che cosa volesse dire trovarsi a dipendere interamente da qualcuno. Il sollievo che gli davano le parole di Harriet non era ancora stato assaporato fino in fondo. Tremava dalla rabbia e dallo stupore, messo di fronte all'ingiusto piacere che doveva provare Harriet nel fargli balenare davanti al naso l'esca.

« Grazie. » Spider le lanciò un'occhiata troppo complessa perché Harriet, malgrado tutta la sua astuzia, riuscisse a interpretarla: era un'occhiata di sprezzo, di offesa, di disgusto misto a gratitudine con un pizzico di eccitamento particolare e segreto. Ma non di paura. Questo lo capì subito. Spider raccolse le fotografie e uscì in silenzio dal suo ufficio. Harriet continuò a fumare pensierosa. Quel ragazzo aveva ancora un sacco di cose da imparare.

Mentre Spider preparava le fotografie del numero di settembre, il suo studio dovette ospitare una vera e propria folla di persone ognuna delle quali cercava il modo di lasciare impressa la propria presenza durante lo svolgimento del lavoro. Harriet e i suoi due assistenti dominavano la scena e, con loro, la redattrice che si occupava degli accessori, quella che si occupava delle scarpe e le loro assistenti; poi c'era l'assistente di Spider, un ragazzo brillante che veniva da Yale, appena assunto, il quale non lasciava mai il suo fianco. Poi c'era un flusso e riflusso di gente sempre diversa che arrivava dagli studi dei vari stilisti portando sul braccio preziosi modelli originali. Uomini di David Webb e di Cartier portavano scatole di gioielli chiesti in prestito e non li perdevano d'occhio fino al momento in cui potevano riprenderseli e portarli via di nuovo. Nello spogliatoio, un famoso parrucchiere e i suoi aiutanti lavoravano d'accordo con un'esperta di trucco e la sua aiutante, non soltanto per Melanie ma anche per una serie di indossatrici di sesso maschile che erano stati chiamati a posare con lei. Il direttore artistico di *Fashion and Interiors* entrava, osservava per un certo tempo, borbottando fra sé, e poi se ne andava per ripresentarsi un'ora dopo.

Spider lavorava in una specie di trance che lo elettrizzava. Per quello che lo riguardava, nello studio non c'era nessuno all'infuori di Melanie, delle macchine fotografiche e dell'ombra del suo assistente.

Melanie era tanto calma e padrona di sé quanto lui era concentrato. Mentre la vestivano o la spogliavano, le applicavano il rossetto, la pettinavano e le dicevano come doveva tenere la testa, muoversi o sorridere, il bocciolo stretto e chiuso di una gigantesca domanda cominciava ad aprirsi, allargando i suoi petali nell'intimo del suo essere; sembrava che si risvegliasse in lei qualche sottile percezione, una percezione che era, in se stessa, un'altra domanda, non una risposta. Trovò straordinariamente facili le lunghe ore di posa, malgrado la sua inesperienza. Le sembrava una cosa molto naturale da fare, la cosa più giusta. Più pretendevano da lei, più dava, e più si sentiva felice.

Alla fine di ogni giorno Harriet e il direttore artistico, firmata una tregua temporanea, si trovavano a fianco a fianco a controllare le minuscole diapositive da 35 mm che proiettavano su una parete bianca. Non si volevano dare reciprocamente la soddisfazione di mostrare la propria approvazione e, senza motivi validi per lamentarsi, preferivano tacere. Ma sapevano, dopo anni di esperienza, che un buon numero di quelle diapositive si sarebbero trasformate nelle più straordinariamente raffinate e perfette foto di moda che avessero mai pubblicato. Veri e propri « classici ».

Durante l'ultima parte della primavera e i pochi mesi di quella breve estate che seguì, la carriera di Melanie ebbe una pausa anche se continuava a essere ugualmente animata. Fino alla comparsa del numero di settembre, che era messo in vendita verso la fine di agosto, Harriet le aveva consigliato di non fare lavori commerciali in modo che, quando fosse apparsa all'improvviso sulla scena della moda, la sua faccia sarebbe stata assolutamente nuova. Durante tutta l'estate tenne impegnata Melanie per vari servizi dei numeri successivi di *Fashion* così che Melanie non era mai disponibile per nessun'altra rivista, dato che, press'a poco, facevano tutte le foto di moda negli stessi giorni.

Melanie accettò tutti i consigli di Harriet senza far domande ed evitò l'ufficio della agenzia Ford, tenendo i contatti con loro solo per telefono. L'istinto le diceva che Harriet, più di qualsiasi altra persona che avesse mai conosciuto, poteva avere la risposta per quella sua domanda ancora informe, poteva dirle cos'era quello che voleva sapere. Era affascinata dalle fotografie che Spider le aveva preso. Passava ore e ore a studiarle, con curiosità sottile. Qualche volta, quando era sola, metteva di fianco alla propria faccia gli ingrandimenti a grandezza naturale di quello stesso volto e si contemplava a lungo nello specchio. Le fotografie le dicevano cose che non sapeva ancora sul suo aspetto e sul suo modo in cui appariva alle altre persone, ma non placavano ancora quella sete avida che c'era in lei e che chiedeva disperatamente una risposta. Le fotografie di Spider, che la mostravano come gli appariva, le rivelavano al tempo stesso un mistero che non faceva che accrescere la sua perplessità. Forse se avesse potuto farsi fotografare da un altro fotografo, pensò... ma Harriet giocava le sue carte in segreto, senza farla vedere a nessuno e voleva che Melanie non lavorasse con nessun altro, eccetto che con Spider, fino a settembre.

« Tesoro, Melanie tesoro, non hai mai parlato di te. » Erano seduti al tavolo di cucina nella soffitta di Spider, e stavano mangiando panini ripieni di carne fredda, formaggio e verdura.

« Spider, sei terribilmente carino con me, ma ti trovo la persona più inquisitiva che abbia mai incontrato. Ti ho raccontato tutto quello che c'è da raccontare. Cosa vuoi di più? »

« Gesù santo, quello che mi hai detto è il minimo: sembra l'inizio di una bella favola. Papà ricco, stupenda madre che fa vita di società, niente fratelli e sorelle, genitori ancora pazzamente innamorati, invidiati da tutta Louisville. Quanto a te, un'infanzia perfetta e un anno e mezzo alla scuola Sophie Newcomb prima che tu riuscissi a convincere un paparino che stravede per te di lasciarti venire a tentare la sorte a New York. Fine della storia. Come puoi dire che è tutto quello che c'è da sapere? »

« Che cosa c'è di male ad aver avuto un'infanzia perfetta? »

« Niente. Solo che non capisco i rapporti umani che esistono fra i personaggi della tua storia. Tutti sono bellissimi e adorabili e ogni cosa è maledettamente carina e facile. Non riesco a sentirne il sapore, non c'è nerbo, è tutto troppo splendido e semplice per essere vero. »

« Be'... è stato proprio così. Ti giuro, Spider, in tutta sincerità, che non capisco quello che vuoi da me. Mi sembra che anche tu abbia vissuto degli anni molto belli quand'eri bambino... e allora, che cosa c'è di diverso? A sentirti si direbbe che ti nascondo qualche cosa. Ti farebbe contento una descrizione del primo ballo al quale sono andata quand'ero alla scuola superiore? Una storia barbara, piena di orrore. » Melanie non perdeva la pazienza. Era abituata alla gente che voleva scavarle dentro, indagare e scoprire.

Spider la contemplò, indignato e rapito. Lei non sembrava neppure immaginare lontanamente come lo faceva impazzire. Era irraggiungibile, dannatamente elusiva e sfuggente, per lui era come essere innamorato della più bella sordomuta del mondo. Eppure, la cosa più diabolica era questa: quanto meno Melanie dava, tanto più lui voleva, quanto più lei evitava di rispondere direttamente alle sue domande per mezzo di pacati dinieghi, tanto più lui si convinceva che gli rifiutasse qualcosa, quasi una chiave particolare che doveva assolutamente conoscere.

Prima di innamorarsi, Spider, per pigrizia e per gentilezza d'animo, era sempre stato disposto ad ascoltare le infinite confessioni della sua donna del momento a proposito della sua psiche, della sua coscienza interiore, dei traumi della infanzia, della mancanza di comprensione dei genitori, perfino di quello che prevedeva per lei l'oroscopo. E a tutte loro non aveva mai dato, di se stesso, più di quel che avesse promesso; ma, adesso, proprio questa volta che desiderava disperatamente capire l'anima di qualcuno e offrirle la parte più intima di se stesso, la ragazza era afflitta da una specie di languidezza svenevole che non mancava però di cocciutaggine. Provava una gran voglia di prenderla nelle sue braccia, stringerla a sé, avvolgerla strettamente dentro di sé, sentirla parlare dei suoi desideri, delle sue speranze, dei timori più segreti, delle ambizioni più folli, dei sentimenti più meschini e ignobili, dei giorni più tristi, dei difetti più sciocchi. Tutto.

Perfino mentre facevano l'amore aveva la sensazione che non fosse completamente presente lì, con lui e per lui. Avevano fatto l'amore per la prima volta il giorno successivo a quello in cui avevano concluso la serie delle fotografie per il numero di settembre. Melanie non era più vergine, ma avrebbe potuto esserlo a considerare la fatica che fece Spider per convincerla ad andare a letto con lui. Infine, forse perché era più facile dire di sì piuttosto che no, aveva lasciato che la accompagnasse, pazzo d'amore e di desiderio, nel suo appartamento. Spider era sempre stato abituato a donne che lo desideravano, che erano eccitate quanto lui, che gli rendevano facili le cose, buttandosi sul letto piene di voglia di lui e del suo corpo. Melanie faceva l'amore con una fragilità incredibile. Rispose alle sue carezze e ai suoi baci come una bambina che si lasciava coccolare. E prolungava queste carezze preliminari, costringendolo a baciarle le labbra e i capezzoli finché cominciò a pensare che non l'avrebbe mai lasciato andare oltre. Finalmente, con aria triste e quasi delusa, gli permise di penetrarla. Poi lo incalzò con quella che Spider credette fosse passione, accorgendosi troppo tardi che Melanie desiderava che lui ottenesse la sua soddisfazione il più in fretta possibile.

« Ma tu non ci sei arrivata, tesoro mio, per piacere lascia che... ci sono tante cose che posso... »

« Spider, no, è perfetto così. Sono contenta, non ho bisogno di venire, non mi capita quasi mai. Però abbracciami e baciami e coccolami ancora un po', fa' come se fossi la tua bambina piccola piccola... è quello che mi piace di più. » Ma anche in quei lunghi, dolci momenti Spider la sentiva chiudersi in se stessa, rifiutando una relazione spirituale intima, dirigendo la sua attenzione su qualcosa che era lontano da loro due, anche se sul letto erano avvinti così strettamente che pareva impossibile che non si sentissero una cosa unica. Invece, non lo erano.

Dopo quella prima volta, lui adoperò tutte le sue arti per portarla all'orgasmo, come se quella potesse essere la chiave adatta ad aprire la porta fra loro. Qualche volta Melanie aveva un piccolo spasimo fuggevole, ma Spider non seppe mai che quello non era altro che il prodotto di una delle fantasie sessuali ricorrenti della ragazza. Nel suo cervello, Melanie si vedeva fra le braccia di un amante sconosciuto che faceva l'amore con lei mentre, tutt'intorno al letto basso sul quale erano distesi, c'era un cerchio di uomini che la guardavano bramosi, uomini con i pantaloni slacciati e il pene che diventava sempre più grosso e più rigido man mano che il suo amante la palpava e la preparava, uomini completamente concentrati sulle sue reazioni sotto le mani abili dell'amante. Questi uomini con il pene così grosso che dovevano sentirlo dolente e sul punto di scoppiare, stavano girando un film di quello che vedevano. Se si concentrava abbastanza intensamente sul loro eccitamento e sulla loro frustrazione, Melanie riusciva a ottenere l'orgasmo.

Naturalmente, nel mondo della moda, si era chiacchierato parecchio sul modo in cui Harriet Toppingham aveva risolto il problema del sesso. Erano stati molti quelli che avevano pensato che fosse lesbica, ma senza averne mai le prove; questo fatto, oltre la sua atroce bruttezza, la vita solitaria che conduceva, il suo immenso prestigio avevano prodotto l'impressione generale che fosse una creatura neutra, interessata soltanto al proprio lavoro.

In realtà, chi si era preso la briga di avere le prove, aveva guardato nei posti sbagliati, quelli più ovvi cercando la liaison fra Harriet e una bella donna giovane.

Non avevano mai avuto il modo di sapere che Harriet faceva parte del più segreto di tutti i maggiori sottogruppi sessuali, una rete internazionale di lesbiche di mezza età, dominatrici, donne fra i trenta e i sessant'anni, donne che avevano una posizione elevata per l'autorità e la reputazione, che si conoscevano tutte o erano al corrente della vita delle altre, sìa che vivessero a New York o a Londra, Parigi o Los Angeles. Tra queste donne andavano incluse attrici dalla fama leggendaria, famose agenti letterarie, brillanti capitane d'industria e arredatrici, registe teatrali di successo, pubblicitarie di altissimo rango e artiste in ogni campo. Si tratta di un gruppo basato su rapporti elastici ma che offrono un robusto sostegno qualora sia necessario, e il cui comportamento non balza all'occhio con la stessa facilità con cui si riconoscono gli omosessuali di sesso maschile che abbiano una posizione analoga e non meno importante negli stessi campi. Molte di loro sono state sposate per anni, alcune sono madri e nonne devote e affettuose. Se non si è mai vista una di queste donne senza la maschera, può capitare di conoscerla da vent'anni e non avere neanche il più lieve sospetto sulle sue più forti predisposizioni sessuali.

Proprio allo scopo fondamentale di proteggersi, queste donne tengono severamente separata la loro vita di lesbiche da quella di lavoro. Le loro compagne sono spesso donne che assomigliano a loro, sullo stesso piano di potere. Qualche volta possono anche essere ragazze giovani anonime trovate nei bar frequentati dalle lesbiche, ma questi sono un genere di « agganci » sempre pericolosi. Il loro modo di agire e di comportarsi è circondato dalla stessa tacita protezione che si usava offrire a un Presidente con un'amante o a un membro del Congresso con un debole per l'alcool. Naturalmente, c'è qualcuno che è al corrente di queste predilezioni, e si tratta anche di persone importanti e bene informate, ma in genere le loro vengono considerate faccende che non devono diventare di dominio pubblico. Il fatto di essere una lesbica, a qualsiasi livello, alto o basso, della società, costituisce ancora un marchio d'infamia molto più grave di quanto non lo sia l'omosessualità maschile e la grande maggioranza delle donne lesbiche che hanno una posizione famosa nella vita sono fermamente decise a non svelarsi.

Harriet, fin da quando aveva cominciato a lavorare come assistente della redattrice di moda che si occupava delle scarpe, si era sempre imposta la regola di non aver mai niente a che fare con una modella neppure se la modella fosse anche lei una lesbica che aspirava al successo. Dai venti ai trent'anni le sue esperienze sessuali erano state fatte sempre con donne fra i trenta e i quaranta e gradualmente, man mano che invecchiava, era stata accettata nella rete di relazioni internazionali. Quando Harriet aveva visto per la prima volta le fotografie di Melanie, era legata a un'importante copywriter di Madison Avenue, di un paio d'anni maggiore di lei. La loro relazione era di vecchia data, comoda, priva di grande passione, eppure serviva allo scopo. Le persone che sono convinte che uomini e donne « neutri » non abbiano una vita sessuale, sbagliano quasi sempre.

Adesso, dopo anni e anni di ferreo autocontrollo, Harriet si accorse che gli occhi pieni di remota magia e il corpo delicato di Melanie occupavano senza posa i suoi sogni e le sue fantasie, quando dormiva e quando era sveglia. In passato si era innamorata per brevi periodi di tempo di qualche modella ma non aveva mai neppure abbozzato il minimo gesto verso di loro, non le aveva mai osservate con attenzione sufficiente da scoprire se c'era qualche elemento in loro che avrebbe potuto interpretare come un segno di interesse verso di lei. Era un rischio troppo grosso. Adesso restò a guardare la relazione che si stava sviluppando fra Spider e la ragazza e scoprì, quasi nello stesso momento in cui questo fatto si verificò, quando lui ne diventò l'amante. Era abituata a fare la spettatrice di queste storie d'amore etero-sessuali e coltivava una gelida indifferenza verso di esse; questa volta, invece, ne provò una certa pena. Si trattava, in modo inequivocabile, di gelosia e Harriet, che era una donna tanto orgogliosa quanto dura, non riuscì a capire che cosa fosse peggio, se la gelosia o la constatazione di essere tanto debole da provarla. Per tutta la primavera e l'estate li osservò: Spider, che la felicità rendeva esaltato e sempre più pieno di talento, e Melanie, la quale pareva che volesse dedicare solo a lui quei sorrisi dignitosi, freddi, squisiti, già di per sé un mezzo invito.

Sempre la prima sera del weekend del 4 luglio, Jacob Lace, editore di *Fashion and Interiors* e di altre sei riviste analoghe, un vero e proprio impero, dava un ricevimento. Non era soltanto una dimostrazione di potere, nel mondo della moda un invito a quel ricevimento costituiva la conferma di una patente di nobiltà. Harriet ci andava sempre, abbandonando per quella occasione la sua abituale politica di evitare i rapporti di società con la stessa gente con cui aveva una relazione di lavoro. Quell'anno Spider era stato invitato in seguito al lavoro continuo che aveva fatto per *Fashion* e, naturalmente, ci portò Melanie.

Lace abitava nella contea Fairfield, in una proprietà di venticinque acri di prati e boschi, non lontano dal Fairfield Hunt Club. La sua casa era stata costruita nel 1730 e restaurata con passione oltre che ingrandita, con il passare degli anni. La sera della festa molte migliaia di minuscole luci bianche palpitavano su tutti i grandi alberi centenari e trasformavano ogni boschetto in uno scenario da *Sogno di una notte di mezza estate*. Al ricevimento arrivarono anche invitati in aeroplano da Dallas, Huston, Chicago, Bel Air e le Hawaii. Le padrone di casa maledicevano l'editore perché dovevano organizzare le loro feste per il 4 luglio in modo da non farle coincidere con la sua per non trovarsi senza gli ospiti chiave, quelli la cui presenza era motivo d'attrazione per gli altri. Non c'erano fotografi presenti a far fotografie per le pagine dedicate alla vita mondana, non c'erano giornalisti che buttassero giù qualche appunto. Si trattava di un ricevimento strettamente privato per l'élite già consacrata e per la futura élite del mondo della moda, del teatro, della danza, della pubblicità, delle ricerche di mercato, dell'editoria e dei creatori di modelli.

L'astuta consorte di Jacob Lace aveva risolto da tempo il problema di quello che doveva offrire a centinaia di invitati limitandosi a ciò che chiamava « cibi tradizionali americani »: hamburger, salsicce calde, pizza e gelati di trenta gusti diversi. In questo, che era l'anno del bicentenario, erano più appropriati che mai. Per restare all'altezza della sua tradizione del « tutto americano », aveva fatto allestire quattro fornitissimi bar, sotto altrettante tende a strisce rosse, bianche e blu, sul prato e vicino alla piscina.

A Harriet Toppingham piaceva bere. Non beveva mai durante le ore di lavoro, ma ogni sera, non appena raggiungeva il rifugio del suo appartamento, si versava subito un doppio bourbon con ghiaccio e un altro e magari un altro ancora prima di sedersi davanti a una cena che consumava molto tardi ed era servita dalla sua silenziosa cuoca. Non le piaceva il vino e non beveva mai a pranzo o dopo cena perché l'alcool poteva diminuire la sua efficienza sul lavoro, ma quei bourbon prima di cena erano un'abitudine che aveva ormai da vent'anni e più. Aveva paura di bere con persone che non facessero parte della sua ristretta cerchia di amicizie perché sapeva che l'alcool la eccitava un po' e alterava qualcosa nel suo modo di comportarsi. Quando era sola o con altre donne del suo genere, non importava, d'altra parte sembrava che non se ne fosse mai accorta nessuna, ma era convinta che fosse più saggio non correre rischi in presenza d'altri.

Andò al ricevimento di Lace da sola, in una macchina chiusa guidata dall'autista. Come quasi tutti i newyorkesi, Harriet non possedeva un'automobile. Di solito si faceva accompagnare da uno fra i molti uomini che conosceva per ragioni di lavoro, ben contenti di farle da cavaliere; ma quell'anno non sembrava che ce ne fosse nessuno che le andasse talmente a genio da onorarlo dell'invito di accompagnarla. Harriet, che conosceva quasi tutte le persone presenti alla festa, venne salutata come una pari da pochissimi e come una diva da tutti gli altri. Si muoveva scintillante da un gruppo all'altro, chiusa in un vestito di satin di Schiaparelli rosa shocking e nero, ornato di una pesante treccia d'oro che si poteva trovare solo in un museo. Stava girellando con un bicchiere d'acqua tonica in mano quando adocchiò Spider e Melanie che camminavano soli, tenendosi per mano, guardandosi intorno affascinati. Spider, con la sua abbronzatura e i capelli d'oro, aveva l'aria splendida di un vincitore di decathlon al momento del trionfo. Sia lui sia Melanie erano vestiti di bianco e la gente si voltava a guardarli.

Appena la videro, si affrettarono ad andarle incontro per salutarla. Il piacere di Melanie era sincero nel vedere una faccia nota in mezzo a quella folla di sconosciuti che la impressionavano con la loro celebrità. Chiacchierarono insieme per qualche minuto, un po' imbarazzati nel ritrovarsi in quell'ambiente così diverso da quello abituale di lavoro, in cui si erano sempre incontrati. Poi Spider, che non riusciva mai a star fermo a lungo nello stesso posto, insistette per accompagnare Melanie a vedere le scuderie che erano l'hobby di Lace. Mentre li osservava allontanarsi, Harriet domandò al cameriere più vicino un bourbon col ghiaccio. Un'ora dopo, quando si ritrovarono vicino al padiglione della piscina, Harriet aveva bevuto altri due bourbon e si era mangiata un cono di gelato.

« Spider, lascia Melanie con me per un po' », era un comando il suo, non una proposta. « Voglio presentarla a certe persone che, secondo me, dovrebbe conoscere e che non riusciranno mai a scambiare due parole con lei se continui a tenerla sequestrata in questo modo. Vai a chiacchierare con qualcuna di quelle che hai piantato, Spider; buon Dio qui ce n'è abbastanza da riempire un bordello! »

Melanie lo guardò con aria supplichevole.

« Mi fanno male i piedi, Spider, e credo di aver bevuto troppo champagne. Sarà meglio che me ne stia qui tranquilla con Harriet. Tu vai pure a divertirti, mi sentirò subito meglio. »

244

Spider girò sui tacchi e si allontanò.

« È arrabbiato, secondo te? » domandò Harriet. Le due donne entrarono nel padiglione della piscina e sedettero in un angolo, su un divano di vimini con i cuscini di tela da vela. Melanie si tolse le scarpe e sospirò di sollievo.

« Francamente, Harriet, non me ne importa niente. Non sono una cosa sua anche se ho capito che gli piacerebbe che fosse così. È un tesoro, proprio un tesoro, e gli sono tanto grata, però ci sono dei limiti... limiti... limiti. »

« Credevo che tu e Spider foste innamorati pazzamente o sbaglio? » Harriet non aveva mai fatto a Melanie una domanda personale e si aspettava che la ragazza le rispondesse nel solito modo impersonale.

« Dove diavolo hai preso quest'idea? » Melanie era rimasta così sconvolta da questa domanda che uscì dal suo solito atteggiamento passivo. « Non sono mai stata innamorata pazza, oltretutto è un'espressione che odio, e non credo che lo sarò mai, non voglio neanche esserlo! Se avessi concesso una parte di me a tutti quelli che la vogliono a quest'ora non sarebbe rimasto più niente di Melanie. Non posso semplicemente dire "Sì, ti amo anch'io" soltanto perché c'è qualcuno che prova questo sentimento per me. »

« Con tutto ciò... vivete insieme, e oggigiorno si suppone che questo significhi che c'è qualche cosa di più della semplice gratitudine. »

« Non è vero! Non viviamo insieme. Non ho mai passato una notte intera a casa di Spider e non gli ho mai permesso di toccarmi quando siamo a casa mia. In questo ho idee molto precise, Harriet, insisto per avere la mia vita privata. Santo cielo, terribile... orribile... pensare che tu possa aver creduto che vivessimo insieme... che cosa banale! Può darsi che a New York lo facciano tutti, ma non è nel mio stile. Mi vergogno tanto... se l'hai pensato tu, lo devono pensare anche tutti gli altri. » Gli occhi di Melanie erano pieni di lagrime di indignazione. Si era sollevata dai cuscini mentre parlava e adesso si sporgeva verso la donna più anziana di lei. Harriet intuiva confusamente che era pericoloso, molto pericoloso, ma non si tirò indietro. Abbracciò la ragazza, la tirò vicino a sé, la strinse al petto. Sfiorò delicatamente i capelli di Melanie con le labbra, con tanta cautela affinché Melanie non si accorgesse di quella carezza.

« Non ci credo, non ci ho mai creduto. Nessuno ci crede. Va bene, bambina, va bene così, va tutto bene. » Per un lungo momento rimasero strette in quell'abbraccio: Melanie grata e confortata e assolutamente priva di qualsiasi sospetto. Poi Harriet capì che doveva staccarla da sé prima di mettersi a baciare la pelle ardente della ragazza. Mentre alzava la testa dai capelli di Melanie, vide Spider che si ritirava di scatto dalla porta: gli si leggeva in faccia quello che aveva intuito.

Il giorno dopo era un sabato, l'inizio di un weekend che per molte aziende si sarebbe prolungato per tre giorni. Harriet Toppingham entrò negli uffici deserti di *Fashion* con la sua chiave personale e si incamminò rapida per i corridoi che conducevano al suo ufficio. Qui si impadronì del numero di settembre della rivista, una delle tre copie che erano arrivate in bozza dalla tipografia per le correzioni, e frugò nell'archivio in modo da trovare tutte le fotografie che erano state fatte a Melanie per i numeri successivi. Invase senza complimenti lo studio del direttore artistico e trovò qualche prova di impaginazione in cui era ripresa Melanie per i numeri di ottobre e di novembre e li aggiunse al bottino precedente. Infine tornò di corsa a casa e fece una telefonata personale a Wells Cope a Beverly Hills.

Wells Cope era considerato il produttore più fortunato dell'industria cinematografica. Fino a sei mesi prima aveva diretto l'intera produzione di uno degli studi più importanti. Durante il suo incarico, che era durato tre anni, lo studio aveva ottenuto cinque grandi successi di cassetta oltre la solita media inevitabile di fallimenti e di uscite in pareggio. Tuttavia gli introiti lordi dei film di successo che, per caso, erano tutti progetti speciali di Cope, erano serviti a rilanciare i guadagni dello studio nonché le sue azioni che erano salite al di sopra di tutte quelle della concorrenza. A questo punto Cope aveva deciso che, se voleva mettere insieme un po' di soldi per se stesso, era venuto il momento di

246

andarsene poiché la possibilità di sopravvivenza del capo della produzione di uno studio è molto meno sicura di quanto potrebbe essere quella di un killer della mafia.

Con l'assistenza di una squadra di legali e di professionisti di prim'ordine, studiò una proposta che gli avrebbe consentito di diventare un produttore indipendente, con la possibilità però di avvalersi dello studio per il finanziamento dei propri progetti personali e, al tempo stesso, di ottenere una partecipazione agli utili molto maggiore di quanto avesse avuto in passato. Un affare che era un bocconcino da re, come l'aveva definito la gente piena di invidia.

« Wells, sono Harriet. Come te la passi in questo magnifico weekend? »

« In tutta franchezza, cara, me ne sto nascosto. Nessuno sa che sono in città. Non ho avuto la forza di trascinarmi fino a Malibu per l'ennesima festa sulla spiaggia con i fuochi artificiali; ci sono troppe ex mogli che girano da quelle parti. Sono a letto con dei toast e con venticinque copioni e non ce n'è uno che io abbia particolarmente voglia di leggere. Questi dannati, lunghi weekend non vanno bene per gli americani... al diavolo il tempo libero. »

« Sono perfettamente d'accordo con te... è un'oscenità. Senti, c'era qualche cosa di cui volevo parlarti. Affari. Stavo pensando di venire in aereo oggi nel pomeriggio e di ripartire lunedì. Saresti libero per un po'? »

« Non sono libero... sono entusiasta. Grazie a Dio c'è ancora al mondo qualcuno che pensa agli affari in questo weekend. Faremo un'orgia. Chiamo Bob al *Negoziante di vino* e gli dirò di mandarci qualche terrina di uova di storione fresche e ordinerò al mio chef di fare il pesce al forno. Non ho dimenticato che è il tuo piatto preferito. Harriet, sei una vera manna! »

Wells Cope, che indossava un maglione, pataloni di twill beige chiaro, scarpe da sera scollate di velluto nero ricamato in oro, era seduto in compagnia di Harriet sul-

247

l'ampio e morbido divano di velluto grigio del suo grande soggiorno. Le fotografie di Melanie erano sparse sul tavolino e qualcuna posata sul tappeto da dodicimila dollari.

Cope lanciò a Harriet un'occhiata inquisitrice attraverso le lenti azzurrine degli occhiali.

« È irreale. Maledettamente irreale. Trasuda fascino da ogni poro. Non credevo che esistessero ancora ragazze di questo genere. È come una di quelle grandi dive degli anni Trenta. Però continuo a non capire, Harriet. Questo numero non uscirà ancora per un mese e mezzo. Non hai paura che qualcuno te la possa soffiare, almeno fino a quella data? Perché vieni a farmi vedere queste fotografie adesso? Potresti impegnarla a lavorare solo per te almeno per i sèi mesi successivi, se tu volessi... o piuttosto, se Eileen Ford te lo permetterà. »

« Perché so benissimo che le daranno tutti la caccia e, inevitabilmente, l'uno o l'altro riuscirà a prendersela. Sono rassegnata a perderla e so già che, presto o tardi, dovrò cederla a un'altra rivista, ma voglio essere io a decidere a chi deve toccare. Ha molta fiducia nei miei consigli e sono convinta che tu saresti la cosa migliore per lei. O, piuttosto, proviamo a vedere le cose da questo punto di vista: preferisco fare un favore a qualcuno invece di venir sbattuta fuori da questa faccenda. »

« E io resterò in debito verso di te? »

« Resterai in debito verso di me », ammise lei. « Probabilmente non verrò mai a ritirare quel che mi è dovuto, però mi fa piacere sapere che è tutto qui, che mi aspetta. Tu farai onore ai tuoi impegni, mentre la maggior parte delle persone non lo farebbe... »

« D'accordo. » Si stava domandando a che cosa mirasse la vecchia lesbica. Si comportava come una fottuta madre nobile da palcoscenico. Non era assolutamente lo stile di Harriet, quello. Ma, del resto, cosa importava? Purché ottenesse la ragazza...

« Immagino che sia assurdo chiedere se sa recitare? »

« Questo sta a me saperlo e a te scoprirlo », rispose Harriet.

« Ne ho tutte le intenzioni. La settimana prossima. Potresti telefonarle a nome mio e combinare in modo da farla venire qui in aereo il più presto possibile? »

« No, Wells, di questo devi occuparti tu stesso. Raccontale quello che vuoi, ma non fare il mio nome. Ti darò il numero del suo telefono di casa... di' che l'hai saputo dai tuoi informatori, so che riuscirai a pensare a qualcosa. Non voglio che nessuno sappia che ti ho fatto vedere queste fotografie. Mi prenderò tutti i meriti al momento opportuno. Questo dev'essere categorico, Wells. Non sono mai stata tanto seria. Non mi faresti un bel servizio se, al giornale, venissero a saperlo. »

« Harriet, capisco perfettamente. Ti posso dare tutte le assicurazioni che vuoi. » Non capiva niente, ma sapeva che, col tempo, avrebbe capito ogni cosa. Comunque, Wells Cope non aveva fatto carriera a Hollywood tradendo la fiducia altrui. La segretezza era uno dei suoi pregi migliori.

Harriet tornò in volo a New York il martedì. Wells l'aveva persuasa a rimanere un giorno in più per tenergli compagnia durante la breve vacanza nel suo rifugio segreto. Era una delle poche case al mondo in cui si può arrivare ad avere la nausea *pâté de foie gras*, uova di storione *malossol, canard à l'orange*, vini squisiti e visioni private di film bloccati dalla censura. Harriet si sentiva piacevolmente viziata, coccolata, e ansiosa di tornare al lavoro.

Il mercoledì mattina Harriet fece otto telefonate, due delle quali erano dirette a donne che considerava le più importanti redattrici di moda dell'intera città, oltre a se stessa, e le altre sei ai direttori artistici di grandi agenzie di pubblicità. Fissò una serie di appuntamenti per pranzare con loro durante i pochi giorni che rimanevano di quella settimana e per la settimana seguente.

Molto prima dell'ultimo di questi pranzi, Spider era finito, dal punto di vista professionale.

« Ma, Harriet, tutti dicono che è il tuo nuovo ragazzo con i capelli biondi. »

« Nessuno riuscirà mai a sapere che cosa ho passato con lui, Dennis. Il talento non basta a scusare tutto il resto. È semplicemente incapace di arrivare in tempo, deve avere qualche cosa di psichico che glielo impedisce. Ci ha lasciato sempre ad aspettarlo nello studio per due ore come minimo prima di degnarsi finalmente di comparire. Per una buona metà di questi appuntamenti, le modelle non hanno potuto aspettare perché avevano altri impegni. E le ripetizioni delle riprese! Si contavano sulle dita di un mano le fotografie che non hanno dovuto essere ripetute non una sola volta ma due addirittura! »

« Cristo, ma come hai fatto a sopportarlo? »

« Perché se riesci a superare tutto questo, è veramente buono. Ma adesso devo ridurre le perdite. Puoi immaginare che cosa mi è costato. E non è tutto qui. Ho chiuso un occhio pur sapendo che si scopava le modelle nello spogliatoio, però adesso mi accorgo che il suo ultimo lavoro non si può assolutamente adoperare. È semplicemente brutto. Dovremo fotografare di nuovo tutto il numero di novembre con un altro fotografo. Tutta colpa mia, a voler bene guardare. Quando imparerò a non offrire qualche possibilità ai ragazzini senza esperienza? Ma basta. Lasciamo stare queste storie orripilanti, Dennis. Mi spiace di essere venuta a piangere sulla tua spalla, ma è uno dei peggiori esperimenti che mi siano capitati in tutti questi anni. »

« Davvero, Spider, non riesco a capire perché sei così sconvolto. » La dolce voce glaciale di Melanie non rivelava nessuna stizza, solo una specie di lamentoso stupore. « Non riesco ancora a capire esattamente come abbia fatto Wells Cope a sentir parlare di me, però ho fatto un controllo con il suo ufficio sulla West Coast e non c'è alcun dubbio sul fatto che è tutto perfettamente regolare. Vuole soltanto che io vada da lui a fare un provino. Hanno spiegato che si tratterebbe solo di quindici giorni, non vado via per sempre e, in ogni modo, la faccenda mi sembra abbastanza eccitante. Ti comporti come se fosse uno che fa la tratta delle bianche e invece è uno dei più grandi registi di Hollywood. Oh, Spider, lo so che possiamo scommetterci uno contro un milione che non ne verrà fuori niente, ma mi pagheranno tutte le spese e ho voglia di vedere la California. Perché sei così pessimista? »

« Mah, e se tu non tornassi indietro dalla Casbah? Non hai mai sentito parlare di quelle persone che sono andate a Hollywood per quindici giorni e non sono più tornate? »

« Sciocco. » La paura di Spider e il bisogno assoluto che aveva di lei erano stati paurosamente messi a nudo in quel maldestro tentativo di scherzarci sopra. Niente avrebbe potuto dare a Melanie una maggiore sicurezza e farla decidere ancora di più a partire. Per prima cosa, Spider aveva cominciato a fare certe insinuazioni assolutamente ridicole su Harriet, che invece aveva solo cercato di consolarla: allusioni sinistre e pazzesche. Era stata proprio contenta di non averle neanche volute ascoltare; e adesso stava tentando addirittura di impedirle di fare un provino. In principio, mentre stavano facendo le fotografie per il numero di settembre, aveva creduto che Spider fosse l'uomo più eccitante e imprevedibile che avesse mai incontrato, così sicuro del suo talento, così bravo ad aiutarla perché diventasse quello che non aveva mai saputo di poter diventare. Negli ultimi tempi, però, stava cominciando a essere sempre più uguale agli altri, pretendeva troppo, pretendeva più di quello che lei intendesse dare. Per il semplice fatto che gli aveva permesso di fare l'amore con lei, si era andata a cacciare in una situazione sbagliata, nella quale Spider credeva di avere determinati diritti. Diritti!

Spider la sollevò improvvisamente dalla seggiola e la distese con dolcezza sul letto. « Amore mio, mio piccolo amore, lascia che sia il tuo schiavo... solo quello che vuoi, tesoro, solo quello che vuoi. » Tremava addirittura, senza vergognarsi della propria passione. Melanie, colta di sorpresa, si rese conto che non sarebbe stato facile sfuggirgli. Spider sapeva che avrebbe preso il primo aereo la mattina dopo. La cosa più semplice sembrava quella di lasciarlo fare.

Si distese di nuovo, offrendosi docilmente, mentre lui la spogliava e poi si spogliava completamente con rapidi gesti e il suo elegante corpo da atleta si intravedeva soltanto nella debole luce che illuminava la stanza. Lei non avrebbe fatto niente, pensò, assolutamente niente, sarebbe sempli-

251

cemente rimasta lì distesa e avrebbe lasciato che lui si divertisse come voleva.

Spider si curvò teneramente su di lei, appoggiandosi con tutto il suo peso alle ginocchia e ai gomiti, fissando il suo volto composto, con i grandi occhi sbarrati. Il suo pene forte era già così duro che appariva orizzontale, quasi piatto contro il ventre, mentre si inginocchiava. Melanie non lo guardò. Lentamente, senza toccarle altro che le labbra, le baciò la bocca stupenda, seguendo il contorno con la punta della lingua accuratamente, come se la stesse creando. Poiché non gliele socchiuse, Spider pensò che gli chiedesse, senza parole, di succhiarle i capezzoli. Si tirò indietro, accoccolandosi sui calcagni, poi si sporse in avanti, e raccolse delicatamente, con le mani a coppa, i suoi seni. Rese omaggio a turno a ciascuno di loro, girando intorno al capezzolo con la lingua finché non diventò eretto e poi succhiandolo per lunghi minuti, intento solo a fare quello, mentre il silenzio era rotto soltanto dal rumore delle sue labbra. A un certo momento sussurrò: « Bello? Ti piace? » e Melanie rispose sommessamente: « Uhm ». Dopo un po' Spider avvicinò dolcemente l'uno all'altro i seni di Melanie con le mani in modo che i capezzoli restassero a una distanza solo di pochi centimetri. Tenendoli saldamente, si mise a passare rapido la lingua dall'uno all'altro, ora succhiando, ora solleticandoli, ora mordicchiandoli delicatamente con i denti. I suoi seni cominciarono a essere umidi e rosati e d'un tratto sembrarono più grossi e più pieni: non li aveva mai sentiti così. Spider non aveva sentito sul corpo il tocco delle mani di Melanie: lei aveva le braccia ancora allungate vicino ai fianchi. Gioca a fare la vergine, pensò con tenerezza. Ma dev'essere pronta. Scivolò più in basso sul letto per penetrarla.

« No », sibilò lei. « Hai detto che saresti stato il mio schiavo. Non devi metterlo dentro... te lo proibisco. Assolutamente. Non devi! »

« Allora sai che cosa dovrebbe fare un bravo schiavo, vero? » disse lui con una voce sorda, che faticava a uscirgli dalla bocca, infiammato ed eccitato come si sentiva dalla proibizione di lei. « Quella cosa che non mi hai mai permesso di farti... ecco a che cosa ti serve uno schiavo. »

« Non capisco cosa vuoi dire », rispose Melanie con voce priva di espressione, concedendogli tacitamente il permesso.

Spider le fece scivolare le mani a coppa sotto le natiche. Lei, con gesto rapido e improvviso, intrecciò le mani sui peli del pube ma non protestò. Dopo aver cercato con la lingua, Spider trovò un passaggio fra le sue dita e ve la spinse attraverso, forte e impaziente, finché non riuscì a raggiungere quella lanugine setosa e la pelle ardente. Lei continuò a non dire niente. Con un senso di vittoria, Spider le allargò le ginocchia, poi le afferrò saldamente i polsi, bloccandole le mani lungo i fianchi. Scivolò ancora più giù sul grande letto e si distese bocconi sul pene che pulsava, con la testa appena al di sopra della sua vagina. I peli, impalpabili tanto erano fini, coprivano due grandi labbra deliziosamente bianche e dall'aspetto infantile. Le aggredì i peli del pube con lunghe leccate in modo che si bagnarono. Allora, adoperando solo la punta della lingua, passò e ripassò sulla profonda fessura fra le grandi labbra e quelle interne più pallide, ripiegate misteriosamente in dentro. Infine la sua lingua trovò il solco fra queste due labbra morbide, più interne, e si spinse verso l'alto nella vagina. Inarcò e appuntì la sua lingua in modo che fosse il più salda possibile e ve la affondò profondamente.

« No! Basta... ricordati la promessa... non più di così », ansimò lei cominciando a tentare seriamente di sfuggirgli, divincolandosi. Tenendola sempre prigioniera con le mani, ritirò la lingua e cercò con le labbra la piccola protuberanza della clitoride. Era minuscola, quasi nascosta, ma la succhiò con insistenza quando l'ebbe trovata, fermandosi soltanto di quando in quando per strisciarci sopra lentamente con la lingua prima di ricominciare a succhiarla. Mentre succhiava, si accorse che, senza rendersene conto, aveva cominciato a strofinare ritmicamente il pene, ingrossato e gonfio, contro le lenzuola. D'un tratto la ragazza, che era rimasta in silenzio, cominciò una serie di movimenti verso la sua bocca come se volesse sentirsi prendere in bocca da lui tutta la vagina in un colpo solo. Gliela sospingeva contro la faccia con un abbandono totale, sussurrando: « Non mettere dentro il tuo... fai qualsiasi cosa ma... mantieni la promessa, schiavo ». Mentre succhiava e leccava freneticamente, Spider si dimenticò di se stesso in un modo tanto completo che gli parve che tutto il mondo fosse soltanto quella vagina spalancata che non poteva penetrare, ma alla quale poteva solo dare piacere. D'un tratto Melanie rimase immobile, con tutti i muscoli rigidi. Poi fu scossa da una serie di contrazioni e gridò. Mentre sentiva che Melanie aveva raggiunto l'acme del piacere, Spider si accorse che il suo pene era stato eccitato in modo quasi insopportabile dallo sfregamento contro le lenzuola e sentì lo sperma che spruzzava fuori con una serie di scatti convulsi, sul letto, senza riuscire a trattenerlo neppure per un secondo.

Si abbandonarono esausti, staccandosi l'uno dall'altra man mano che il loro orgasmo si placava. Dopo un minuto Spider, ancora bocconi sul letto, la sentì agitarsi. « Non muoverti, vado solo in bagno. » Scivolò via, mentre Spider restava immobile dev'era, troppo felice e troppo svuotato per guardare dove andava. Finalmente ci è riuscita, pensò, finalmente, finalmente. Ecco che cosa aveva voluto fin dal principio. Che sciocco, timido, represso, il suo tesoro, ad aver paura di fare la cosa che le dava più piacere di tutto. La prossima volta saprò che cosa vuole veramente, e glielo darò, glielo darò... I suoi pensieri si fecero confusi e si appisolò.

Quando si svegliò, Melanie se n'era andata.

« Val, carissima Val, dimmi la verità. Secondo te, sto diventando paranoico? »

Valentine osservò con attenzione Spider. Era rannicchiato, come se avesse freddo, nella sua poltrona più grande. I suoi capelli erano umidi di un sudore nervoso, aveva la pelle grigia, un'espressione carica di tensione e segni profondi intorno agli occhi e agli angoli della bocca.

« Sei un grande sciocco, più sciocco di quanto ti avessi giudicato quando ti ho conosciuto, Elliott », disse sottovoce.

« Huh? »

« Certo che non sei un paranoico. Una sera vedi Harriet Toppingham che cerca di fare l'amore con la tua amichetta. Una settimana dopo la tua amichetta è in California e il tuo nuovo agente ti telefona per dirti che tutte le prenotazioni che aveva per questa settimana sono state disdette non soltanto per *Fashion* ma anche per tre differenti agenzie di pubblicità. E adesso ti viene a raccontare che non hanno richiesto le tue prestazioni per tutta la settimana prossima e che non riesce neanche a ottenere un appuntamento, in nessun posto, per far vedere il tuo materiale. Saresti matto se non avessi tirato le tue conclusioni. »

« Però è maledettamente incredibile. Perché si devono fare queste cose? Che cosa ha creduto che volessi fare, Harriet? Andarlo a raccontare alla gente... magari diffondere la notizia per radio? Che volessi ricattarla o sfidarla a un duello all'alba? Non ha motivo di volermi distruggere! »

« Elliott, qualche volta sei proprio ingenuo. Mi hai raccontato parecchie cose di questa Harriet Toppingham e di come si comporta e ti garantisco, con la mia esperienza che è quella di una ragazza che è cresciuta per la maggior parte della sua vita in un mondo pieno di donne, che è perfida. Ma non te ne accorgi? Non sei capace di metterti al suo posto e di immaginare che cosa deve aver provato nei tuoi confronti una donna come lei quando tu non le hai fatto i soliti salamelecchi e non ti sei comportato da leccaculo come tutti gli altri? » La testolina spettinata di Valentine, con quei capelli di un colore così vivo, si piegava a scatti, con rabbia, per dare maggior enfasi alle sue parole. « Ho conosciuto molte donne che vivono per il potere e so di quali perversità sono capaci quando si sentono minacciate. Tu hai creduto che ti avrebbe trovato simpatico per il solo fatto che era una femmina? Elliott, lo so che sei considerato un uomo piacente e piacevole... ma non per lei. »

« È questo il motivo di quello che è successo, secondo te? Perché è una lesbica? »

« Nient'affatto. Probabilmente sarebbe successo lo stesso, presto o tardi, anche se non ci fosse stata di mezzo Me-

255

lanie. Tu non le hai dato quello che vuole da un uomo, da ogni uomo con i quali ha rapporti di affari. »

« Continuo a non capire che cosa vuoi dire, Val. Io l'ho sempre rispettata... la rispettano tutti... e ho fatto del mio meglio per lei, e lo sa benissimo. »

« Ma avevi paura di lei? »

« No, naturalmente. »

« *Alors*... » Pronunciò questa parola con quel tono conclusivo, un po' strascicato e sospeso, che hanno i francesi quando hanno guadagnato un punto incontestabile che non ha bisogno di prove ulteriori.

« C'è qualcosa d'altro, qualcosa di molto strano nel modo in cui mi ha parlato al telefono Melanie », mormorò lui finalmente, rompendo il silenzio che era caduto fra loro. Era pieno di vergogna e di umiliazione per le sofferenze che provava. « Non dice come vanno le cose effettivamente, solo che sta lavorando sodo, ma sembra molto più distante dei cinquemila chilometri che ci separano. Mi domando se quella vecchia carogna non le ha raccontato qualche sporca bugia... » Si fermò, bloccato da una fuggevole espressione di compassione e incredulità che era comparsa sul visetto caparbio e logico di Valentine. « Tu non credi che il motivo sia quello, vero? Credi che si tratti di qualcosa di diverso. Cosa? Dimmelo! » Non poteva dimenticare l'ultima sera con Melanie, quando si era convinto di aver scoperto il segreto che l'aveva fatta diventare totalmente arrendevole con lui; eppure, quando le parlava al telefono, la ragazza sembrava sempre distaccata e vaga come di solito.

« Elliott, non sono faccende che mi riguardano, quello che c'è fra te e Melanie. Forse si sente un po' oppressa. Perché non apriamo una bottiglia di vino e non riscaldiamo un po' di... »

« Gesù, Val! Smettila di cercare di farmi mangiare qualcosa e dimmi piuttosto, con la massima schiettezza, che cosa ne pensi di Melanie. Capisco sempre quando mi stai raccontando una bugia, quindi non fare la furba. E poi, sono cose che riguardano anche te. Sei la mia sola amica. »

« Oh! E per che cosa sono fatti gli amici? » disse Va-

256

lentine in tono burlesco, prendendo tempo, cercando di trovare le parole giuste.

« Parla », la supplicò lui. « Secondo te, che cosa sta succedendo... Dimmi come vedi tu le cose... non ce l'avrò con te... ma qualcuno deve pur dirmi qualche cosa! »

« Elliott, secondo me, tu non c'entri per niente. Credo che Melanie cerchi qualche cosa che tu non puoi darle. L'ho sempre pensato fin dal primo giorno in cui l'ho conosciuta. Non è una ragazza felice... neanche tu l'hai resa felice. No, non interrompermi. Se qualcuno avesse potuto renderla felice, tu saresti stato quella persona. Ma non è un uomo, quello che lei vuole. E neanche una donna. Non un'altra persona, ma qualcosa di diverso. »

« È evidente che non ti è molto simpatica », disse Spider, cercando di soffocare un'ondata di risentimento.

« Forse si tratta soltanto di quello che dice Colette: "La suprema bellezza non suscita simpatia". »

« Colette! »

Valentine continuò, ignorandolo: « Forse vuole una cosa più semplice, una fantasia tipicamente americana: essere una stella del cinema. Perché ti ha lasciato così bruscamente? Non è stata costretta a disdire gli impegni che aveva già fissato per la settimana successiva? Perché non credi che Melanie abbia esattamente le stesse ambizioni di altri dieci milioni di ragazze americane? È abbastanza bella... »

« Abbastanza! » esclamò lui, fremente.

« Più, molto più che abbastanza. È strano come un millimetro qui, un millimetro là, renda così importante un volto. Pensaci, Elliott. Ha due occhi, un naso, una bocca come chiunque altra. Si tratta soltanto della disposizione che varia di un grado infinitesimale rispetto a quella degli altri, una ben piccola magia che produce una differenza tanto grande. Come deve essere sublime per lei non aver bisogno di mostrarsi affascinante! Ti ha mai fatto ridere? Ti ha amato tanto quanto l'hai amata? Ti ha protetto e riscaldato, ha cercato di impedire che tu soffrissi? » Valentine distolse gli occhi, incapace di affrontare la vuota risposta che gli leggeva in faccia, ma decisa a non trattenersi più dal dirgli quello che pensava da tanto tempo. « Ho visto com'era affascinante per te il

257

suo mistero. Da parte mia, sono del parere che il mistero è sempre grandissimo quando dietro c'è il massimo... vuoto. »

« Cristo! La fottuta, obiettiva francese, che sa sempre tutto. Come fai a sezionare i sentimenti in questo modo? Tu non sei stata mai innamorata... questo è chiaro! »

« Forse sì... e forse no. Non ne sono sicurissima. E adesso, perbacco, mangiamo. Tu puoi lasciarti morire di fame per amore, se vuoi, ma io no! »

Melanie aveva preso alloggio nella casa che Wells Cope teneva a disposizione degli ospiti e aveva lavorato dieci giorni con David Walker, un grande istruttore di arte drammatica, dalla mattina alla sera. Il maggiordomo di Cope la conduceva a casa di Walker, a Hollywood Hills, ogni mattina e tornava a prenderla alle quattro. Le sembrava che fosse tutto così giusto, così stranamente giusto. Forse era pazza, però aveva l'idea di saper recitare almeno un tantino. Non si poteva dire esattamente che David la sommergesse di incoraggiamenti, ma d'altra parte non era stato neppure severo e pieno di critiche come lei si aspettava. E due giorni prima, quando doveva andare a fare il provino, le aveva dato un bacio paterno di buon augurio... secondo Melanie, era una cosa che faceva con tutti.

Alla sera cenava con Wells, sempre a casa sua, un sogno fatto di fiori, quadri, cristalli, argenteria, musica. Non aveva mai conosciuto un altro uomo come lui. Spiritoso, privo di curiosità, contegnoso, pieno di sussiego, intelligente, incredibilmente comprensivo, non pretendeva niente da lei, eppure mostrava di ricavare dalla sua compagnia un particolare piacere, in modo che Melanie sentiva di essere apprezzata nel modo giusto.

In distanza vide il cancello che si apriva e la *Mercedes* di Wells che arrivava. Lui non entrò subito in casa come di solito. Attraversò il giardino, costeggiò la piscina, passò sul prato e venne dov'era lei con un bicchiere in mano e un libro in grembo. Prese il libro e il bicchiere e li depose su un tavolo. Poi l'afferrò per le mani e la tirò su, in piedi. Non ci fu bisogno di chiedere niente, bastava l'espressione della sua faccia. Lo domandò ugualmente, per il puro piacere di farlo.

« So recitare? »

« Certamente. » Era trionfante, trasfigurato.

« E adesso, che cosa succederà? » Una gioia inaspettata, attesa eppure imprevedibile, la colmò improvvisamente, come quella che si prova alla fine delle lunghe doglie del parto.

« Adesso ti inventerò. Non è quello che stavi aspettando? »

« Da tutta la vita. Da tutta la vita! »

Quella sera Wells Cope condusse Melanie a *Ma Maison* per la cena e la presentò a tutte le persone che conosceva. Non spiegò chi lei fosse, però Melanie si accorse che una buona metà della gente che si trovava nel ristorante lanciava lunghe occhiate al loro tavolo non appena credeva di non essere osservata. Poteva sentire la vampa di quelle occhiate avide e cariche di interrogativi che la sfiorava anche se non vedeva i loro occhi. E le dava una immensa soddisfazione.

Dopo cena Wells Cope fece l'amore con lei per la prima volta. Era perfetto, pensò dopo, come un valzer lento. Doveva aver passato un'ora a contemplare il suo corpo nudo, girandolo da una parte all'altra, toccando ed esplorando dappertutto con quelle dita che non pretendevano nulla, come un cieco, perduto in un sogno che non richiedeva nessuna partecipazione da lei eccetto quella del suo prezioso, e vuoto, io. Infine, quando la possedette fu come un prolungamento del sogno, un possesso deliberato, languido, pieno della grazia della carne, senza quell'intensità e quell'urgenza miste a calore e sudore che lei temeva. E la cosa più bella di tutto fu che non volle sapere se aveva avuto l'orgasmo. Perché gli uomini lo domandano sempre? Non era affar loro, dannazione, riguardava soltanto lei! Non aveva raggiunto l'orgasmo, però si sentiva colma di un benessere straordinario, come un gatto al quale è stato lisciato e ancora lisciato il pelo per ore e ore nella direzione giusta.

259

Spider,

per piacere non telefonarmi più. Non risponderò al telefono se lo farai. Non fai che disturbarmi e non voglio essere disturbata. Non so perché, ma non sono mai stata capace di dire certe cose ad alta voce e ottenere che le persone mi credessero, forse riuscirò a convincerti se lo scrivo. Non ti amo e non voglio sposarti. Non torno a New York, resto qui e appena Wells troverà il copione adatto, farò un film.

Perché non vuoi capire quando una cosa è finita? Non l'hai immaginato dal modo in cui ti rispondevo ogni volta che mi chiamavi? Adesso mi rendo conto che non hai cercato altro che di legarmi in catene. Tu volevi ogni pezzettino, ogni briciola e ogni goccia di me, come un cannibale. Non riuscivo quasi a respirare quando ti avevo intorno, durante le ultime settimane eri soffocante. Forse sarà anche bene che tu capisca come non ti resta altra scelta in questa faccenda. Ti ho lasciato per sempre. Sono abbastanza convincente così?

So recitare, Spider. Quest'idea del cinema non è poi tanto « pazza » come hai detto al telefono. Credo che la prima volta che ho capito di saper recitare sia stato quell'ultima sera a casa tua quando hai insistito per fare l'amore anche se io non volevo. Quella volta non ti ho forse convinto che mi era piaciuto? Invece non avevo provato niente. Niente, lo giuro.

MELANIE

John Prince, lo stilista per il quale lavorava Valentine quando Spider ricevette questa lettera da Melanie, era uno dei re della Seventh Avenue. Provava un gran piacere a dire a chi lo intervistava che tutte le persone che lo circondavano nelle sue varie aziende, erano speciali. « È tutta gente brillante », si vantava. « Di tanto in tanto », spiegava poi, « capita di incontrare una persona straordinaria e allora nasce qualcosa di particolare; ecco come faccio a capire chi è la mia gente: puro istinto. »

In realtà la sua troupe di assistenti, come Valentine, veniva scelta unicamente per il talento, la capacità di lavorare sodo e la tecnica. Prince non si limitava a concedere a un produttore di servirsi del suo nome e a incassare poi il guadagno. Se una linea di lenzuola e asciugamani portava la dicitura « By John Prince » significava che aveva approvato personalmente i disegni creati secondo il suo gusto da qualcuno della sua gente. La stessa cosa valeva per i suoi costumi da bagno, le scarpe, gli impermeabili, i gioielli fantasia, le sciarpe e foulard, gli occhiali da sole, le parrucche, le cinture, le pellicce, gli abiti da casa e i profumi. Prince ci teneva troppo a difendere la propria reputazione di stilista per scegliere le persone che dovevano lavorare con lui, fidandosi soltanto dell'istinto.

Però, aveva assunto Valentine « a scatola chiusa » quando aveva visto il talento raro e nuovo, realizzato nei disegni per la collezione Wilton che Spider Elliott gli aveva sottoposto. Quando la ragazza arrivò nel suo ufficio, si rallegrò di vedere che, una volta tanto, aveva trovato qualcuno che era abbastanza brillante per due. Era entrata a passi decisi, con quel ciuffo di capelli dal colore acceso che contrastavano in un modo incredibile con gli occhi verde acqua e la pelle bianchissima. Anche se Valentine metteva sempre tre strati di mascara sulle ciglia per accentuare la qualità « da rue du Faubourg St-Honoré » del proprio aspetto, quel giorno si era anche messa l'ombretto verde per evitare che l'attenzione altrui si soffermasse troppo sul suo corpo. Da quando aveva scoperto la verità su Alan Wilton, aveva perduto quei sette chili di cui avrebbe avuto bisogno estremo e, dal momento che si era vestita all'ultimo minuto, era stata costretta a buttarsi addosso un voluminoso poncho ruggine e arancione sul completo pantaloni che, adesso, le pendeva da tutte le parti.

« Bene, piccina, ho la sensazione che potrei riscaldarmi le mani appoggiandotele addosso », aveva detto con un sorriso lusinghiero Prince mentre si alzava dalla seggiola per stringerle la mano. Poi invitò Valentine a prendere posto su un divano Chesterfiel di cuoio imbottito e trapunto, davanti alla sua scrivania. Il suo ufficio sembrava un salotto per fumatori di un elegante club londinese, tutto legni scuri, cuoio lucido, ottone scintillante e dignità. Prince, che veniva da Des Moines dove aveva lasciato a metà la scuola superiore, aveva scelto la reincarnazione dello *squire* inglese. E soltanto a causa della sua incapacità linguistica non era riuscito ad assumere un bell'accento britannico: Prince, un uomo simpaticamente corpulento, con i capelli brizzolati, una faccia aperta e già segnata da qualche ruga, poteva passare sia per un generale inglese d'alto rango in borghese, alle soglie della pensione, sia per un abilissimo informatore sul comportamento dei cavalli durante gli allenamenti. Creava quest'impressione grazie a una combinazione calcolata di vari indumenti che provenivano dalla sua stessa linea di abbigliamento maschile, indossando soltanto abiti di tweed, o a scacchi, o scozzese, oppure a lisca di pesce. Il suo desiderio più grande sarebbe stato quello di portare sempre con sé un bastone sedile, ma era sceso al compromesso e si era adattato all'ombrello. Uno dei suoi impiegati si divertiva a dire che Prince doveva essere immortale, perché non possedeva nessun vestito che fosse abbastanza semplice e anonimo da portare al proprio funerale. Nel suo intimo, Prince si vedeva come uno di quei grandi proprietari terrieri che appartenevano alla nobiltà, il conte del Northumberland magari, che faceva da mecenate a una banda di musicisti girovaghi. Nessuna di queste innocue fantasie gli impediva di essere il più ricco stilista degli Stati Uniti.

« Quando ho parlato con il suo agente ieri », disse a Valentine, « gli ho detto che avevo bisogno che lei lavorasse direttamente con me sulla mia linea di *ready-to-wear* per donna. Ora io non voglio sapere le ragioni per cui ha lasciato la Wilton Associates, però c'è una cosa sulla quale dobbiamo intenderci prima di tutto e cioè che il suo nome non può essere usato in connessione con la mia linea. Vede, mia cara, lei sarà una mia collega fino al giorno in cui andrà in qualche altro posto dove comparirà anche il suo nome in cartellone, come si suol dire, e questo capiterà senz'altro col tempo, ma, intanto, non ci sarà un merito personale per nessuno all'infuori di me. »

Poiché Valentine si limitò semplicemente a un gesto di

rapido assenso, dimostrando di aver capito perfettamente, Prince pensò tra sé che non aveva sbagliato con i suoi sospetti: doveva essersi cacciata in qualche guaio con quella regina notoriamente antipatica e sussiegosa che era Sergio. Il suo agente, Elliott, chiunque fosse, aveva accennato a una questione di meriti, ma lui, Prince, non era rimasto convinto che la vera storia fosse proprio questa. E Alan Wilton era stato fin troppo pronto a portarla alle stelle. Ah! Bene, gli intrighi delle altre aziende non lo interessavano minimamente: Dio solo sa se non aveva già fin troppo di cui occuparsi sotto il suo tetto.

Di tutti gli stilisti maschi presenti oggi giorno nel campo della moda americana, il 95 per cento, se non di più, sono omosessuali.

Hanno una grande varietà di modi di essere gay. John Prince si distingueva per il suo stile da solida nobiltà inglese, vistosamente mascolino e temperato da buone radici del Midwest. Altri erano austeri gay funzionali, e davano la preferenza a un paio di occhiali neri che portavano quasi sempre e a una specie di uniforme, accuratamente scelta e che variava pochissimo, composta da maglione con il collo alto e da pantaloni scuri, come se fossero appena scesi dalla prima classe di una futura nave spaziale. Vivevano in appartamenti di acciaio, plastica e vetro, così ridotti all'essenziale nell'arredamento che la gente si sentiva cogliere dal nervosismo e dalla tensione solo a guardare le fotografie delle loro stanze di soggiorno in cui non era permessa la minima traccia di comodità. Poi c'era il simpatico sciame dei « Gatsby-gay », giovani bellezze che si vestivano con giacche di maglia blu dal taglio perfetto e pantaloni bianchi, innocenti camicie azzurro chiaro con il collo aperto e maglioni da marinai in shetland, impeccabilmente pronti per uno yacht sul quale salpare. C'era anche un blocco compatto di gay più anziani, del tipo fisico da mini politici, i quali si sentivano abbastanza sicuri per poter ostentare jeans e barbe, amuleti e giacche dallo strano aspetto prive di bottoni. Tutti questi stilisti erano continuamente ricercati come ospiti o come accompagnatori da molte delle donne più potenti, ma sole, del Paese. Senza la presenza di un buon gruppo di preziosi gay sui quali poter fare affidamento, ben poche donne dell'alta società erano in grado di organizzare un ricevimento.

C'era anche un gruppo, piccolo ma influente, di gay-sposati i quali possedevano invariabilmente una moglie tanto decorativa quanto intelligente. Questi hanno un culto addirittura religioso dell'arte di vivere bene e possiedono stupendi appartamenti e case di campagna in cui invitano a cene preparate con genialità e organizzate intorno a tavole rotonde, che sono ciascuna un piccolo museo di porcellane e posateria rare. Questo è il gruppo senza il quale non si può considerare completo nessun grande ricevimento della buona società e nessuna importante riunione della stampa.

Ogni passo avanti, ogni promozione nel mondo dei modelli è dettato da questa mafia gay che costituisce, malgrado tutte le differenze superficiali nello stile di vita dei suoi membri, un club nel quale nessun uomo che non abbia le loro tendenze sessuali può fare anche il minimo progresso.

Esiste una durevole alleanza per motivi di lavoro fra gli stilisti gay e gli uomini d'affari, generalmente eterosessuali, che hanno nelle mani, o dirigono, la parte finanziaria dell'industria dell'abbigliamento. Questi uomini, generalmente ebrei e 'per la massima parte strettamente legati alla famiglia, uniti da solidi vincoli alla comunità israelita di New York, sono attivissimi in ogni genere di organizzazione benefica e provvedono la zavorra che tiene a galla il mondo della Seventh Avenue.

Gli stilisti gay sono sempre all'avanguardia in quasi tutto quello che costituisce il *glamour* di New York City. Se si apre un nuovo ristorante, lo scoprono per primi; un nuovo artista, un nuovo balletto, un nuovo posto dove andare a ballare, un nuovo parrucchiere possono ottenere il successo o fallire miseramente a seconda se hanno ottenuto, o no, il loro favore. In realtà sono Stelle, con tutti i privilegi speciali e le bizze delle Stelle. Ognuno di loro crea una corte, un entourage che gli ruota intorno, gloriandosi dell'atmosfera che emana da lui perché è superiore al noioso modo di vivere di tutto il resto dell'umanità. Si investe, insieme ai suoi accoliti, della convinzione di essere più arguto, più audace, più artistico, più sperimentale, più sofisticato, più diabolico, più intelligente e, soprattutto, di divertirsi di più dei suoi simili.

Nessuno riusciva a far tutto questo meglio di John Prince.

La sua gente brillante era, sotto i punti di vista più importanti, la sua vera famiglia. Prince seguiva sempre l'impulso che lo portava alla generosità e alla larghezza di chi è nato per fare il patron e non era mai contento finché non si vedeva contornato dai suoi principali collaboratori che considerava segretamente il suo « seguito », nonché da una collezione di altre persone.

Dopo la sua solita giornata di lavoro, Prince teneva corte nella casa che possedeva nell'East Seventies. All'origine erano due case, piuttosto grandi, costruite l'una attaccata all'altra. Quando Prince le aveva acquistate, aveva fatto abbattere il muro che le divideva e successivamente le aveva unificate facendo costruire un'unica facciata, palladiana, con blocchi di marmo di un color beige-miele e una grandiosa entrata centrale. All'interno la casa aveva una scalinata degna di un palazzo, con larghi pianerottoli, che saliva per quattro piani, sempre in mezzo a quello che era stato il centro delle due case precedenti, il cui interno era stato completamente rifatto. Prince aveva fatto una razzia degli oggetti più rari che aveva trovato dagli antiquari più bravi del mondo, e poi si era reso conto che anche lui, perfino lui, aveva bisogno di un arredatore. Nel giro di un anno « Sorella » Parish, la moglie di Henry Parish II, l'arredatrice prediletta dell'alta società, famosa per le sue seducenti camere da letto e per il suo voluttuoso senso del colore, oltre che per aver rifatto completamente l'arredamento della sala ovale alla Casa Bianca e l'appartamento privato del presidente Kennedy, gli aveva fornito un alloggio inequivocabilmente ducale. Con molto buon senso Prince si era impegnato con se stesso a non far capire, neppure velatamente, alla signora Parish che gli sarebbe piaciuto avere lo stemma di famiglia ricamato in oro sulle cortine del suo spazioso letto a colonne Chippendale: aveva intuito che la risoluta nonna del Maine non lo avrebbe approvato.

Prince aveva un maggiordomo, Jimbo Lombardi, che era stato il suo amante per molti anni. Un uomo impertinente, deciso, con l'aspetto del cherubino, alto poco più di un metro e cinquantacinque ma nato per la rissa e il litigio, era stato uno dei sottufficiali più decorati durante la guerra di Corea. Quando non era impegnato a uccidere il nemico con l'abituale efficienza, Jimbo faceva il pittore. Era dotato, ma pigro; ed era ben contento di passare i pomeriggi occupando languidamente lo studio, attrezzato alla perfezione, che Prince gli aveva fatto costruire nel sottotetto. La mattina, molto tempo dopo che Prince aveva lasciato il letto per andare in ufficio, Jimbo scendeva finalmente nella parte inferiore della casa dove, insieme al capocuoco Luigi e alle sguattere, due robuste ragazzotte che si chiamavano Renata e Luchiana, rievocava in un italiano da cucina, malizioso e sferzante, le storie della sua infanzia passata nella lontana e tanto diversa Bridgeport, nel Connecticut. Jimbo aveva l'incarico di scegliere il menu, di invitare gli ospiti e di occuparsi di tutti i particolari dei ricevimenti della settimana.

Se Prince era nato per fare il padrone di casa, Jimbo era nato per essere il maestro dei divertimenti. Aveva un vero genio per portare animazione e buon umore in ogni riunione e un occhio acutissimo per scoprire quella che sembrava, in potenza, gente brillante alle feste altrui e incorporarla nella banda dei fedeli di Prince.

Jimbo provò una grande simpatia per Valentine non appena la conobbe. Aveva la sicurezza di essere un compagno indispensabile, estremamente benvoluto, nella vita di Prince e quindi poteva permettersi di esprimere liberamente i suoi sentimenti di amicizia. Negli ultimi tempi aveva cominciato ad annoiarsi dei compagni abituali di Prince: un indossatore negro, magrissimo, alto un metro e novanta, che era il ballerino più pazzo delle discoteche di New York; una donna, disegnatrice di gioielli, che proveniva da una delle famiglie più aristocratiche del Brasile e inalberava, contemporaneamente, una pettinatura con i capelli tagliati a spazzola e tre croci massicce, tempestate di gioielli, appese al collo; un ragazzo portoricano che dipingeva sulla seta in un modo favoloso; una superstar hollywoodiana nevrotica che, nell'intervallo fra un film e l'altro, prendeva religiosamente l'aereo e veniva a New York a ordinarsi un guardaroba completo, nuovo, da Prince e a crogiolarsi al calore della sua genialità; una coppia di sposini che venivano da due delle più antiche famiglie di Filadelfia e portavano a Prince in dono hascisc non desiderato, che per la maggior parte consumavano loro personalmente; un leggendario ballerino russo, che aveva abbandonato il suo paese da talmente tanto tempo da potersi considerare americano a tutti gli effetti. Questa era effettivamente tutta gente brillante, però era venuto il momento di una bella iniezione di sangue nuovo.

Jimbo intuì che Valentine non voleva niente da Prince. Possedeva un'autosufficienza incantevole, che si stringeva addosso come un delizioso ma robusto mantello impermeabile ed era evidente che non smaniava per entrare a far parte della banda dei « fratelli » di Prince. Niente avrebbe potuto lasciare perplesso Jimbo più di questo fatto, abituato com'era a gente convinta che l'ammissione nella cerchia di amici intimi di Prince li avrebbe provvisti di un cachet che non avrebbero potuto procurarsi in nessun altro modo. Prince non si accontentava di trattenere il suo gruppo di fedeli in casa, ma spesso li portava in giro per la città riempiendo i ristoranti, comprando due file di posti per la rivista più scandalosa di Broadway, conducendoli in massa, come un elegantissimo circo equestre, alle mostre di beneficenza o ai ricevimenti offerti da eccitate e deliziate padrone di casa.

Jimbo era sempre stato uno di quegli omosessuali ai quali le donne sono simpatiche e, in questo senso, Prince era come lui. Jimbo, però, sapeva come creare subito con loro un'atmosfera di intimità e tanto che, a parte la questione sessuale, sapeva essere diabolicamente seducente con le femmine. Valentine, con quella chioma a ricci che sembrava sprizzasse scintille e il caratterino difficile, gli parve una vera e propria sfida.

Valentine andò a lavorare da Prince all'inizio del 1973 e alla fine di quello stesso anno, dopo una lunga opera di persuasione e di corteggiamento da parte del piccolo, incantevole Jimbo, cominciò a sentirsi piacevolmente a proprio agio nella banda di Prince. Non faceva mai niente per qualificarsi come persona brillante, era nata per esserlo! Non c'è niente che serva tanto bene in una situazione sociale ad alta concorrenza, come quella in cui si veniva a trovare la gente di Prince, come un autentico e genuino rifiuto di fare qualsiasi sforzo per entrare in un certo giro di persone. Quando queste intuirono che Valentine era disposta ad accettare un invito e a provarne piacere, oppure a non dare la minima importanza al fatto che nessuno glielo rivolgesse; quando capirono che si poteva essere abbastanza sicuri, non si sa per quale ragione, che lei non era affatto ansiosa di stampigliarsi addosso il marchio di un particolare « status » o di arrampicarsi per la scala sociale, fu considerata come un fiore rarissimo e ambitissimo.

L'esperienza che Valentine aveva avuto con Alan Wilton, una volta guarita dalle ferite più dure inferte ai suoi sentimenti più profondi, l'aveva vaccinata contro qualsiasi avventura romantica. Il suo modo di comportarsi, profondamente distaccato, non era il risultato di un atteggiamento antisociale ma piuttosto un rifiuto, sereno e pieno di autosufficienza, a lasciarsi coinvolgere in qualunque tipo di storie che la toccasse personalmente. L'ambiguità sessuale della gente di Prince permetteva a Valentine di evitare le relazioni che potessero portarla a un altro rapporto amoroso, nonostante ciò le sue propensioni sessuali erano sempre uno degli argomenti preferiti all'interno del gruppo. A Prince e a Jimbo la ragazza sembrava perfettamente contenta del suo posto di aiuto stilista e dell'essere entrata a far parte del loro piccolo mondo.

Dal 1973 al 1976 Prince e Valentine lavorarono l'uno accanto all'altra. Anche se erano soprattutto le licenze che Prince rilasciava perché si sfruttasse il suo nome, a portargli i più grossi guadagni, il loro valore tuttavia dipendeva direttamente dal continuo successo della sua linea *ready-to-wear* che l'aveva reso famoso, dall'inizio della sua attività

Valentine imparò a collaborare con Prince come se fosse un suo secondo cervello. Era riuscita a impadronirsi completamente dei concetti fondamentali che rendevano i suoi costosissimi abiti qualcosa di diverso da quelli, altrettanto costosi, di altri stilisti. Soltanto una persona molto bene informata avrebbe saputo dire quale di loro due aveva lavorato a una certa parte di un disegno di un modello o scelto un tessuto particolare.

Valentine però era ben lungi dall'essere soddisfatta. Era contenta del suo lavoro, Prince adesso la pagava quarantacinquemila dollari l'anno e lei aveva i suoi aiutanti personali però continuava a restare nell'ombra e questo fatto le pesava enormemente. A pensarci bene effettivamente stava facendo qualcosa di creativo, però si trattava sempre di qualcosa di creativo a immagine e somiglianza delle idee di Prince: Valentine non era altro che una discepola dotata, ma bloccata da limiti ben definiti in quello che poteva realizzare.

Tuttavia Valentine non aveva mai smesso di buttare giù schizzi e disegni per conto proprio, senza subire l'influsso di quello che tutti indossavano in giro per New York e nemmeno del talento solido e robusto di Prince. Riempiva un foglio dopo l'altro con gli schizzi dei suoi modelli: il suo unico pubblico era Spider; la sua unica modella, lei stessa. Adesso le capitava solo di rado di trovare il tempo di confezionare qualcuno degli abiti che aveva disegnato, soprattutto perché Prince pretendeva che si vestisse esclusivamente con gli abiti disegnati da lui che le faceva confezionare gratis. Del resto, era sempre lui a vestire i membri permanenti, di sesso femminile, della sua gente brillante e Valentine gli era particolarmente indispensabile perché dava a quegli indumenti destinati a donne dell'alta società, ricche e ancora giovani, il proprio marchio di *chien* che nessuno di loro avrebbe mai potuto avere.

Parecchie volte nel corso dell'anno Prince era costretto ad andare fuori New York per far conoscere la sua nuova linea in qualcuna delle sfilate di beneficenza che si tenevano in tutte le grandi città del Paese. Si adattava perfino a fare le detestate, ma molto redditizie, sfilate ridotte per le quali lui in persona, con uno degli impiegati dell'ufficio vendite e un paio di modelle, mostrava la sua collezione in uno dei più importanti grandi magazzini dove, nel corso di tre giornate convulse, sostenuto da una robusta campagna pubblicitaria sui giornali locali e dalla promotion del negozio stesso, riceveva le ordinazioni per la consegna dei modelli di campionario che torme di donne venivano a provare febbrilmente.

Nell'estate del 1976 Prince studiò un viaggio un po' più lungo del solito. Prese la decisione di combinare una sfilata di beneficenza per la fondazione delle Ricerche Gastrointestinali di Chicago con una di queste brevi presentazioni dei suoi modelli in una succursale locale di Saks, andando anche a Detroit e a Milwaukee per altre due sfilate minori, dato che si sarebbe trovato già nel Midwest. Nella stessa occasione decise anche di fare una rapida puntata in gran segreto a Des Moines, dove sua madre, vedova, era diventata una celebrità locale per il semplice fatto di averlo partorito e anche se le sue amiche, donne che lavoravano tutte come lei, lo conoscevano soltanto attraverso i ritagli di giornale che lei non si stancava mai di far vedere.

Valentine ebbe una tentazione alla quale non seppe resistere. Con Prince lontano dall'ufficio per un'intera settimana e mezza, calcolò che avrebbe potuto portare di nascosto le sue creazioni nel proprio studio senza che nessuno se ne accorgesse. Poi avrebbe chiesto a una delle modelle fisse della casa di indossarle per lei. Perlomeno così avrebbe potuto vedere che effetto facevano addosso a qualcun altro. C'era qualcosa di profondamente frustrante nel fatto di cucire e confezionare vestiti che poteva vedere soltanto su di sé e riflessi nello specchio. Negli ultimi tempi aveva cominciato a preoccuparsi perché temeva che il suo lavoro stesse diventando troppo personale. Forse erano indumenti che non le sarebbero piaciuti addosso a una ragazza con un colore di capelli, di occhi, di pelle diversi dai suoi.

Ultimamente non aveva avuto neanche Spider al quale mostrarli, pensò tra sé Valentine. Da quando lui aveva conosciuto Melanie Adams non lo vedeva quasi più. E anche adesso che Melanie era a Hollywood, Spider stava molto spesso per conto suo. Le cene che cucinava non le consumava più insieme a lui e anche il cameratismo che c'era sempre stato fra loro, era scomparso. Sembrava invasato dal demonio, quello stupidone, pensò ancora Valentine. E lei sarebbe stata ben contenta di fargli un esorcismo. Era chiaro che doveva avere il diavolo sotto la pelle, come diceva sempre la sua mamma. Non ne avrebbe cavato niente di buono da Melanie: quella ragazza non voleva bene a nessuno eccetto che a se stessa e anche un idiota l'avrebbe capito, ma qual è l'uomo che dà ascolto alla ragione quando è innamorato? E quale la donna? Aggiunse Valentine mentre le tornavano in mente certi tristi ricordi. Si riscosse e si accinse a infilare frettolosamente gli ultimi vestiti che aveva cucito in grandi sacchi di plastica opaca. Sarebbe andata presto in ufficio, quel giorno, prima che ci fosse qualcuno in giro, e li avrebbe appesi nel suo armadio. Lì non correvano nessun rischio. Beth, la modella negra, era una buona amica, famosa per l'abilità con la quale smorzava ogni tentazione al pettegolezzo.

Mezz'ora prima dell'intervallo per il pranzo, Valentine domandò a Beth se per caso aveva un po' di tempo nel pomeriggio in modo da provare qualche capo per lei.

« Perché non lo facciamo subito, Val? Ho qui il mio yogurt e non avevo previsto comunque di uscire per il pranzo. Se aspettiamo più tardi, magari arriva qualche cliente e possono aver bisogno di me in salone per presentare i modelli. »

« Oh, saresti così gentile, Beth? Magnifico! Ti sembrerà una stupidaggine, ma non potremmo andare nel mio ufficio? Preferirei che non li vedesse nessuno... si tratta di un paio di cose che mi sono fatta per puro divertimento, niente di importante, ecco, lo sai anche tu com'è il signor Prince... »

« Hai detto anche troppo. » La ragazza negra era qualche centimetro più alta di Valentine e aveva circa lo stesso peso. Per tutto il resto erano due donne diversissime e Valentine non stava più in sé per la curiosità di vedere come i suoi modelli sarebbero stati addosso a Beth.

Un'ora dopo le due donne si lasciavano cadere, pienamente soddisfatte, sul divano di Valentine. Portavano tutte e due un modello di Valentine e tutti gli altri vestiti erano ammucchiati qua e là sulle seggiole in disordine, esattamente come li aveva lasciati Beth quando se li era tolti.

« Non mi divertivo tanto dal giorno in cui ho smesso di giocare con la bambola », esclamò Beth entusiasta.

« Beth, sei divina, divina, divina! » Valentine era quasi ubriaca per il sollievo e l'eccitazione di vedere come Beth, che di solito presentava i modelli con un annoiato sussiego, adesso non stesse più nella pelle per l'entusiasmo e non nascondesse la sua gioia mentre si infilava ogni nuovo capo, affascinata dal loro stile, dalla fantasia e dall'originalità.

D'un tratto sussultarono tutt'e due, provando un vago senso di colpa, quando sentirono bussare con impazienza alla porta dell'ufficio di Valentine, che questa aveva chiuso a chiave.

« Chi è? » gridò Valentine con un'occhiata di terrore a Beth.

« Sono Sally », rispose la ragazza che stava nell'atrio ad accogliere i clienti. « Val, c'è un'emergenza! Vieni fuori subito! »

« Cosa succede... è tornato il signor Prince? » domandò Valentine senza aprire la porta.

« Magari! È arrivata la signora Ikehorn! La moglie di Ellis Ikehorn... e vuole parlare soltanto con te o con il signor Prince. È furiosa... non sapeva che lui fosse fuori città. Su, sbrigati... che cosa stai aspettando? È nel salone delle sfilate, ma verrà qui nel tuo ufficio, fra un minuto, se non ti spicci. »

Beth, che si era già spogliata e aveva messo la vestaglia di satin grigio che le modelle portano sempre fra una prova e l'altra, scambiò un'occhiata di angoscia con Valentine. Sapevano tutt'e due, come chiunque nella Seventh Avenue, che Billy Ikehorn, nominata recentemente da *Women's Wear Daily* « La Maga Dorata dell'Ovest », fosse la cliente privata più adorata e coccolata che John Prince avesse. Adesso che aveva inaugurato Scruples, quel grande magazzino di sogno a Beverly Hills di cui si faceva un gran parlare nel mondo della moda, era diventata ancora più importante per Prince perché comprava non solo per se stessa ma anche per il negozio.

« Beth, va' a dire alle altre ragazze che infilino il numero uno dei modelli che presentano di solito e che si sbrighino! Poi vai dalla signora Ikehorn e dille che arrivo... no, non importa, ci vorrebbe troppo tempo... vai solo a cambiarti e corri subito in salone », disse Valentine sottovoce, passandosi le dita fra i capelli mentre, contemporaneamente, con un rapido movimento, si infilava le scarpe. Beth scomparve e Valentine si avviò al trotto verso il salone.

Billy Ikehorn era in piedi, davanti a uno dei grandi specchi e ogni singola parte del suo corpo mostrava fastidio e dispetto.

« Ma insomma, Valentine... che cosa diavolo sta facendo John nell'America centrale? » sbottò, senza neanche cercare di nascondere la stizza che provava. « Ho fatto una spedizione apposta in questo quartiere abbandonato da Dio con un caldo orribile... e mi sento dire che è via, a una di quelle stupide sfilate di beneficenza, invece di occuparsi dei suoi affari. » Lanciò un'occhiata furiosa a Valentine, ma anche quell'espressione infuriata non riuscì a guastare la sua regale bellezza bruna.

« Sarà assolutamente desolato quando saprà che ha perduto l'occasione di vederla, signora Ikehorn. Anzi, se verrà a sapere che non le abbiamo preparato una sfilata privata da darle la massima soddisfazione, saremo tutti in pericolo di vita. »

« Non ho molto tempo », rispose Billy nel suo tono più asciutto, senza un sorriso, rifiutandosi di lasciarsi placare. Andò a sedersi in uno dei salottini, dietro un piccolo scrittoio dove i clienti di solito si sedevano per scrivere le ordinazioni.

Valentine schioccò le dita e le modelle della casa, cinque in tutto, sfilarono davanti alle due donne, riuscendo a cambiarsi tanto rapidamente che non ci fu un solo intervallo durante la presentazione dei vari capi di una collezione molto numerosa. Tuttavia, per quanto la sfilata scorresse liscia come l'olio, Valentine si accorse, con un colpo al cuore, che la signora Ikehorn non diceva niente e scriveva pochissimo sul blocco di carta che aveva davanti. Si teneva impettita e immobile, e la sua posizione trasudava irritazione. Non era possibile che non trovasse niente di suo gradimento: la collezione era ottima. Chissà, forse ricordava i numeri a memoria, pensò Valentine facendosi prendere dal panico.

Quando anche l'ultima modella fu passata, ci fu una piccola pausa. Billy Ikehorn sospirò profondamente e disse con un tono di tal sicurezza da annichilire chiunque: « Noiosa, noiosa, *noiosa* ». Valentine rimase senza fiato. « Ho detto "noiosa" e so quello che dico. È Prince, ma non è roba nuova; è roba scontata in un modo tanto fottuto che mi vien voglia di urlare. So che si venderà, Valentine, non dico di no, solo che non mi fa venire voglia di comprarla. Non c'è un solo capo che mi susciti un po' di interesse. Non uno... è un fallimento. »

Questa sì che è una catastrofe. Valentine sapeva che se fosse stato presente, John Prince sarebbe riuscito a persuadere la signora Ikehorn a dimenticare il suo cattivo umore e a convincerla in modo tale che si sarebbe messa a scrivere i numeri dei modelli come una macchinetta su quel blocco di fogli.

« Signora Ikehorn, deve rendersi conto che il suo gusto personale si è talmente sviluppato da essere molto superiore a quello della cliente media. » Valentine sapeva che non avrebbe dovuto essere così sfacciata, ma doveva pur fare qualcosa per salvare la situazione. « Adesso, con il suo nuovo grande magazzino lei compera per altre donne che non potranno certo portare quello che porta lei o addirittura capirlo... » La voce di Valentine restò sospesa quando si accorse che negli occhi di Billy era apparso un barlume di interesse.

« Che cosa mi dici di questo vestito? Questo che hai addosso? » domandò. Valentine, con sommo stupore, si accorse di portare ancora uno dei modelli disegnati da lei. Era scappata fuori dal suo ufficio tanto in fretta che si era dimenticata di cambiarsi e di mettere una creazione di Prince.

« Vestito? » disse.

« Valentine, so che non sei stupida, però fai di tutto per farmelo credere. Hai addosso un vestito. Mi piace que-

274

sto vestito. Voglio questo vestito. Vendimi questo vestito! È abbastanza chiaro adesso? »

« Non posso. » Billy Ikehorn assunse la stessa aria sbalordita che avrebbe avuto se qualcuno le avesse scaraventato in faccia un bicchierone di vino rosso. Valentine avrebbe riso volentieri se non fosse stata così terrorizzata.

« Non puoi? Perché? Di chi è questo vestito? Oppure è un segreto? Voglio saperlo! »

« È mio. »

« Evidentemente. Ma chi l'ha disegnato? Non venirmi a dire che è stato Prince perché so benissimo che non è stato lui. Ah, ah... questo sì che è interessante! Quando il boss è fuori città, non metti più i suoi vestiti. Sono troppo tradizionali per te, Valentine? È così? » Aveva un tono talmente minaccioso che Valentine prese rapidamente la decisione che era meglio ammettere di aver disegnato personalmente quel vestito piuttosto di lasciar credere alla signora Ikehorn che aveva addosso un modello di qualche concorrente.

« Qualche volta... quasi mai... mi cucio qualche cosetta, in modo da non dimenticare come si fa. Ecco tutto, signora Ikehorn... vestitini da niente che mi faccio a casa. Ecco perché non posso venderglielo. È unico. »

« Vestitino da niente! Questo è jersey di lana di qualità Norell che costa cento dollari al metro e lo sai meglio di me. Alzati e prova a girarti », ordinò Billy. Mentre Valentine girava su se stessa con riluttanza, il ragazzo addetto al magazzino entrò nel salone spingendo un carrello al quale erano appesi tutti gli altri modelli di sua creazione.

« Senta, signorina O'Neill, la ragazza dell'ingresso mi ha detto di portare questa roba dal suo ufficio. Dove vuole che la metta? » le chiese.

« Porta subito tutto qui », ordinò Billy Ikehorn.

« *Bon Dieu d'un bon Dieu!* » si sentì gemere Valentine.

« *Parfaitement!* » rispose Billy con un sorrisetto. Era il suo primo sorriso, quel giorno.

Se Valentine avesse nutrito qualche pia illusione che John Prince non avrebbe scoperto quello che era successo mentre era via, la sua speranza sarebbe crollata non appena vide l'espressione della sua faccia quando la chiamò nel suo ufficio due minuti dopo il suo ritorno. Era quasi irriconoscibile nel suo furore.

« Fighetta compiacente... puttanella ingrata... lurida traditrice, ho sempre saputo che non bisognava fidarsi di te... è una coltellata nella schiena... » sbraitò agitandole davanti agli occhi un foglio di carta.

« Non è stata colpa mia... ha insistito... » cominciò a dire Valentine.

« Non cercare di raccontarmi frottole, ladra di una baldracca! Leggi questa! » E le strofinò quasi la lettera contro la faccia. Era un messaggio di Billy Ikehorn, scritto con la sua calligrafia elegante su un foglio di carta da lettere personale.

John, piccolo mio,

un vero peccato che tu non ci fossi quando sono venuta. Mi è spiaciuto non vederti, però forse è stato un bene perché, ti confesso che sono imbarazzata a dirtelo, mi è sembrato che non ci fosse assolutamente niente nella nuova collezione che mi facesse venire voglia di averlo a tutti i costi. Sono sicura che non succederà mai più, sono cose che capitano. Ho avuto un immenso piacere di vedere tutti i disegni personali di Valentine, così incantevoli, freschi e nuovi... e sono disperata perché ho sentito che non me li può vendere. Non glielo permetteresti per amor mio? Non mi ero mai accorta quanto fosse brillante quella ragazza. Dovresti essere molto orgoglioso di lei invece di nascondere il suo talento.

Ci sarai al ricevimento di Mary Lasker per il dottor Salk? Sto pensando di tornare in aereo per andarci anch'io. Se ci vai, si potrebbero unire le nostre forze? Come mi sei mancato, carissimo...

BILLY

« Lei non può capire come è successo... non è stato come pensa lei... io non volevo farle vedere niente... » Va-

276

lentine si fermò, accorgendosi che lui non le prestava attenzione.

« Tu sei finita! » le disse Prince con livore. « Sei finita qui e sei finita in tutta la Seventh Avenue quando sentiranno quello che mi hai fatto... non ti voglio più vedere. Quando penso che ti ho accolta qui e ti ho insegnato tutto quello che sai... non mi sono mai sentito così tradito, così sputacchiato... »

« *Assez*! » Il temperamento facile a infiammarsi di Valentine a questo punto scattò.

« Che cosa hai detto, avanzo di marciapiede... »

« Ho detto "Basta!" Non resterei qui per tutto l'oro del mondo. Troverà che ha torto, ma nessuno mi ha mai parlato e non mi può parlare in questo modo... mai! Non lo sopporto! » Valentine corse nel suo ufficio, prese la borsetta e lasciò il palazzo senza parlare con nessuna delle persone che incontrò. Trovò un tassì e gli diede l'indirizzo di casa. Soltanto in quel momento cominciò a essere scossa da un tremito convulso. Non pianse... continuò semplicemente a tremare, a tremare. Era tutto così maledettamente stupido, così maledettamente triste.

« Non siamo una coppia buffa, noi due? » disse Spider in tono allegro.

« Chi ti credi di essere, Elliott. Woody Allen? » rispose Valentine.

« Manchi di aggressività, ecco il tuo guaio... ma perché non c'è uno straniero che abbia un po' di senso dell'umorismo? » si lamentò lui.

« Se continui a fare lo spiritoso, ti porto fuori e ti sparo. » Valentine cercò di scherzare, ma era molto preoccupata per il modo in cui Spider si tormentava per lei. Il suo pazzo Elliott così facile a riprendersi, così abile, così coraggioso, era come un torero intrepido che è stato ferito dal toro per la prima volta. Anche adesso, abbattuto com'era per i suoi guai, continuava a voler sembrare un duro.

« Lo sai che hai un paio di tette favolose? »

« Elliott! »

277

« Dai, piantala Valentine. Cosa ne diresti di qualcosa di dolce e tenero che ci dia un po' di calore? »

« Bianco o rosso? »

« Quello che è aperto. » Si appoggiò allo schienale della capace poltrona di Valentine e bevve un bicchiere di vino in un sol colpo. Aveva cominciato con la vodka a casa... proprio un bel po' di vodka, ma poi, grazie a Dio, si era ricordato che Valentine era nella sua camera: detestava l'idea di sbronzarsi da solo. Aveva bruciato la lettera di Melanie, ma ogni parola gli passava e ripassava per il cervello come gli inesauribili sottotitoli di un pessimo film tedesco dell'orrore. E andava avanti così da tre giorni e tre notti. Valentine, perfino Valentine, specialmente Valentine, non avrebbe mai dovuto sapere quello che era successo.

« Ancora vino? » gli domandò.

« Visto che insisti. Ehi, oggi ho consegnato un lavoro. » Valentine alzò le sopracciglia sorpresa. « Che cosa credi? Che ti prenderei in giro raccontandoti una frottola? Il mio primo lavoro in quasi tre settimane. È venuta una ragazza, due o tre giorni fa, voleva che le facessi qualche fotografia per vedere se era abbastanza fotogenica per fare la modella. Stupenda, ma 'senza speranza, una puttana di prima classe se mai ne ho vista una. Comunque ho fatto tre rotoli di foto. Le più sexy di tutta la mia vita. E perché cazzo non avrei dovuto farle? È venuta a prenderle oggi e ha ballato di gioia per tutto lo studio. Non volevo che mi pagasse... fino a questo, arrivo ancora. Ma perché non apri un'altra bottiglia? » disse, aprendola lui mentre parlava.

« Elliott. Qualcosa da mangiare? »

« Tu hai un vero feticismo per il nutrimento, ciccia bella. Parliamo di te. Non mi piace il tuo modo di comportarti. »

« Cosa! » Lei balzò a sedere di scatto, seccata.

« Già... dovresti andare in giro a cercar lavoro invece di star qui seduta a bere tutto questo vino. Fa male al fegato. Prince non è l'unico che esista. Questa volta non voglio più fare il tuo agente... non ne hai bisogno. »

« Vaffa... »

« Vaffanculo a tutti, grandi e piccoli, belli e brutti », cantò Spider fra sé.

« Non ho intenzione di lavorare nella Seventh Avenue. Mai più. Quando si dice basta, è basta. Ho raggiunto il limite. È finita... non mi ci trascinerai più, neanche con le corde. »

« Non posso darti torto. Ma che cosa farai? »

« La lavandaia. Senti, ho messo via un po' di soldi. Non devo prendere una decisione oggi. »

« Vorrei poter dire lo stesso. » Spider prese un'espressione angosciata. Se non arrivava presto qualche lavoro, il suo agente lo aveva avvisato che non avrebbe potuto più permettersi di conservare lo studio; anzi, il suo agente stava già per abbandonare la nave. Oh, che cazzo importava! « Voglio proporre un brindisi... alle due persone più ricche di talento che ci siano a New York e che non usufruiscono ancora della Pubblica Assistenza. » Spider vuotò di colpo un altro bicchiere di vino, e se ne versò ancora, spruzzandone un po' sul pavimento. « Scusami... berrò dalla bottiglia, più semplice... » Si trascinò fino al letto e ci si lasciò cadere mentre beveva una lunga sorsata direttamente dalla bottiglia.

Suonò il telefono. Valentine ebbe un sussulto. Era senza lavoro soltanto da una settimana. Si domandò chi poteva chiamarla lì a casa, verso la fine del pomeriggio di una giornata lavorativa.

« Sì? »

« Valentine, parla Billy Ikehorn. Sono in California. Non so che cosa dire... non potrei essere più sconvolta di così... Ho saputo solo adesso quello che è successo la settimana scorsa da un impiegato del mio ufficio vendite che è anche un vecchio amico di Jimbo. È incredibile l'ingiustizia che ti è stata fatta, e tutto per colpa mia. Interamente per colpa mia. »

« Davvero? »

« Naturalmente tu penserai che sono una carogna e devo ammettere che, quel giorno, ero insopportabile. Ma qui non c'è niente che funzioni. Scruples è il grande magazzino più bello del mondo e io non ho niente da vendere, nessuno che me lo organizzi. Ero di quell'umore schifoso perché

279

tutto il mio progetto sta andando a rotoli... non puoi immaginare quanto sia tremendo! »

« Che pena! »

« Non ti faccio una colpa se sei così amareggiata, Valentine, ma devi credermi se ti dico che quando ho scritto quella lettera, mi ero illusa che potesse riuscirti utile in un modo o nell'altro. »

« Sbagliato. »

« Adesso lo capisco. Prince e io ci siamo rappacificati. Avrai sue notizie... ecco quello che volevo dirti... lui non sa da che parte tentare gli approcci... dopo... »

« Non ho intenzione di parlargli. »

« È stato così terribile? »

« Peggio che terribile. »

« Hai preso una decisione definitiva? »

« Assolutamente. »

« Speravo che dicessi così! Valentine, vieni qui a lavorare per me. Puoi dettare le tue proposte. Ho un bisogno disperato di una stilista... senza la couture siamo soltanto un altro grande magazzino caro come il fuoco, e basta. E poi, andrai a Parigi per le collezioni. Naturalmente voglio che tu diventi anche la mia incaricata per gli acquisti. Potrai andare a New York tutte le volte che vorrai. Ho pensato che non ho nessuna intenzione di passare la vita intera in quegli ascensori della Seventh Avenue... troppo orrendo. »

« Non è che pretenda molto, vero? Una stilista, un'incaricata degli acquisti... non vuole per caso anche una cameriera? »

« Perlomeno ascolta la mia offerta, Valentine. Ottantamila dollari all'anno e il cinque per cento dei profitti. »

Valentine, sbalordita, non rispose. Poi il suo pazzo spirito irlandese prese il sopravvento. « Centomila. Chi sa se ci saranno i profitti? »

« Be', in questo caso ti darei soltanto lo stipendio senza partecipazione ai profitti », rispose Billy.

« Niente da fare, signora Ikehorn. Perché non essere ottimisti? Forse i profitti ci saranno. Il cinque per cento resta. »

« Ma è un patrimonio! »

280

« Prendere o lasciare. O lei ha bisogno di me, o non ne ha bisogno. »

« Oh, va bene... affare fatto. »

« E, naturalmente, il mio socio riceverà uno stipendio di settantacinquemila dollari e il due e mezzo per cento. »

« Il tuo socio? »

« Peter Elliott. Il miglior venditore del mondo, con un'enorme esperienza di vendita al pubblico. Riuscirà a riorganizzare completamente Scruples con sua massima soddisfazione. Non ne ho il minimo dubbio. »

« Da quando hai un socio, Valentine? »

« Da quando ci facciamo le confidenze noi due, signora Ikehorn? »

« Ma non ne ho mai sentito parlare. »

« Da quando si è messa a vendere al pubblico? Mi scusi, ma bisogna dire pane al pane. »

Billy rimase in silenzio per un attimo, ammutolita di fronte alla sfacciataggine di Valentine. Con tutto ciò, una persona che era convinta di poterle parlare con quel tono doveva sapere quello che faceva.

« Tutta questa faccenda non mi va molto a genio, Valentine, ma sono troppo impegnata per star qui a spaccare il pelo in quattro. Vi assumerò tutti e due però ti giuro che mi aspetto di vedervi "rendere". Non ci sarà nessun contratto. »

« Dobbiamo avere un contratto per un anno, signora Ikehorn. Dopo di quello... non avrò preoccupazioni. »

Billy non esitò. Scruples stava perdendo quattrini a un ritmo quasi incredibile. Poteva permettersi di perdere andando avanti all'infinito, ma le cifre sarebbero state imbarazzanti una volta pubblicate in *Women's Wear*. Doveva trasformare in un successo l'« operazione Scruples ». Scruples doveva essere impeccabile e perfetto.

« Quando potreste essere qui? » domandò. Valentine fece un rapido calcolo. Era mercoledì. Se cominciavano a fare subito i preparativi e prendevano l'aereo di domenica...

« Lunedì prossimo. Vuole farci prenotare l'albergo, per favore? A spese sue, naturalmente. Ma solo finché non avremo trovato un posto dove andare a abitare. »

« Vi farò prenotare le camere al Beverly Wilshire. È proprio in fondo alla strada dove c'è Scruples. »

« Davvero? Sarà molto comodo dopo una giornata lavorativa di dodici ore », disse Valentine.

« Non dodici, diciotto », rispose Billy ridendo, perché aveva ottenuto quello che voleva.

« Ci vediamo lunedì, signora Ikehorn. »

« Arrivederci, Valentine. Adesso non mi sento più colpevole di averti fatto perdere il posto! Tutto quello che mi costa sono duecentomila dollari. »

« Un po' meno, veramente. Ma non si dimentichi del sette e mezzo per cento. »

« A Prince verranno i vermi », rispose Billy con un risolino.

« Probabilmente ne sarà contento », rispose Valentine e riattaccò.

Valentine era stata così immersa nella conversazione che non aveva badato a Spider. Adesso aveva paura di affrontarlo. Il suo silenzio era già un fatto preoccupante. Come aveva osato prendere una decisione del genere? Valentine si avvicinò al letto dov'era disteso. Dormiva come un sasso. Evidentemente non aveva fatto che dormire durante tutta la conversazione. Però c'era un fatto incontestabile: non russava.

8

SPIDER Elliott era tanto poco preparato a trovare simpatica, o anche soltanto ad approvare Billy Ikehorn, quanto lo era lei nei suoi confronti. Si era arrabbiato incredibilmente quando aveva saputo tutti i particolari del modo arrogante e sussiegoso con il quale aveva trattato Valentine facendole perdere l'impiego da Prince con la sua disinvolta indifferenza. Il fatto che Valentine fosse riuscita a incastrare quella donna persuadendola a offrirgli un impiego lo aveva convinto che doveva essere fondamentalmente stupida, una donna con un tal bisogno di mettere le mani su tutto quello che le saltava in mente da aver perduto ogni briciola di buon senso.

Billy, da parte sua, aveva fatto un controllo con le sue amiche che leggevano, attentamente come lo leggeva lei, *Women's Wear* e nessuna di loro aveva mai sentito parlare di un personaggio famoso nella vendita al pubblico di nome Peter Elliott. Se quel giornale non lo menzionava, non era possibile che esistesse. Valentine le aveva giocato un tiro mancino; quel tizio non poteva essere che il suo amante e Billy non aveva la minima intenzione di fargliela passare liscia, al giovanotto!

Da quando Ellis era morto un anno prima, Billy era passata attraverso un'evoluzione che si era manifestata in vari modi. Quando si era trovata vedova, nonché una delle più ricche ereditiere del mondo, la sua prima azione era stata quella di vendere la prigione fortezza lassù fra le colline di Bel Air e di comprare una proprietà a Holmby Hills, a quattro comodi minuti di macchina dal quartiere dei negozi di Beverly Hills. Se durante i cinque anni di Bel Air aveva fatto qualche progetto sulla sua vita una volta che fosse stata libera di viverla come voleva, non avrebbe mai pensato di restare in California, mentre adesso sembrava l'unica cosa da fare. Scruples era qui, la sua scuola di ginnastica era qui, le donne con le quali usciva a pranzo erano qui.

Quando Billy, tanto puntuale da spaccare il minuto, si affacciò all'entrata di Scruples per aspettare Valentine e Spider, la sua bellezza virile, piena di fuoco, non era mai stata così vigorosa.

« Guai in vista », pensò Spider non appena l'ebbe adocchiata.

Billy, che aveva scorto lui e Valentine nello stesso istante, si accorse di pensare ancora con la vagina, un'abitudine che credeva riservata alla parte più intima e segreta della sua vita. La vista di Spider era stata come un pugno al basso ventre: l'impatto con una pura e semplice mascolinità portata senza ostentazione e senza timidezza. Il suo occhio esperto misurò la potenza della sua attrazione fisica, ma quello era un uomo che non avrebbe mai potuto permettersi. Troppi contatti continui. Basta, non pensiamoci, si disse Billy mentre avanzava per salutare Valentine e le appoggiava le mani sulle spalle con un gesto che non era un vero e proprio abbraccio, eppure era sempre più affettuoso di una stretta di mano.

« Benvenuta in California », disse Billy felice di vedere Valentine. Aveva bisogno di lei.

« Grazie, signora Ikehorn », rispose Valentine con voce un po' asciutta. « Questo è Peter Elliott, il mio socio. »

« Tutti mi chiamano Spider », disse lui e si chinò a baciare la mano di Billy con un garbo che gli era innato. Valentine non gli aveva mai visto fare quel gesto con nessun'altra donna, eccetto che con lei.

« E io mi chiamo Billy... anche per te, Valentine. Sulla Costa ci si comporta così. Bene, questo è Scruples. Che cosa ne pensate? » E mostrò orgogliosa, con un largo gesto, la stupenda costruzione che faceva letteralmente scomparire tutte quelle circostanti, per quanto splendide potessero essere. Spider si incamminò verso l'angolo dell'edificio e poi ne percorse, lentamente, tutta la facciata. Infine tornò vicino a loro. « Brutte vetrine », disse chiaro e tondo.

« Brutte! Questa costruzione ha già vinto tre premi importanti di architettura ed è stata finita da meno di un anno. Tutti quelli che si occupano d'arte la conoscono. E tu vieni a criticare le vetrine! » Billy si sentì immediatamente offesa. « Mi sai dire come potresti rifare quello che è perfetto? »

« Non ci penso neanche a toccarle! Solo un vandalo lo farebbe. Ma sono opprimenti e la roba che è esposta scompare. In fondo, questo è un negozio. Ma è solo un problemino, Billy, basta scoprire quello che non va e io troverò il modo di risolverlo. Non c'è da preoccuparsi. Perché non entriamo? »

Spider abbracciò lievemente le spalle delle due donne e le sospinse gentilmente verso la porta a doppi battenti, accennando un saluto al portiere sconosciuto e ridendo tra sé. Quelle vetrine erano un disastro. Grazie a Dio c'era qualcosa che poteva fare!

Billy non vedeva l'ora che ricevessero in pieno l'impatto con l'interno di Scruples. Era il suo orgoglio e la sua gioia. Lo aveva fatto copiare meticolosamente, esattamente e con grande spesa dall'interno della sartoria di Dior, a Parigi.

Spider si fermò di botto, dopo aver varcato la soglia di Scruples e si guardò intorno annusando l'aria come un cane da caccia. « Miss Dior », fu il suo commento, non particolarmente impegnativo, sul profumo che invadeva l'aria.

« Questo non è il tuo reparto », ribatté Billy tagliente ancora seccata per la sua osservazione a proposito delle vetrine. « Questo posto è perfetto così com'è. Adesso andiamo in magazzino a dare un'occhiata alla merce. Voglio sapere esattamente che cosa ne pensi e quali sono i tuoi progetti per una nuova politica degli acquisti e... »

« Billy, scusami, ma non mi pare opportuno », la interruppe Spider. « Controlleremo la merce a suo tempo. Te lo prometto. Ma la vendita al pubblico non è fatta solo dello stock di magazzino. La vendita al pubblico è avventura e romanzo. La vendita al pubblico è mistero. » Soprattutto per me, pensò. « Immagino che il tuo stock cambi da un mese all'altro, quindi prima di tutto andiamo a dare un'occhiata al romanzo. Signore? » Fece strada, senza preoccuparsi se lo seguivano o no e avanzò nel grande salone. Spider esplorò l'interno di Scruples da cima a fondo, incluso il parcheggio sotterraneo, senza fare alcun commento eccetto un vago brontolio di gola, che non voleva dire assolutamente niente, ma che dava l'impressione che fosse immerso in profonde meditazioni e attenti giudizi, almeno così sembrava. Billy strinse le labbra più di una volta, al limite della sopportazione, ma era talmente sicura che il suo grande magazzino fosse impeccabilmente elegante nell'arredamento e talmente superiore a tutti gli altri per le dimensioni e il lusso dei salottini di prova da non provare rammarico per le perdita di tempo necessaria per offrirgli una panoramica completa.

Verso la fine del giro, Spider guardò l'orologio e propose di andare a pranzo insieme, così potevano fare un po' di commenti su Scruples prima di iniziare l'esame della merce. Billy accettò solo perché aveva fame.

« Qual è il posto più vicino dove si potrebbe andare a mangiare? » domandò.

« Si potrebbe andare al *Brown Derby*, dall'altra parte di Rodeo Drive, ma da quando ha cambiato proprietario un anno fa non mi piace più. Non c'è altro posto appena decente, tranne *La Bella Fontana* nel vostro albergo. Andiamo là. » Si avventurarono tutti e tre in un paio di attraversamenti pericolosi, correndo attraverso Rodeo dove la strada era più larga, saltando sulle isole pedonali, sfiorando ed evitando le macchine. Finalmente si trovarono in un séparé silenzioso, diviso dagli altri da lunghe tende, nel ristorante *La Bella Fontana* con le pareti tappezzate di velluto rosso, una fontanella in mezzo alla sala e fiori dappertutto.

« È incantevole, Billy », disse Valentine, guardandosi in giro e contenta di essere, almeno, seduta.

« E questa è la seconda cosa sbagliata », disse Spider.

« Che cosa vuoi dire? » domandò Billy con voce tranquilla. Aveva mal di piedi.

« Supponiamo che tu sia una donna che si è comprata un mucchio di vestiti per un viaggio a New York o a Londra o per un matrimonio o per passare l'inverno a Palm Springs o per andare al Festival del cinema a Cannes, insomma per qualcosa di tanto importante che ha avuto bisogno di ore e ore per scegliere quello che ci vuole, senza parlare degli eventuali ritocchi. »

« Non è poi una cosa tanto nuova da supporre. Le clienti di Scruples non fanno altro », rispose Billy asciutta.

« Supponiamo che questa cliente sia arrivata a Scruples alle undici e supponiamo che abbia passato due ore a guardare, cercare, misurare e non abbia ancora finito. »

« Be'? »

« Non credi che abbia fame? Non credi che le facciano male i piedi? Billy, mi sono accorto che ti sei tolta le scarpe. »

« Che cosa c'entra questo con la vendita al pubblico, Spider? » Fra un minuto gli avrebbe raccontato che aveva preso le informazioni necessarie a proposito delle sue referenze inesistenti.

« Le tue scarpe? Niente. Le scarpe della tua cliente? Tutto. Lo stomaco vuoto della tua cliente? Ancora di più. Ecco la chiave. »

« Dovrai cercare di essere un po' più chiaro. Noi non vendiamo scarpe. Non siamo un ristorante... dirigiamo, o cerchiamo di dirigere, un grande magazzino. »

« No, questo no, finché non dirigerai anche un ristorante. » Spider le sorrise benevolmente. « Che cosa succederà quando i piedi della tua affamata cliente cominceranno a farle male? Oppure quando avrà la caduta degli zuccheri? Se continuerà a provare vestiti, diventerà irritabile e difficile, così deciderà che non c'è niente di adatto a quello che ha in mente. Se smetterà e si rivestirà per andare in qualche altro posto a pranzo, c'è solo da pensare che debba essere disperata di non aver trovato un vestito particolare, in quel giorno particolare nel tuo grande magazzino in particolare. Se la perdi all'ora del pranzo, dopo, proverà a entrare in un altro negozio. Così, prima di tutto, costruiremo una cucina, chiudendo una parte del garage che è molto più grande di quanto non sia necessario. Poi assumeremo un paio di cuochi, magari anche uno solo in principio, e qualche cameriere per offrire ai nostri clienti un pasto gratis. Niente di troppo stravagante, Billy, soltanto insalate o tartine. Ho notato che c'è una sdraio in ogni salottino di prova. Le nostre clienti possono sedersi lì a mangiare e intanto si fanno fare un massaggio ai piedi. Un buon massaggio ai piedi ringiovanisce tutto il corpo. » Alzò un sopracciglio guardando Billy. « Non conosci le migliori massaggiatrici che ci sono in città? Probabilmente sì. Penso che non ne occorreranno più di due o tre in principio. E poi, dopo il pranzo, venderemo a quelle signore l'intero, fottutissimo, negozio. » Chiamò il capocameriere perché portasse il menu.

Per un attimo Billy rimase ipnotizzata. Le pareva di avere davanti agli occhi quello che Spider le stava descrivendo. Poi si riprese: « Un'idea eccellente. Risolve esattamente un problema piccolo e assolutamente non essenziale: come trattenere le clienti in negozio impedendo che vadano via all'ora di pranzo. Ma, al momento, io non ho tutte queste clienti che possono andarsene via. Gli affari diminuiscono ogni giorno. Non ho la merce adatta da far vedere e nessun trucchetto da due soldi come quello di metter su una cucina nuova può cambiare le cose. Sei sicuro di non aver mai lavorato nel ramo dell'alimentazione e delle forniture di pasti all'ingrosso, Spider? »

« Questo non è che l'antipasto, Billy. Non sono ancora arrivato al modo orribile, sussiegoso e pretenzioso con cui è arredato il negozio, e quella è una buona metà dei tuoi problemi. » Billy lo fissò sbalordita, troppo incredula per riuscire ad arrabbiarsi. Spider pensò che, a questo punto, non sarebbe stato difficile persuaderla. « Ma ne parleremo dopo aver firmato i contratti. "Inutile darla via per niente", come diceva una ragazza che conoscevo. Avanti, signore, mangiamo. »

Lo studio legale di Strassberger, Lipkin e Hillman occupava due piani interi di una delle nuovissime torri di

Century City, quei due mastodonti di vetro che facevano scuotere la testa agli abitanti di Beverly Hills e li facevano pensare istintivamente ai terremoti e al giorno del giudizio universale ogni volta che ci passavano davanti sul Santa Monica Boulevard. Lo studio legale, che godeva il solido prestigio di essere una delle più potenti società legali israelite di Los Angeles, era stato arredato da qualcuno che, soprattutto, voleva assicurare i clienti che, anche se fosse capitato un terremoto proprio mentre si trovavano in trappola là in alto, al ventesimo o ventunesimo piano, sarebbero periti in grande stile, anzi addirittura nello splendore.

Valentine e Spider uscirono dall'ascensore e si trovarono in una giungla di legno di noce, di tappeti nuovi a pelo alto e di antichi e consunti, di fiori freschi e di oggetti antichi autentici com'era autentico e genuino il sorriso sulla faccia dell'impiegata che aveva l'incarico di ricevere i clienti. Avevano un appuntamento per firmare il loro contratto con il legale personale di Billy Ikehorn, Joshua Isaiah Hillman.

Per quanto le operazioni legali delle Ikehorn Enterprises venissero ancora svolte a New York, dopo la morte di Ellis Billy cercava molto più spesso l'appoggio e il consiglio del suo avvocato Josh Hillman. Adesso la gran parte del lavoro di quest'ultimo era costituito da un controllo sulle operazioni che erano state eseguite a New York. Prima che Ellis morisse, Billy si limitava a firmare le carte necessarie senza badarci, ma ora si sentiva almeno in dovere di scorrere rapidamente qualsiasi documento prima di apporvi la sua firma. Presto Josh Hillman scoprì che più di metà del suo tempo lo aveva passato a occuparsi degli affari della signora Ikehorn e si decise a circondarsi di parecchi ottimi avvocati che già lavoravano per lo studio, ai quali diede l'incarico di occuparsi di quegli affari e di far rapporto a lui. Gli onorari che Billy pagava per questi servizi diventarono proporzionalmente immensi. Del resto era una soluzione che lasciava tutti soddisfatti: perfino gli avvocati di Billy che stavano a New York diedero la loro approvazione, perché Josh Hillman era un avvocato eccezionalmente brillante.

A quarantadue anni, Josh Hillman era esattamente dove avrebbe dovuto essere un ex bambino prodigio: al vertice della sua professione con possibilità illimitate per il futuro.

Era cresciuto in Fairfax Avenue, nel cuore del ghetto ebraico di Los Angeles, figlio unico del rabbino di una piccola sinagoga decrepita. All'età di due anni e mezzo sapeva leggere; a quattordici anni e mezzo gli era stata offerta una borsa di studio per andare a Harvard: a diciotto e mezzo si era laureato a pieni voti e a ventuno e mezzo aveva terminato i corsi di specializzazione della Law School di Harvard nella sua qualità di direttore della *Harvard Law Review*, una posizione non meno ambita da conquistare di quanto non sia quella del *New York Times*.

Il suo interesse per il denaro non era solo passeggero e superficiale, dopo essere vissuto di borse di studio negli ultimi sette anni. In tutto quel periodo di tempo Josh Hillman era riuscito solo due volte a tornare a casa in vacanza per vedere i genitori, che continuavano ad abitare in Fairfax Avenue. Durante l'estate aveva guadagnato abbastanza per vestirsi, farsi tagliare i capelli e comprare i due biglietti di andata e ritorno in aereo. Aveva perduto quasi tutta la vita di società di uno studente di Harvard perché non poteva permettersela e, anche se ci si fosse potuti divertire frequentando la facoltà di legge, lui non l'aveva mai saputo. Nel 1957 era entrato nello studio Strassberger & Lipkin e adesso, vent'anni dopo, anche se era il socio più giovane in termini di età, era il socio più anziano in termini di vera potenza.

Era un uomo serio; considerava l'amore romantico una cosa inventata nel Medioevo per tenere occupate le dame rimaste a casa durante le Crociate. Il sesso gli piaceva, ma non vedeva il motivo di dargli troppa importanza. Si sentiva superiore e pieno di sufficienza verso gli altri uomini della sua età, che si davano un gran daffare per divorziare perché la moglie li annoiava a letto e poi si comportavano come babbei andando con le ragazzine. Tutta quella faccenda era sopravvalutata. Anche sua moglie lo annoiava, l'aveva annoiato fin quasi dal principio, ma era una ragio-

290

ne sufficiente per buttarsi nelle avventure da quattro soldi? No certo, per un uomo serio come lui.

Josh Hillman si era sposato con ponderatezza e intelligenza. Joanne Wirthman faceva parte della famiglia dei re di Hollywood, quelli genuini. Suo nonno aveva fondato uno dei più grandi teatri di posa del cinema. Suo padre era uno dei più grandi produttori del cinema. Dietro di lei c'erano due generazioni di sale per la visione privata dei film. Non sua madre, ma sua nonna era stata la prima ad avere una stanza da bagno tutta Porthault a Bel Air.

Joanne Wirthmann non aveva mai sentito parlare del salmone affumicato prima di incontrare Josh Hillman, però aveva scoperto presto che era più saporito di quello scozzese, esattamente come lui, Josh, che lasciava un'impressione più singolare di tutti i ragazzi ricchi con i quali era cresciuta. Con grande meraviglia, avevano scoperto che tutti e due i loro nonni erano nati a Vilna. Non che questo fattore genealogico, il quale, chissà, forse poteva far sì che fossero lontani cugini fosse necessario per placare le eventuali obiezioni da parte della famiglia Wirthmann all'idea che Joanne sposasse un ragazzo povero che veniva da Fairfax Avenue. Erano fin troppo contenti di vedere che la loro gagliarda, placida e ben organizzata figliola si era acchiappata un direttore della *Harvard Law Review*, alto e bello anche con quel suo aspetto da adolescente che non ha ancora finito di crescere: e, con un futuro come il suo, il ragazzo non doveva essere interessato soltanto ai suoi soldi.

Effettivamente non erano stati soltanto i soldi di Joanne a interessarlo. A voler essere onesti, si disse Josh, Joanne gli piaceva abbastanza e l'anno che si era concesso per sposarsi e sistemarsi, stava per scadere. Faceva sul serio, quando si trattava di attenersi a un programma. E faceva molto sul serio in quasi tutto il resto.

Joanne si rivelò deludente a letto ma grandiosa per le gravidanze, e diede alla luce due bambini e una bambina. Era fantastica per vincere le gare femminili di tennis del Hillcrest Country Club e assolutamente superba quando si trattava di raccogliere fondi per il Music Center, l'ospedale dei bambini, Cedars-Sinai, l'Arts Council e il County Museum of

Art di Los Angeles. Arrivata all'età di trentacinque anni, era una delle esponenti più in vista del ristretto e chiuso gruppo di signore di Los Angeles, indispensabile alla realizzazione di qualsiasi opera di beneficenza israelita o cristiana.

Dallo studente spilungone e un po' sciatto che era stato, Josh Hillman si era trasformato in un uomo snello e ben curato nella persona, dal quale irradiava un'aria di potenza. Gli occhi grigio scuro, a mandorla e con gli angoli esterni leggermente rialzati, gli davano un'espressione eternamente scherzosa e canzonatoria che non toglieva nulla alla sua reputazione di uomo intelligentissimo. Il suo sorriso era raro ma pieno di humor. Aveva gli zigomi alti degli slavi e un naso dritto e largo, che era stato l'oggetto di infinite discussioni fra le sue due nonne, ciascuna delle quali accusava con gioia maligna la madre dell'altra di essere stata violentata dai cosacchi. Dozzine di cosacchi. Portava i capelli grigi tagliati corti e si vestiva con uno stile ultratradizionale con abiti accompagnati da panciotto fatti su misura da Eric Ross e da Carroll & Company, di ottimi tessuti inglesi in colori smorzati e con un taglio privo di eccentricità. Si faceva fare le camicie su misura da Turnbull e Asser ogni volta che andava a Londra. Le sue cravatte erano notevoli soltanto per il loro prezzo. In tutto questo la vanità non c'entrava minimamente; si trattava soltanto del fatto che sapeva quale fosse l'aspetto necessario per un avvocato.

Fino al momento in cui vide Valentine, Josh Hillman si era considerato un uomo felicemente sposato. Sua madre, una signora della vecchia scuola, lo aveva avvertito con molta solennità, più di una volta, che c'è sempre in agguato una *shiksa* con i capelli biondi e gli occhi azzurri per ogni bravo ragazzo ebreo e che se il ragazzo dà ascolto al suo canto di sirena, è perduto per sempre. Invece Josh non era mai stato attirato dal classico tipo anglosassone e trovava che le ragazze dotate di una bellezza scialba si assomigliavano tutte disperatamente. Ma, purtroppo, sua madre aveva spaziato su un orizzonte piuttosto limitato nei presentimenti nati dalla sua fantasia. Non avrebbe mai potuto immaginare che nel suo serio figliolo la scintilla sarebbe stata accesa, sprizzando da una damigella con i capelli color fiamma, di estrazione franco-irlandese, con occhi verde chiaro da sirena e un'aria spiritosa e delicata che fece scattare istintivamente in piedi Joshua, il meno romantico degli uomini, appena Valentine entrò nel suo ufficio. Spider gli parve soltanto una lunga macchia confusa mentre la giovane donna avanzava verso di lui con il suo passo deciso.

Valentine notò la leggera confusione dell'avvocato mentre si stringevano la mano e l'attribuì a qualche cambiamento nelle decisioni di Billy, dopo che Spider si era comportato in quel modo addirittura offensivo.

Mentre aspettavano tutti e tre che la segretaria portasse i contratti, Hillman aveva il cervello in tumulto.

Quando Billy gli aveva parlato del contratto che aveva acconsentito a far preparare, parlando al telefono con Valentine, era rimasto inorridito. Aveva giudicato la sua cliente troppo saggia per dare una percentuale dei suoi profitti di Scruples oltre a uno stipendio enorme a una giovane stilista che aveva visto solo poche volte e a un uomo del quale non sapeva assolutamente nulla. E le aveva consigliato di aggiungere una clausola riguardante l'eventuale rottura del contratto, che le avrebbe permesso di metter fine al loro impiego nonché alla loro percentuale sugli utili con un preavviso di tre settimane. Aveva spiegato pazientemente che non c'entrava il fatto che Scruples perdesse soldi come una diga saltata o che non ci fossero utili da difendere. Era una questione di principio. Doveva avere la possibilità di controllare quella gente. Billy aveva capito subito quello che lui voleva dire. Adesso si trovò a desiderare di non essere stato tanto chiaro. L'idea che la signorina O'Neill potesse trovarsi licenziata per un capriccio della più imperiosa, più viziata, più esigente cliente che avesse, non era piacevole ma, a questo punto, era troppo tardi per cambiare qualcosa.

Mentre Spider e Valentine leggevano i loro contratti, Hillman la studiò, al riparo delle mani: appoggiando i pollici alle guance e gli indici appena al di sopra delle sopracciglia, riusciva a nascondere buona parte della propria faccia pur conservandosi la possibilità di osservare le altre persone, un trucco di cui si serviva spesso. Contemplava affascinato il gioco mutevole delle espressioni sul visetto di Valentine ed era così assorto che non prestò attenzione a Spider, quando questi smise di leggere e disse: « Qui c'è qualche cosa che non funziona ».

Ma quando Valentine si alzò di scatto dalla seggiola con un urlo acuto di « *Merde* », si riscosse dai suoi sogni con un sobbalzo molto poco dignitoso:

« Cos'è questa *merde*... questa merda? » domandò sbattendogli il contratto sulla scrivania e diventando così pallida per la rabbia che, se non ci fossero stati quei suoi capelli color fiamma, avrebbe avuto l'aspetto di una fotografia in bianco e nero. « Questa clausola che possiamo essere licenziati con un preavviso di tre settimane! Di questo non si è parlato durante la conversazione che ho avuto con la signora Ikehorn. Come osa? Quale donna può fare una cosa del genere? È disonesto, disonorevole, vile, disgustoso! Non me l'aspettavo da lei, ma avrei dovuto saperlo! Non firmeremo mai questi contratti, signor Hillman. La chiami e glielo dica immediatamente. E le dica anche quello che penso di lei. Su, vieni, Elliott... andiamocene! »

« Non è stata una sua idea », si affrettò a rispondere Josh Hillman. « Gliel'ho suggerita io... la solita, normale prudenza degli avvocati. Non se la prenda con la signora Ikehorn. Lei non c'entra. »

« Normale prudenza da avvocati! » La collera di Valentine era tale da fargli sbattere le palpebre per lo stupore. « Io ci sputo sulla prudenza degli avvocati! Allora è lei che dovrebbe vergognarsi. Fare una cosa tanto spregevole! »

« Mi vergogno », rispose lui. « Per piacere, mi creda. » Il dispiacere e lo sgomento gli si leggevano chiaramente in faccia. Valentine si limitò a lanciargli un'occhiata carica di furore.

« Val, piccola, chiudi la bocca per un maledetto minuto, per piacere », le ordinò Spider in tono bonario. « E ora, signor Hillman, se è stata una sua idea prudente quella di inserire la clausola, adesso non sarà un'idea altrettanto prudente quella di toglierla? Le pare, signore? »

294

« Bisogna che ne parli con la signora Ikehorn », ammise l'avvocato con riluttanza.

« Aspetteremo fuori intanto che si mette in comunicazione con lei », disse Spider puntando un dito minaccioso in direzione del telefono. « E forse riuscirà anche a ottenere dalla sua segretaria che ci porti un po' di caffè. »

Josh Hillman, in silenzio, si mise a scalciare contro le gambe della scrivania per un minuto buono, come se volesse punirla severamente, prima di sfogliare il suo elenco telefonico privato. Trovò un numero e fece una chiamata sulla sua linea privata. Parlò rapido, con enfasi, per un po' e infine suonò il campanello per dire alla segretaria di accompagnare di nuovo da lui Valentine e Spider.

« Tutto sistemato », annunciò con un sorriso di sollievo. « Farò eseguire quei cambiamenti sui contratti in cinque minuti. Un anno, garantito, senza condizioni vincolanti. »

« Ah! » Valentine esclamò in tono sprezzante e sospettoso. Quando le carte vennero riportate nello studio di Hillman, le lesse parola per parola, con un'espressione di scetticismo di pretto stampo francese. E quando anche Spider ebbe verificato che non esistessero altre clausole capestro, finalmente firmarono ognuno il proprio contratto.

Appena se ne furono andati, Josh Hillman ordinò alla sua segretaria di non passargli più nessuna telefonata. Aveva bisogno di almeno mezz'ora, forse anche di più a giudicare dalle passate esperienze, prima di riuscire a rintracciare Billy Ikehorn /e informarla che, malgrado tutto quello che aveva tentato di dire o di fare, malgrado i suoi migliori sforzi, quei due non ne avevano voluto sapere di firmare il contratto finché non era stata eliminata la clausola incriminata. Calcolò che ci sarebbero voluti perlomeno altri dieci minuti per convincerla che era stato assolutamente necessario cassarla dal testo, ma sapeva che ci sarebbe riuscito. Era in grado di convincere chiunque a fare qualsiasi cosa, o quasi. O, se non altro, ne era sempre stato sicuro almeno fino a quel pomeriggio. « *Merde* » si disse sorridendo al ricordo, mentre spiegava alla segretaria che doveva cominciare a fare le telefonate necessarie a rintracciare Billy Ikehorn.

Quando Valentine quella sera rientrò in camera sua piuttosto presto, trovò sul basso tavolino un cesto largo e piatto di fabbricazione irlandese. Sette steli alti e sottili di orchidee sembrava che spuntassero direttamente dal muschio verde che riempiva il cestino: qualche fiore era già aperto completamente, qualche altro ancora in boccio. Sul biglietto, appoggiato lì vicino, c'era scritto: « Con le mie più umili scuse per il *contretemps* del pomeriggio. Spero che mi permetterà di invitarla a cena dopo un doveroso periodo di pentimento. Josh Hillman ».

Valentine gli perdonò immediatamente, ma gli avrebbe perdonato due volte se avesse saputo la fatica che aveva fatto a sillabare senza errori la parola *contretemps* alla commessa di David Jones, il miglior fiorista di Los Angeles. L'ordine era stato dato per telefono mentre lei e Spider stavano bevendo un caffè nell'ufficio della sua segretaria, subito dopo aver denunciato la clausola del preavviso di licenziamento di tre settimane che era contenuta nel contratto.

Quella stessa notte, verso le tre, Spider, che era ancora sveglio, sentì bussare lievemente alla porta della sua camera. La aprì per trovarsi davanti una Valentine sconvolta, infagottata nella vestaglia azzurro cupo. La prese fra le braccia, la portò dentro, la depositò su una seggiola, ansioso e stupito. « Che cosa c'è che non va, Val... Dio mio, stai male? » Sembrava una bambina terrorizzata: i verdi occhi spalancati, senza il loro contorno di pesante mascara nero, erano colmi di lagrime, e perfino i suoi riccioli sembravano aver perduto la loro aria battagliera.

« Oh, Elliott, ho una tale strizza! »

« Tu, tesoro? Che cosa dovrei dire io, allora? »

« Il modo in cui ti sei comportato oggi, ho pensato... eri così sfacciato, così sicuro di te stesso, così impudente con Billy. »

« E che cosa dovrei dire di te, che sei uscita dallo studio di quell'avvocato schiumante di rabbia? Non ti ho mai vista così arrabbiata, neanche con me! »

« Non so neanch'io che cosa è successo... quando mi infurio a quel modo non riesco neanche più a pensare. Però, Elliott, adesso sono stata un po' a meditare, a letto, e mi sono resa conto che siamo una coppia di imbroglioni, noi due. Io non ho mai comprato niente per un grande magazzino in tutta la mia vita, però ho lavorato con quelli che fanno questo mestiere e so che devono avere alle spalle anni e anni di addestramento. E tu, non sai niente sulla vendita al pubblico. Niente! »

Spider la scosse delicatamente e le posò una mano sulla nuca in modo da costringerla ad alzare gli occhi e a guardarlo: « Mia sciocca Valentine. Hai l'incubo delle tre di notte, ecco la verità! Ma non ti ha mai detto nessuno che non bisogna mai pensare alle cose serie alle tre di notte? » La ragazza si rifiutò di farsi confortare da quelle parole. Allora Spider prese un'aria solenne. « Adesso stammi bene a sentire, Valentine: se io non avessi pensato che, messi insieme, tu e io non avremmo avuto gusto e fantasia per far funzionare questa faccenda non avrei accettato... E allora, che importanza ha se non abbiamo mai venduto vestiti? La moda è affar tuo, te ne intendi, non dimenticartelo. Disegni vestiti per far apparire le donne migliori di quello che sono in realtà; io faccio fotografie per farle apparire belle. Siamo due illusionisti, e i migliori che ci siano! Tutto quello di cui abbiamo bisogno è il tempo per orizzontarci e, poi, saremo capaci di capovolgere la situazione in cui si trova Scruples adesso. Lo so. »

« Se fosse così semplice! » Valentine aveva sempre una aria desolata. « Ci sono molte cose che non conosco qui, in questa California. Mi trovo fuori dal mio elemento, è spaventoso. E il tuo modo di parlare con la signora Ikehorn, Elliott, mi terrorizza. Hai idea del modo in cui la trattano nella Seventh Avenue, come una dea? E non solo laggiù, ma dappertutto. Può essere spietata. Non dimenticarti quello che mi è successo quando voleva vedere i vestiti disegnati da me e io ho tentato di rifiutarmi. »

« Hai mai sentito quella vecchia, ottima espressione americana che è "farsi comandare a bacchetta da una femmina?" »

« Mai, però mi pare che si spieghi da sé, non trovi? »
Valentine sorrise per la prima volta quel giorno.

« Cerca di capire, Val carissima. Ci sono uomini che
sono comandati a bacchetta in questo modo dal giorno della
nascita, a qualche altro può capitare più avanti nella vita,
a qualcuno non capita mai. Io sono nato in una posizione
favolosa, il vero re del castello: non ho mai saputo che cosa
volesse dire avere una donna che cercava di comandarmi a
bacchetta fino al giorno in cui ho incontrato Harriet Toppingham. E quando non le ho permesso di divertirsi come
voleva, mi ha rovinato. » Non ha fatto cenno a Melanie
Adams, pensò Valentine. « Billy Ikehorn ha tutte le qualità
necessarie per diventare un tipo super di queste donne insopportabili, se già non lo è. Ma io non voglio e non posso
lasciarla diventare così. »

« Ti capisco, Elliott. Però questo vuol dire che dovrai
essere sempre in aperto antagonismo con lei, offendendola
con i tuoi giudizi per quello che ha fatto e facendola diventare furiosa? »

« No, hai ragione. Ho ecceduto un po', per il primo
giorno. »

« E per il secondo e il terzo? Elliott, è talmente ricca! »

« Se cominci a pensare ai soldi, bambina, sei perduta.
Allora non sarai più capace di trattare con nessun essere
umano. Non riuscirai più a parlarle chiaramente per la
paura di aver davanti qualcosa di irreale. Sì, certo, molto,
molto ricca e si è costruita un grande magazzino che per il
momento è in rosso e potrebbe anche non venir più fuori da questa situazione, a dispetto del lavoro che ci possiamo mettere noi; è convinta di avere fantasia creativa e si
illude di servirsene regalmente, allo stesso modo di Maria
Antonietta quando si travestiva da lattaia. Però Billy Ikehorn
è una persona, di sesso femminile. Va al gabinetto, si fa
sbattere, fa pipì, fa le scoreggie, mangia, piange, ha emozioni e ansie, ha paura di diventare vecchia, è una donna, Valentine e, se me ne dimenticassi, non saprei più comportar-
mi con lei come si deve. Né con te. »

« Oh, Elliott, non è neanche Giovanna d'Arco, Madame Chanel e, oh, sono una cretina! » La Valentine « orfa-

nella sperduta » era scomparsa. I suoi occhi erano diventati incandescenti. Scivolò fuori dalla seggiola ed era già alla porta e la stava aprendo, in un unico rapidissimo movimento. « Grazie, Elliott, per non aver perduto la testa. Adesso faremo meglio a cercare di dormire un po'. Domani sarà una gran giornata per gli imbroglioni. »

« Neanche un bacio della buona notte, socia? » Valentine lo guardò con un immediato ritorno ai sospetti che aveva sempre avuto per quel dongiovanni del suo amico Elliott. Dopo Melanie Adams sapeva che non era più stato con una donna. Con degnazione, gli tese la mano, spingendo il braccio in tutta la sua lunghezza in modo che lui potesse baciargliela. Poi fuggì di corsa nel corridoio sussurrando come fanno le mamme francesi mentre mettono a letto i loro bambini: « *Dors bien, et fais de bons rêves* ».

Billy Ikehorn era andata a dormire relativamente presto, ma era stato uno sbaglio e se ne accorse quando si trovò sveglia alle cinque del mattino. Si svegliò di soprassalto, con una spiacevole sensazione, che le faceva battere il cuore a colpi sordi, che ci fosse qualcosa che non andava. Non appena riuscì a raggomitolarsi in una posizione più comoda nel letto, realizzò subito di che cosa si trattava: Scruples. Se avesse potuto vederlo scomparire per un colpo di bacchetta magica, svanire e dissolversi in una nuvola di polvere, l'avrebbe fatto, all'istante.

Billy era stata attratta dall'idea di Scruples durante l'ultimo anno quasi interminabile del lento declino di Ellis, un paio di anni prima. A quell'epoca aveva già organizzato senza intralci, e nel·modo più efficiente, la sua vita sessuale segreta nello studio. Quando il breve periodo di interesse per Ash si era esaurito, aveva cambiato tutti e tre gli infermieri che assistevano Ellis e, con la stessa cura e la stessa attenzione che se fosse stata la Grande Caterina intenta a scegliere i soldati per la sua famosa guardia personale, ne aveva assunti altri, provando un senso di esaltazione incredibile al pensiero che era libera di esaminare e valutare un numero indefinito di uomini finché non avesse trovato quelli

299

che voleva. Qualche volta una delle sue scelte la deludeva, qualche volta lo stesso giovanotto riusciva a tenerla prigioniera sessualmente per mesi ma, tutto sommato, finiva per stancarsi sempre anche dei migliori. Il rimedio, in ognuno di questi due casi, era sempre lo stesso, il licenziamento con un solo giorno di preavviso e una cospicua ricompensa in denaro. Per lungo tempo il centro dei suoi pensieri, di giorno come di notte, era stata l'atmosfera clandestina di quella camera chiusa a chiave, ma gradatamente era diventato un pensiero meno assillante. E infine le diventò necessario soltanto come può essere necessaria una call-girl per un uomo che non abbia alcun altro sfogo sessuale. L'ossessione che la spingeva da un corpo maschile nuovo e sconosciuto, all'altro, facendo di loro aggressivamente un suo possesso personale fintanto che ne aveva voglia, si era consumato ed esaurito nell'ultimo anno di vita di Ellis. Qualunque soddisfazione avesse cercato in quello studio, qualunque risposta al suo spirito solitario avesse creduto, un tempo, di trovare là dentro, adesso sapeva che non esistevano.

Nel frattempo, Ellis si era quasi ritirato da ogni contatto con lei e con gli infermieri. Sembrava che non fosse quasi più capace di riconoscerla quando veniva a sedersi vicino a lui, o forse la riconosceva ma non gli importava più. Quando gli teneva la mano e gli guardava la faccia affilata, la faccia di un uomo che un tempo aveva comandato un impero, il cuore le faceva così male che doveva scappar via subito. Spesso, dopo uno di questi momenti, Billy rifletteva sul fatto che almeno questo dolore provava che aveva ancora un cuore.

Durante la giornata aveva molto tempo a sua disposizione. Billy non era mai stata donna da sentirsi a proprio agio nei comitati delle opere di beneficenza. Forse era il risultato della sua infanzia passata virtualmente senza amici, ma quando si trovava in mezzo a un gruppo numeroso di donne della sua età, si rinchiudeva in una timidezza e in un imbarazzo che venivano presi per alterigia e snobismo.

Del resto, non poteva riempire tutto il suo tempo giocando a tennis. Provava una ripugnanza istintiva per l'idea di diventare una di quelle donne con la fissazione del tennis che vedeva a Beverly Hills. Ricominciò a prendere regolarmente le lezioni di ginnastica nella palestra di Ron Fletcher, dove a nessuno importava sapere chi fossero tutte quelle donne in calzamaglia che sudavano e imprecavano.

Billy telefonò alle poche conoscenti, molte delle quali non la sentivano più da un anno, e fissò qualche appuntamento con loro per andare a pranzo insieme, spiegando la sua virtuale scomparsa soltanto con un accenno a Ellis e alla necessità di restare vicino a casa. Ma si accorse di aver perduto tutta la sua eleganza. Due anni prima l'avevano elencata nella lista delle donne meglio vestite. E dopo la sua storia con Jake non si era più comprata niente di nuovo. Tutto d'un colpo, la sua passione per i vestiti si ravvivò. Doveva comprarseli, subito, se.non altro per provare un piccolo brivido di emozione, per sentirsi almeno esteriormente desiderabile e romantica com'era stata quando Ellis non era ancora peggiorato ed era diventata la regina di *Women's Wear*. Non c'era più niente, assolutamente niente di tutto quello che aveva, che ora le andasse bene. I vestiti che aveva sembravano comprati da una persona diversa in una vita diversa.

Billy si imbarcò in una razzia piratesca nelle boutique e nei grandi magazzini di Beverly Hills. Lo scopo per cui comprava tutta quella roba ora era diverso, ma il suo senso critico e il suo netto disgusto per tutto ciò che non fosse « il meglio » si erano fatti più sottili e difficili. Trovò molto poco che la soddisfacesse; d'altra parte era imprigionata in California e non poteva partire per un lungo viaggio di acquisti a New York o a Parigi.

Un giorno, mentre camminava per Rodeo Drive e osservava l'abbondanza di costruzioni nuove che stavano sorgendo in quell'incantevole, lungo viale di negozi di lusso, di cui conosceva a memoria ogni angolo e di cui sembrava che nessun angolo riuscisse a offrirle ciò che desiderava, le venne l'idea di costruire Scruples.

Per due giorni continuò a passare e ripassare per quell'angolo di Rodeo e Dayton, misurando il terreno che le occorreva, osservando l'edificio di Van Cleef & Arpels, non-

301

ché quello adiacente che ospitava Battaglia e Frances Klein's, una antica gioielleria, con un tale disprezzo che la forza del suo sguardo avrebbe dovuto ridurli in polvere all'istante. Le sarebbe stato necessario per la costruzione anche il parcheggio annesso a Battaglia, complessivamente cinquanta metri di Rodeo Drive, per una profondità di quarantacinque metri. Il cuore le batteva forte, un'emozione che non conosceva più da anni. Scruples avrebbe colmato tutto il vuoto della sua vita. Lo voleva. L'avrebbe avuto.

Le obiezioni e le perplessità di Josh Hillman furono superati. Per tre milioni di dollari, insistette Billy, quel mezzo isolato era un affare. Pagò tutto con il patrimonio che Ellis aveva accumulato per lei con il passare degli anni. Qui non c'entravano le Ikehorn Enterprises; non erano affari che le riguardassero; erano affari che riguardavano solo Billy. Avrebbe dimostrato a tutta Beverly Hills come si doveva dirigere un superbo e stupendo grande magazzino. Scruples avrebbe fatto parlare di sé il mondo della moda, sarebbe stato un avamposto dell'eleganza, del garbo e della raffinatezza che, fino a quel momento, esistevano solo a Parigi.

Nell'anno che occorse per costruire Scruples, Billy si abbandonò interamente e appassionatamente alla sua nuova attività. Cercò di assumere come architetto I.M. Pei, ma era occupato a costruire una nuova ala da settanta milioni di dollari, della Fondazione Rockefeller e quindi Billy dovette accontentarsi del più brillante dei suoi soci che le disegnò un palazzo destinato a diventare una pietra miliare dell'architettura. Billy tornava e ritornava sui lavori, torturava gli operai, faceva diventar pazzi gli imprenditori edili e ridusse l'architetto a un tal punto di disperazione che ci mancò poco che non abbandonasse il progetto. La sua vita era piena di progetti e di impazienza, ma adesso perlomeno sapeva che avrebbe realizzato i suoi sogni, era solo una questione di tempo.

Quando Ellis morì nell'autunno del 1975, proprio prima dell'apertura di Scruples, Billy si rese conto che aveva smesso da molto tempo di piangerlo. I primi due anni della sua malattia erano stati un lungo e terribile periodo di dolore e di amaro compianto. Billy avrebbe sempre amato l'Ellis Ikehorn che aveva sposato nel 1963, ma ora, doveva ammetterlo nel proprio intimo, quel vecchio paralizzato che era morto non era Ellis, ed era inutile qualsiasi ipocrisia a questo riguardo. Avrebbe chiamato il grande magazzino Scruples in omaggio alla zia Cornelia, a tutta la Boston « bene », al Katie Gibbs, a quella patetica Wilhelmina Hunnenwell Winthrop che era partita per Parigi e ne era tornata trasformata, e a tutti gli scrupoli che non provava più. Sapeva che, in tutto il mondo, soltanto Jessica forse avrebbe apprezzato quel nome. Era un omaggio che faceva a se stessa, per controbilanciare la camera nella torre della fortezza di Bel Air. Qualcosa di quel nome dava a Billy una profonda soddisfazione.

Adesso, rannicchiata a letto, pensò con tristezza a come fosse cominciato tutto bene. In principio, sembrava che ogni donna ricca da San Diego fino a San Francisco volesse vedere il nuovo negozio. Venivano a comprare e continuarono a comprare per qualche mese. Billy, esaltata e felice, sentì che Scruples era un successo. *Women's Dear Daily* controllava con attenzione questa nuova impresa. Billy Ikehorn era una persona importante, inoltre una donna dell'alta società che si metteva nel commercio faceva sempre notizia. Il giornale aveva dedicato un paginone doppio a una serie di fotografie di Billy davanti a Scruples e a una raccolta di altre foto retrospettive della sua vita con Ellis. Più avanti, quando il grande magazzino venne inaugurato, dedicarono a Scruples un altro paginone doppio. Billy fu particolarmente soddisfatta della ispirazione che aveva avuto di fare dell'interno di Scruples una copia identica della casa di mode di Dior.

Ricordava bene l'emozione che aveva provato quando aveva varcato, in compagnia della comtesse, la famosa porta in Avenue Montaigne quindici anni prima e aveva aspettato eccitata e intimidita, che procurassero a tutte e due i posti nel salone principale; e poi si era seduta, ammutolita dallo stupore, ad ammirare la bellezza della superba collezione composta di abiti di sogno mentre le modelle le sfilavano davanti. Dopo, lei e Lilianne de Vertdulac avevano esplorato la boutique al piano terreno anche se sapevano che non avrebbero potuto permettersi neppure uno di quegli incantevoli

303

modelli, di quelle creazioni folli. Adesso Billy avrebbe avuto un Dior tutto per sé a Beverly Hills.

Naturalmente Billy non si aspettava che Scruples le portasse grossi guadagni. Era stata avvertita troppo spesso e con troppa chiarezza da Josh Hillman che il denaro profuso a piene mani nel terreno, nella costruzione e nell'arredamento interno si dovesse considerare perduto per sempre. Hillman le aveva detto che non esisteva la possibilità che gli utili su quei costosissimi vestiti potessero farle recuperare il costo originale di Scruples, anche se vestiti del genere si potevano vendere con un aumento del 100 per cento rispetto al prezzo al quale il negozio li acquistava.

« Josh », gli aveva risposto lei, « non lo faccio per guadagnare. Lo sai benissimo anche tu che non riesco neppure a spendere tutte le mie entrate. Lo faccio semplicemente per togliermi un capriccio e non permetterò a nessuno di venire a dirmi che non me lo posso permettere. Naturale che posso permettermelo, e lo so benissimo. Ma questo deve restare fra te e me! »

Almeno se lo fosse tenuto per sé, rifletté amaramente Billy! Se almeno *Women's Wear Daily* non l'avesse presa di mira a quel modo, adesso non sarebbe così agitata e inquieta. Un conto era veder sparire il denaro che non sarebbe mai riuscita ad adoperare neanche se avesse vissuto diecimila anni e un altro, del tutto diverso, quello che la faccenda venisse strombazzata dall'unico quotidiano del mondo alla cui opinione teneva più di qualsiasi cosa. Negli ultimi tempi c'era stato qualche riferimento alla « Follia di Billy », firmata da quella Louise J. Esterhazy che doveva sicuramente essere lo pseudonimo sotto il quale si nascondeva la voce del direttore del giornale, e già intuiva in che direzione avrebbe soffiato il vento in futuro. Quando le prossime cifre semestrali fossero state rese note a tutti, sarebbe diventata lo zimbello di tutto il mondo della vendita al pubblico. Aveva ben poche speranze di poter nascondere quelle cifre. Poiché Billy era l'unica proprietaria di Scruples teoricamente soltanto i suoi contabili avrebbero dovuto sapere quali fossero le perdite reali, ma c'erano spie, informatori e fughe di notizie dappertutto. Era come avere il cadavere

304

più bello del mondo disteso davanti alla porta di casa, pensò Billy, senza la minima possibilità di rimuoverlo e sapendo benissimo che presto si sarebbe svegliato l'intero quartiere e tutti sarebbero venuti a indagare sulla causa di quello strano fetore orribile.

Perché cavolo era sempre così impulsiva? Le veniva voglia di mettersi a urlare dalla rabbia, di darsi tanti pizzicotti fino a diventare tutta nera e blu, al ricordo della sua telefonata a Valentine. Aveva voluto quella ragazza con una tale insistenza, in quel momento era così convinta che un talento come quello di Valentine per dirigere un reparto di confezioni su misura fosse ciò di cui Scruples avesse bisogno, che l'aveva allettata in tutti i modi perché venisse in California. Anche con un reparto di abiti su misura, le cose sarebbero sempre rimaste quelle che erano! Perfino St.-Laurent, Dior e Givenchy, insomma tutte le più prestigiose case di moda di Parigi si lamentavano di perder denaro, ma la Couture serviva a tener vivo il loro nome ed era un nome che faceva vendere anche profumi e abiti *ready-to-wear* in tutto il mondo. La couture francese era morta, dal punto di vista finanziario. Esisteva soltanto per conservare a Parigi l'atmosfera e l'ambiente dell'epoca precedente la II guerra mondiale; per ispirare i funzionari dei grandi magazzini incaricati degli acquisti e le manifatture di generi di abbigliamento in tutto il mondo e attirarli a Parigi due volte l'anno; per consentire alla donna che compra un vestito *ready-to-wear* di Yves St.-Laurent per trecento dollari in una delle sue molte boutique di sentirsi la pelle sfiorata da un po' del fascino parigino. E Billy l'aveva saputo fin dal principio. Non poteva prendersela con nessuno, eccetto che con se stessa. Adesso, poi, aveva assunto due veri e propri dilettanti per fare un lavoro che soltanto due professionisti avrebbero potuto intraprendere con successo.

Eppure. Eppure. Forse, pensò Billy, forse l'impulsività non era sempre un male. Guardandosi indietro, era stato un impulso a farla partire per Parigi, un impulso quello che le aveva detto di attraversare quel corridoio alle Barbados e di buttarsi nelle braccia di Ellis Ikehorn. Naturalmente era stato un impulso anche quello che le aveva fatto sognare di diventare una contessa francese solo perché si era fatta sverginare da un conte a caccia di una dote, come era stato un semplice impulso quello che l'aveva convinta che un anno di corso all'Istituto Katie Gibbs le avrebbe dato l'istruzione e l'addestramento sufficienti per aver successo nel mondo degli affari. Nell'oscurità della sua camera da letto, Billy scosse tristemente la testa pensando a tutte le volte, nella sua vita, che si era aspettata un miracolo semplicemente perché aveva voluto che si realizzasse. Come Scruples. Però, a ben pensarci, da Parigi era tornata magra e aveva sposato Ellis ed era stata felice per sette anni perfetti. Senza quella sua pessima abitudine di essere impulsiva che cosa sarebbe diventata? Un'insegnante di Boston, grassa in modo grottesco, che avrebbe passato la vita mangiando in continuazione, l'eterna estranea, un tipo eccentrico intrappolato nella ristretta cerchia dell'aristocrazia di Boston alla quale, in modo tanto inappropriato, « apparteneva ».

E dopo aver seguito i suoi impulsi? Era divinamente magra, favolosamente ricca ed enormemente chic. La classica vedova allegra. Se almeno si fosse sentita allegra! Tutta colpa di Scruples. Era un disastro completo: quanto prima avesse accettato questo fatto, meglio sarebbe stato per lei. Era stata impulsiva una volta di troppo.

La mattina successiva, non appena si svegliò dal breve sonno che l'aveva colta mentre albeggiava, Billy Ikehorn telefonò a Josh Hillman a casa, una pessima abitudine che aveva preso da Ellis Ikehorn nei giorni della potenza e della gloria.

« Josh, fino a che punto sono legata a quei due, Elliott e Valentine? »

« Ecco, naturalmente hanno un contratto, però si può sempre convincerli ad accettare meno di quello che costerebbe pagarli per un anno intero, se è questo che hai in mente. È abbastanza improbabile che possano farti causa. Perché? » La sua domanda aveva una sfumatura insolita di incertezza.

« Stavo semplicemente considerando le opinioni che ho. »

Billy non voleva ammettere subito che meditava di liberarsi di Spider e di Valentine. Quando si era svegliata, gingillandosi con l'idea di vendere Scruples, si era accorta di aver visto giusto almeno in una cosa. Il terreno valeva già più di quanto lo avesse pagato e forse qualcuno poteva avere interesse ad acquistare l'edificio. Anche se nessuno fosse stato disposto a comprarlo se non con la sicurezza di fare un grosso affare, perlomeno lei si sarebbe liberata dell'imbarazzo soffocante di dirigere un negozio in agonia. Meglio lasciar credere che aveva perso qualsiasi interesse per Scruples piuttosto che restarci aggrappata mentre la gente del suo rango rideva e la beffeggiava per le sue pretese e si rallegrava in segreto di vederla umiliata. Sentì che la depressione le calava lentamente addosso. Aveva posto troppe speranze in Scruples. Era la sua creatura. Non poteva accettare un'umiliazione pubblica.

Poche ore dopo, mentre stava vestendosi, le telefonò Spider.

« Billy, sono rimasto sveglio una buona metà della notte a pensare a come trasformare Scruples e farlo diventare qualcosa di eccezionale. Possiamo parlarne oggi? »

« Non sono dell'umore adatto. A dirtelo francamente, è un argomento che comincia a stancarmi. Ieri sembrava che tu ballassi addirittura il tip-tap sul soffitto tanto eri scatenato con i tuoi progetti del ristorante qui e del salottino da massaggio là. Oggi non me la sento di affrontare qualche altra delle tue idee così rischiose, Spider. »

« Ti prometto che si parlerà soltanto di affari, e molto seriamente. Senti, ho preso una macchina. È una giornata favolosa... andiamo fino a Santa Barbara. Si potrebbe pranzare al Biltmore e parlare. Saranno dieci anni che non vado più su, lungo la costa. Non te la senti di venire solo qualche ora? »

Per quanto strano potesse sembrare, Billy se la sentì. Le pareva di essere rimasta chiusa in trappola per un'eternità fra la città di Beverly Hills e le pendici delle montagne di Santa Monica che sorgevano dietro la parte occidentale di Los Angeles, separandola dalla San Fernando Valley. Erano secoli che non usciva dalla città per andare a pranzo con

307

l'eccezione dei soliti spuntini domenicali alla Malibu Colony.

« Oh, su andiamo, Billy! Ti divertirai, parola di boy-scout! »

« Va bene. Vieni a prendermi fra un'ora. »

Billy riattaccò pensierosa. Ricordava benissimo come ci si rivolge parlando a quelli che non sono ricchi. Negli ultimi tredici anni, da quando aveva sposato Ellis Ikehorn, la gente le aveva rivolto la parola in un modo diverso, adoperando quell'intonazione speciale riservata alle persone ricchissime e facoltose. Aveva meditato spesso sul grande gioco americano che ha lo scopo di scoprire perché i ricchi sono diversi da tutti gli altri. Fitzgerald e ʻO'Hara e dozzine di scrittori minori erano stati appassionatamente attratti dai ricchi, come se il denaro fosse la cosa più affascinante che una persona possa possedere. Non la bellezza, non il talento, neppure il potere, ma solo il denaro. Billy, in cuor suo, era convinta che i ricchi siano differenti soltanto perché la gente li tratta come se lo fossero.

Forse non si sarebbe mai resa conto che la gente non rivolge la parola ai ricchi allo stesso modo in cui la rivolge al resto del mondo se il cambiamento avvenuto nella sua sorte non fosse stato così brusco. Se fosse nata ricca, ecco qual era il suo sospetto, non avrebbe avuto esperienza sufficiente per rimanere colpita dal modo spiccio e poco formale con cui Spider le aveva parlato. A parte alcune, pochissime, donne che possedevano una potenza e una posizione tali a Los Angeles da ignorare le proporzioni del suo patrimonio, nessun altro le aveva mai parlato come Spider aveva appena fatto.

Spider, con un'abilità che solo lui possedeva, era riuscito a farsi dare in prova una *Mercedes* decapotabile e, dallo stesso istante in cui il giovanotto le domandò se voleva la macchina chiusa o scoperta, parve che entrasse in funzione tra loro un tacito accordo di « cessate il fuoco ».

« Oh, giù, per piacere », disse Billy, pensando che nei suoi trentatré anni di vita non aveva mai viaggiato su una macchina decapotabile con la capote abbassata, mentre si dà per scontato che ogni donna americana non abbia fatto altro in tutta la sua giovinezza. Si trattava di quelle della generazione precedente? In ogni caso, era un'esperienza che lei aveva perduto.

Una volta passata Calabasas, l'autostrada diventò quasi deserta e la vallata si allargò intorno a loro in una serie di ondulate colline brune, bruciate dal sole, punteggiate di alberi, un paesaggio tanto semplice che anche un bambino avrebbe saputo disegnarlo. Spider guidava come un ballerino di flamenco particolarmente ispirato e imprecava contro il limite di velocità.

« L'ultima volta che ho fatto questa strada si poteva andare senza difficoltà a centocinquanta chilometri: riuscivamo ad arrivare a Santa Barbara in meno di un'ora. »

« Perché tanta fretta? »

« Oh, soltanto per divertirci. Qualche volta, dopo una festa che era finita tardi, perché dovevo accompagnare a casa una ragazza prima che suo padre e sua madre mettessero in allarme tutto lo Stato. »

« Sei stato un autentico ragazzo della California, vero? »

« L'articolo più genuino, mi mancava solo di fare il surf. Se si vuole avere una gioventù spensierata, è qui che bisogna venire », e rise allegramente ripensando agli anni passati.

Billy finora aveva osservato rigidamente le regole di una conversazione perfetta che le avrebbe dato il modo di farsi raccontare da Spider tutto quello che aveva fatto da quell'epoca in poi, ma, al momento, si sentiva troppo bene e troppo tranquilla per prendersi quella briga. Il vento fra i capelli, il sole sulla faccia, la macchina aperta, come la ragazza in quel vecchio manifesto della Coca-Cola. Sentiva che l'ansia che le aveva stretto il cuore come una morsa quando era a casa, adesso diminuiva sempre più a mano a mano che si allontanava da Rodeo Drive.

Non era mai stata a Santa Barbara. Quando Ellis era vivo viaggiavano soltanto in aereo. Non aveva mai accettato neppure uno dei pochi inviti che le avevano fatto alle feste di Montecito, una comunità appena fuori Santa Barbara dove la gente molto ricca viveva in pochi chilometri quadrati di territorio, famosi non soltanto per la bellezza

309

naturale ma anche per le leggi che vietavano la vendita degli alcolici e per le favolose cantine private. Anche se in passato il Biltmore non le era sembrato molto invitante, rimase sbalordita quando, usciti da una curva, il vecchio albergo dalla costruzione irregolare apparve sull'alta scogliera a picco sul mare, romantico, magnificamente conservato, un vero miraggio che faceva parte di un passato elegante e pieno di dignità. Montagne azzurrine si allungavano sullo sfondo seguendo la costa mentre, vicino, le onde si rompevano con sordo fragore contro gli scogli.

« Ecco! La riviera francese doveva essere così cinquant'anni fa! » esclamò.

« Non ci sono mai stato », disse Spider.

« Io ci andavo spesso con mio marito. Oh, ma qui è... perfetto. Non immaginavo che ci fossero posti simili così vicini alla città. »

« Non ce ne sono. Questo è il primo. Poi si continua a risalire lungo la costa e diventa sempre più bello. Mangiamo dentro o fuori? » Spider era stupendo e radioso, pensò Billy mentre si fermavano davanti alla porta dell'hotel, il suo sorriso era quello di chi si aspetta soltanto, lietamente, cose belle. Un tipo favoloso, se mai ne aveva visto uno. Una combinazione talmente ovvia: capelli biondi e occhi azzurri, azzurri, azzurri. Perché faceva sempre effetto?

« Fuori, naturalmente. » Lui mirava a qualcosa, ma Billy sapeva di che si trattava e quindi ci era preparata. Poteva anche essere un uomo attraente, ma lei non era una donna che si lasciasse sedurre facilmente.

Quando Josh Hillman mandò a Valentine quel cestino di orchidee commise, forse, il primo gesto non assolutamente necessario di tutta la sua vita. Quando le telefonò per invitarla a cena il giorno dopo, ne commise un secondo.

Sapeva con esattezza dove volesse condurre Valentine, in un posto speciale che gli piaceva moltissimo, il *94 Aero Squadron* là fuori, vicino all'aeroporto Van Nuys. Non ci aveva mai portato nessuno prima di allora. Cinque anni prima Josh aveva cominciato a volare. Gli altri sport non lo avevano mai interessato, ma aveva sempre avuto un gran desiderio di imparare a volare. Non appena capì di poter trovare senza difficoltà un pomeriggio di libertà dall'ufficio e un pomeriggio del weekend da passare lontano da casa, cominciò a prendere lezioni di volo con grande sdegno di sua moglie. Non appena ebbe ottenuto la patente di pilota privato, Josh comperò un Beechcraft Sierra e cominciò a rubare sempre più tempo al weekend per abbandonarsi all'esaltazione del volo. Joanne non diede mai importanza alla cosa: era sempre molto impegnata con i tornei di tennis e di backgammon. Né tantomeno faceva caso al fatto che lui, molte sere, dovesse fermarsi nello studio a lavorare fino a tardi: aveva letteralmente centinaia di telefonate da fare ogni settimana per cercar di tenere le fila della moltitudine di donne che riusciva a radunare e a far lavorare per amore della cultura e degli ospedali. Spesso, quando Josh atterrava, andava al *94 Aero Squadron* a bere qualcosa prima di salire in macchina per tornare a casa.

Era un'autentica stravaganza, un ristorante costruito esattamente come una vecchia casa colonica francese, fatto di mattoni consumati dalle intemperie e di intonaco che andava a pezzi. Si poteva credere senza difficoltà che il posto fosse stato occupato da un'unità dell'aviazione inglese durante la I guerra mondiale. Intorno alla casa erano ammucchiati a centinaia i sacchetti di sabbia con i primi fucili nascosti dietro, un carro agricolo pieno di fieno vicino alla porta d'ingresso, Muzak che suonava *It's a Long, Long Way to Tipperary* e *Pack Up Your Troubles in Your Old Kit-Bag*, cartelli che indicavano ai clienti come raggiungere la « Stanza delle riunioni per le istruzioni » che aveva, alle pareti, fotografie sbiadite di eroici piloti morti. Un vecchio biplano era parcheggiato fra il ristorante e la parte terminale, autentica, delle piste parallele dell'aeroporto Van Nuys, dove almeno settecento aerei privati atterravano o decollavano ogni giorno dell'anno. A Josh piaceva l'atmosfera di nostalgia e di dolce malinconia di quel posto, che riusciva, non si sa bene come, a non aver un'aria falsa nonostante lo fosse per la massima parte.

Valentine rimase completamente affascinata dall'*Aero*

Squadron. Era proprio quello che aveva sperato di trovare in California, un falso favoloso. Di fatto, cominciava a sentirsi incantata da Josh Hillman. Con l'eccezione di Spider, aveva passato gli ultimi anni con uomini che non erano uomini oppure che potevano anche essere uomini ma avevano un unico e solo interesse nella vita: comprare e vendere vestiti. Basta! Era pronta per un uomo serio, ma non troppo solenne, un uomo solido ma non tradizionale e noioso, insomma un vero uomo. Josh Hillman, dopo vent'anni di fedele vita matrimoniale aveva invitato a cena Valentine e sentiva nell'aria un senso di libertà e di infinita disponibilità. D'un tratto c'era spazio a 360 gradi intorno a lui e non solo una lunga strada dritta. Per un attimo, gli tornò in mente il proverbio favorito di suo nonno: « Se un buon ebreo decide finalmente di mangiare il maiale, dovrebbe farlo con tanto piacere da lasciarsi colare il grasso per il mento ». Valentine O'Neill era saporita e gustosa come l'arrosto di maiale? Josh Hillman aveva tutte le intenzioni di scoprirlo.

Il loro tavolo era vicino alla finestra e, man mano che calava la sera e passavano nel cielo le luci degli aeroplani in fase di atterraggio, il vecchio aeroplano al di là di quelle vetrate che assorbivano i rumori, sembrava un bizzarro pesce con gli occhi luminosi.

« Valentine... come mai ti hanno dato questo nome? » le domandò. Lei si era incuriosita perché Josh lo pronunciava alla francese, in un modo un po' insolito per gli americani.

« Mia madre era una patita di Chevalier... sono stata chiamata come una canzone. »

« Ah, quella Valentine. »

« Come fai a conoscerla, non è possibile! »

Lui canticchiò sottovoce le prime note del motivo e, a voce tanto sommessa come se si vergognasse di farsi sentire, pronunciò anche le parole: « *Elle avait de tout petits petons, Valentine, Valentine, Elle avait de tout petits tétons, Que je tâtais à tâtons, Ton ton tontaine!* »

« Ma come fai a conoscerla? »

« Il mio compagno di camera all'università, quando studiavo legge, aveva l'abitudine di sentire questo disco in continuazione. »

« Ah, ma sai che cosa significano le parole? »

« Press'a poco... qualcosa come: aveva due minuscoli piedini e due piccoli seni. »

« Non proprio... *tétons* è gergo e vuol dire "tette". E il resto? »

« Non sono sicuro... »

« Piccole tette, che io *tâtais*, tastavo... *à tâtons* a tentoni. »

« Non riesco a immaginare che Chevalier dovesse aver bisogno di andare a tentoni per una cosa simile... »

« Neanch'io. Ma la conosci tutta, la canzone? »

« *Elle avait un tout petit menton* », rispose lui, « un minuscolo mento, e... *elle était frisée comme un mouton* aveva i capelli ricci e corti come una pecorina. Come te. »

« Straordinario... e il resto? No? Ah, ah! Hai perduto il meglio... non aveva un buon carattere! No davvero, non solo, ma non aveva neppure una grande intelligenza ed era gelosa e prepotente, *autoritaire*. E poi un giorno, senti, dopo tanti anni, Chevalier la incontra per la strada e lei aveva due piedoni, il doppio mento e una *poitrine* enorme! »

« Valentine! Mi spezzi il cuore. Ero più felice quando non sapevo che sarebbe andata a finire così! »

Risero allegramente, quel riso che sale alle labbra di due persone quando hanno deciso di fuggire insieme dalla loro vera vita, anche solo per una sera; quel riso speciale, argentino, quel riso di complicità che è il primo segno del fatto che si trovano reciprocamente più interessanti di come si aspettavano.

« Così tu, Joshua, sei l'eroe della Bibbia che ha abbattuto le mura di Gerico, e io semplicemente Valentine, la prima amante di Chevalier, la ragazza diciottenne che aveva incontrato in rue Justine. Un confronto impari. »

« Davvero? Non hai un secondo nome più imponente? »

« Questo è un terribile segreto. »

« Dimmelo. »

« Marie-Ange. » Cercò di assumere un'aria modesta. « Maria-Angela. »

« Un nome comune, niente affatto pretenzioso. Tua madre deve aver pensato che non voleva correre rischi. »

« Hai proprio ragione. Siamo prudenti, noi francesi. »

« Sei impazzita... signorina O'Neill... tu sei irlandese. »

« E voi ebrei... non siete prudenti, forse? E non siete anche un po' matti? »

« Dal primo all'ultimo. Non hai mai sentito la teoria secondo la quale gli irlandesi sono in realtà la tribù perduta di Israele? »

« Non mi sorprenderebbe affatto. Ma non entrerei in un bar irlandese della Third Avenue a diffondere la buona notizia », rispose lei con una sfumatura maliziosa nella voce.

« Tu sei una newyorkese fatta e finita, vero? »

« Niente affatto, temo. Sono una donna senza una patria vera e propria: non sono una vera parigina, e neanche una vera newyorkese e adesso... la California. Che ridicolo! C'è qualcuno che è mai diventato un vero californiano? »

« Tu lo sei già. Quasi tutti i veri californiani vengono da qualche altro posto. Ce ne sarà forse un pugno che sono arrivati qui, be', forse... duecento anni addietro. Prima di allora c'erano soltanto i pellerossa e i padri francescani... quindi noi siamo uno stato di immigrati in una nazione di immigrati. »

« Però tu ti senti a casa, qui? »

« Un giorno, spero presto, ti voglio condurre in Fairfax Avenue. Capirai il perché. » Josh, per un attimo, provò uno stupore immenso per quell'invito. Non aveva mai condotto Joanne a vedere Fairfax Avenue. Ci erano passati davanti per andare al Farmers Market, ma non si erano fermati. Joanne la detestava. Perché voleva far vedere a Valentine, che possedeva un'eleganza carica di tutta la fragranza dell'atmosfera parigina, quel ghetto pieno di vita, rumoroso, affollato e assolutamente privo di stile, dove aveva trascorso l'infanzia?

Spider e Billy pranzarono fuori, sotto i grandi tendoni del Biltmore di Santa Barbara circondati da fiori e alberi di palma che li riparavano dalla brezza fresca che soffiava dal Pacifico. Billy aspettò tranquillamente ben sapendo che la prima mossa toccava a Spider. Nel frattempo bevve uno sherry Dry Sack con ghiaccio, mangiò un sandwich con doppia porzione di maionese per farlo diventare un doppio peccato, per il quale si sarebbe castigata in seguito con una completa astinenza, e sentì deliziosamente di avere in mano la situazione.

Presto l'occhio esperto di Spider notò che la signora aveva raggiunto il punto massimo della rilassatezza che sarebbe mai riuscita a ottenere quando era in posizione eretta, e disse con noncuranza: « Simpatico qui, vero? » Lei si limitò a sorridere per fargli capire che era d'accordo, evitando di parlare. « Sono rimasto per così tanto tempo sulla costa dell'Est », continuò Spider, « che non mi ricordavo proprio più com'era la California. E Beverly Hills! Cristo, mi aspetto sempre che svanisca da un giorno all'altro, come Brigadoon, e che non ricompaia più per altri cento anni, non ti sembra? »

« Probabilmente », rispose Billy incauta.

« Avevo la sensazione che avresti capito, Billy. Quando siamo arrivati in città ieri, Val e io, ci siamo resi conto di essere entrati in un mondo completamente diverso. » A questo punto Billy stava radunando le forze, ma Spider continuò, senza lasciarle il tempo di interloquire. « Se prendessimo Scruples e lo portassimo a Parigi o a New York, a Milano o a Tokio, avremmo l'ottava meraviglia del mondo... le donne farebbero la fila tutt'intorno all'isolato per entrarci... è talmente perfetto, che creazione di classe! Però, Billy, Billy, a Beverly Hills! La patria delle donne più ricche e più sciatte nel vestire che ci siano al mondo! Sono talmente abituato a New York che ieri ho dovuto sforzarmi per ricordare che la maggior parte delle donne che vedevamo per la strada con un paio di jeans e una maglietta addosso può permettersi di comprare quello che vuole, non è così? » Dal momento che Billy aveva avuto tanto spesso la stessa idea, i suoi occhi gli segnalarono una vaga conferma a dispetto di lei stessa. Prima che fosse riuscita a interromperlo, Spider la fissò con uno dei suoi sguardi più persuasivi e continuò: « Sono sicuro che vorrai concedere a Val e a me una settimana o anche due, al massimo, per acclimatarci, per girare la città e osservare quello che le donne comprano, effettivamente, quando vanno ad acquistarsi i vestiti più cari; per vedere quello che portano quando escono alla sera, per studiare *The Bistro* e *Perino's* e *Chasen's* e tutti gli altri posti nuovi: a proposito, ce ne potresti fare un elenco? Ci aiuterebbe moltissimo... se avessimo il tempo di farci un'idea chiara, precisa del posto, potremmo far diventare Scruples il grande magazzino della città che ha il maggior successo. Però, Billy, questo lo capisci da sola, abbiamo bisogno di un po' di tempo.»

«Un po' di tempo?» Billy cercò di dare alle sue parole l'intonazione più sarcastica che le era possibile, ma la logica pura e semplice le diceva che non avrebbe potuto rifiutare quella settimana o due che Spider chiedeva senza apparire stupida e irrazionale come una carognetta ricca e cretina che cambia idea da un giorno all'altro, una dilettante, insomma.

«Precisamente. Lo stesso periodo di tempo che concederesti a un nuovo parrucchiere. La prima volta che ti fa una pettinatura non ti aspetti che gli riesca un capolavoro, no? Allora lo lasci provare ancora, una settimana dopo, magari anche una terza volta. Poi, se il risultato è infelice, ti procuri un altro parrucchiere.»

«Puoi star certo che farei proprio così!» ribatté Billy tagliente.

«Naturalmente.» Spider la guardò con aria di approvazione. Cominciavano a fruttare, adesso, gli anni che aveva passato prestando orecchio alle chiacchiere delle sue garrule modelle. «Val lavorerà al problema dello stock... e io farò il lavoro di concetto.»

«Concetto? Un momento, Spider. Al telefono Valentine mi ha detto che eri il miglior venditore del mondo e che avresti saputo riorganizzare completamente il negozio. Cosa ha a che fare con questo il lavoro di concetto?»

«Sono il miglior venditore del mondo, ma prima devo sapere qualcosa delle mie clienti: chi sono e come vivono, qual è esattamente il bersaglio da colpire e che cosa le persuaderà a venire a fare i loro acquisti da Scruples. Il mio lavoro di concetto servirà a convincerle a venire a comprare da Scruples. Ma non capisci, Billy, che comprare un vestito dovrebbe dare la stessa soddisfazione di una buona sbattuta? Le buone sbattute sono tante, ce ne sono di tanti tipi differenti, io ho solo bisogno di sapere qual è quella che funzionerà meglio a Beverly Hills »

Billy rimase sconvolta accorgendosi che stava annuendo, d'accordo con lui. Non aveva mai udito una dichiarazione che potesse capire in modo così immediato. Non aveva dimenticato i giorni in cui la sua vita sessuale si realizzava soltanto nel preciso momento in cui comprava qualcosa.

« Va bene, Spider. Mi hai spiegato il tuo punto di vista. Chiaramente. E quando posso aspettarmi che il tuo lavoro di concetto venga trasformato in realtà in un mondo che è qui tutto col fiato sospeso ad aspettare? »

« Non più di un paio di settimane. Adesso, se hai finito di pranzare, sarà meglio che ci mettiamo di nuovo sulla via del ritorno per non trovarci in strada proprio nelle ore di punta. Pronta, Billy? »

Durante il viaggio di ritorno a Holmby Hills, Billy ebbe tutto il tempo necessario per riflettere che, chiunque fosse in realtà Elliott, non si poteva certo definirlo un venditore scadente. Con tutto ciò, aveva accordato sia a lui sia a Valentine due settimane. Se non si fossero presentati con qualcosa di solido al termine di questo periodo, avrebbero dovuto prendere il largo, sia lui sia lei, senza ulteriori tentennamenti. Era una ferma promessa che faceva a se stessa.

Dopo la cena Josh Hillman si trovò con un problema da risolvere, un problema che non aveva mai affrontato in vita sua, un tipo di problema assurdamente antiquato eppure reale e autentico. Lui e Valentine si trovavano in un rapporto abbastanza intimo solo in virtù del tetto del ristorante che avevano sulla testa. Non si conoscevano abbastanza bene per andare in qualche posticino solitario, così, senza preliminari. Aveva un gran bisogno di un Sentiero degli Innamorati, santo Dio! In passato, prima di spo-

317

sare Joanne, c'era Mulholland Drive che aveva la reputazione di essere l'unico posto dove parcheggiare la macchina e abbandonarsi a un po' di effusioni, ma adesso, a quanto c'era da credere, dovevano aver costruito le case a dozzine in quel posto consacrato per tradizione all'amore. Però, perbacco, se non riusciva almeno a dare un bacio a Valentine O'Neill quella sera stessa... era troppo conformista per questo genere di cose, si disse, e si ricordò che era proprio l'appellativo che gli davano i suoi figli. Infine ebbe una ispirazione, il Pickwick Drive-In di Burbank, naturalmente, uno dei posti preferiti dai ragazzi. Josh non andava in un drive-in dal tempo della scuola superiore.

« Valentine, visto che vuoi sentirti il più possibile una di noi, voglio mostrarti una delle nostre grandi tradizioni californiane », annunciò mentre pagava il conto.

« Possiamo andare a una prima di Hollywood? »

« Stasera no. E poi, sono cose sorpassate, ormai. Non le fanno molto spesso, perlomeno non le fanno più con lo stesso sfarzo di una volta. No, stavo pensando di condurti a vedere un cinema dove si assiste al film senza scendere dall'automobile, un drive-in. »

« Che cosa danno? »

« Ecco, qui sta il punto: non ha nessuna importanza! Su, vieni! »

Raggiunsero il drive-in in un silenzio pieno di emozione. Josh comprò i biglietti come se andasse regolarmente ai drive-in, come se ci fosse sempre andato per anni; e istruì solennemente Valentine sulla funzione dell'altoparlante. Ma la ragazza ebbe appena il tempo di vedere quattro automobili che si scontravano frontalmente sullo schermo, poi Josh si spostò dal sedile di guida e la prese fra le braccia. Per lunghi, lunghissimi minuti, fu tutto. Mentre Josh la stringeva fra le braccia, Valentine gli si rannicchiò contro, sprofondando in quella stretta. Non dissero una parola. Rimasero lì, stretti l'uno all'altra, ascoltando il lieve rumore del loro respiro, il battito del cuore, incredibilmente felici del calore, della vicinanza, della naturalezza di quell'abbraccio. Ma dopo un certo tempo, ognuno dei due, come se fosse stato spinto dallo stesso impeto, cercò le lab-

318

bra dell'altro, mormorandone soltanto il nome. Si baciarono. Baciare Valentine era come immergere il viso in un mazzo di fiori freschi di primavera dopo un lungo inverno desolato. C'erano infinite scoperte da fare baciando le sue labbra, ma per prima cosa Josh leccò le tre lentiggini che aveva sul naso, una cosa che aveva avuto voglia di fare per tutto il pranzo e lei ricambiò quel gesto con tanti piccoli morsettini. Gli diede baci lievi come farfalle sulle guance con le lunghe ciglia scure e Josh le accarezzò il collo con la lingua.

I titoli del secondo film in programma cominciavano a comparire sullo schermo quando finalmente si staccarono. Quando due persone sono adulte, i baci non possono continuare eternamente. Quando due persone sono complesse e dotate di un carattere ben definito come Valentine e Josh, i baci non possono condurre a qualcos'altro senza che, prima, venga detta qualche parola. Ma quali? D'un tratto, diventarono timidi come scolaretti, colti alla sprovvista dallo stupore per quello che avevano fatto. Come erano potuti arrivare a quel momento dopo aver passato insieme solo poche ore? L'imbarazzo e la coscienza presero il sopravvento.

« E adesso, che cosa succede? » domandò Josh soppesando le parole. « Valentine, tesoro, me lo sai dire? »

« No », rispose lei. « So meno... molto meno... di te. »

« Allora bisognerà che impariamo insieme », rispose lui, cauto, come uno che cerca di trovare la propria strada al buio.

« Forse », rispose lei, tirandosi leggermente indietro.

« Forse? Perché dici così? »

« Cerco soltanto di essere prudente... per me... per te. »

« Al diavolo la prudenza! Possiamo essere prudenti per tutto il resto della nostra vita. Ma questa volta, Valentine, incantevole, bellissima Valentine, solo per questa volta, facciamo una follia! Almeno una volta nella vita! »

La baciò ancora, ripetutamente, come un ragazzo, coprendole di baci impetuosi, fervidi, gli occhi, le orecchie, il mento, i capelli. Sentiva tutta la spontaneità della sua giovinezza sacrificata tenuta faticosamente a freno, che urlava per manifestarsi con parole romantiche, ma riuscì soltanto a dire: « Fai questa follia con me, Valentine ».

« Forse. » C'era qualcosa in Valentine, qualcosa di molto forte, che le impediva di lasciarsi andare. Il suo solito realismo era tornato e, con il realismo, l'inquietudine e l'incredulità di fronte al fatto di trovarsi lì, a baciare un uomo che aveva conosciuto solo il giorno prima, un uomo sposato con figli. Perlomeno non se la sentiva di lasciarsi già andare ai suoi sentimenti, e non certo in un drive-in. Vedremo, si disse, adoperando una formula francese collaudata dal tempo per ogni sorta di indecisione. A voce alta, disse: « Forse ».

Spider restituì la *Mercedes* al commerciante di automobili usate il cui negozio era proprio di fronte al Beverly Wilshire Hotel, con qualche espressione di rammarico: non era proprio l'automobile che voleva lui, disgraziatamente, ma sarebbe tornato. Andò a cercare Valentine per raccontarle la storia della giornata passata con Billy. Non la trovò; ordinò che gli portassero la cena in camera e si buttò sul letto a pensare. Le sue antenne squisitamente sensibili nei confronti dei pensieri più segreti delle donne non gli avevano mai fatto capire con tanta intensità come le due settimane successive sarebbero state cruciali. Aveva il sospetto che Valentine e lui avessero corso molto da vicino il rischio di trovarsi a bordo di un aeroplano in volo per New York l'indomani se quella stessa mattina non fosse riuscito ad addolcire Billy con i suoi discorsi. Quella signora era ambigua e volubile e stava per lavarsene le mani di tutta la faccenda di Scruples. Spider si convinse che, tutto sommato, sarebbe riuscito a tenerla sotto controllo, sempre che non venisse a mancargli l'ispirazione necessaria. Non era un'altra Harriet Toppingham, come aveva temuto la sera prima: non le piaceva scoprire la paura in un uomo, voleva vedere il coraggio, apprezzava l'audacia e poteva essere giusta e corretta. Fondamentalmente era una persona buona e onesta, questo doveva ammetterlo.

Ma prima di tutto, si ammonì Spider, prima di cominciare la sua missione di trasformazione di Billy Ikehorn, doveva imparare due cose, e doveva impararle entro due settimane. Aveva assoluto bisogno di assorbire il gusto del pubblico nei grandi magazzini di Beverly Hills che attualmente ricavavano buoni profitti dalle vendite. Secondariamente, doveva scoprire secondo quali criteri le donne californiane spendevano i loro soldi nei vestiti. Evidentemente, non basavano il loro guardaroba sul tipo di abiti che era abituato a vedere a New York: magnifici cappotti da città, completi gonna e giacca di bel taglio e di buona stoffa, abiti da ufficio e da portare in strada che fossero raffinati e di buon gusto. Spider stava per addormentarsi, pensando all'aspetto diverso che avevano le donne all'angolo tra la Fifty-seventh e la Fifth Avenue e quelle che si vedevano sull'angolo tra Wilshire e Rodeo Drive, quando si riscosse improvvisamente, maledicendosi per essere così lento nel ricordare e benedicendosi al tempo stesso per la grande fortuna che aveva: lui era nato proprio in questo posto.

Gesù Cristo Santissimo, ma questo era il fottuto tesoro della Sierra Madre. Aveva perduto i contatti da tanto tempo, erano passati tre o quattro anni dall'ultima volta che era tornato per Natale, e negli ultimi sei mesi si era limitato soltanto a far sapere alla famiglia che era vivo, ma, per Dio, come poteva aver fatto a dimenticarsi che era tornato a casa!

Pasadena, o meglio San Marino, la zona silenziosa ed elegante di Pasadena, era stata la sua casa fino a quando aveva compiuto diciotto anni, ed era ancora la parte del mondo dove aveva le radici, gli amici e la sua famiglia. Sei sorelle!

Un uomo con sei sorelle, Spider se ne rese conto con euforia, era un riccone; bastava non essere un greco e non avere l'obbligo di trovar marito a tutte. Cominciò a buttar giù qualche appunto sul blocco che stava sul comodino. Cinque delle ragazze si erano sposate, tre avevano fatto ottimi matrimoni, se non sbagliava, e a meno che i carburanti, il legname e le assicurazioni attraversassero un momento gramo, dovevano essere giovani signore con una solida posizione sociale. Holly e Heather avevano ventotto anni: Holly aveva

321

sposato l'erede di un impero dei carburanti e viveva nel superconservatore Hancock Park, i cui abitanti erano ricchi da generazioni. Pansy aveva sposato il figlio unico di un tale che era proprietario di metà delle sequoie della California del nord, ma suo marito possedeva e dirigeva una società di assicurazioni nella loro sede abituale, San Francisco. Perfino una delle più piccole, June, si era sistemata in modo favoloso; a soli ventiquattro anni, era la più ricca di tutte: l'appalto di una catena di tavole calde ottenuto dal maritino l'aveva provvista di un ranch a Palm Springs, di una villa sulla spiaggia a La Jolla, e di una grande casa con scuderie a Palos Verdes. Non che le altre se la fossero cavata peggio, anche Heather e January erano sposate, non ricchissime, ma benestanti, mentre Petunia, secondo Spider, si divertiva troppo ad andare a letto con questo e con quello per aver voglia di sistemarsi definitivamente. Per i suoi scopi Spider aveva bisogno di conoscere la vita di società sia delle sorelle ricchissime, sia di quelle benestanti.

Cristo! Finalmente Spider si rese conto che, mentre lui abitava in una soffitta a New York, probabilmente il 90 per cento dei ragazzi e delle ragazze d'oro che aveva conosciuto a scuola, erano diventati cittadini rispettati e abbienti. Per un attimo, qualche ora prima, aveva avuto la tentazione di chiedere a Billy di dare una festa per Valentine e per lui in modo da poter vedere come si vestivano di sera le donne in California, ma aveva preferito non chiedere il suo aiuto: voleva farlo da solo. Un'ottima cosa aver aspettato che gli si schiarissero le idee! In fondo alla lista dei nomi, Spider scrisse a caratteri cubitali: TUTTI — FESTA DI BENVENUTO PER RITORNO A CASA — URGE ORGANIZZARLA NEL GIRO DI DUE SETTIMANE — ANCHE MENO — ABITO DI GALA! mentre con l'altra mano formava al telefono un vecchio numero bene conosciuto, l'unico che si fosse preso la pena di imparare a memoria.

« Mamma! Ciao, mamma... sono tornato a casa! »

9

NELLE due settimane che seguirono la telefonata a casa, Spider ebbe bisogno di tutta la sua elasticità mentale, di tutto il suo occhio bene addestrato per il particolare, di tutto il suo buon gusto, di tutta la sua immaginazione per intuire che cosa potesse attrarre visivamente e che cosa sarebbe passato inosservato. Per fortuna era la fine d'agosto, l'epoca in cui tutti i negozi di Beverly Hills cominciano a ricevere la merce per l'autunno. Era però anche l'epoca in cui si potevano ancora vendere i capi di abbigliamento estivi in tutta la città.

Lui e Valentine, separatamente, percorsero le strade osservando, metro per metro, quello che offrivano. A nord di Wilshire Boulevard, presero in esame Rodeo, Camden e Bedford Drive, su e giù, lungo tutti e due i lati della strada. Poi indagarono su quello che offriva ogni negozio di Dayton Way, Brighton Way e Santa Monica, attraversandole a zig zag da est a ovest. Infine compirono una battuta a tappeto di Wilshire Boulevard, rinunciando solo a rivoltare ogni pietra del selciato, da Robinson all'estremità ovest, passando per Saks, Magnin, Elizabeth Arden, Delman fino a Bonwit Teller, sull'angolo est della zona dei negozi.

Qualche volta Spider, che faceva l'impossibile salvo il leccare la vernice dai muri, nello sforzo di fissarsi bene in mente le caratteristiche di un negozio, incrociava Valentine. Questa, tutta indaffarata a frugare fra i saldi per scoprire che cosa fosse rimasto invenduto dalla stagione precedente, aveva portato le commesse a un'esasperazione tale che l'avrebbero strozzata volentieri: esaminava infatti attentamente ogni singolo capo di vestiario, incasellandolo con cura nell'album degli schizzi del suo cervello, ma non si faceva mai prendere dall'entusiasmo fino al punto di comperarne uno, come spiegava in tono di scusa. Spider, che poteva passare facilmente per un potenziale acquirente con i suoi bei vestiti nuovi, di ottimo taglio, comprati in tutta fretta prima di lasciare New York, qualche volta fingeva di dover comprare un regalo per sua madre o per una delle sue sorelle e approfittava di questo pretesto per fermarsi nei negozi più del previsto, tendere l'orecchio alle conversazioni e infine attaccar discorso con i padroni, che non avevano il minimo sospetto di quali fossero i suoi scopi, con i clienti e con i commessi.

Durante quelle due settimane, furono date otto feste in onore di Spider, tutte combinate in fretta ma affollate e allegrissime.

Per quanto le ragazze Elliott, quando erano bambine, avessero sempre pensato che l'affetto di Spider era talmente abbondante da non aver bisogno di mettersi a fare le gare per conquistarselo, adesso, da adulte, si scoprirono pronte a rivaleggiare per festeggiare nel modo migliore il leggendario fratello di cui i loro amici avevano sentito tanto parlare, pur vedendolo raramente. E dal momento che nessuna di loro si era lasciata convincere che Valentine fosse semplicemente la socia in affari di Spider, con quell'aspetto così sexy e così francese, con quella vitalità scintillante, e quegli occhi, furono tutte esageratamente, eccessivamente gentili con lei. Intanto Josh le telefonava ogni giorno; ma lei, in tutta onestà, non se la sentiva di dedicargli neanche un minuto finché non fosse finita quella maratona. Valentine sentiva la sua mancanza, ma non poteva permettersi di concedere niente ai propri sentimenti e alle proprie emozioni in un momento così decisivo e cruciale.

Durante le due settimane che aveva concesso a Valentine e a Spider, Billy fece parecchie visite che la snervarono e la fecero infuriare, a Scruples dove i saldi di vestiti erano appesi in lunghe file, una visione che la disgustava fin nel profondo, pur sapendo che era necessaria. Soltanto la necessità di salvare la faccia le vietava di far scomparire, alla vista di tutti, quei capi di vestiario e spedirli all'Esercito della Salvezza, perché immaginava perfettamente come si sarebbe diffusa in fretta la notizia di una simile stramberia. Tratteneva a fatica la gran voglia che aveva di fare un colloquio finale con quei due impostori e stroncare sul nascere anche quell'iniziativa.

Quando arrivò il gran giorno, Billy prese posto dietro la sua scrivania come se si fosse trattato di un muro di pietra, e si mise a fissare Valentine e Spider con l'aria di un carnefice profondamente indifferente alle sofferenze altrui, pagato per quello che faceva. Ormai era quasi riuscita a convincere se stessa che tutto quanto non funzionava in Scruples fosse colpa loro.

Spider si era appoggiato al muro con un'aria di splendida noncuranza: portava un abito di stoffa scozzese di medio peso, uno dei vestiti di ottimo taglio che aveva comprato nella sartoria Dunhill a New York. Billy provò una gioia maligna nel constatare che, malgrado quell'atteggiamento indifferente, aveva una espressione seria e preoccupata. Valentine, appollaiata su una seggiola, evidentemente aspettava che fosse lui a parlare per primo. A Billy sembrò che la ragazza fosse esausta e anche un po' stranita.

« Allora sentiamo, Spider », disse Billy con una voce atona e annoiata. Da ogni suo gesto, perfino dal suo atteggiamento, trasudava la più completa mancanza di interesse.

« Ho buone notizie. »

« Ma che cosa mi dici! »

« Hai solo un rivale da sconfiggere per far diventare Scruples il negozio numero uno di Beverly Hills e hai un modo solo di riuscirci. »

« È assurdo. Prova un po' a dire qualcosa di sensato, Spider. Credevo che ci fossimo messi d'accordo che bisognasse accantonare tutte le stravaganze, vero? »

« Il tuo rivale è Scruples. » Alzò una mano in modo da prevenire la sua interruzione, imprigionandole lo sguardo con gli occhi, tanto che Billy si trattenne dal parlare limitandosi soltanto ad aggrottare le sopracciglia scure in un'espressione di stizza e di sospetto. « Non potrei esprimermi più chiaramente di così. Il tuo rivale è il tuo sogno di Scruples, il grande magazzino che tu volevi, il negozio che ti eri convinta fosse quello che la California stava aspettando. Ti sei sbagliata, Billy. Di novemila chilometri, più o meno. Capisco il tuo sogno, è il prodotto inevitabile del tuo gusto personale, ma è stato anche assurdo come aspettarsi di costruire il Petit Trianon sullo stesso posto in cui sorgeva il Museo delle Statue di Cera di Hollywood. Ci sono cose che non si possono trapiantare. Puoi vendere la Coca Cola in Africa e ad Abu Dhabi vi possono essere tante *Mercedes* quante ce ne sono qui a Beverly Hills, ma c'è un solo Dior, che si trova in Avenue Montaigne ed è lì che deve restare. Rinuncia alla tua fantasia di Dior, Billy, oppure comprati un biglietto per Parigi. Laggiù la luce è diversa, il clima è diverso, la civiltà è diversa, le clienti e le loro necessità sono diverse, l'intero modo di concepire l'acquisto di un vestito è assolutamente, completamente diverso. Tu, proprio tu, meglio di tutti, sai che faccenda seria sia quella di scegliere un capo di vestiario: si tratta di una decisione di importanza enorme. »

Billy rimase così sbalordita, più dal modo in cui le stava parlando che non da quello che stava dicendo, che non tentò neppure di rispondergli.

« Ma guarda un po' i fatti! A Beverly Hills avete un quartiere di negozi dove andare a fare gli acquisti che sta alla pari, per lusso e possibilità di scelta, con il migliore di New York. Non è altrettanto grande ma neppure la popolazione è così numerosa. Ora, è evidente che questo quartiere di negozi non esisterebbe e non si svilupperebbe di continuo, da un giorno all'altro, se non esistessero clienti disposti a sostenerlo con la loro presenza. Però questi clienti da Scruples non vengono. E perché? Perché non funziona. »

« Non funziona? » esclamò Billy guardandolo con gli occhi che lanciavano fiamme. « È più elegante e accogliente di qualsiasi altro magazzino del mondo, Parigi inclusa! Me ne sono assicurata! »

« Non funziona come attrazione e come divertimento! » Valentine e Billy si limitarono a guardare Spider ammutolite mentre questi proseguiva: « Andare a far spese è diventata una forma di divertimento, Billy, che ti piaccia o no. Una visita a Scruples non è affatto divertente e le tue potenziali clienti pretendono di farsi divertire dai negozi in cui vanno. Vogliamo arrivare addirittura all'assurdo? Be', chiamiamola una concezione della vendita al pubblico che assomiglia a Disneyland. »

« Disneyland! » esclamò Billy con una voce bassa, inorridita, disgustata.

« Certo Disneyland: l'andare a far spese è una gita di piacere, l'andare a far spese deve essere piacevole come una risata. I soldi passano da una mano all'altra, su questo non ci sono dubbi, però la tua cliente, quella locale o quella che viene da Santa Barbara o perfino la turista arrivata da un altro paese, dovendo fare la scelta fra Scruples e Giorgio, il negozio qui di fronte, chi sceglierà? Uno entra da Scruples e vede un grande spazio eccessivamente lussuoso, arredato in venticinque sfumature di un grigio squisitamente raffinato, con qualche seggiolina dorata disposta qua e là e una folla terrificante di commesse e venditrici chic, anziane, altezzose, che si comportano come se preferissero molto di più parlare francese piuttosto che inglese. E se invece uno prova a entrare da Giorgio che cosa trova? Una folla di gente allegra e rumorosa che beve al bar e gioca ai biliardini, commesse che portano cappellini pazzeschi e ti guardano come se si augurassero che tu sia in vena di fare qualche pettegolezzo, tutti pronti a farti sentire espansiva e coccolata. »

« Si dà il caso che Giorgio sia esattamente tutto quello che Scruples NON È », disse Billy con voce glaciale.

« E Giorgio è considerato il negozio di articoli di lusso più raffinato di tutto il paese, New York inclusa. »

« Cosa? Non ti credo! »

« Crederesti a una cifra di affari di mille dollari ogni trenta centimetri quadrati all'anno? Hanno spazio di vendita per millecinquecento metri, il che significa quattro milioni di dollari all'anno solo in abiti e accessori. Ci sono dozzine di donne che spendono almeno cinquantamila dollari l'anno da Giorgio, clienti che provengono da ogni ricca

327

città del mondo. Ci sono donne che ci vanno perfino ogni giorno, per vedere che cosa c'è di nuovo, è un modo come un altro per avere l'impressione di fare qualcosa. E comprano, eccome se comprano! »

« Come fai a sapere di aver ragione su questo argomento, Spider? » Billy cercava di avere un tono casuale e noncurante.

« Io... be', diciamo che sono riuscito a fare quattro chiacchiere con il proprietario, Fred Hayman: me l'ha detto lui. Successivamente ho trovato una conferma delle cifre che lui mi aveva fatto in *Women's Wear*. Ma, secondo me, questo non succede solo da Giorgio, Billy. Tutti i negozi della città dove ci si diverte da matti ad andare a far spese, hanno utili favolosi, Dorso in particolare. Basta entrarci per sentirsi di buon umore, sia che si abbia voglia di comprare qualcosa, sia in caso contrario. Per una buona metà è come andare a un ricevimento dove si sa già che ci divertiremo, per l'altra metà è come andare in un museo simpatico e accogliente, un'esperienza che ha quasi un sapore sensuale sia in un caso sia nell'altro. Billy, Billy, la gente vuole essere amata quando va a comprarsi un vestito! Soprattutto la gente ricca. »

« Davvero, Spider? » rispose Billy con un'alzata di spalle.

« E non vuole essere giudicata dalle commesse », continuò Spider.

« Stavo giocando a biliardino da Giorgio l'altro giorno, e ho visto entrare due ragazze, l'una in calzoncini da tennis e l'altra con un paio di jeans sudici, una maglietta sotto la quale si vedeva benissimo che non aveva il reggipetto, e un paio di sandali scalcagnati. Quando se ne sono andate avevo potuto seguire ogni loro movimento perché lì ci sono pochissimi camerini per le prove e sono così piccoli e scomodi che bisognava venire fuori per guardarsi un po' bene nello specchio, ognuna di quelle due straccioncelle aveva comprato tre vestiti, e non ce n'era uno che costasse meno di duemila dollari. Ho chiesto a una di loro se sarebbe andata a comprarsi qualcosa da Scruples, anzi, a dire la verità, abbiamo addirittura giocato un po' ai biliardini insieme, e mi ha risposto che ci era entrata quand'era stato inaugurato, ma, Billy, ti cito le sue parole esatte, mi ha detto che si fa troppa fatica a vestirsi tutte in ghingheri per andare a far spese in quel posto così pieno di affettazione e così noioso, con tutte quelle commesse dall'aria snob. »

« Era quella in calzoncini da tennis o quella in jeans? » domandò Billy con aria di sprezzo.

« Non ha importanza. Il punto è un altro: mi sono convinto di una cosa: a meno che tu non accetti l'idea "alla Disneyland" di trasformare la vendita al pubblico in un divertimento e in uno spasso, non c'è motivo che io resti qui. Puoi avere le mie dimissioni, se credi. » Billy lo fissò stizzita. Una volta tanto non stava mettendo in mostra quel suo magnifico sorriso. Parlava sul serio, maledettamente sul serio. E lei aveva un'esperienza sufficiente degli uomini per capire se quella era un'ennesima astuzia oppure no: questo bel tipo era profondamente convinto di ogni parola che stava dicendo.

« Cristo, comincio a pensare che avrei fatto meglio a comprare Giorgio invece di costruire Scruples! » esclamò Billy con una risata amara, mentre le si riempivano gli occhi di lagrime.

« Sbagliato ! Scruples può diventare dieci volte meglio di Giorgio, perché tu hai tre cose che loro non hanno: spazio, Valentine e me. » Spider aveva già intuito che in Billy qualcosa era cambiato.

« E cosa penseresti di fare... metterci un po' di biliardini e chiedere alle mie commesse di vestirsi da svampite? »

« Niente di così semplice, nessuna scopiazzatura così pacchiana. Un arredamento interno completamente diverso, anche per quei tuoi camerini di prova dall'aria tanto immacolata. Devono diventare sexy, personali e divertenti. Potrà significare che ci si devono spendere altri settecento dollari, da aggiungere ai milioni che ci hai già profuso... ma dovrebbero bastare per cambiar faccia completamente al negozio. Esempio: entrando dall'ingresso principale di Scruples dopo il cambiamento di tutto l'arredamento interno, dovrai trovarti nella bottega di campagna più straordinaria e incantevole del mondo: dovrà essere straripante, stracarica di tutto quello che è utile e assolutamente inutile, dai bottoni antichi ai gigli che crescono in vasi, ai dolciumi da un centesimo conservati in barattoli di vetro, ai giocattoli d'antiquariato, alle cesoie da giardino più costose del mondo, alla carta da lettere fabbricata a mano, ai cuscini della stessa stoffa che si usava per le trapunte della nonna, a scatole di tartaruga e a fischietti di richiamo per gli uccelli, a... quello che vuoi. E la bottega campagnola è talmente divertente da metterti di buon umore, sia che tu compri qualcosa sia che non compri niente.

« La Fiera, Billy, ecco la parte principale del pianterreno. Per gli uomini, faremo un pub. E mentre aspettano che le signore facciano i loro acquisti, perché non si sentano poveri idioti incappati nella trappola di un posto tanto femminile da essere addirittura imbarazzante, gli daremo ogni genere di quei nuovi biliardini, i più moderni, elettronici e, naturalmente, un reparto di oggetti per uomo, soltanto gli accessori, ma i più raffinati del mondo. Magari anche un paio di tavoli da ping-pong, però di questo non sono ancora sicuro. Oh, e adesso, il resto del pianterreno, con l'eccezione della parte più interna, dovrà essere un paradiso degli accessori per le donne, mucchi e poi ancora mucchi delle merci più svariate, ma dovranno essere soltanto le cose migliori, le più care, quelle più recenti, l'ultimo grido, le più belle e le più esclusive, sai quello che voglio dire; ma dovrà essere organizzato e disposto tutto con un tale senso di abbondanza, di accessibilità, di facilità d'essere toccato e preso in mano da non poter resistere. Le Mille e una Notte. I Tesori del Sultano. Ecco perché vengono a far spese, Billy, non perché hanno bisogno, Dio solo lo sa che non è così, di una borsetta o di un foulard nuovo, ma perché fa sentire così bene, dà un tale piacere... Vogliono essere tentate, possono permetterselo. E in fondo, all'estremità del piano terreno, un giardino d'inverno in stile edoardiano, intimo, accogliente, all'antica, il posto che ci vuole per riprendere fiato e forze con tè e pasticcini o frappé di cioccolato o un bicchiere di champagne. E, naturalmente, le vetrinette, le bacheche, i ripiani dove sarà esposta tutta questa mercanzia dovranno essere movibili, perfino le pareti divisorie fra la bottega di campagna e il giardino d'inverno dovranno essere scorrevoli, di modo che, quando farai le feste, ci sarà un mucchio di posto per l'orchestra e per quelli che ballano...» Si fermò per riprendere fiato.

«Quelli che ballano?» disse Billy con uno strano tono di voce.

«Certamente... dovremo chiudere Scruples per la trasformazione interna e quindi faremo una riapertura con un gran ballo di gala. Dopo quello, darai una festa da ballo ogni quindici giorni: ho incluso il costo della trasformazione del primo piano in una sala da ballo, nei progetti di rifacimento, perché, se si eccettua qualche festa di beneficenza e pochissimi ricevimenti privati, le donne da queste parti non hanno molte occasioni di vestirsi con un po' di eleganza. Piacerebbe a tutte, e a quale donna non piacerebbe? Ma le padrone di casa hanno preso l'abitudine di dare ricevimenti di proporzioni modeste e con un numero limitato di persone, a meno che non si tratti di una grande occasione. Così se tu ti metterai a dare una festa da ballo, solo per inviti, una o due volte al mese, le donne saranno assolutamente costrette ad avere qualche bel vestito in più, ti pare? E poi, magari una volta al mese, la domenica che è sempre una giornata così noiosa, quando in questa città non c'è nient'altro da fare, organizzeremo una serata di gioco d'azzardo. Il premio sarà un abito di Scruples, ma non si tratterà di un vero e proprio gioco d'azzardo. I soldi andranno in beneficenza, naturalmente, ma costerà meno che andare a Las Vegas e sarà un milione di volte più chic e, per questo, nessuno sarà costretto a vestirsi di gala... e...»

«I vestiti, Spider, dove li metteremo tutti i vestiti, intanto che la gente balla?» Adesso nella voce di Billy si era insinuata una nota nuova, di curiosità.

«Oh, ma noi, i vestiti, non li terremo lì al pianterreno. I vestiti sono il divertimento serio di Scruples. Quelli, li venderemo di sopra. In questo modo le nostre clienti avranno tutta l'intimità e la segretezza necessarie: sarà una faccenda alla quale saranno presenti soltanto loro e lo specchio. Da Scruples, quando vieni a comprare qualcosa, sali al piano di sopra e ti accoglie il trattamento completo, il salottino di prova, il lusso, il pranzo gratis, il massaggio ai piedi, te ne ricordi? Anche se sei venuta soltanto a dare un'occhiata, senza nessuna intenzione di comprare qualcosa, ti tratteranno come una principessa. Quelle che verranno solo a dare un'occhiata una volta, diventeranno, successivamente vere clienti. »

« Spider, tutto ciò è molto... interessante. Ma come faranno le nostre clienti a sapere quello che abbiamo di sopra? Finora hai parlato soltanto di accessori e regali al pianterreno. Non capisco come ti sia sfuggito questo elemento », mormorò Billy con voce strascicata.

« Ci stavo proprio arrivando, Billy. Al primo piano, dove le compratrici finiranno, comunque, per andare a raccogliersi, avremo una serie di indossatrici fisse, magari una dozzina, magari anche di più. Si cambieranno continuamente, a intervalli di pochi minuti, e sfileranno per tutto il piano facendo vedere i modelli che abbiamo in magazzino. Io le detesto, le indossatrici, perché certe volte sono deprimenti, però sono anche quelle che spingono le donne a toccare la stoffa, fare domande o a immaginarsi con quello stesso modello addosso, insomma le indossatrici fanno tutto quello che un semplice attaccapanni non può fare. E adesso veniamo alle vetrine; non ti ho ancora detto che dovranno essere stipate, piene zeppe, rigurgitanti di cose magnifiche come se fosse la mattina di Natale ogni giorno dell'anno. Cambiandole ogni tre giorni, attireremo la folla... guarda, ti faccio uno schizzo... »

« Ti prego, Spider, è inutile », lo interruppe nuovamente Billy. « Sbaglierei di molto se dicessi che tu vuoi trasformare Scruples in una specie di galleria di baracche da fiera dove ci dovrebbero essere dolci da un centesimo, pranzo, gratis, salottini di prova sexy, uno stuolo di modelle che continuano a sfilare, massaggi ai piedi, gioco d'azzardo e feste da ballo, oppure sto esagerando? » Pronunciava ogni parola sillabandola lentamente, staccandole l'una dall'altra come se stesse leggendo la lista della lavandaia.

« Fondamentalmente, è così. » C'era molto, molto di più, ma era meglio non esagerare, pensò Spider. Se non riusciva a vedere...

« Mi piace da matti! » Billy balzò in piedi come se

l'avessero catapultata fuori dalla seggiola e diede un bacio schioccante a una Valentine sbalordita e frastornata, la quale non aveva ancora aperto bocca. « Valentine! Tesoro! Mi piace da matti! »

« Dice il proverbio », disse Spider, « che in ogni lavoro ci sono sempre due facce: il lato serio, cioè gli affari veri e propri, e un po' di scena. » E si staccò dal muro per dare a Billy quel bacio che, da quanto aveva capito, lei avrebbe voluto dargli ma che si vergognava troppo di offrirgli. Pensò che stava cominciando a capirla. Una bella carognetta, però non completamente cretina.

La mattina dopo Scruples venne chiuso per il rifacimento completo dell'arredamento. Billy passò la giornata al telefono per rintracciare il celebre Billy Baldwin, l'arredatore famoso in tutto il mondo il quale doveva assumersi l'incarico di rinnovare, cambiandola radicalmente, la sistemazione di ognuno dei ventiquattro salottini di prova. Era un genere di lavoro che non aveva mai fatto, ma Billy si era già trovata molto bene con lui quando aveva ristrutturato l'appartamento nel Sherry-Netherland, la casa delle Barbados, e la villa nel sud della Francia di cui erano stati proprietari lei e Ellis. Si comprendevano alla perfezione, andavano d'accordo e, per Billy Ikehorn, Billy Baldwin sarebbe stato anche disposto a rivolgere la sua attenzione ai salottini di prova. Lasciò il pianterreno a Ken Adam, lo scenografo teatrale dalle brillanti concezioni, in quanto, fondamentalmente, quel piano di Scruples doveva diventare carico di colore come uno scenario da palcoscenico.

Billy non soltanto sapeva perdere, ma sapeva anche accettare totalmente le proprie sconfitte. Adesso che aveva accettato i concetti di base espressi da Spider, si buttò con entusiasmo nell'impresa con tutta la magnificenza possibile. Visto che aveva ceduto alla proposta di realizzare un ristorante in Scruples, riuscì a sottrarre allo Scandia uno dei suoi chef migliori e gli diede carta bianca per quel che riguardava l'attrezzatura della cucina. Spider, che aveva previsto soltanto qualcosa di simile a un semplice vassoio di tartine e panini, restò ad ascoltarli stupefatto quando la sentì accordarsi con lo chef sulla quantità di salmone affumicato che si doveva ordinare in Scozia, di caviale da far arrivare dall'Iran, di cespi di indivia da farsi spedire dal Belgio, di polpa di gambero da farsi mandare dal Maryland nonché sul numero di *croissants* appena usciti dal forno che dovevano venire da Parigi. Il semplice vassoio diventò un tavolino pieghevole fatto disegnare appositamente da Lucite, i servizi da portata furono scelti in porcellana Blind Earl, che aveva un prezzo folle, i bicchieri di cristallo non potevano essere che Steuben, l'argenteria massiccia doveva essere di Tiffany e le stuoie per i tavolini-vassoi e i tovaglioli in puro tessuto stampato di cotone provenzale.

Spider prese la decisione di scrivere un appunto a Billy Badwin perché non era del tutto convinto che la padrona di Scruples avesse capito realmente quello che lui intendeva quando aveva spiegato che i salottini di prova dovevano diventare più sexy.

Caro signor Baldwin,

le nostre clienti vengono qui in parte perché hanno il prurito di spendere soldi, in parte perché hanno bisogno di un vestito nuovo, spesso, ma soprattutto, perché sarebbero ben felici che nella loro vita entrasse un pizzico di avventura e di romanticismo senza arrivare fino al punto di tradire il marito. Sono sofisticate, viziate, piene di indulgenza verso se stesse, egocentriche, hanno viaggiato molto, sentono profondamente il problema della giovinezza, indipendentemente dall'età che hanno. Tutte, dalla prima all'ultima, vogliono essere accarezzate psicologicamente. A voler essere brutali, le si potrebbe definire bisognose di gratificazione personale come di una droga.

Per favore , lasci sbizzarrire la sua fantasia. Qui lei non ha una sola cliente, ma centinaia. Ogni singolo salottino di prova avrà le sue ammiratrici particolari, sia che lei decida di arredarlo come una villa di Portofino o un serraglio marocchino o addirittura come un *boudoir* stile Regina Anna del Kent. Quello che ci occorre più specificatamente per le esigenze di lavoro dev'essere un grande armadio a muro nel quale tenere gli accessori, una grande quantità di specchi e un elemento di mobilio comodo, sul quale la cliente possa allungarsi e anche distendersi completamente. Infine, a rischio di sembrare lascivo, potrei suggerirle che l'atmosfera, l'« ambiente » di ogni salottino sia tale che un bidet, situato in un angolo, dietro un paravento, potrebbe sembrare quasi adatto. Non intendo con questo che sia necessario istallarne uno autentico, ma solo che l'atmosfera sia tanto suggestiva da rendere anche possibile l'uso di questa comodità.

Con ammirazione e rispetto,

SPIDER ELLIOTT

Era stata Billy a ispirarlo quando aveva aggiunto la richiesta di un armadio a muro. Billy sapeva che una donna, quando va a far acquisti, ha sempre la tendenza a mettere le scarpe più vecchie e più comode e a lasciare a casa i gioielli migliori. Quindi non sopportava l'idea di perdere la possibilità di vendere un vestito di chiffon soltanto perché non si poteva provare con un paio di scarpe da sera, oltre ai lunghi fili di perle che lo completavano e che sarebbero stati indispensabili a far concludere l'acquisto. La sua idea era quella di rifornire gli armadi con un'abbondanza di scarpe ultimo grido, di sciarpe, foulard e di gioielli falsi di ogni genere e tipo, non da vendere ma da adoperare come accessori per i vestiti.

Forse il maggior contributo personale di Billy al nuovo Scruples risultò la sua capacità di « soffiare » il personale agli altri negozi. Da anni tutte le commesse della città la conoscevano come una compratrice frenetica e Billy si era convinta che la conoscenza della lingua francese non avesse che una scarsissima importanza se la si confrontava con il fascino e il calore umano, e si dimostrò una rapitrice abilissima. Prima riuscì ad accaparrarsi Rosel Korman, che aveva lavorato nel Saks di Park Avenue, dignitosa, calma e adorabile; poi la Marguerite di Giorgio, con il suo aspetto da *bohémienne* e il garbo con cui portava i cappellini; la saggia Sue, con i capelli pettinati a coda di cavallo, che veniva dal

335

negozio di Alan Austin; Elizabeth e Mirelle, due fragili, giovani francesi di Dinallo; la bionda e cordiale Christine, la rilassata Ellen dai capelli rossi, tutt'e due ex commesse del General Store; Holly, piena di tatto e di entusiasmo, che lasciò per lei Charles Galley come un'altra dozzina delle migliori commesse e venditrici della città. Assunse anche le migliori esperte di sartoria per le eventuali modifiche da apportare ai modelli, a capo delle quali mise Henriette Schor, che veniva da Saks. Il suo unico fallimento in quest'azione di reclutamento fu la simpaticissima Kendall, la quale si rifiutò di lasciare Dorso a dispetto di tutte le sue lusinghe e i suoi corteggiamenti.

Mentre il grande magazzino rimaneva chiuso, Valentine e Billy esaminarono tutto lo stock. Dal giorno in cui aveva concepito Scruples, Billy era sempre stata la sola e l'unica compratrice di materiale per il proprio negozio. La sua principale lamentela nei confronti degli altri negozi di Beverly Hills era sempre stata quella di non essere mai riuscita a trovarci quello che voleva. Così si era convinta che, se fosse potuta andare a New York a vedere tutte le linee di confezioni all'ingrosso, avrebbe potuto fare di persona la scelta su una merce molto più interessante.

Ma Billy ignorava completamente i metodi da usare negli acquisti. Anche Valentine non lo aveva mai fatto per professione però, se non altro, aveva lavorato per quattro anni in stretto contatto con chi veniva ad acquistare merce in Seventh Avenue.

Con molta gentilezza svelò a Billy un principio fondamentale, cioè quello che non dev'essere mai il gusto personale di chi compra a prevalere, ma una profonda comprensione e conoscenza delle necessità e dei gusti delle sue clienti.

L'arte di comprare per un grande magazzino è complessa e, perfino per i veterani in questo genere di professione, gente qualificata, con anni di esperienza e di successi dietro le spalle, ogni nuova stagione può essere piena di pericoli. Ci sono le difficoltà che non si possono mai prevedere: ritardi nelle consegne, tessuti sbagliati, un mutamento nella politica della Seventh Avenue, promesse non mantenute, il brutto tempo e i rialzi e le cadute del mercato azionario.

Billy si accorse di sentirsi sempre meno umiliata per la scarsità di vendite di Scruples, era stata una disgrazia che sarebbe potuta capitare a chiunque. Quando Valentine intuì che Billy era diventata meno suscettibile sull'argomento dello stock di magazzino, azzardò la supposizione che, forse, gran parte di ciò che aveva ordinato in passato era stato, molto semplicemente, troppo... intellettuale per la maggioranza delle donne. Sì, disse Valentine, una donna completamente chic, alta come Billy Ikehorn, poteva portare tutto quello che aveva comprato per Scruples, ma dov'erano i vestiti per le donne meno devote allo chic più raffinato, dov'erano i vestitini graziosi e di buon gusto, gli abiti sexy, quelli femminili, quelli che dicono « Toccami », quelli apertamente carichi di *glamour*? E, non era forse opportuno che, mentre si trovavano da Scruples per comprare vestiti provenienti dalle collezioni degli stilisti, le sue clienti potessero anche trovare il vestito sportivo, quello da campagna, quello disinvolto da mettere tutti i giorni? Meno cari, naturalmente; però, d'altra parte, perché lasciare che quei pochi dollari entrassero nella cassa di un altro negozio? Naturalmente non sarebbero mai scese al compromesso per quello che riguardava la qualità, ma bisognava allargare il loro orizzonte.

« Tu vuoi portarmi, con molta abilità, a tirare altre conclusioni, Valentine », osservò Billy.

« Sì, ma con un buon senso », ribatté Valentine.

« E mi auguro anche con giudizio, vero? »

« Certo. »

« Il che vorrebbe dire...? » domandò Billy, cercando di anticipare sempre di un passo quella creatura demoniaca che aveva assunto.

« Prima di poter riaprire, dobbiamo avere uno stock di merce completamente nuovo. Devo andare a New York, naturalmente, e anche a Parigi, Londra, Roma e Milano a cercare stilisti di moda *ready-to-wear*. Abbiamo il tempo sufficiente per farci consegnare capi di abbigliamento per l'autunno-inverno. Quanto alla roba sportiva, dovrai assumere un'altra persona che si incarichi degli acquisti, e forse anche due... ma dobbiamo avere il meglio che c'è sul mercato. Le nostre clienti sono pigre e hanno poca voglia di parcheggiare qui per cercare un certo genere di vestito e poi salire di nuovo in macchina e andare a parcheggiare altrove per trovare pantaloni, maglioni e camicette ».

« Adesso che posso valutare la misura di questo incarico e i pericoli che si corrono se si prende una cantonata... » disse Billy pensierosa.

« Sì? »

« Credi... in fondo tu non hai mai fatto acquisti per un grande magazzino prima, Valentine, credi che dovremmo assumere qualcuno che abbia un sacco di esperienza per andare a New York e in Europa? »

« Come preferisci. Quando mi hai assunta mi hai chiesto di diventare l'incaricata degli acquisti per te. Però posso accontentarmi di restare la tua stilista per ·gli abiti su misura, alle stesse condizioni di prima, naturalmente. Oppure puoi farmi fare la prova. Nel caso peggiore, perderemo una stagione. »

Billy finse di considerare le alternative. Ma, in ritardo com'erano, non ne esistevano altre e lo sapeva; Valentine sapeva che lei lo sapeva. Non avevano più neanche un minuto per mettersi a cercare un altro esperto che si incaricasse degli acquisti. Valentine avrebbe dovuto essere partita già da una settimana almeno.

« Mia zia Cornelia diceva sempre: "Chi è in ballo deve ballare" o forse, piuttosto: "Se si deve fare una cosa, vale la pena di farla bene". »

« Una donna piena di buon senso », disse Valentine in tono neutro.

« Sì. Davvero. Quando puoi partire? »

I viaggiatori, con una grande esperienza di queste cose, discutono spesso se l'aeroporto più diabolicamente scomodo è quello internazionale di Chicago, l'O'Hara, oppure quello londinese di Heathrow. Valentine, che non era mai stata a Chicago né aveva intenzione di andarci, sarebbe stata pronta a definire con entusiasmo Heathrow come un vero e proprio avamposto dell'inferno quando, dopo aver marciato per quasi un chilometro per corridoi nudi, dalle ampie vetrate oltre le quali era visibile l'umida notte londinese, carica del pesantissimo bagaglio a mano e curva sotto il peso del voluminoso cappotto di maglia, scoprì che doveva ancora superare quello che sembrava, come minimo, un altro chilometro e mezzo sulla pedana mobile. E quando ebbe superato il controllo dei passaporti e quello della dogana, stava quasi per scoppiare in lacrime tanto era spossata dalla fatica. Voleva con tutto il cuore che Scruples diventasse un grande successo ma, per quanto Elliott cercasse di indorare la pillola a tutti con la sua intelligenza, il negozio non avrebbe avuto un futuro se lo stock della merce non si fosse rivelato all'altezza di una clientela del tutto particolare, come quella che aveva osservato con estrema attenzione a Beverly Hills nonché alle feste che erano state date in onore di Elliott.

Tuttavia, mentre il doganiere le indicava di andare avanti oltre il controllo della dogana, il suo unico pensiero non aveva niente a che vedere con Scruples. Quello che le importava, adesso, era soltanto trovare l'uomo del Savoy. Le ultime istruzioni di Billy erano state chiare.

« Devi cercare l'uomo con la divisa grigia e un berretto con un nastro sul quale c'è scritto "Il Savoy". È mandato apposta ad accogliere chi ha prenotato una camera in uno degli alberghi della catena del Savoy. Ho organizzato le cose in modo che tu possa andare al Berkeley. È il migliore adesso, almeno così ho sentito dire, e ci starai benissimo. »

Valentine scorse un uomo alto, dall'aspetto bonario, che indossava un'uniforme grigia di ottimo taglio e gli si avvicinò con enorme sollievo.

« Sono la signorina O'Neill. Ho una prenotazione per il Berkeley. Può trovarmi un tassì, per favore, e far qualcosa... quello che può, per il mio bagaglio? »

« Ah, madame! Sì, certamente madame! Un piacere, le assicuro. Spero che abbia fatto un buon volo da Parigi. Credo che ci sia una macchina che l'aspetta, con l'autista. Facchino! Mi segua per favore, madame, non pensi al facchino, arriverà subito. » Tolse a Valentine il bagaglio a mano e il cappotto e si avviò a passo rapido mentre lei gli si trascinava dietro un po' intontita per la stanchezza. Una macchina e un autista, che pensiero gentile da parte di Billy, le avrebbe fatto comodo averne una anche a Parigi, pensò Valentine, mentre il fattorino del *Savoy* la faceva salire su una *Daimler* grigia, di dimensioni stupefacenti, dove un autista in uniforme era già seduto oltre il vetro divisorio.

« So che cosa stai pensando », disse Josh Hillman dal sedile posteriore. Valentine lo fissò incredula, con gli occhi sbarrati. « Ti stai domandando che mancia dare all'uomo del Savoy e al facchino. Non darti pena, me ne sono già occupato io. »

« Ma che cosa fai qui? »

« È un sequestro, sei completamente in mio potere. »

« Oh, Josh! » Cominciò a ridere, tanto da trovarsi senza forze. « Sei più diabolico di Humphrey Bogart. »

« Aspetta di sentirmi cantare di nuovo una canzone di Chevalier! Valentine... Valentine... mi sei mancata molto... dovevo venire... mi è sembrato di impazzire quando sei partita così all'improvviso. Non ho mai dovuto fare novemila chilometri in aereo per ottenere un secondo appuntamento, ma anche il solo fatto di contemplare il tuo faccino stanco e triste... meritava ogni chilometro del viaggio! »

« Ma non capisco. Come sei potuto venire via? E tua moglie? Dove crede che tu sia? » Valentine riuscì a fare queste domande anche se Josh la stava baciando con tale insistenza e con tale abilità che i quindici chilometri dei quartieri periferici di Londra furono percorsi prima che riuscisse a pronunciare una parola.

« A Londra, per affari. Taci, tesoro. Smettila di fare domande. Non farti ossessionare a questo modo dai particolari, accetta semplicemente il fatto che sia qui. »

Valentine si rilassò. Aveva ragione. A questo punto non aveva più la forze di chiarirsi, bene o male, le idee. « Svegliami quando arriviamo a Buckingham Palace », sussurrò e si addormentò immediatamente fra le braccia di Josh.

Mezz'ora dopo lui la risvegliava con un bacio mentre l'automobile si avvicinava al Buckingham Gate. Mentre proseguivano lentamente lungo il Mall con il St. James's Park dagli alberi secolari, maestosi e misteriosi da una parte e

340

Carlton House Terrace in tutto il suo splendore dall'altra, Valentine continuò a girarsi ad ammirare il palazzo pieno di luci alle sue spalle. È, forse, la passeggiata più affascinante del mondo per chi ama Londra.

Valentine, che a Londra non c'era mai stata, era sovreccitata e rapita. Quando raggiunsero l'albergo osservò ammirata e stupita il grande atrio d'ingresso con gli stendardi che sventolavano: assomigliava al salone da pranzo di un reggimento in una caserma. Lei e Josh seguirono il giovane impiegato in giacca a coda, giovane, con le guance rosee, per svariati corridoi prima di arrivare all'appartamento che era stato riservato per loro. Non appena il ragazzo se ne fu andato, Valentine corse alla finestra, aprì le tende e guardò fuori, senza fiato.

« Oh, Josh, vieni presto, guarda, c'è la luna sul fiume e, se mi sporgo un po', posso vedere... sì, credo proprio che sia... il Palazzo del Parlamento... e dall'altra parte... Che cos'è quella grande costruzione tutta illuminata... e guarda, proprio sotto di noi, un giardino e un monumento... cos'è tutto questo, spiegamelo, subito, presto! Billy non mi aveva detto che il *Berkeley* avesse questa vista meravigliosa! »

« Forse perché il *Berkeley* non è sul Tamigi, Valentine, amor mio. »

« Ma, allora, dove siamo? »

« Vuoi saperlo con precisione? Siamo sopra i Victoria Embankment Gardens. Quello che vedi là in fondo è Cleopatra's Needle, dall'altra parte c'è il Royal Festival Hall e, per essere più precisi, ti trovi nell'appartamento che occupava sempre Maria Callas quando veniva al *Savoy*. » Valentine si lasciò cadere lentamente su uno dei divani di velluto del salotto in stile Chippendale, con le pareti rivestite di stupendi pannelli di legno, e rimase a fissare il fuoco che scoppiettava nel camino. La situazione era così deliziosamente simile a quella di un romanzo un po' vecchiotto: un'innocente fanciulla afflitta da mille problemi viene accolta all'arrivo da un bell'uomo bruno, quasi sconosciuto, e portata in un albergo non meno sconosciuto di una città sconosciuta anche quella, dove si trova circondata da un lusso sinistro.

« Le tue intenzioni sono disonorevoli? » gli domandò, lanciandogli un'occhiata che rivelava molto poco.

« Cristo, lo spero! » gemette lui.

« In tal caso », rispose Valentine nel suo tono più sussiegoso, « prima avrò bisogno di un bagno caldo, di una vodka ghiacciata, di una minestra e... e devo disfare le valigie. » Josh schiacciò tre bottoni disposti su un piccolo rettangolo di metallo sopra un tavolino laterale. Nel giro di pochi minuti si presentarono tre persone alla porta: un cameriere del primo piano, un cameriere del ristorante e una cameriera.

« Per favore, prepari il bagno di madame e i letti per la notte », disse Josh alla cameriera. « Vorrei una bottiglia di vodka polacca, due di Evian, un secchiello di ghiaccio, crema calda di crescione come minestra, e un vassoio di tartine di pollo », furono le istruzioni che diede al cameriere del ristorante. Al cameriere del piano disse: « Il bagaglio di madame è in camera da letto. Per favore lo disfi e porti via tutti i capi che hanno bisogno di essere stirati. Li vorrei pronti per domattina ». Tutti e tre scomparvero per eseguire alla lettera le istruzioni che ognuno aveva ricevuto.

« Non è l'albergo più alla moda di Londra, ormai; adesso quelli sono tutti in pieno centro », osservò Josh, rivolgendosi a una Valentine che assisteva alla scena con gli occhi sbarrati. « Però nessuno lo batte per il servizio. » Restarono tutti e due immersi nei propri pensieri finché la cameriera e il cameriere non se ne furono andati.

« C'è solo una cosa di cui devo avvertirti... »

« Una cosa? »

« Per amor di Dio, non annegare nella vasca da bagno. È molto profonda e lunga almeno novanta centimetri più di te. »

« Forse avrei bisogno di un bagnino. »

« Forse... ma non per il tuo primo bagno, tesoro... annegheremmo tutti e due. E poi, è in arrivo la tua minestra calda. »

« Il cameriere... rimarrebbe scioccato? »

« Un cameriere del Savoy... mai e poi mai! »

Valentine sparì nella stanza da bagno lanciandogli una

occhiata irresistibile al di sopra della spalla, un guizzo nelle pupille verdi, un mezzo sorriso provocante come un regalo ancora chiuso in uno stupendo e lussuoso pacchetto. Ci vollero quattro secondi prima che Josh, il quale non era più stato sedotto da nessuno da vent'anni, cominciasse a liberarsi frettolosamente della giacca.

Né la cameriera, né il cameriere del piano o quello del ristorante, come si dissero quando fecero i loro commenti in seguito, rimasero minimamente sorpresi. Nella suite di Maria Callas, quella che la Diva preferiva quando veniva a Londra, un comportamento del genere era la regola, non l'eccezione.

Avevano cinque giorni, cinque giorni in cui la discrezione non venne mai presa in considerazione, cinque giorni inviolati, inaccessibili nei quali le uniche cose realmente esistenti furono le straordinarie soddisfazioni della carne e l'eccitamento di sentirsi in preda a una stupenda follia anche se sapevano come, in futuro, sarebbe arrivato il momento della resa dei conti; ma era un futuro talmente lontano che non aveva importanza e, quasi, non esisteva.

Valentine affrontò e concluse le sue trattative di affari rapidamente e con decisione. Josh fece qualche telefonata e spedì qualche comunicazione a mezzo telex; ma, a parte questo, rimasero chiusi nel lusso accogliente del *Savoy*, avventurandosi fuori solo per esplorare Londra e cenare da Tramp, Drone, Tiberio e al White Elephant Club, oltre che nel ristorante del Connaught, solo per il piacere che provavano a trovarsi fra la gente pur essendo soli, insieme.

C'è un periodo di tempo, al principio di ogni storia d'amore, in cui i due innamorati hanno bisogno di ammirarsi e di trovarsi l'uno negli occhi dell'altro. Perfino l'ambiente più raffinato non è altro che una specie di scenario da teatro.

Era troppo presto perché potessero analizzare a fondo il loro amore. Valentine era troppo eccitata, troppo esaltata dall'adorazione per il suo corpo che Josh le mostrava e per il fatto che le sue vere possibilità fisiche e sessuali le si rivelavano in pieno, nel modo più reale e completo, per la prima volta. Non le era mai stata concessa un'esperienza tanto puramente naturale come quella di svegliarsi in un letto che aveva ancora l'odore della loro passione, sentire Josh che si eccitava cercandola di nuovo mentre l'aroma acre dei loro corpi si confondeva in modo che non avrebbe saputo dire se era lei a odorare di Josh o Josh a odorare di lei. Cercò di fissarsi bene nella memoria l'odore di Josh e del letto del *Savoy*. Sapeva che l'immagine dell'uomo e della camera da letto rosa e crema, in uno stile vagamente Art Déco, con la lunga finestra a mezzaluna che dava sul Tamigi, le sarebbe sempre rimasto impresso anche se un po' confuso nei particolari, mentre, quell'odore così acuto... lo respirava a fondo, già piena di nostalgia.

Josh era troppo in preda a un senso incredibile di libertà, una volta crollata la diga del dovere che lo aveva sempre costretto a marciare sulla retta via fin dal giorno in cui aveva cominciato a imparare a leggere, per domandarsi dove il suo incontro con Valentine lo stesse portando e quale futuro potesse avere.

« Non credo che sopporterei di fare l'amore con un uomo che non avesse il petto villoso », disse Valentine con il naso schiacciato contro la sua pelle, annusando alle radici i peli scuri, chiazzati qua e là da ciuffetti grigi, che gli coprivano il petto. « E tu? » In cinque giorni, questa, forse, fu la domanda più seria che gli fece.

Valentine salì a bordo dell'aereo che faceva la rotta polare un giorno prima di Josh. Sua moglie e qualcuno dei suoi figli venivano immancabilmente a prenderlo all'aeroporto quando tornava da un viaggio di affari, e questo fatto aveva restituito a Los Angeles tutta la sua realtà. Perfino a quel punto, nella sala d'aspetto delle partenze intercontinentali, Valentine non parlò della settimana o del mese successivo. Niente avrebbe potuto far innamorare Josh Hillman più profondamente di questo rifiuto di fare piani, progettare, combinare, di questa acquiescenza di fronte a un rapporto quasi evanescente. Gli sembrava di impazzire: lo esasperava che Valentine non cercasse di agganciarlo, non volesse avere la sicurezza di lui, non gli domandasse qualcosa, qualsiasi cosa. Ma cos'erano, dunque, loro due? Navi che si incontravano nella notte? Balle! Lui, quella donna, la voleva a qualsiasi costo. La vide passare oltre l'ultimo cancello, notò l'espressione piena di amore dei suoi occhi mentre lo salutava, l'andatura disinvolta che le dava il passo leggero e scattante, e tornò indietro, alla macchina che l'aspettava, quasi correndo. « Al British Museum », disse all'autista. Soltanto quegli atri monumentali di pietra, in cui si ammassava il massiccio bottino di secoli, erano sufficientemente tetri per adeguarsi al barbarico senso di solitudine e di abbandono che provava.

Billy Ikehorn
sarà onorata della sua presenza
a una cerimonia che si terrà
da Scruples
il primo sabato del novembre 1976
alle 9,00 p.m.
Danze
Cravatta nera

Quasi ancora prima che gli inviti venissero diramati, *Women's Wear* profetizzò che sarebbe stata la festa più grandiosa dopo quella di Truman Capote. Quando Billy si era domandata chi invitare, Spider aveva risposto: « Tutti ».

« Ma io non conosco "tutti", Spider. Di che cosa stai parlando? »

Mentre collaboravano per far risorgere il nuovo Scruples Spider si era accorto come Billy fosse stranamente priva di contatti con l'ambiente e la società in cui viveva. A lui, quel tipo di vita, la mancanza di una famiglia e di amici intimi, sembrava stranamente vuota. Non poteva sapere che Billy, per gran parte della sua vita, era stata, fondamentalmente, una persona solitaria. Le vicende della sua esistenza avevano contribuito a fare di lei una donna isolata.

Anche se milioni di lettori di rotocalchi e di quotidiani sapevano che « Billy » significava Billy Ikehorn, lei, Billy, non aveva mai accettato la realtà della sua celebrità così come risultava dai mezzi d'informazione. Non si sentiva famosa. Ellis le aveva insegnato a non fidarsi della meschinità di quella che, a New York, veniva generalmente defini-

ta la « Buona Società », ed era sempre stata ben felice di
rimanere fuori. Quando si era trasferita in California, so-
stanzialmente non aveva mai fatto la prima mossa per entrare a far parte del miglior ambiente di Los Angeles. In
aggiunta a questo, pur non condividendo affatto il punto
di vista della buona società di Boston, secondo il quale non
esisteva nessun'altra « Società » degna di tal nome, i suoi
modi e il suo accento bostoniano non erano mai completamente scomparsi e accentuavano sempre, in un modo abbastanza definitivo, l'impressione che dava di essere una emarginata.

« Anche se tu non conosci tutti, tutti ti conoscono »,
insistette Spider.

« Be', che importanza ha? Non posso invitare gente
che mi è del tutto sconosciuta... ti sembra? »

« Dovrai farlo, e sarà meglio per te », rispose Spider.
« Abbiamo appena finito di spendere un milione di dollari,
madama, e sarebbe un vero peccato che se li godessero soltanto i vicini di casa! »

« Sai cosa ti dico, Spider? Sei tu l'esperto, sarebbe meglio che facessi tu la lista. » Billy scappò. Per un minuto,
con suo grande imbarazzo, si era accorta di aver ceduto il
comando a qualcun altro. Da un po' di tempo Spider le faceva questo effetto. Era un tal saccentone, pensò stizzita!
Ma si era accorta, una volta di più, di non essere affatto
una persona sofisticata in fatto di relazioni sociali.

Spider ebbe una giornata campale. Cominciò la lista
con le più importanti autorità locali, poi con i baroni e le
baronesse dell'intera West Coast dalla frontiera messicana
a quella canadese. Però, prima di tutto, mise nell'elenco le
clienti. Poi aggiunse altre personalità di un certo rilievo di
New York, Chicago, Detroit, Dallas, Palm Beach e Hollywood, i vecchi e i nuovi. E tutto il mondo della moda, naturalmente. Washington? E perché non il meglio? Be', magari
non proprio il presidente Carter, ma certo il vicepresidente.
Poi aggiunse tutto il Jet Set internazionale facendo un'accurata selezione di tutto quel fottutissimo branco di gente. Era
rimasto fuori qualcuno? Gesù! La stampa! Spider si diede
una manata in fronte per la idiozia. Era la cosa più impor-

tante. Era stato lì a spremersi le meningi nella scelta delle celebrità e degli uomini politici e stava per dimenticare i loro creatori! Così, dunque, anche la stampa, però non soltanto quella della moda o della cronaca mondana, ma anche la gente « giusta » di *People*, del *New York Magazine*, di *New West*, del *Los Angeles*, delle riviste di attualità e di quelle della Condé Nast e di Hearst e i pezzi grossi della televisione. I *Rolling Stones*? No, magari no. Al diavolo, in Scruples ci potevano stare comodamente sei o settecento persone quando si aprivano tutte le pareti scorrevoli, come aveva progettato Ken Adam. Questo gli dava ampio spazio per invitare almeno quattrocento persone in quanto, si rassicurò Spider, molta della gente alla quale avrebbe mandato l'invito non si sarebbe certo spostata dalla località dove abitava soltanto per partecipare a una festa da ballo. Ne invitò ancora parecchie dozzine senza dimenticare la propria famiglia e Josh Hillman con la moglie. Forse si era lasciato prendere dall'entusiasmo, cominciò a pensare guardando le pagine piene di nomi che aveva davanti. Cancellò il nome di qualcuno che abitava in Florida e nel Texas: come avrebbero fatto a venire in California, tanto per cominciare? Poi rilesse di nuovo le sue liste e si ritrovò, alla fine, con un elenco di trecentocinquanta coppie. Forse sarebbe stata una delle ultime grandi feste. Certo la più cara, la più fotografata, la più eccitante e chiacchierata festa degli anni Settanta.

Senza starci molto a pensare, Billy aveva scelto abilmente di dare la sua grande festa il primo sabato del novembre 1976, subito dopo le elezioni presidenziali. I sostenitori del candidato battuto, avrebbero voluto dimenticare; mentre i sostenitori del vincitore avrebbero avuto una gran voglia di festeggiare. Soprattutto tutti avrebbero avuto il desiderio di pensare a qualcosa che non fossero la politica, la sterlina inglese e l'inquinamento.

Gli ultimi fioristi che dovevano curare la decorazione floreale delle sale e gli ultimi elettricisti se ne erano appena andati quando arrivarono gli incaricati delle ditte che si occupavano dei rinfreschi a predisporre i bar e le tavole del buffet. Al pianterreno, che era stato svuotato completamente per farlo diventare un salone da ballo, c'erano parec-

347

chi bar, grandi e ben forniti. Spider, con un autentico tour
de force, stava facendo allestire un buffet, un bar e una dozzina di posti a sedere in ciascuno dei ventiquattro grandi salotti di prova. Nessun invitato quella sera doveva avere la
possibilità di fare un giro al piano superiore di Scruples
che Billy Baldwin, lavorando con la sua rapidità caratteristica, aveva trasformato in un *pastiche* incantevole, divertente
ed erotico di locali uno più gradevole dell'altro, ognuno dei
quali avrebbe fornito l'ispirazione, ai suoi colleghi meno do-
tati di fantasia, per gli anni a venire. Giù al pianterreno le
danze continuavano senza sosta e il giardino d'inverno in
stile edoardiano aveva le grandi porte-finestre spalancate in
modo che gli invitati, se volevano, potevano andare a passeggiare nel giardino all'italiana che si trovava dietro Scruples. C'era perfino una magnifica luna piena. Era una serata calda quasi magica. Le donne, sotto le luci di Ken
Adam, sembravano più belle di quanto non fossero mai
state in tutta la loro vita; gli uomini si sentivano più romantici e più potenti, magari solo perché erano stati invitati al
più sontuoso, al più affollato di tutti i gran balli di gala; e
forse Scruples, nel suo insieme, era riuscito a far leva sulla
fantasia più sbrigliata e più accesa degli ospiti. Anche lo
scatto ininterrotto, abbacinante, dei flash, aggiungeva un'altra
nota di piacere e di soddisfazione perché bisognava proprio
far parte di quella mezza dozzina di celebrità veramente mi-
santrope per infastidirsi sul serio nel vedersi fotografare!

Scruples riaprì per la vendita il lunedì. Già a metà della mattinata capirono di aver ottenuto un grande trionfo. La
merce acquistata da Valentine, per quanto ordinata troppo
tardi, alla fine di agosto, era arrivata in tempo e si ar-
monizzava bene con il meglio dei precedenti acquisti per
l'autunno, fatti da Billy. Così si stava verificando quell'avvenimento, straordinariamente fruttuoso, che in gergo si chiama: « vedere la roba che esce da sola dal negozio ». Alle
dieci e mezzo Spider fu costretto a telefonare a un'agenzia
che procurava su richiesta, all'istante, tutto il personale d'ufficio necessario, per chiedere che gli mandassero sei impie-

348

gate da assumere a tempo determinato per l'ufficio che si occupava di aprire i nuovi conti correnti alle clienti. Lo chef, abituato alle montagne di cibo che si servivano allo Scandia, era stato previdente e non si era lasciato cogliere alla sprovvista, ma anche lui era rimasto sbalordito quando, alla fine della giornata, aveva scoperto che i giganteschi frigoriferi della cucina erano quasi vuoti. I suoi quattro camerieri, i tre sottocuochi e i due sommeiller erano sfiniti. Come erano sfinite le commesse, scosse da un tremito nervoso, incredule ed esultanti perché nessuna di loro aveva mai venduto tanto in un giorno solo. Le massaggiatrici orientali, affrante, minacciavano di licenziarsi in massa.

Quando, alla fine della giornata, le porte di Scruples si chiusero, Billy, Spider e Valentine si riunirono nello studio di Billy. Spider si distese sul pavimento e Valentine, che non aveva fatto che correre qua e là tutto il giorno per dare man forte alle commesse, si allungò sul preziosissimo divano Luigi XV di Billy dopo essersi tolta le scarpe.

« Durerà? » domandò Billy sottovoce.

« Cavoli, certo che durerà », disse Spider.

« Le compere per Natale sono ormai alle porte », meditò Valentine come parlasse tra sé.

« Ce l'abbiamo fatta! » strillò Billy.

« Cavoli, se ce l'abbiamo fatta! » ribatté Spider.

« Ho assolutamente bisogno, subito, di altra roba da vendere », disse Valentine.

« Siete meravigliosi tutti e due! » esclamò Billy esultante.

« Cavoli, se è vero! » disse Spider.

« Trentotto signore mi hanno chiesto di disegnare un modello assolutamente originale per loro... ho bisogno di un'aiutante, di laboratori, lavoranti e stoffe... ho bisogno di tutto », dichiarò Valentine.

« Domani avrai tutto quello che ti serve », la rassicurò Billy.

« Cavoli se ce l'avrà! » disse Spider.

« Dovrò partire per un altro giro di acquisti. Ma anche così sarò sempre in ritardo di almeno un mese per il *ready-to-wear* primavera-estate francese e italiano », osservò Valentine esausta.

« Spider, confessalo, ti eri mai occupato in vita tua di vendita al pubblico? » domandò Billy.

« Perché? Ma certo, Billy... chi ti ha messo in testa il contrario? » rise Spider.

« È quello che sta facendo adesso », mormorò Valentine.

« Cavoli, se lo sta facendo! » strillò Billy, piena di giubilo.

Per tutta quella settimana, per tutto quel mese gli affari a Scruples ebbero un andamento che superava le loro più folli speranze. Perfino quando alcuni elementi, di cui avevano tenuto conto, come la nòvità e la curiosità che spingeva la gente a venire nel grande magazzino, si furono un po' placati, la clientela si assestò su un ritmo di acquisti che non conobbe oscillazioni.

La bottega di campagna, creata in un primo tempo per la sua allegria e per puro capriccio, diventò il posto essenziale dove comperare i regali e le cose che non sapevi ti occorressero, ed ebbe tanto successo che, per il Natale successivo, Scruples pubblicò addirittura un catalogo per le ordinazioni per posta, che andò a ruba.

Il giardino d'inverno con i suoi ferri battuti e gli angolini appartati, i divanetti a due posti soffici e morbidi, i tavolini rotondi coperti di chinz dalle tonalità deliziosamente fuori moda, mauve e rosa ortensia; le ceste di begonie, ciclamini e orchidee, le grandi felci in vaso, le luci soffuse, e un po' misteriose, diventarono il posto preferito della comunità locale per scambiare qualche inutile pettegolezzo o un'informazione, il che, in molti casi, era poi la stessa cosa.

Il salone principale, la Fiera dei Divertimenti di Spider, con il reparto per uomo, la caverna di Ali Babà per gli accessori per donna, il pub, le tavole di backgammon e i biliardini divennero tutto ciò che là gente si era sempre lamentata di non avere a Beverly Hills. Una sala da gioco per gli adulti, un posto dove farsi vedere, incontrare la gente, essere contemporaneamente stimolati e placati dall'abbondanza che si ammucchiava su altra abbondanza.

Gli schizzi di modelli di alta moda occuparono presto

tanta parte del tempo di Valentine che Billy dovette assumere due esperti del ramo acquisti per lasciarla libera di realizzare quel lavoro che aggiungeva a Scruples un grande prestigio, ma la dirigente dell'ufficio acquisti rimase sempre lei. Gli altri due esperti che le erano stati affiancati, l'uno per gli accessori e l'altro per gli articoli da regalo, viaggiavano quasi costantemente e le spedizioni del materiale da loro acquistato arrivavano da ogni parte del mondo.

E Spider? Spider sovrintendeva a tutto questo, dal parcheggio sotterraneo al lavoro del ragazzo che aiutava in magazzino, dalle vetrine con i loro allestimenti, alla cucina. Ma la sua funzione più importante era quella di arbitro di eleganza: se l'era assunta fin dalla prima settimana in cui Scruples era stato riaperto. Però Spider, in questo campo, operava con la massima indipendenza, senza preoccuparsi delle vendite. Preferiva vedere una cliente che se ne andava senza aver comprato niente piuttosto che sapere che, una volta tornata a casa, si sarebbe pentita dell'acquisto fatto. E, deliberatamente, cercava sempre di convincere ogni cliente a non comprare qualcosa che le era piaciuto alla follia in modo che, una volta tornata a casa se, per caso, si fosse sentita rimordere la coscienza per tutti i soldi che aveva speso, questo senso di colpa venisse rapidamente annullato dall'impressione di essere stata molto brava e virtuosa a non comprare proprio quell'unica cosa che desiderava più di tutto il resto. In conclusione, fu proprio Spider, con il suo fermo controllo su ciò che era venduto e su chi lo comprava, più di qualsiasi altro elemento di Scruples, a farlo diventare nel giro di un anno il grande magazzino di articoli di lusso di maggior successo e con la più alta percentuale di vendita per metro quadrato di Beverly Hills, degli Stati Uniti, del mondo.

351

10

MAGGIE MacGregor era stata la responsabile del ruolo di arbitro dell'eleganza che Spider aveva assunto a Scruples, anche se lui non glielo aveva mai confessato e Maggie non l'aveva mai sospettato. Maggie preparava il suo programma alla televisione con l'aiuto di una serie di giornalisti ben addestrati i quali facevano la massima parte del lavoro di ricerca preliminare. Oltre a loro, Maggie contava sull'aiuto di innumerevoli « contatti » che aveva collocato nei punti strategici e che avevano libero accesso ai segreti degli uffici degli agenti nonché alla cerchia più ristretta delle persone che lavoravano negli studi cinematografici. Tuttavia, quando era davanti alle camere, il suo programma veniva svolto da lei sola, senza l'aiuto di nessuno. Molto aperta nel parlare, impertinente, pronta a correre sul filo del rasoio della volgarità, ma senza mai caderci, Maggie era sempre sola sullo schermo della televisione non appena la camera terminava l'inquadratura della persona celebre che lei stava intervistando. L'astuta Maggie sapeva che il pubblico era molto curioso di sapere le ragioni per le quali una persona era diventata una stella e quindi non tollerava che il video gli rimandasse nessun'altra immagine tranne quella dell'artista intervistato, anche solo per pochi secondi. Il fatto che quell'occhiata rapidissima non dicesse niente, assolutamente niente dei motivi e dei misteri di chi arriva alla celebrità, non aveva importanza: bastava che il pubblico si illudesse di poter dare una sbirciatina a qualcosa che possedeva un briciolo di realtà e di verità, qualcosa che li convincesse che « avevano conosciuto » quel divo nel suo aspetto più umano.

Maggie MacGregor era arrivata a Scruples molto presto, quel lunedì mattina in cui il grande magazzino era stato riaperto dopo il gran ballo di gala dell'inaugurazione, a bordo della sua *Mercedes 450 SLC* azzurra che aveva lasciato con visibile riluttanza nelle mani di James, il capo posteggiatore del parcheggio sotterraneo, assunto da Billy. I suoi rapporti con quell'automobile nazista erano molto complessi. Si metteva a posto la coscienza cercando di rammentarsi spesso che la Mercedes veniva fabbricata nella Germania dell'ovest, un paese che aveva versato sostanziose cifre a Israele in riparazione dei danni subiti in guerra, ma con tutto ciò... basta, doveva smetterla con questa storia, si rimproverò, stava ricominciando a pensare come Shirley Silverstein!

Ufficialmente, Shirley Silverstein era entrata a far parte del grande clan dei MacGregor subito dopo la scuola superiore, non appena aveva capito di essere abbastanza furba, intelligente e sgobbona abbastanza per arrivare. Arrivare, d'accordo, ma dove? A Beverly Hills, pensò Maggie: era la cosa più ovvia, in quella terra promessa dove Mosè avrebbe dovuto condurre il suo popolo se, da quello sciocco che era, non avesse voltato a destra invece che a sinistra dopo il passaggio del Mar Rosso. Quando Shirley aveva cambiato il suo nome in Maggie, si era anche affrettata a cambiare la forma del naso di Shirley e a lasciarsi alle spalle quindici chili di Shirley nonché il futuro anonimo di Shirley, ma non aveva mai tentato di dare una patina di signorilità anglosassone alla sua lingua da ebrea, tagliente e pungente. Anche sua madre non si stancava mai di esclamare, inorgoglita e smarrita: « Che lingua ha quella ragazza! » Maggie era sempre stata convinta che la sua lingua fosse l'unica speranza che avesse per far fortuna. Però fu il cervello di prim'ordine di Maggie, e non la sua lingua, a procurarle la borsa di studio per Barnard e la scuola di giornalismo della Columbia University. Con tutto ciò, era stata la madre di Maggie a insistere perché la sua svogliata figlia seguisse anche per tre estati consecutive un corso di stenografia, e adesso poteva dire ed era assolutamente vero, che era stata propro lei, e soltanto lei, a trovare a Maggie il primo lavoro della sua brillante carriera.

I diplomati dalla scuola di giornalismo, con la stessa insistenza di un'invasione annuale di zanzare giganti, diventano il tormento dell'ufficio personale delle riviste di New York a diffusione nazionale. Maggie era riuscita a passare oltre l'ufficio personale di *Cosmopolitan* perché aveva fatto la domanda per un posto di segretaria, non di assistente editoriale come in effetti voleva diventare. La redattrice incaricata degli articoli di attualità, Roberta Ashley, aveva esaminato la ragazzina ventiduenne, snella, con una faccia rotonda e ingenua, circondata da una massa di capelli neri che le scendevano fin quasi a nascondere gli occhi marrone attenti e vivaci, e le aveva domandato con il suo solito incantevole modo di fare, tanto famoso per la gentilezza quanto pronto e diretto: « È capace di stenografare o si limita soltanto a scrivere sotto dettatura abbreviando un po' le parole? »

« Pitman. Cento parole al minuto. Alla stessa velocità con la quale lei parla, non si preoccupi », Maggie assicurò baldanzosamente la redattrice che, da quella donna molto saggia che era, cominciò invece immediatamente a preoccuparsi chiedendosi quanto sarebbe durata questa fortuna inaspettata.

Durò un anno e mezzo e fu un periodo straordinariamente utile durante il quale Maggie imparò avidamente tutto il possibile sul modo in cui si faceva una rivista, osservando e ricordando tutto ciò che veniva discusso nel fiume di memorandum e di riunioni della sua capufficio con Helen Gurley Brown, direttrice di *Cosmopolitan*.

Una mattina d'inverno del 1973 Maggie afferrò al volo la notizia che Candice Bergen, nell'unica giornata in cui si era fermata a New York arrivando da Londra e in attesa di proseguire per Los Angeles aveva cenato con Helen Brown e con il produttore marito di questa, David Brown, fatto al quale non era stata data nessuna pubblicità.

Cinque minuti dopo, da un posto dove nessuno poteva sentirla, Maggie telefonò alla stella del cinema.

« Sono Maggie MacGregor di *Cosmo*, signorina Bergen. Helen mi ha appena detto di chiamarla. Si tratta di una cosa un po' improvvisata, ma Helen è a una riunione editoriale, altrimenti avrebbe telefonato lei personalmente. Si tratta di questo... ci chiedevamo se sarebbe disposta a una rapida intervista prima della sua partenza. So che non ha molto tempo... neanche un minuto?... però, mi ascolti, potrei venire a prenderla in macchina e accompagnarla all'aeroporto in modo da registrare qualcosa durante il tragitto. Sa già di che cosa parleremo, la vita, l'amore, il rosso per le labbra, cose di questo genere insomma... Uhmm. Magnifico! Helen ne sarà entusiasta! La faccio avvertire dall'atrio del suo albergo, fra mezz'ora. »

L'aereo partì con quattro ore di ritardo e la divina Candice era di un tal buon umore che si lasciò voltare e rivoltare come un guanto: Maggie ottenne un'intervista stupenda.

Una volta al mese, per quasi due anni da quel giorno, le interviste rivelatrici e spettacolari che Maggie faceva alle stelle del cinema costituirono uno degli elementi di maggior attrazione delle pagine di *Cosmopolitan*.

Negli anni in cui lavorava come giornalista, Maggie si vestiva con gonne e camicette disinvolte e di taglio piuttosto sportivo, l'abbigliamento perfetto per un'inviata che vuole sembrare innocua, in modo che le persone da intervistare si lasciassero persuadere a raccontare tutto ciò che i loro agenti avevano sempre consigliato di non dire.

Il suo vero gusto nel vestiario non si rivelò fino al giorno in cui sfondò alla televisione e firmò il contratto nel quale era inclusa la clausola che tutti i suoi vestiti sarebbero stati a carico della rete TV per la quale lavorava. La persona che offriva quel determinato programma, dopo aver lanciato un'occhiata ai capi di abbigliamento anonimi e inoffensivi che Maggie indossava, le fece chiaramente capire che ci si aspettava da lei che si vestisse come una del mondo del cinema. I funzionari delle varie reti televisive avevano già imparato che il pubblico non dà gran credito a una pura e semplice giornalista, sia pure dotata di capacità e intelligenza, se non si presenta perfettamente vestita e truccata.

Maggie, vedendosi dare carta bianca e sentendosi raccomandare di non portare mai lo stesso vestito una seconda volta quando andava in trasmissione, fu finalmente libera di abbandonarsi alla sua passione per la moda elaborata, di grande stile. Disgraziatamente, dal punto di vista fisico aveva press'a poco la stessa figura delle donne della casa reale inglese. Come la regina Elizabeth e la principessa Margaret, l'ex Shirley Silverstein era di statura bassa, aveva la vita corta, il seno abbondante e doveva lottare quotidianamente contro la pinguedine. Ma le regali signore potevano contare su stilisti che avevano votato la loro esistenza a nascondere quei difetti con vestiti di taglio perfetto, studiati appositamente per loro. Fra l'altro, esse possedevano anche chili di gioielli che quando venivano portati e messi in mostra, attiravano gli sguardi distogliendoli dalla forma del corpo.

Quella prima mattina da Scruples comprò vestiti sufficienti a barcamenarsi per il successivo mese e mezzo di programmi televisivi. Rosel Korman, che era diventata la sua venditrice fissa, incontrò per caso Spider, impegnatissimo a dare istruzioni al vetrinista. Esultante per il numero di vestiti che era riuscita a vendere, gli diede la buona notizia.

« Sono già state fatte le modifiche necessarie? » le domandò Spider?

« No, li porta via con sé. »

« In che salottino si trova? »

« Il numero sette. »

« Rosel, per favore, porta tutto di nuovo in quel camerino, tutto, cioè ogni singolo capo che ha scelto. Non incartarle ancora niente, OK? » L'occhiata stupita della commessa andò perduta perché raggiunse Spider quando, ormai, lui le aveva voltato le spalle e stava allontanandosi.

Spider bussò alla porta del salottino di prova di Maggie. « È visibile? »

« Per il momento, sì. »

« Sono Spider Elliott, signorina MacGregor, il direttore di Scruples. »

« Salve e piacere di conoscerti, Spider », disse Maggie osservandolo con sincero interesse. Il fascino fisico del maschio ormai aveva smesso da tempo di impressionarla, però era pur sempre abbastanza femmina per udire un'impercettibile fanfara dentro di sé mentre quell'uomo alto, con una figura magnifica, le sorrideva dalla porta.

« Adoro questo posto », aggiunse, « ma devo andare a lavorare il più presto possibile. »

« Allora faremo anche noi il più presto possibile », rispose Spider mentre la venditrice e una ragazza del magazzino entravano sovraccariche, riportando indietro gli ottomila dollari di capi di abbigliamento comprati da Maggie.

« Far che cosa? E perché tutta la roba che ho comprato non è già pronta da portar via? Non dovete far altro che infilarla nei sacchi di plastica, con l'attaccapanni e tutto, dannazione! »

« La mia politica è questa: nessuna delle nostre clienti dovrebbe comprare qualcosa che non le stia bene: fa parte del modo di affrontare il rapporto di Scruples con la cliente. » Intanto Spider stava avanzando nel salottino. Non appena aveva sentito il nome di Maggie MacGregor, aveva avuto un lampo di ispirazione perché la considerava da molto tempo la donna peggio vestita fra tutte quelle che conducevano una vita pubblica. Non sapeva ancora dove l'avrebbe portato la sua intuizione, però sapeva di essersi buttato su una nuova pista. La sedia a sdraio e le seggiole del salottino furono ben presto seminascoste da quella che sembrava una coperta imbottita a colori pazzi e vivacissimi e scintillanti, mentre Rosel e la sua aiutante allargavano qua e là i vestiti di Maggie. Era la stagione immediatamente successiva a quella in cui Yves Saint-Laurent aveva lasciato sbrigliare la sua fantasia in direzione di stili e colori intensi, alla russa, e ogni capo che Maggie aveva comprato rifletteva quello stile. Aveva dato la preferenza agli esemplari più riccamente incrostati di ornamenti, più sontuosamente lavorati che era riuscita a trovare. Nei suoi nuovi vestiti si sarebbe sentita a suo agio la Grande Caterina. E anche Mae West. Adesso il salottino aveva l'aspetto della sezione costumi del Metropolitan Museum of Art.

« Da quando in qua è arrivata l'era del fratello maggiore nella vendita al pubblico? » chiese Maggie furiosa. « Nessuno mi ha mai detto e mai mi dirà quello che posso o non posso comprare. » Ma Spider non le badò e si mise a girarle intorno, osservandola come se fosse un oggetto che aveva intenzione di fotografare. Angoli, nessuno. Volume, in abbondanza. Socchiuse gli occhi, e le sue narici ebbero un fremito, come se fosse stato un cane da caccia lanciato su una buona pista. Pareva che parlasse tra sé, però Maggie poteva sentire ogni parola che diceva.

« Sì... sì... è tutto. Non importa che sia alta, non deve esserlo, non si vedono le ossa, anche questo va bene se... tette... sì, favolose, spalle magnifiche... collo interessante, troppo corto ma interessante... morbida... sexy... occhi stupendi, pelle stupenda... vita... non importa... possiamo camuffarla... fianchi... fianchi... difficili come il petto... materiale grezzo ma di qualità... solo che ha bisogno... ha bisogno... »

« Ha bisogno di che cosa, per tutti i santi? »

« Ha bisogno di essere fatta risaltare, ha bisogno di un nuovo modo di essere messa in mostra », disse Spider, continuando a parlare con se stesso. Si voltò improvvisamente verso la venditrice. « Rosel, portaci tutto quello che hai che sia semplice, morbido, liscio. » Mentre la donna si ritirava rapidamente, Spider tornò a rivolgersi a Maggie, che esitava fra la voglia di fare una scenata e quella di continuare a lasciarsi affascinare dal modo di fare di Spider.

« Tutto si riduce a una questione di immagine di se stessi, Maggie. Tu ti vesti in un modo sbagliato perché con gli occhi della mente ti vedi in un modo sbagliato. »

« Sbagliato? »

« Guarda, adesso te lo faccio vedere, È una questione di prospettiva. » Spider prese Maggie per le spalle e la fece girare in modo che vennero a trovarsi, tutti e due, riflessi dal grande specchio a tre ante.

« Adesso guarda molto attentamente, come se tu stessi osservando un grande quadro. Con qualcuno vicino a te nello specchio puoi avere un'idea del tuo vero aspetto confrontato con quello di un altro. Quando ci guardiamo nello specchio da soli, abbiamo tutti la tendenza a concentrarci sulle parti e non sull'insieme. Adesso, prestami un po' di attenzione, Maggie. Qual è la prima cosa che vedi? » Lei rimase in silenzio, incapace di trovare una risposta. « Piccola, giusto? » Fu Spider a rispondere alla domanda che lui stesso aveva fatto. « Super femminile fino al midollo. Rotonda, rotonda, piccola, femminile. Ecco le tue caratteristiche che dobbiamo sfruttare. Non tutte sono così fortunate. Però tu non hai mai accettato il tuo vero aspetto così com'è. E adesso guarda. Voglio farti vedere quello che intendo io. »

Spider afferrò un sontuoso abito zingaresco di lamé d'oro, che era stato allargato su una seggiola, e glielo appoggiò davanti. « Vedi, ci anneghi dentro, scompari. » Rosel era appena tornata con una bracciata di abiti e Spider ne afferrò uno di crêpe e glielo drappeggiò addosso in modo che il tessuto semplice, morbido, fluido, rosso, ricadesse soffice dalle spalle di Maggie. « Così va bene! Ecco che la tua faccia riprende il suo valore nel complesso del quadro. Ecco che adesso vediamo quello che tu sei davvero, la graziosa Maggie MacGregor, minuta, morbida, carina, femminile, la vera, autentica Maggie. Siamo liberi di mettere a fuoco i tuoi occhi, la tua pelle, non il vestito. »

« Ma quello stile zingara è l'ultimo grido! » obiettò Maggie. « Il crêpe lo si vede da anni... non leggi *Vogue*? » domandò in tono malcontento.

« Non bisogna mai cercare di seguire la moda, Maggie », disse Spider con severità. « Tu non sei alta abbastanza per farlo, molto semplice: ti mancano almeno quindici centimetri... e non hai il tipo giusto di corpo. Il tuo è un corpo fantastico per tante altre cose ... ma non è fatto per portare i vestiti impegnativi. Tu hai un tuo aspetto fisico e io ti aiuterò a metterlo in evidenza. Poi starà a te conservarlo e restargli fedele. La moda esiste soltanto per essere adattata a noi. Pensa a cose lisce, pensa a cose morbide, pensa a cose semplici, pensa a cose facili, ma ponendo l'accento sui tuoi occhi e sulla tua pelle. In questo modo non ti sbaglierai mai. »

Maggie provava una gran voglia di piangere. Non perché la deludesse quel mucchio sgargiante di vestiti che sembravano più adatti per una festa in costume e che, adesso lo capiva, erano tutti assolutamente impossibili per lei, ma perché Spider si interessava tanto seriamente a lei, alla Maggie che era una donna e non soltanto una stella della

359

TV, la Maggie che era sempre stata furba abbastanza da avere il sospetto di non intendersene un cavolo di vestiti, la Maggie che tutti adulavano e alla quale nessuno aveva mai detto la verità sull'aspetto che aveva.

« Ti rendi conto del fastidio che mi dà scoprire che ho sbagliato? » domandò a Spider, arrendendosi tacitamente.

Quando faceva il fotografo, Spider aveva lavorato con i redattori di moda che sceglievano le loro modelle con estrema attenzione in modo che l'abito e la ragazza risaltassero allo stesso modo. Valentine aveva distrutto per sempre il piacere che gli davano le donne normali per il garbo, l'intelligenza e l'autorità con cui portava i vestiti. Improvvisamente si accorse che erano pochissime le donne che si vestivano con l'intenzione di far risaltare quella parte del loro corpo che poteva renderle più particolarmente attraenti. Con ogni probabilità, pensò, ignoravano addirittura quale fosse quella parte. C'era mai stata una donna pronta a dichiarare: « Voglio apparire esattamente, precisamente, così come sono io, non come qualcun'altra. » Ne dubitava. Maggie non seppe mai di essere stata la prima Galatea del Pigmalione Spider Elliott, la prima di varie centinaia.

Maggie non aveva imparato il termine « farsi una stella » alla scuola di giornalismo della Columbia. Durante il primo anno a *Cosmopolitan*, quando era ancora la segretaria di Bobbie Ashley, l'aveva sentito dire soltanto in un paio di occasioni.

Farsi una stella può voler dire molte cose. Può significare l'autista di tassì che tiene a mente l'elenco di tutte le celebrità che hanno chiamato la sua macchina o il parrucchiere che dà una pettinata frettolosa alla sua cliente abituale e intanto le descrive le acconciature meravigliose che ha eseguito il giorno prima per uno dei soliti quiz televisivi. Va dallo studio del potente multimilionario le cui pareti sono tappezzate di fotografie che lo rappresentano in compagnia di una serie di uomini politici, all'insegnante di ginnastica che si sofferma un po' di più a sbloccare i muscoli irrigiditi delle spalle di una attricetta del cinema, mentre dozzine di « donne comuni » infuriate aspettano di vederlo dedicare anche a loro una parte della sua attenzione.

Invece, per Maggie MacGregor, dopo otto mesi di interviste a persone celebri per conto di *Cosmopolitan*, farsi una stella aveva lo stesso significato di farsi una sbattuta con una stella: un rapporto sessuale con gli attori famosi.

La faccenda era cominciata in un modo abbastanza banale. Per il suo terzo incarico, il primo in cui la celebrità in questione fosse un uomo, risultò necessario passare parecchi giorni a seguire Pershing Andrews, un attore, per New York. Si trattava di un nome ancora nuovo nel cinema, ma aveva ottenuto poco tempo prima un grosso succésso per mezzo della riduzione televisiva di un romanzo popolare, che era stata mandata in onda nelle ore migliori per raggiungere un più largo strato di pubblico. Dal momento che Maggie, fino a quel giorno, aveva intervistato soltanto donne, non poteva sapere che la necessità di aprire un colloquio con una celebrità di sesso maschile avrebbe avuto uno strano effetto su una profonda vena di timidezza che non sospettava minimamente di possedere. Per quanto Pershing Andrews le desse l'impressione di trovarsi bene in sua compagnia, Maggie comprese d'un tratto che era molto difficile tracciare una linea netta fra il fatto di essere una giornalista al lavoro e quello di essere una donna ed essere costretta a fare a un uomo appena conosciuto certe domande aggressive, ultra-intime, necessarie per ottenere delle risposte che le permettessero di scrivere un buon articolo. E serviva poco avere soltanto ventitré anni, un corpicino piccolo ma tondo e appetitoso, quei due larghi occhi neri e una pelle liscia e rosea.

Ancor prima dell'intervista a Pershing Andrews, Maggie aveva già intuito un fatto basilare e cioè che le stelle, fondamentalmente, detestano, temono e disprezzano la stampa nella stessa, precisa misura in cui sanno di averne bisogno. Quanto ai giornalisti mentre da un lato restano sempre colpiti dalla persona famosa, nello stesso tempo sono anche sempre pronti a denigrare per metà e a disprezzare per l'altra metà. E mentre i giornalisti possono dar libero sfogo a questi loro sentimenti ambigui in ciò che scrivono, i divi

sono sempre costretti a nascondere quello che sentono dietro una maschera. Con i giornalisti di sesso maschile la maschera è quella del cameratismo, con quelli di sesso femminile assume spesso la forma della seduzione, la seduzione
verbale, sempre, e quella reale molto più spesso di quanto
il pubblico non immagini.

Pershing Andrews veniva seguito dappertutto non soltanto da Maggie ma anche da un agente per le pubbliche
relazioni che gli era stato assegnato per tutto il tempo della
sua visita a New York. È la procedura comune per tutti i
divi, con l'eccezione dei più affermati e dei più cocciuti. Le
agenzie che lavorano unicamente alla scoperta del « talento » sono sempre ben decise a proteggere i loro investimenti
mettendo alle calcagna di ogni nuovo artista una specie di
cane da pastore per il terrore di ciò che quella potrebbe fare o dire se lasciata a se stessa. La presenza di un agente
pubblicitario, con tutte le sue cautele, garantisce virtualmente una intervista irrimediabilmente noiosa, ma secondo
l'agenzia è sempre meglio che sia noiosa piuttosto che piena
di polemiche o stupida. Le agenzie hanno una tale sfiducia
negli attori e nelle attrici che rappresentano, da essere letteralmente terrorizzate al pensiero di quello che un inviato
un po' furbo potrebbe scoprire da un colloquio a due. Generalmente quelli delle agenzie hanno ragione.

Dopo aver passato i primi due giorni che aveva a disposizione con Andrews e il suo agente pubblicitario, ricevendo soltanto risposte scialbe o asciutte alle sue domande,
Maggie cominciò a studiare un piano: bisognava creare un
tale antagonismo fra i due uomini da convincere Andrews
a sfuggire alle unghie del suo guardiano. E fu da *Sardi*, mentre l'agente pubblicitario era andato alla toilette a far pipì,
che partì all'attacco.

« Guarda un po' qui, Pershing, non ho scritto niente »,
disse agitando verso di lui il blocco degli appunti con aria
accusatrice. « Ho provato a dare un'occhiata a quello che
avevo scritto prima di pranzo, ma tu ne vieni fuori come
una pastasciutta senza sale. Puah! Non credo che a Helen
interesserà questa roba se non riesco a mettere nell'articolo
qualcosa di un po' più intimo, di personale. So che la stof-

fa c'è, potrebbe venir fuori un'intervista coi fiocchi, ma quell'idiota che hai attaccato come una seconda testa mi fa seccare il cervello, e anche a te. Si è mai sentito di un valzer ballato a tre? »

« Cazzo! Siamo a questo punto? »

« Ho proprio paura di sì. Ma, del resto, che cosa si può fare? Anche lui fa il suo lavoro, come tutti. » Maggie si strinse nelle spalle con una mossa così espressiva che Andrews vide addirittura il suo nome cancellato con un tratto di matita dal tanto ambito numero di dicembre di *Cosmopolitan*.

« Col cavolo! Non posso liberarmi di quel disgraziato fino a dopo cena, però a quell'ora deve tornare a casa, a Larchmont. Non possiamo vederci dopo, noi due? »

Maggie prese in considerazione l'idea quel tanto che bastava per lasciarlo col fiato sospeso: « Perché no? Posso rinunciare all'appuntamento che avevo, niente di speciale. Dove e quando? »

« Al mio albergo, alle undici. Per quell'ora se n'è andato. » Maggie aveva un tono quanto mai asciutto e professionale, quando rispose: « Va bene ». Ma il suo cervello turbinava. Non le era mancato un certo numero di relazioni amorose più o meno insignificanti, ma non le era mai capitato di trovarsi sola con un giovane divo del cinema nella sua camera d'albergo. Per farsi coraggio provò a rammentare a se stessa con severità, che si trattava di una faccenda di lavoro. Con tutto ciò era turbata dal fatto che Pershing Andrews, dopotutto, era straordinariamente bello ed era stato riconosciuto da centinaia di donne esultanti ed eccitate ovunque fossero andati nei due giorni precedenti. Inoltre era pur sempre una stella del cinema, per tutti i santi! E l'idea di trovarsi sola soletta con lui nella sua camera d'albergo la sera tardi, sembrava proprio che desse all'intervista l'aria di un *rendez-vous*. Per un attimo provò la sensazione di essere sul punto di fare una cosa straordinariamente attraente e, al tempo stesso, un po' peccaminosa.

« Si potrebbe cenare insieme », aggiunse lui. « Ho un appartamentino fantastico con la vista sul Parco. » Un appartamentino. Bene. Bastava a cambiare le carte in tavola.

Non c'era niente di allusivo in una cenetta nella suite di un albergo, niente di scontato in quell'invito o che si potesse considerare tale.

E ottenne un'intervista favolosa quella notte e la notte successiva, tanto che il suo articolo diventò un classico nel suo genere. Si fece anche sbattere a fondo, inevitabilmente, com'era previsto. Maggie, a questo punto, cominciò a tenere la sua contabilità in materia con un metodo che aveva molte affinità con la tacca su un bastone, il metodo più antiquato e rozzo del mondo. Quello che diventò importante non fu tanto che il rapporto sessuale fosse buono, cattivo o indifferente, quanto piuttosto che lei, Maggie MacGregor fosse andata a letto con gli uomini celebri, quelli con un nome noto a tutti. Bastava la fama a eccitarla. Il grande divo non doveva faticare molto per farla arrivare all'orgasmo. Le bastava vedere quella faccia così celebre sopra, sotto, di fianco a lei, quella faccia celebre che dava una scopata a lei, Maggie MacGregor, una ragazza che non era per niente famosa, e l'atto sessuale prendeva subito un'altra dimensione e la carica erotica della situazione si riduceva, semplicemente, alla misura della celebrità dell'uomo, una celebrità che lei condivideva per tutto il tempo della scopata.

Maggie imparò a dare per scontato che, terminati i giorni necessari a fare l'intervista, non ci sarebbe stato più alcun contatto sessuale. In principio aveva pensato che la relazione potesse continuare anche nella vita, ma si era accorta presto che un attore non era affatto disposto a una storia d'amore con una donna che scriveva per un rotocalco a meno che non stesse preparando un intero articolo su di lui.

Ogni mese dell'anno le portava un nuovo incarico e anche una nuova « tacca da incidere sul bastone », oltre a un nome nuovo da aggiungere alla sua collezione. Anche se era una ragazza ebrea che veniva da una piccola città e secondo i canoni della piccola città aveva sempre misurato ogni cosa in passato, Maggie non pensò mai che le sue avventure con i divi dello schermo potessero costituire una violazione di tutto quello che le era stato insegnato a casa. D'altra parte, c'era sempre qualcosa nelle sue svariate esperienze sessuali che le dava fastidio, anche se non fino al punto di indurla a rinunciare alle abitudini che aveva preso. Non era un'impressione con un fondo moralistico o un po' gretto, da provincia; come non c'entrava, a voler ben guardare, l'idea di comportarsi come una ragazza facile e senza dignità, però era innegabile che c'era sempre qualcosa che le dava fastidio.

Fu soltanto quando andò a intervistare Vito Orsini che Maggie finalmente capì di che cosa si trattasse.

Vito Orsini fu il primo produttore cinematografico di Maggie. Le sue idee sui produttori erano vaghe e riflettevano l'opinione corrente. Tutti sapevano che l'era dei grandi produttori era finita da un pezzo. Erano il regista e il soggettista ad avere la parte del leone, il merito andava sempre tutto a loro. Quegli uomini dall'aspetto anonimo, di mezza età che salivano sul podio la sera degli Oscar a ricevere l'Award per il miglior film... erano i produttori quelli, o gente degli studi o chi altro? Non che fosse importante saperlo.

L'opinione corrente, o diciamo piuttosto l'ignoranza corrente, che Maggie faceva propria con tanta facilità, era giusta, come capita di frequente, soltanto fino a un certo punto.

Nel caso di Vito Orsini era sbagliatissima. Perché Orsini faceva parte di quel gruppetto di produttori che rappresentano l'adesivo magico che tiene insieme ogni singola sfaccettatura di un film finito. Gli uomini come questi, vivi e pieni di vitalità, sono molto pochi a Hollywood, in Inghilterra, in Francia e in Italia, e probabilmente continueranno sempre a rimanere in pochi.

Vito Orsini era un produttore carico di entusiasmo. I soggetti per i suoi film spesso scaturivano da un'idea che gli era venuta, qualche volta da un libro che aveva letto oppure da un copione che gli era stato mandato. Una volta scelto un progetto, il suo primo compito era quello di raggranellare i quattrini necessari al finanziamento del film. Quando questo elemento fondamentale della produzione era stato assicurato, era libero di spostare gran parte della sua attenzione sulla sceneggiatura, discutendo con lo scrittore, o gli scrittori, ogni revisione successiva e riservandosi sempre le decisioni di maggior impegno. Era Vito Orsini in persona ad assumere il regista, a scegliere gli attori con l'aiuto del regista, a trovare i tecnici più adatti, a stabilire in quale località il film sarebbe stato girato. Era lui ad avere il completo controllo di ogni aspetto del film fino al momento in cui si cominciava a girare. Vito non affidava ad altri le responsabilità. Dava a ogni suo film l'impronta del proprio gusto personale. Il suo interesse era tutto rivolto al film, non all'affare. Stanley Kubrick ha prodotto undici film in venticinque anni. Carlo Ponti ne ha prodotti più di trecento in meno di quarant'anni. Ci sono produttori... e produttori.

Dal suo primo successo del 1960 quando aveva venticinque anni fino al giorno del 1977 in cui sposò Billy Ikehorn, Vito Orsini aveva prodotto press'a poco ventitré film.

Anche se lavorava in Europa con tanta frequenza che molta gente lo credeva italiano, Vito Orsini in realtà era nato negli Stati Uniti ed era figlio di un gioielliere fiorentino, Benvenuto Bologna, che era emigrato negli Stati Uniti molto tempo prima che lui nascesse. Però Benvenuto aveva capito subito quanto potesse essere svantaggioso chiamarsi come un insaccato e aveva assunto il cognome di Orsini, come hanno fatto molti altri italiani per motivi altrettanto banali. Si era fatto una cospicua fortuna commerciando all'ingrosso in argenteria e aveva fatto crescere la sua famiglia in quell'angolo lussuoso del Bronx, che si chiama Riverdale, dove aveva come vicino di casa il maestro Toscanini. Nel 1950, quando aveva quindici anni, un'età in cui le impressioni lasciano un segno profondo, Vito aveva visto il suo primo film italiano, *Riso amaro* prodotto da Dino De Laurentiis. Da quel giorno in poi si era abbandonato con entusiasmo all'eccitante esperienza di rottura del film italiano e i suoi eroi preferiti erano diventati De Laurentiis, Fellini e Carlo Ponti. Era andato all'Università di California per laurearsi in cinematografia e, successivamente, mentre altri laureati del suo stesso corso si affannavano a cercare un impiego all'ufficio postale dell'Universal o della Columbia, lui, Vito, era partito per Roma. Qui aveva lavorato come

trovarobe, comparsa, controfigura, sceneggiatore, aiutoregi-
sta e direttore di un'unità di produzione prima di riuscire a
produrre, all'età di venticinque anni, il suo primo film. Il
successo di Vito era dovuto al fatto che la sua passione per
fare i film era pari alla sua intelligenza, con l'aggiunta di
una grande prontezza, di un talento e di un'energia che non
mancavano di impetuosità. Il suo primo film fu uno di
quelli che successivamente vennero chiamati, in gergo, « We-
stern all'italiana ». Tuttavia fu un film di cassetta, come pure i tre successivi, opere molto commerciali, assolutamente
prive di pretese. Infine, nel 1965, a trent'anni, si trovò alle
spalle un'esperienza sufficiente per poter ottenere i finanziamenti necessari a fare il genere di film al quale realmente aspirava. E da quel giorno in poi, non aveva cessato di
progredire.

Ogni volta che uno dei suoi ventitré film raggiungeva
la data di inizio della lavorazione, Vito, sia pure con riluttanza, si vedeva costretto ad abbandonare un po' sul collo
del regista le briglie che reggeva con mano tanto salda. Ogni
volta che la macchina da presa cominciava a funzionare, il
film apparteneva, essenzialmente, al regista. Tuttavia lo si
poteva trovare sul set, cinque o sei metri dietro le spalle del
regista, un po' di lato, a osservare tutto ciò che il regista osservava, perché in questo modo, anche se il suo campo visivo era più ristretto, poteva sorvegliare il lavoro della troupe,
controllare come si comportassero gli attori che non recitavano in quella particolare ripresa, tener d'occhio i protagonisti di secondo piano. Quando non lo si trovava material-
mente sul set, lo si aspettava da un momento all'altro. E,
come ogni personaggio davvero importante, era sempre dove avevano detto che fosse, e arrivava sempre puntuale al-
l'appuntamento con la gente. Così erano in parecchi a sospettare che esistessero due Vito Orsini!

Un produttore che viva con passione la sua professione
passa la serata a esaminare i metri di pellicola girati quel
giorno oppure ad adattare e ridurre il copione. Quando, durante il giorno, non lo si trova sul set, è in giro a cercare i
fondi per i futuri progetti, oppure partecipa a riunioni per
la preparazione finale della pellicola, oppure ancora cerca

le musiche adatte. È onnipresente alla moviola, al doppiaggio, al missaggio, e successivamente segue di continuo il film fintanto che la campagna pubblicitaria viene lanciata, controlla attentamente l'ammontare degli introiti quando il film comincia a entrare nei circuiti di distribuzione e, se è necessario, presenzia ai controlli dei revisori di conti sui registri dei distributori in modo da accertarsi che gli venga conteggiata la percentuale di profitto esatta. Non solo, ma naturalmente è lui a occuparsi di vendere i film nel Kuwait, in Argentina o in Svezia. E prima di andare a letto, può trovarsi costretto a fare una mezza dozzina di telefonate nei cinematografi dove si proiettano i suoi film più recenti per domandare notizie al gerente sul ricavato della giornata. Una vita intensa, con molti momenti di tensione, molti momenti di depressione, una vita che può fare soltanto un uomo che ha una grande, infinita passione per il cinema.

Nell'autunno del 1974, quando Maggie venne incaricata di intervistare Vito Orsini, questi si trovava a Roma e gli mancavano ancora due settimane di riprese per concludere un film che aveva come protagonisti Belmondo e Jeanne Moreau. L'eccitazione del viaggio in Europa, dove si recava per la prima volta, compensò abbondantemente Maggie della delusione che l'uomo con il quale sarebbe stata in contatto fosse Vito Orsini e non Belmondo per il quale aveva sempre avuto un debole. Il suo giornale le aveva prenotato una camera al modesto Hotel Savoia, che si trovava a solo mezzo isolato di distanza dell'Excelsior e costava un quarto in meno di quanto costasse quello.

Prima di accingersi a intervistare una stella del cinema, Maggie andava sempre a consultare l'archivio dei periodici nella biblioteca pubblica di New York in modo da raccogliere tutto il materiale dal quale trarre lo spunto per le sue domande. Tuttavia per intervistare un produttore le parve inutile fare quella ricerca in biblioteca. Era stata a vedere gli ultimi due film di Orsini, tutti e due portati alle stelle dai critici, e questo poteva bastarle, per cominciare.

La suite di Orsini all'Excelsior era esattamente quello

che Maggie si aspettava: lussuosa, imponente, con telefoni che squillavano, due segretarie che scrivevano a macchina, un buon numero di persone che stavano aspettando nei più svariati atteggiamenti di disperazione e di ansia mentre davano gli ordini per telefono per farsi servire qualcosa in camera. I telex arrivavano in continuazione. Maggie capì che questa volta l'intervista sarebbe stata un fiasco. Come si fa a intervistare un tizio che, tanto per cominciare, non suscita in te il minimo interesse e, secondariamente, è l'occhio di un ciclone? Il famoso « tocco » di Maggie dipendeva anche da quattro chiacchiere fatte nell'intimità. Eppure, allo scoccare dell'ora in cui le era stato promesso che lui l'avrebbe ricevuta, una delle segretarie fece passare Maggie nel sancta sanctorum di Orsini, il più piccolo dei tre salotti che facevano parte della suite.

Il primo sospetto che qualche volta l'opinione corrente sui produttori cinematografici possa essere sbagliata, Maggie l'ebbe quando posò lo sguardo su Vito Orsini. Sotto certi aspetti aveva tutte le caratteristiche del suo personaggio. Il vestito su misura di Brioni, il taglio dei capelli così chiaramente italiano, l'orologio di Bulgari, le scarpe di morbido cuoio, lucidissime. Ma dov'era l'ometto grasso col sigaro? Dov'era l'ometto mezzo calvo con il buffo accento straniero?

« Benvenuta a Roma, signorina MacGregor. » Per di più, parlava l'inglese con un ottimo accento e il baciamano che le fece si rivelò correttissimo.

« Mio Dio », esclamò Maggie che aveva la specialità di queste osservazioni volutamente infelici. « Credevo che lei fosse molto più vecchio. »

« Trentotto anni », disse Vito, rivolgendole un sorriso nel quale era chiaramente sottinteso come, se anche lei era deliziosamente giovane, lui non era poi così vecchio. Il sorriso non partiva dai suoi occhi, filtrava attraverso di essi; il suo naso aveva una prepotenza da proconsole romano e il suo colorito era di un bel tono bronzeo uniforme. Dalla sua figura irradiava una specie di fulgore. E aveva, nel fisico, tutta l'autorevolezza del grande direttore d'orchestra.

« Mi dica », disse Maggie, nel suo tono più ingenuo, « che cosa fa esattamente un produttore cinematografico? »

« Dio sia ringraziato che me l'ha chiesto! » rispose Vito. « Lei non immagina quanta gente mi ha intervistato senza saperlo con esattezza, anzi, senza neppur sapere vagamente quello che faccio. Sono tutti troppo pigri per fare la fatica di scoprirlo. E io glielo spiegherò, da cima a fondo. Ma non adesso... devo essere allo studio fra un quarto d'ora. Non potrebbe venire a cena con me stasera? Così potremmo parlare. »

Come togliere la caramella a un bambino, pensò Maggie, mentre assentiva con un cenno della testa.

« Verrò a prenderla alle otto e la condurrò in uno dei miei posti preferiti. Nel frattempo, si ricordi che il negozio di Gucci di qui è caro esattamente come quello di New York, quindi non si lasci prendere dalla smania di comperare. »

I produttori cinematografici che riescono a sopravvivere, hanno, inevitabilmente, un senso sviluppatissimo delle percezioni sensoriali esterne.

Quella sera, all'Hostaria dell'Orso, Maggie non ebbe bisogno dell'intero bagaglio dei suoi trucchi da intervistatrice, tutto quello che dovette fare fu molto semplice: ascoltare. Vito non smise di parlare per tre ore filate, insistendo nel dichiarare che, anche così, non aveva fatto altro che intaccare soltanto la superficie, senza approfondire.

« Per favore, Vito, non posso più stare ad ascoltare altro. Ho finito i nastri del registratore, ho il crampo alla mano a furia di scrivere. Ormai so più di quanto qualsiasi essere umano, fornito di ragione, potrebbe aver voglia di leggere. »

« Mi capita sempre così con la gente. Be', non avresti dovuto metterti a far domande. Nessuno ti aveva avvertita che io sono fatto così, vero? »

« Nessuno. Mi hanno semplicemente detto di prendere un aereo e di venire a parlare con te. »

« Perché non torniamo al mio albergo e non parliamo di te, invece? »

« Stavo cominciando a pensare quando ti saresti deciso a chiedermelo »

Da Vito Maggie riuscì finalmente a imparare quello che l'aveva sempre tormentata a proposito della storia di « farsi una stella ». Non era il modo di fare l'amore. Vito Orsini era un gran romantico. Quando andò a letto con Vito, Maggie comprese improvvisamente di essere lei la stella di quella particolare produzione. Imparò, per la prima volta, che i suoi seni pesanti e le natiche voluttuose erano un punto di merito stupendo se non venivano messe a confronto con l'ideale americano in proposito. In quella prima notte e nelle altre che passò con Vito, Maggie non provò mai la sensazione che si era abituata a ignorare inconsciamente tutte le altre volte in cui si era « fatta una stella », cioè la conferma di essere una creatura inferiore alla quale venisse concesso di dare un'occhiatina alla vita della gente superiore. Vito riuscì a curarla una volta per tutte da quello che chiamava il complesso della « cameriera del piano di sopra ». Era stato proprio soffrendo di questo complesso che Maggie si era convinta di brillare di una fama presa a prestito.

Maggie rimase a Roma due settimane in quel caldo inizio dell'autunno del 1974, mandando in ufficio un cablogramma ogni tre giorni nel quale avvertiva di trovarsi in difficoltà con l'intervista a Orsini perché il produttore era troppo impegnato per vederla. Tutti a *Cosmopolitan* furono quanto mai comprensivi. Sapevano perfettamente com'erano i produttori cinematografici italiani. Gente impossibile. Maggie e Vito diventarono amici e amanti, sinceri estimatori del corpo e del cervello dell'altro. Maggie, di tanto in tanto, si domandava se questo incontro, come tutti gli altri che lo avevano preceduto, sarebbe finito nel nulla una volta che l'articolo fosse stato preparato; però imparò gradatamente ad avere piena fiducia in Vito.

Vito permise a Maggie di assistere a tutte le sue riunioni, di ascoltare tutte le sue telefonate, di esaminare con lui i risultati del lavoro giornaliero. Alla fine di quei quindici giorni ne sapeva più lei della meccanica e degli aspetti commerciali della produzione di un film di quanto ne potesse sapere qualsiasi scrittore sull'argomento in tutti gli Stati Uniti: e questo le riuscì molto utile quando ottenne il programma televisivo. Ma ciò sarebbe avvenuto sei mesi più tardi, sei

371

mesi durante i quali Maggie scrisse altri cinque profili di stelle del cinema e scoprì che non aveva bisogno di andare a letto con un divo per riuscire a scrivere qualcosa su di lui. Le sue interviste persero la caratteristica così comune in questo tipo di articoli, di rivelare più i sentimenti dell'inviata nei confronti della stella del cinema che non quanto la stella del cinema pensasse e dicesse di se stessa.

Nella primavera del 1975, sei mesi dopo che Maggie gli aveva detto addio a Roma, venne a sapere che Vito era il produttore di un nuovo film, *Il battello*, che si girava nel Messico. Il protagonista maschile, Ben Lowell, era uno dei cinque attori che ottenevano il maggior successo di cassetta negli Stati Uniti, uno specialista dei ruoli del « duro », ammirati molto sia dagli uomini sia dalle donne. La parte femminile più importante era interpretata da una famosa e brillante attrice inglese, Mary Hanes, che aveva fama di essere un demonio a letto e di avere la lingua più spiritosa e più sciolta di tutta l'Inghilterra.

Maggie persuase i suoi direttori a *Cosmopolitan* che era venuto il momento di intervistare Ben Lowell, il grande attore di stampo così prettamente americano in un'epoca in cui si faceva un po' fatica a trovare in giro ragazzi di quel tipo. La vera ragione di quel viaggio nella località messicana dove si girava il film, una località tristemente famosa per il suo clima torrido, le scomodità e il pessimo cibo, era, naturalmente, quella di rivedere Vito.

Quando Maggie scese incespicando dal piccolo aereo sulla pista in pessime condizioni, Vito l'abbracciò.

« Come va il film? » mormorò Maggie prima ancora di salutarlo.

« Uno schifo. »

« Come fai a dirlo con tanta sicurezza? »

« Sento odore di sangue nell'acqua. »

« Che cosa vuol dire? »

« Non lo so ancora con precisione, le ragioni sono molte ma finora ne conosco soltanto qualcuna », rispose Vito. « Ma lo sento, Maggie, te lo garantisco. »

372

Dopo aver passato una giornata sul set a osservare e prender nota mentalmente di quello che succedeva, come faceva sempre prima di affrontare un'intervista, Maggie si accorse di essere più confusa e perplessa di quel che non le capitava da un pezzo, anzi, da quando aveva cominciato a scrivere. Era abituata al ritmo lento e cauto della lavorazione di un film, ma, sul set di *Il battello*, c'era un'atmosfera carica di una tensione che non aveva mai notato prima d'allora in nessun altro posto. Si accorse che le veniva un attacco d'ansia soltanto a stare a guardare gli altri, pur avendo imparato a non lasciarsi coinvolgere nelle scenate di rabbia, nelle bizze e nelle impennate che capitano regolarmente dato che, tutto sommato, a lei facevano comodo per il suo lavoro.

Occupò la camera da letto vicina a quella di Vito al motel, il migliore fra i•tre, squallidi, miserabili, affittati per alloggiare gli attori e il personale della compagnia. Di solito servivano soltanto ai californiani appassionati di pesca d'alto mare e ai piloti degli aerei privati, gli unici non messicani a frequentare quella località isolata.

Vito e Maggie cenarono insieme alla mensa organizzata per tutta la compagnia. Il vitto locale era considerato alla stessa stregua di un biglietto di sola andata per la gastroenterite ed erano cuochi californiani a occuparsi di tutto quello che poteva occorrere alla troupe, preparando pasti in stile californiano. Le provviste venivano fatte arrivare in aereo da San Diego, la città più vicina, anche se si trattava sempre di novecento chilometri in linea d'aria. Il medico era stato importato da Città del Messico perché in quel villaggio sperduto, grande come una cacca di mosca, non esisteva neppure.

Di ritorno al motel, Maggie si spogliò e si mise una vestaglia. Poi andò in camera di Vito, e s'infilò nel suo letto, accanto a lui.

« Vito, se non ti volessi bene, tornerei a casa domani. Ben Lowell o no. Però ti voglio bene, e molto: allora raccontami che cosa cavolo sta succedendo qui e perché la luce e l'anima di via Veneto è venuta a finire in questo posto. Ma come si fa a chiamarlo "posto", vorrei saperlo! »

« Maggie, hai mai sentito quel vecchio proverbio che

dice: "Quando un pesce puzza, comincia sempre a puzzare dalla testa"? Questo progetto ha cominciato ad andare male fin dal primo giorno. Mi sono lasciato convincere a stabilire una data per cominciare a girare quando sapevo perfettamente che il soggetto non andava bene. Ha messo i soldi un pezzo grosso; sono un branco di fottuti briganti e insistono per avere il film pronto da mettere in circuito a Natale. Così dovevamo trovare il sole e il mare, altrimenti, niente film. Ma sta piovendo in tutto il mondo a eccezione di qui e dell'Arabia Saudita, scusa se è poco! Non solo, ma Ben Lowell e Mary Hanes sono liberi adesso, è l'unico periodo in cui sono disponibili e se non me ne servo subito, non riuscirò più ad averli per i prossimi due anni. Dunque bisognava fare il film adesso o mai più, e mi sono trovato con le spalle al muro. Non è la prima volta che mi succede, però le altre volte, bene o male, riuscivamo a venirne fuori. Questa volta, invece, è incredibile, assurdo, il mio soggettista sta talmente male che non riesce a far altro che vomitare e andare al cesso. Il mio caposquadra migliore si è rotto una gamba e abbiamo dovuto mandarlo in aereo a Los Angeles, il generatore è già saltato almeno dieci volte durante le riprese notturne, la *script girl* è sorda o cieca o tutt'e due le cose insieme, ho dovuto assumerla all'ultimo minuto perché quella che lavora con me di solito si è sposata sui due piedi; potrei tirare avanti, ma perché farlo? » Era la prima volta che Maggie vedeva Vito completamente svuotato di tutto l'ottimismo che gli aveva sempre dato la carica anche nei momenti di crisi.

« Ma stai parlando di dettagli, Vito. Come vengono le riprese? » Lui rispose con un gesto meravigliosamente latino che esprimeva come la speranza e la disperazione si equivalessero.

« Così, in conclusione, ne potrebbe valere la pena? » Maggie provava un gran bisogno di rincuorarlo. Preferì non accennare all'atmosfera tesa che aveva osservato sul set, dato che Vito non ne aveva parlato. Forse, pensò, è la conseguenza logica di tutti gli incidenti che ci sono stati.

« Deve valerne la pena », disse Vito con una voce così spenta che Maggie sussultò.

374

« E se anche non fosse? Non sarà la fine del mondo. Canby e perfino John Simon, avevano espresso un parere favorevole sul film con la Moreau e Belmondo. I tuoi ultimi due film hanno ottenuto critiche favolose... »

« Ma non sono serviti a niente per la cassetta. Se ne tiro fuori un utile è la volta che il Papa si sposa! Anche tu, come tutti, sei convinta che una buona critica voglia dire automaticamente che ci si guadagna. Soltanto a New York forse... »

« Oh! » Maggie si accorse di essere sotto choc per la sorpresa. Il tenore di vita grandioso di Vito, il suo modo di organizzarsi l'esistenza, l'avevano portata a concludere che avesse a sua disposizione risorse illimitate. « No, non ci capisco niente, insomma », disse infine.

« Maggie, quanti sono i film che danno un utile? »

« Be', mio Dio, un mucchio, immagino... altrimenti perché si continuerebbe a farli? »

« Uno su quattro. Non ti ricordi quello che ho cercato di insegnarti a Roma? Soltanto il venticinque per cento di tutti i film che si fanno dà un utile, ma quel venticinque per cento fa guadagnare tanti di quei soldi che, per merito loro, gli studi possono tirare avanti. »

« Ma il tuo stipendio di produttore... tu, quello, lo incassi ugualmente, anche se il film non dà utili. »

« Dipende », rispose lui di malavoglia, come se stesse inghiottendo una medicina di pessimo sapore. « È successo questo: per il mio ultimo film come per questo, era così difficile trovare i finanziamenti che ho aspettato a ritirare i miei compensi fintanto che non avessimo qualche utile. Il film di Belmondo è stato un fiasco colossale, e sono pieno di debiti, Maggie. »

Pieno di debiti. Lo guardò: aveva un'aria addirittura regale con quel pigiama di seta e la vestaglia, di seta anch'essa, con il monogramma.

« Non l'ho mai saputo. »

« Nessuno lo sa mai. È il segreto dell'unione dei produttori. Siamo tutti giocatori d'azzardo, è peggio che giocare alle corse. Ecco perché non esiste un vero e proprio sindacato, abbiamo una gran paura che qualcuno vada a spifferarlo in giro. »

« Oh, Vito! Tesoro mio! Vedrai che le cose si sistemeranno. Con Ben Lowell e Mary Hanes non puoi perdere. Con tutto quel sesso così animale, naturale, sullo schermo... sono le due persone più sexy del mondo. E la gente muore dalla voglia di andare a vedere una bella storia d'amore, autentica, reale. Vito, sono convinta che questo film può sfondare. » Maggie lo strinse fra le braccia con tutta la forza che aveva.

« Che dalla tua bocca questo arrivi all'orecchio di Dio », rispose Vito, usando l'espressione preferita della madre di Maggie.

Nel giro di mezz'ora Maggie si sentì così male che non poté far altro che ritirarsi precipitosamente nella sua camera. Doveva essere colpa dell'atmosfera perché non aveva toccato altro che il vitto della mensa. Con tutto ciò, si era sempre nel Messico! Durante le ventiquattro ore che passò nell'infelicità più assoluta, ci fu un'altra vittima ben più grave. Quella notte un giovane attore, un bel ragazzo che si chiamava Harry Brown, la controfigura di Ben Lowell, inciampò in un bidone della spazzatura in un vicolo buio dietro il motel e cadde, battendo la testa sull'asfalto in un punto dov'era rotto con una tale violenza che perdette la conoscenza e morì dissanguato prima che qualcuno lo scoprisse. Mentre il medico della troupe stava compilando il certificato di morte, Ben Lowell andò a parlare con Vito.

« Cristo... conoscevo da anni quel ragazzo. Non riesco a crederci. Che cosa terribile! Ha fatto la mia controfigura negli ultimi tre film che ho girato. Non ha nessuno al mondo... era uno sbandato finché non è arrivato a Hollywood. Io gli ho procurato questo lavoro due anni fa... povero ragazzo, girava intorno ai teatri di posa con la speranza di diventare un attore ma non aveva un briciolo di talento. Poveretto! Povero Harry, Gesù! Deve essere cresciuto in una fattoria sperduta, in capo al mondo... non mi ha mai detto dove. Dobbiamo fare il funerale, Vito, e presto. In questo paese fa caldo. »

« Era cattolico? Ne hai le prove? »

« Cazzo, no... chi diavolo vuoi che sappia queste cose? »

« Allora non possiamo seppellirlo qui. Alla gente di questo posto siamo già poco simpatici e puoi star sicuro che non ci lasceranno seppellire un non cattolico nel loro camposanto. »

I due uomini si guardarono. Voleva dire noleggiare un aeroplano che venisse da Los Angeles a prendere il cadavere e a riportarlo laggiù. Voleva dire organizzare il funerale da quella distanza e incorrere in spese considerevoli.

« Vito, quel ragazzo amava il mare, davvero, era proprio una passione, la sua. È illegale seppellirlo in mare? »

« Credo che sarà meglio rimandare il suo corpo a Los Angeles, Ben. Vuol dire che lo studio inserirà queste spese fra gli imprevisti. »

« Vito, credimi, quel ragazzo avrebbe voluto essere seppellito in mare. Ho un'opinione molto chiara in merito. Harry aveva una paura terribile di... di essere cremato, o di essere seppellito sotto terra... devo insistere su questo punto, Vito. » L'attore si era messo a tremare in preda a una emozione che Vito non riusciva a capire. Non si trattava né di dolore né di rabbia per le resistenze di Vito ad accettare il suo punto di vista. Improvvisamente ripeté con una voce stridula e carica di passione: « Devo insistere » e Vito capì subito che cosa c'era sotto. Era paura, la sua. « Vito, non potrò finire questo film se Harry non verrà sepolto in mare. Starei troppo male al pensiero di saperlo laggiù, sotto terra, quando era un'idea che odiava quella di finire così... Starei troppo male per lavorare. » Paura e ricatto.

« OK », disse Vito. « Vedrò di trovare una soluzione. »

Harry Brown venne seppellito in mare, alla chetichella, prima di sera.

Vito si era assunto certi impegni finanziari così gravosi per portare a termine nel tempo prestabilito le riprese di *Il battello* che l'eventualità di non prestarsi al ricatto di Ben

Lowell, a questo punto, era inconcepibile. A Maggie non aveva raccontato fino a che punto si era visto costretto ad arrivare: dopo lo scarso successo di cassetta dei suoi ultimi due film, per assicurarsi le garanzie necessarie alla realizzazione del film nel Messico, aveva venduto la casa che possedeva nei dintorni di Roma e la sua collezione di litografie.

Però Vito sapeva che era suo dovere scoprire a tutti i costi perché avesse dovuto assoggettarsi a quel ricatto. Il film gli stava sfuggendo dalle mani. Il giorno successivo a quello in cui il corpo di Harry Brown era scomparso in mare, il regista aveva lavorato dalla mattina alla sera per girare ripetutamente una scena chiave fra Ben Lowell e Mary Hanes, ma, anche senza conoscerne i risultati, Vito aveva già intuito che quelle sequenze non avevano gli elementi necessari per poter essere considerate buone. Vito aveva passato tutta la giornata sul set, fingendo di non accorgersi delle smanie del regista infastidito dalla sua presenza, a guardare, guardare, guardare. Aveva notato molte piccole cose, nessuna delle quali era di per se stessa eccezionale; e tuttavia con la sua sensibilità acutissima, con il suo famoso istinto da grande giocatore d'azzardo, aveva visto a sufficienza, anche se si trattava sempre di particolari che non avrebbe saputo spiegarsi, per andare a cercare Mary Hanes in camera sua dopo cena. La trovò con addosso gli slip di un bikini nero e un reggipetto trasparente che si era fatta con una delle sue larghe sciarpe di chiffon rosso. Per quanto Mary fosse magrissima, da lei emanava sempre qualcosa di intensamente e torbidamente carnale tanto che Vito, ogni volta che si trovava solo con lei, aveva l'impressione di essere entrato nella gabbia di un gatto selvatico allo zoo. C'era qualcosa di prettamente diabolico, qualcosa di malvagio in quella ragazza dall'aspetto così attraente e angelico, un abile miscuglio che spiegava la celebrità alla quale era arrivata.

« Guarda, guarda... il nostro maledetto produttore in carne e ossa! O dovrei piuttosto dire il nostro maledetto impresario delle pompe funebri? » Era sdraiata in un atteggiamento scomposto sul letto sfatto e nella camera c'era un fortissimo odore di marijuana.

« Mary, in Messico è pericoloso farsi uno spinello. E

anche fuori del Messico è pericoloso mescolarlo col whisky. Grazie a Dio, non lo bevi col ghiaccio, l'acqua potrebbe essere ancora più pericolosa. »

« Vito, vecchio puttaniere, non sei cattivo. Comincio a pensare che mi sei simpatico. » Gli passò la sigaretta e lui ne aspirò un tiro. « Sono quasi contenta di vederti, italiano del cavolo... cominciavo a sentirmi un po' giù di corda. »

« Ho avuto l'impressione che oggi ci fosse qualche cosa che non funzionava. »

« A Mary non piace che il suo bel ragazzo le sia stato portato via per essere buttato nel profondo mare azzurro... come un topo, un topo spiaccicato. Cristo, Vito, lo vedo mentre i pesci se lo mangiano. » Cominciò a tremare.

Soltanto tre anni prima Vito aveva fatto un film di successo con Mary Hanes. E malgrado tutti gli scandali nei quali la ragazza era rimasta coinvolta, non l'aveva mai vista perdere il controllo di sé. Quella sera invece, imbottita di droga com'era, sembrava una paranoica.

« Mary, da quanto tempo stai fumando questa roba? » Le passò di nuovo la sigaretta con un sorriso che non diceva niente, un sorriso che non rivelava come ricordasse perfettamente che, prima di farle firmare il contratto, aveva ricevuto le solenni assicurazioni sue e del suo agente che lei non aveva più toccato nessun tipo di droga da quando, tornando in Inghilterra dall'America del Sud, un anno prima, era stata arrestata, e la faccenda era stata messa a tacere con qualche difficoltà.

« Da quando ho compiuto undici anni... non lo fanno tutti? » rispose Mary con una risatina, cambiando improvvisamente d'umore.

« No », disse Vito senza perdere la pazienza. « Parlo di oggi. »

« Che giorno è oggi? Aspetta... no... non dirmelo... è venerdì. Giusto? Ieri era giovedì, domani... sabato. O sbaglio? »

« Giusto, Mary, al cento per cento. Dunque, da quanto tempo stai fumando, allora? »

« Oh, è questo che vuoi sapere... da ieri, credo. Non ne ho portata con me. Quel mio maledetto agente ci ha pensato lui a non correre rischi... mi ha fatto le valigie con le sue mani, sai? ... In ogni modo, queste guardie di frontiera messicane, merdone che non sono altro, ti manderebbero al fresco, Vito... non lo sapevi? Così, dopo, me ne sono fatta dare un po' da quel tuo medicone che è venuto da Città del Messico... cento dollari e quel bastardo mi ha dato in cambio soltanto venti dosi... però è roba buona. Vuoi un altro tiro? Su, avanti... »

Vito ne accettò un altro tiro, piccolo, appoggiando appena la sigaretta alle labbra per evitare che il fumo gli scendesse in gola. Si accorse che Mary Hanes era piena di droga fino agli occhi ma, a quel punto, come capita con tanti fumatori di marijuana, era eccitata e inquieta e aveva un gran bisogno di chiacchierare.

« Allora hai cominciato dopo la disgrazia di Harry? » le domandò Vito pacatamente. « Capisco. È stata una cosa molto triste. Un ragazzo così giovane e anche bello! Che modo triste e stupido di morire. Lo trovavi simpatico? »

« Simpatico? Perché adoperi una delle tue solite parole italiane, Vito? Quel bel tipo che ne aveva viste di tutti i colori? Il leccaculo di Ben... Ben, che non farebbe nessun film senza tirarselo dietro... la sua controfigura! Aveva più talento nella bocca che in tutto il resto... una lingua che ti faceva impazzire, e smaniare... e avrebbe fatto qualsiasi cosa in cambio di un dollaro. Simpatico! » Per un momento sembrò che Mary meditasse amaramente su quello che aveva detto. « Ancora un po' di whisky, Vito », e gli tese il bicchiere. Con quelle minuscole mutandine del bikini, quel reggipetto che non nascondeva niente, drogata fino agli occhi, Mary Hanes riusciva ad avere la stessa aria innocente di uno di quei cherubini che si vedono negli affreschi di certe chiesette romane.

« Ne aveva viste di tutti i colori? » Vito capiva che cosa aveva voluto dire Mary. Ma lei... in quelle condizioni? La ragazza gli lanciò un'occhiata sprezzante.

« Tesorino, bambino di mamma, piccolino, vieni qui, vieni dalla mamma. » Attirò Vito a sé, afferrandogli le mani e guidandole sul suo corpo sodo e flessuoso, spingendosele in mezzo alle gambe. « Perfino quel cesso, quella piccola puttana, quel magnifico pezzo di carne tirato giù dal gancio del macellaio, aveva voglia di Mary. Tutti vogliono Mary. E io volevo lui. Lo sapeva anche Ben... quella maledetta regina... e non perdeva di vista Harry neanche un momento... fottuto finocchio, voleva quel bel ragazzo che era Harry tutto per sé... e adesso è rimasto fottuto fino in fondo. Gli sta bene, assassino leccamerda... chi gli succhierà l'uccello, adesso? »

« Harry è caduto, Mary... »

« Harry caduto? Ci credi anche tu? Caduto! Ma come poteva cadere il ragazzo quando era qui a darmi una sbattuta? » Improvvisamente si mise a ridere. Un suono gorgogliante sgradevolissimo. « Avresti dovuto vedere la faccia di Ben quando ha aperto la porta... avevo vinto io, Vito, e lui l'ha capito... avevo vinto io. »

« E allora...? » domandò Vito con voce atona.

« Così gli ha sfondato il cranio, imbecille, con il calcio di quella pistola che si porta sempre dietro... non lo sapevi... vero... e l'ha trascinato fuori... e tutto è finito così. »

« E l'ha lasciato morire dissanguato? »

« Troppo vero... troppo troppo troppo vero. Morto e sepolto come uno scarafaggio schiacciato... come un topo... là, in fondo in fondo al mare. Oh, aiutami, Vito! Continuo a vedermelo davanti agli occhi! » Vito prese una bottiglia di acqua minerale e fece inghiottire con cautela alla ragazza che sembrava impazzita tre compresse di Valium prese dalla bottiglietta che c'era sul suo cassettone... era l'unico mezzo che avesse a disposizione per farla calmare senza troppi rischi. Qualche ora dopo, quando Mary si mise a russare dopo aver finalmente perduto la conoscenza, Vito lasciò la sua camera dopo aver svegliato la sua assistente e averle fatto promettere che sarebbe rimasta con l'attrice fino al mattino.

Fu Maggie a trovare una soluzione. Quando Vito ritornò in camera all'alba, tanto distrutto da camminare barcollando, ve la trovò, guarita dall'attacco di gastrite e preoccupata per la sua assenza. Vito Orsini aveva imparato che, nel mondo del cinema, non ci si può fidare di nessuno e, con ogni probabilità, non avrebbe mai riferito a Maggie quello che aveva appena saputo se non si fosse reso conto che, anche se Mary Hanes fosse riuscita bene o male a finire il film senza rivelare la verità riguardo a Ben Lowell e alla sua controfigura assassinata, sarebbe tornata a Londra e, conoscendo la sua solita mancanza di controllo, nel giro di qualche giorno tutta la stampa del mondo sarebbe stata al corrente di qualche voce sull'argomento, se non addirittura dell'intera storia. Quando Vito finì di parlare, Maggie rimase senza parole per un minuto. Infine disse: « Attori ».

« Un commento secondo la grande tradizione di Hollywood. » Vito, che ormai non aveva più niente da perdere, si accorse che quella risposta riusciva perfino a divertirlo.

« Taci, tesoro, e lasciami pensare. » Vito, che non vedeva l'ora di avere un po' di respiro, si lasciò cadere sul letto e si appisolò. Un'ora dopo Maggie lo svegliò.

« Senti un po' quello che è successo ieri. Ben Lowell ha salvato Mary Hanes che stava per essere violentata. Lui è un eroe e lei una vittima innocente. Ti piace? »

« Fantastico. Perfetto. Sei matta, non te l'ha mai detto nessuno? »

« Perfino mia madre mi conosce troppo bene per pensare una cosa simile. Vito, tu non hai fantasia creativa. Basta ritoccare un pochino i particolari e la storia fila alla perfezione. Stammi bene a sentire, adesso: Harry Brown, un pessimo soggetto, ha cominciato a infastidire Mary con le sue grossolane attenzioni dal giorno in cui è arrivata. La ragazza, terrorizzata, ne ha parlato a Ben. Così, ieri notte, mentre Ben stava passando davanti alla porta della camera di Mary, l'ha sentita urlare e chiedere aiuto, ed è entrato. Brown le si era già gettato addosso e stava violentandola; lei lottava per difendersi con la forza della disperazione. Ben è intervenuto, ma quello ha cominciato a menare le mani e Ben ha dovuto tirargli un cazzotto. Harry è caduto e, cadendo, è andato a urtare contro lo spigolo del cassettone con la testa. E adesso viene la parte importante. Lo hanno fatto rinvenire e lui sembrava che si fosse ripreso. Poi se ne è andato, vivo. Ben è rimasto a rassicurare Mary, poi è uscito anche lui. Brown è stato ritrovato solo la mattina dopo. Evidentemente era ancora intontito per la botta, è inciampato al buio in quel bidone della spazzatura, è caduto di nuovo perdendo la conoscenza, ed è morto. Il dottore non ha avuto il minimo sospetto. E il corpo di Harry è stato sepolto in mare per i motivi che ti ha detto Ben. Non regge la storia? Dov'è che fa acqua? »

« Chi vuoi che ci creda? »

« Chiunque. Ben reciterà questa parte nel modo più convincente possibile, e anche Mary, basta fare un po' di pressione sul punto giusto con lei... lo sanno tutti che si era ficcata in quel famoso scandalo, e questo basterebbe a rovinarle la carriera. Nessun altro sa niente di quello che è realmente successo. »

« Maggie, amore, figurati se non apprezzo quello che stai cercando di fare, ma *Cosmopolitan* finirà per pubblicare questo articolo soltanto fra qualche mese e allora sarà già una cosa vecchia, le cattive notizie saranno già sulla bocca di tutti e il danno ormai sarà fatto. »

« Non è vero, basta che riesca a far arrivare la notizia alla televisione. Dovrai far venire qui un aeroplano il più presto possibile. Andrò in volo a Los Angeles, parlerò con uno dei ragazzi che si occupa dell'attualità e domani sera al massimo avremo qui una troupe della TV. Andrà in onda prima ancora che tu abbia finito di girare. Una pubblicità fantastica per il film e nessuno potrà dimostrare che le cose non sono andate in questo modo. Aggredire un uomo che sta violentando una donna, non è un crimine... è un *mitzvah*. Vito, Vito, è la tua unica possibilità! »

Mentre Maggie era a Los Angeles, Vito fece bene la sua parte. Trovò Mary un po' scossa ma lucida, quando finalmente si svegliò. Vito si chiuse dietro le spalle la porta della camera dell'attrice e le allungò due violenti ceffoni sulle guance. Poi le mise le mani intorno al collo e strinse, fermandosi appena prima che lei accennasse a svenire. Infine la depose gentilmente sul letto e aspettò, guardandola con aria tetra, che riprendesse fiato sufficiente per ansimare: « Cosa... cosa! »

« C'è sempre un momento, nella vita di una donna come te, in cui si superano i limiti. E tu l'hai raggiunto. Ho mandato un cablogramma a tuo marito. »

« Testa di cazzo, bastardo che non sei altro! Lo sai che voleva piantarmi se mi cacciavo in un altro pasticcio... e i miei bambini... ne otterrà la custodia... oh, Cristo, come si può farmi una cosa simile... è tutto finito... finito... ».

« Non essere ridicola. Harry Brown ti stava violentando e Ben Lowell ti ha salvata, anzi diciamo pure che, forse, ti ha salvato la vita. Guarda come ti ha picchiata Brown, ti ha schiaffeggiata, ha quasi minacciato di strangolarti. Tuo marito è profondamente sconvolto. Sai quanto ti ama. Arriverà domani. »

« Vito...? »

« E domani ci sarà qui anche una troupe della televisione. Vogliono farti un'intervista, naturalmente... forse dovremmo rivedere un momento la storia che mi hai raccontato ieri. Mary, prendi un'aria un po' allegra! Lo so che vieni fuori da un incubo ma, di solito, non sei così tonta! »

Lei sorrise mentre si ripuliva dal sangue la faccia tumefatta. « Sei un piccolo maiale ingegnoso, Vito. Leggimi la mia parte. »

L'incredibile successo di pubblico del programma « Chi era Harry Brown e perché Ben Lowell lo uccise? » che ottenne la priorità assoluta rispetto a due delle solite commedie di genere, fece subito capire al direttore del notiziario di attualità che era inciampato in una miniera d'oro. E, per fare firmare a Maggie il contratto per un programma settimanale, fece pochissima fatica, la stessa che aveva fatto Maggie per convincerlo a mandare una troupe nel Messico. Avevano buon naso e lo intuivano di primo acchito quando incappavano in qualcosa di grosso. L'unica sorpresa fu quella che non si aspettavano che fosse grosso. Più che grosso. Addirittura grandioso. Era nato un nuovo genere di spettacolo televisivo: la rivista di cinema sotto l'aspetto di un documentario di attualità di alta classe. Ed era nata una nuova stella: Maggie MacGregor. Nell'intera faccenda i perdenti furono due: Harry Brown, che Ben Lowell continuò a piangere amaramente in segreto, e il film di Vito. Malgrado l'enorme pubblicità ricevuta, non andò bene. Quando arrivò sugli schermi delle sale cinematografiche, l'episodio messicano era già stato dimenticato quasi completamente dal pubblico. A nessuno importava gran che di quella storia, a voler ben guardare. E poi, Vito aveva visto giusto. Il film era uno schifo.

Billy Ikehorn era diventata irrequieta. Ormai, in quell'aprile del 1977, erano passati cinque mesi dalla riapertura di Scruples e lei si era abituata al suo strepitoso e straordinario successo. Una bella cosa per Spider e Valentine, pensò con affetto e gratitudine. Con tutto questo, il mattino prestissimo, poiché negli ultimi tempi aveva ricominciato a svegliarsi prima dell'alba, il pensiero del trionfo di Scruples non le bastava più. Aveva conservato in misura fin troppo sufficiente la sua onestà di base per non rendersi conto che, adesso che Scruples non era più una specie di bubbone pieno di pus, adesso che nessuno avrebbe più osato riderci sopra, il tran tran giornaliero richiesto dalla direzione di un grande magazzino non era abbastanza per riempirle la vita.

Mancavano sei mesi al suo trentacinquesimo compleanno, adesso. E aveva appena raggiunto quella bellezza rigogliosa e matura che sarebbe durata molti anni; aveva una ricchezza più grande di quel che non riuscisse a calcolare e si annoiava. Disgustoso, pensò tra sé, immaginando quello che avrebbe pensato la defunta zia Cornelia se l'avesse saputo. E lei, Billy, lo trovava doppiamente disgustoso: lo trovava immorale e umiliante. Immorale perché qualsiasi persona, con tutto quello che lei aveva, doveva essere felice, e umiliante perché era evidente che lei non era affatto felice, e quindi se c'era qualcosa che non andava, la colpa era tutta sua.

Osservò tra sé che aveva il mondo intero a disposizione, mentre sfogliava le pagine di *Architectural Digest*. Per trecentomila dollari sarebbe potuta diventare la proprietaria di un padiglione dotato di aria condizionata, a Bali, costruito in un boschetto di palme da cocco vicino all'oceano con annessa, naturalmente, la piscina. A Eleuthera c'era in vendita una casa con una spiaggia di sabbia rosata lunga quattro chilometri e un sistema telefonico intercontinentale privato, il tutto per meno di tre milioni di dollari, arredamento incluso. Oppure, se preferiva qualcosa di meno tropicale, sarebbe potuta andare a vivere in Inghilterra, al n. 7 di Royal Crescent, a Bath, dove per appena settantacinquemila sterline sarebbe potuta diventare la proprietaria di una casa costruita nel 1770, che attualmente era stata anche dotata di una sauna e di un garage con cinque posti macchina, uno degli esempi più splendidi di architettura georgiana.

Poteva avere tutto quello che voleva. Bastava che aprisse la bocca. Be', Billy non poteva, ecco il problema. Non voleva avere un'altra casa. Continuava a tenere l'aeroplano: adesso era un Learjet nuovo, ma lo adoperavano Valentine e gli altri esperti di acquisti di Scruples per i loro viaggi. I vigneti di St.-Helena davano buoni profitti e non c'era ragione di venderli. Magari comprare un cavallo? Adottare un bambino? Prendere un criceto? No, era evidente che c'era qualche cosa che non funzionava in lei. Così Billy decise di accettare l'invito di Susan Arvey di andare al festival del cinema a Cannes. Non riuscì a trovare un motivo valido per rifiutare.

Susan Arvey era la moglie di Curt Arvey, direttore dell'Arvey Film Studio. Non era una donna particolarmente interessante, però Billy stava bene quando era in sua compagnia soprattutto perché Susan non pendeva dalle sue labbra con quell'espressione di smaccata adulazione che prendevano tutte le altre donne non appena lei apriva la bocca. Nella sua posizione di moglie del direttore di uno studio cinematografico, era considerata una specie di divinità in un ambiente nel quale Billy Ikehorn, con tutta la sua ricchezza, restava soltanto una curiosità. Susan era una squisita padrona di casa, abilissima nel nascondere la sua pretenziosità. Non solo, ma, cosa ancora più importante, anche Billy, come chiunque altro, era sempre rimasta affascinata dal mondo del cinema. Quando era stata un'adolescente infelice, viveva solo per la matinée del sabato. E durante gli anni della malattia di Ellis, la saletta di proiezione della lussuosa villa

386

di Bel Air era diventata una specie di rifugio dalla realtà.

Gli Arvey passavano sempre le due settimane del Festival all'Hôtel du Cap, a Cap d'Antibes, che si trova a tre quarti d'ora di macchina, per strade piene di curve, da Cannes. Nessuno ci andava ad alloggiare per amore della comodità. Il fatto di stare all'Hôtel du Cap era profondamente simbolico. Voleva dire che una persona si aspettava che la gente venisse a trovarla non che fosse lei ad andare a trovare gli altri, e questo era un punto enormemente importante a proprio vantaggio, in quell'ambiente. Voleva dire che uno si poteva permettere di starsene in disparte, al di fuori del caos e del pandemonio tenendo corte bandita in un posto scelto ad arte per la posizione remota e la tranquillità, invece di andare a lottare come uno qualsiasi del gregge per assicurarsi un tavolo al bar del Carlton o del Majestic. Voleva anche dire che uno poteva permettersi di pagare da due a quattrocento dollari al giorno un appartamentino nell'albergo, con l'aggiunta delle tasse, delle mance, della prima colazione e di ogni altro genere di extra inaspettati, che venivano astutamente sommati al prezzo di base. Gli Arvey prenotavano sempre due suite, una per Curt, che ne faceva una specie di ufficio per le sue trattative d'affari, e l'altra dove dormivano.

« Billy, vieni con noi! » le aveva detto Susan un mese prima. « Curt è sempre impegnatissimo, tutto il giorno a cercare contatti e a fare progetti... e io non ho niente altro da fare che andarmene a zonzo da sola. Noleggio sempre un'automobile con l'autista e me ne vado a spasso per la costa, è un paradiso in maggio. Poi si va tutti insieme a cena tardi, in qualche posto, con il solito mucchio di gente divertente. È uno spasso se si riesce a evitare Cannes... e sarebbe ancora più spassoso se venissi anche tu a farmi compagnia. E poi, è troppo tempo che stai nella California del sud. È ora di lasciarla. Scruples potrà tirare avanti senza di te per qualche settimana... potremmo fermarci a Parigi al ritorno... su, vieni! »

« Ma non bisogna andare a vedere i film ogni sera? » domandò Billy incuriosita.

« Santo cielo, no! Be'... immagino che qualcuno lo faccia, è naturale, ma Curt può sempre vedere quello che gli interessa in una proiezione privata. Basta che domandi una copia del film. » Susan si meravigliava sempre quando la gente le lasciava capire che credeva che si dovesse andare al festival di Cannes per vedere i film. Se uno aveva presentato il proprio film, be', allora, era costretto a farsi vedere, ma altrimenti... buon Dio, che strana idea!

11

Non c'è nessuno, nel mondo del cinema, che sia disposto a spendere una buona parola per il festival del cinema di Cannes. Però ci vanno tutti. È un fiera indispensabile per l'industria del cinema, i cui aspetti commerciali sono senz'altro più importanti rispetto all'elemento artistico che serve soltanto per la facciata. Gli affari che si combinano al festival sono superiori a ogni immaginazione. Forse soltanto uno su dieci oppure uno su venti si realizzano effettivamente. E non è certo il posto per le persone che abbiano capacità realmente creative nel mondo del cinema. Registi, soggettisti e attori ci vengono in numero piuttosto modesto, si fanno vedere a Cannes soltanto quando uno dei loro film viene presentato alla giuria, e anche in questo caso si presentano dopo aver fatto un vero e proprio braccio di ferro con i loro produttori. Qualsiasi attore o attrice che compaia a Cannes senza una valida ragione non è altro che alla ricerca affannosa di un po' di pubblicità.

C'era venuto anche Vito Orsini, a cercar di vendere all'estero i diritti del suo brutto film messicano, oltre che per trovare il finanziamento per un nuovo libro che aveva scoperto. Vito, in quel momento, aveva alla spalle tre film di fila che non avevano dato utili. Con tutto ciò, in un mondo in cui la reputazione delle persone celebri è dura a morire, era pur sempre un produttore molto importante.

Anche le persone che sapevano con esattezza la verità sulla situazione finanziaria di Vito non lo consideravano un uomo da lasciar perdere. Molti produttori prima di lui avevano conosciuto un periodo di sfortuna cui era seguito un film azzeccato, uno di quei successi di cassetta che avevano reso ricchi tutti quelli ai quali spettava una parte degli utili. Gli studi cinematografici e le società distributrici dei loro film, oltre ai singoli distributori indipendenti, riescono a sopravvivere soltanto se hanno un prodotto da vendere. Questo prodotto, però, per la sua stessa natura, è un mistero, un elemento imponderabile fintanto che non è stato realizzato. E, a questo punto, buono o cattivo che sia, i soldi sono stati spesi. Nessuno può fornire anticipatamente la garanzia che un film darà un utile e un altro no.

Vito continuava a essere ancora nel giro, non fino al punto di alloggiare all'Hôtel du Cap, ma ancora abbastanza perché una piccola suite al Majestic diventasse per lui una necessità assoluta. Un salotto era essenziale. Non si poteva discutere di affari seduti sul letto. E il Majestic aveva una certa dignità, una certa classe che il Carlton, nell'occhio del ciclone all'epoca del festival, non possedeva. A ben guardare, le spese, erano forse maggiori, però, d'altra parte, ogni centimetro quadrato del sontuoso salone d'ingresso del Majestic non era stato affittato alle compagnie cinematografiche come era successo per il Carlton.

La suite di Vito dava su una spiaggia a forma di mezzaluna oltre la Croisette. Al tramonto, con il sole che calava dietro l'alberatura e le vele delle barche ancorate all'estremità più lontana dove il vecchio porto era ancora pieno di attività e di vita, era indiscutibilmente uno dei posti più romantici sulla terra. Vito andò sul balcone e cominciò a pensare ai quattrini.

Essere a Cannes, all'epoca del festival, con un film di successo alle spalle, è una delle esperienze più piacevolmente gratificanti che un uomo possa avere. E lui ne aveva conosciuti molti di questi momenti. Anni in cui una dozzina dei più svariati distributori faceva pazientemente la fila per arrivare al suo tavolino al bar allo stesso modo in cui al ballo delle debuttanti si fa la fila per sostituirsi al cavaliere di una bella ragazza, aspettando il proprio turno per proporgli un affare. Il suo momento sarebbe tornato, rifletté Vito, ma non entro quell'anno.

Si ritirò dal balcone e cominciò a cambiarsi per andare a cena. Curt Arvey lo aveva invitato a unirsi al loro gruppo che sarebbe andato al Pavillon Eden Roc. Questo, che era il ristorante dell'Hôtel du Cap, si raggiungeva dall'albergo per mezzo di uno stupendo viale, lungo e largo, che si snodava per un vasto parco profumato di fiori, nel quale gli uccelli cantavano.

L'Eden Roc è più noto per la piscina dell'albergo, una brutta costruzione di cemento dalla forma sbilenca che risale agli anni Venti, inserita in una grande formazione rocciosa sulla riva del mare, la quale, chissà per quale ragione, era stata considerata in passato il simbolo della vita dorata. Nessun abitante di qualsiasi paese del mondo, con un minimo di rispetto per se stesso, avrebbe affidato il proprio corpo all'acqua dall'aspetto stranamente ambiguo di quella disgraziata piscina anche se erano in molti quelli che stavano sui bordi a prendere il sole. Con tutto ciò il Pavillon, un ristorante di alta classe e molto raffinato che si trovava vicino alla piscina, continuava ad attirare la gente.

Vito era sicurissimo che Arvey lo avesse invitato a cena perché aveva bisogno di un uomo in più. Non correva un buon sangue fra loro due. In altri tempi Arvey aveva fatto un bel po' di soldi con Vito, ma il suo studio aveva finanziato parzialmente due degli ultimi tre film di Vito e anche se questi avevano recuperato il denaro investito, a sentire gli uffici contabilità non ne aveva ricavato nessun utile. Vito aveva il sospetto che, per quanto lo studio andasse strombazzando che ne erano usciti appena appena in pareggio, fosse riuscito a nascondere gli utili in qualche modo, ma non ne aveva le prove. Per quanto Arvey non gli fosse particolarmente simpatico, aveva accettato il suo invito. Al festival, da ogni incontro casuale poteva nascere qualcosa.

Oppure, come cantava Doris Day, *que sera sera*. E quella sera, Vito si sentiva molto fatalista.

Se fosse stata di sesso maschile e avesse avuto qualche vaga predisposizione per la delinquenza, Susan Arvey sarebbe potuta diventare un ottimo mezzano. Invece, pur avendo un debole per avvicinare un uomo e una donna in modo da avviarli a una relazione sessuale senza escludere che per uno dei due ciò comportasse un vantaggio pecuniario, non aveva contemplato la possibilità di presentare Vito Orsini a Billy Ikehorn. Effettivamente Susan aveva trovato la moglie a un buon numero di uomini che non avevano capito, con la stessa chiarezza con cui lo aveva capito lei, di averne un vero bisogno; ma, secondo il suo modo convenzionale di vedere le cose, era la ragazza a dover cercare la protezione, la ricchezza, la sicurezza che poteva offrirle il maschio.

Sulla sorte di Billy Ikehorn aveva meditato a lungo. Farla sposare sarebbe stata la sua più lusinghiera affermazione... ma con chi? Che cosa poteva offrire a Billy un uomo? Susan, con tutta la sua inventiva, si era accorta di non essere all'altezza della situazione. Nel campo della politica, non avrebbe preso in esame un uomo che fosse senatore o il governatore di un grande Stato. Aveva nutrito qualche speranza in Jerry Brown ma lui e Billy non avevano simpatizzato. Il presidente Carter era sposato. E, in ogni modo, Billy era più alta di lui. Qualche personaggio reale? Non a Cannes. L'invito di andare a Cannes era stato esteso a Billy perché era simpatica. Susan era molto orgogliosa di trovare simpatica Billy. C'erano tante donne che non condividevano affatto questa sua opinione, ed era logico perché si sentivano afflitte da un senso di inferiorità nei confronti di Billy. Erano invidiose di lei. Che sensazione deliziosa quella di non provare nessuna invidia nei confronti di Billy Ikehorn...! Perché ciò dimostrava a Susan che era una creatura superiore. Si sentiva molto soddisfatta della sua bontà. Il cuore di Susan era colmo di una bontà e di un calore umano che veniva riversato soltanto su un ristrettissimo numero di persone, le uniche, nella sua opinione, tanto meritevoli da suscitarli.

Come tante altre esperte padrone di casa, Susan Arvey era contenta quando i suoi ospiti si sentivano onorati l'uno della presenza dell'altro. Questo, naturalmente, richiedeva che avessero un minimo di familiarità l'uno con le conquiste sociali e i successi dell'altro. Se uno dei suoi ospiti era il padrone di un istituto di credito e risparmio, ma al pubblico più vasto era sconosciuto allo stesso modo che se fosse stato un ciabattino, faceva di tutto per infilare l'istituto di credito e risparmio nella formula con la quale lo presentava. Era diventata tanto abile in queste manovre che quasi nessuno se ne accorgeva, però la comunicazione arrivava. In Susan Arvey non c'era soltanto la stoffa del mezzano di classe ma anche quella del grande incaricato per le pubbliche relazioni. Molti dei suoi invitati, com'è logico, non avevano bisogno di questo tipo di presentazione. Ed erano quelli che le davano le maggiori soddisfazioni. Così, non doveva certo ricorrere a una di quelle frasi di identificazione nella presentazione di Billy Ikehorn o di Vito Orsini.

Quella sera Susan aveva invitato quattordici persone e tutte dovevano trovarsi a bere un aperitivo in una delle suite degli Arvey prima di andare al Pavillon. Non era una delle sue riunioni migliori, impreziosite dai nomi più illustri; anzi, francamente si trattava di gente abbastanza mediocre, ma all'epoca del festival bisognava accontentarsi di quello che si trovava. In altre circostanze, Susan non avrebbe invitato Vito finché non avesse fatto un altro film di successo, ma le occorreva un uomo in più ed era Curt a suggerirglielo.

Per la prima mezz'ora del suo cocktail, Susan fu talmente impegnata a dare una lucidatina alla reputazione di ognuno dei suoi ospiti che le ci volle un po' prima di accorgersi che Vito Orsini sembrava determinato a monopolizzare Billy Ikehorn. Non giravano fra gli altri ospiti. Così non andava bene, non andava affatto bene. Mentre precedeva gli invitati sul viale che dall'albergo portava al ristorante, Susan trovò modo di sussurrare a Billy che era un vero peccato che gli ultimi tre film di Vito Orsini fossero stati un fallimento, finanziariamente parlando.

« Me l'ha detto anche lui », disse Billy. « Incredibile, vero? Il livello del gusto nel mondo è calato in un modo indecente. A me sono piaciuti tutti, dal primo all'ultimo. Lo considero un genio, quasi un Bergman. Mi hai messa vicino a lui a cena, vero? »

« Non mi pare. »

« Oh, per piacere, mettici vicini, Susan carissima! » C'era una sfumatura nella voce di Billy che soltanto pochissime persone avrebbero colto immediatamente: Valentine, Spider, Hank Sanders, Jake Cassidy e Josh Hillman.

« Be', naturalmente », accondiscese Susan con scarso entusiasmo. Forse Billy aveva voglia di un piccolo flirt. Santo Iddio, dovevano essere anni che... Naturale, questo spiegava tutto.

« Non è ancora stata a Cannes? » domandò Vito con curiosità mentre parlava con Billy durante la cena.

« Susan dice che lì è tutto troppo grottesco. Domani andiamo al museo Maeght a vedere Giacometti e, se abbiamo tempo, c'è una stupenda casa antica a Grasse restaurata con enorme rispetto per il periodo in cui è stata fabbricata... il sedicesimo secolo, mi pare. »

« Domani lei viene al festival del cinema a Cannes. »

« Dice davvero? »

« Ma certo! Lei muore dalla voglia di venirci. Non è solo grottesco, ma è l'Inferno di Dante dipinto da Bosch con un tocco di Dali, qualcosa di George Grosz e, se dà un'occhiata al mare, un Dufy puro. Susan mi diverte. Fa novemila chilometri per venire al circo più famoso del mondo, ma è troppo schizzinosa per mettere piede sotto il tendone. Io non credo, però, che lo sia anche lei. »

« "Schizzinosa" è una parola che non è mai stata adoperata da nessuno per descrivermi. »

« E che parole adoperano? »

« Vuole sapere una cosa? Non ne ho la minima idea. Non lo faccio per una finta modestia... non lo so davvero. »

« Andiamo per eliminazione. Non schizzinosa e non finta modesta, tanto per cominciare. Non brutta e non insignificante. Non stupida e non molto sicura di sé. Non immatura però neppure completamente adulta. Non terribilmente felice ma neppure malinconica. Forse... sì, un po' timida, credo. »

« La smetta! »

« Non le piace che si parli di lei? »

« Non è questo. Lei mi mette in imbarazzo. »

« Perché? »

« Tutta questa analisi del mio carattere fatta così, sui due piedi. Mi ha conosciuta solo un'ora fa! »

« Ma non è d'accordo con quello che ho detto? »

« No... è questo che non mi piace. Speravo di essere un po' più misteriosa. » Adesso sì che faceva la modesta, pensò Billy, stizzita con se stessa.

« Però lei è molto misteriosa per me. Sto parlando solo di qualcuno dei tratti più evidenti che ho notato. Fa parte della mia professione vedere tutto questo, come se lei fosse il personaggio di un mio copione. Quando si prepara un soggetto nelle linee generali qualche volta si scrivono cose di questo genere. "Billy Ikehorn è una vedova, giovane e bella, che non ha un punto fisso nella sua vita, così va al festival di Cannes con un'amica nella speranza di distrarsi un po' " e, in questo modo, abbiamo determinato un personaggio e possiamo partire di lì. Ma questo non significa che conosciamo le cose realmente importanti che la riguardano, i motivi, le sfumature. Qualcosa di tutto ciò verrà fuori nel soggetto, qualcos'altro dall'attrice che sceglieremo per recitare la parte di Billy Ikehorn... deve dare le proprie qualità al personaggio. Quanto al resto, è il pubblico a fornirlo, ogni persona che fa parte del pubblico aggiunge qualcosa di differente all'idea della "vedova giovane e ricca". Così lei continua a rimanere misteriosa. »

« Solo tre righe nella preparazione del soggetto? »

« Un po' di più. In fondo, lei recita la parte di Billy Ikehorn. »

« Io sono Billy Ikehorn! »

« Forse è la stessa cosa. »

« Oh, la solita vecchia storia che ciascuno recita il suo personaggio », disse lei, in tono di scherno.

« No. » Vito non insistette nelle spiegazioni, ma cambiò argomento con molta abilità. Niente avrebbe potuto acuire di più l'interesse di Billy, Vito lo sapeva bene. Si abbandonava alle sue sensazioni in quel momento, lasciando che lo portassero dove volevano. Per Billy non aveva altri piani, all'infuori di quello di divertirla. Provava un piacere malizioso al pensiero di strapparla, fosse anche per un giorno solo, all'atmosfera eccessivamente rarefatta che Susan Arvey si era creata intorno. E da persona che conosceva il valore del lavoro, si sentiva offeso all'idea che qualcuno fosse troppo superbo per mettere anche solo la punta del piede in quel bazar che era il festival. E Billy era molto bella.

Billy si rifugiò in un'espressione carica dell'*hauteur* ancestrale dei Winthrop, con le palpebre abbassate, in modo che Vito non riuscì a capire quello che lei provava di fronte alla proposta di passare con lui il giorno seguente. Dallo stesso momento in cui l'aveva conosciuto, Billy aveva capito che Vito era un appassionato del suo lavoro, l'avrebbe capito anche se non avesse visto neppure uno dei suoi film. Aveva l'aria inconfondibile di un uomo che ha scavalcato molte barriere, di un uomo che non sprecava il tempo a dubitare dell'importanza di quello che stava facendo ma che tirava avanti, e lo faceva, un uomo impulsivo, e senza paura. In principio aveva pensato che fosse il classico tipo latino con quel grosso naso aquilino, aristocratico, le labbra morbide e ferme, e quei capelli folti e robusti, arricciati fittamente come in una statua di Donatello. Invece aveva una carica di energia da ventesimo secolo nella sua mancanza di formalismo, nella sua concentrazione diretta e profonda sull'oggetto che lo interessava. Il fascino, pensò Billy d'un tratto, non è altro che un senso di energia.

Vito venne a prendere Billy la mattina dopo. Naturalmente lei a Cannes c'era già stata, quando, con Ellis avevano la villa di Cap Ferrat, la zona dei miliardari vicino a Beaulieu. Ma aveva fatto solo un salto in città ogni tanto per comprare qualcosa in una delle succursali dei grandi negozi parigini oppure per acquistare quei marron glacé che a Ellis piacevano tanto. Generalmente soggiornavano in quella villa per un mese o poco più in primavera e verso la fine dell'autunno, prima e dopo il culmine della stagione turistica, e i suoi maggiori ricordi di Cannes erano quelli di una fila di alberghi immensi, e semivuoti, lungo la spaziosa Corniche di fronte a una spiaggia piena di sassi.

Vito riuscì a trovare un minuscolo tavolino sulla terrazza del Carlton solo in virtù del miracolo di aver allungato sostanziose mance sempre allo stesso capocameriere per quindici anni filati, e lasciò che Billy si guardasse intorno. Nel raggio di cento metri, da qualsiasi parte voltasse gli occhi, Billy notò migliaia di persone che andavano, venivano, si muovevano per motivi comprensibili solo a loro, tutti con la stessa espressione affrettata e pensierosa. Nessuno dava mai un'occhiata al mare, laggiù oltre la spiaggia, che si muoveva appena e flirtava con il sole. Nessuno dava mai un'occhiata alle bandiere di tutto il mondo che sventolavano con i loro gloriosi colori in cima agli alti pali bianchi per tutta la Croisette. La grande Corniche sembrava diventata una muraglia compatta, di automobili bloccate, che suonavano furiosamente il clacson. Era un'atmosfera che ricordava vagamente quella di Grand Central Station all'ora di punta, di uno stadio affollato nel preciso momento in cui tutti cercavano il loro posto per la partita più importante della stagione, del salone centrale della Borsa in una giornata in cui le contrattazioni sono state molto movimentate. E tutto questo sotto il cielo limpido e luminoso del mare Mediterraneo, che tutta quella gente trascurava tanto era immersa nei fatti propri.

« Eccitante, non è vero? » domandò infine Vito.

« Enormemente », rispose Billy sorridendogli per fargli capire che era d'accordo. « Non ne avevo la minima idea. Mi dica, chi è tutta questa gente?... La conosce? »

« Qualcuno, sì. Anzi, fin troppi. Quell'uomo col cappello, là in fondo, ha guadagnato cinquanta milioni di dollari facendo film pornografici in Giappone. È venuto a cercare qualche ragazzona svedese, di quelle con il seno florido e che siano disposte a farsi fare una plastica per avere gli occhi a mandorla. Poi le adopererà, con il corpo truccato abilmente, per fare film porno. È convinto che le giapponesi siano troppo scarse di petto. L'uomo che è con lui ha cinquanta ragazze svedesi da vendergli, stanno discutendo sul prezzo. Quella donna alta, bionda, a quell'altro tavolo là in fondo, è un uomo. Sta aspettando la sua amante, la direttrice di una compagnia, alla quale piacciono gli uomini vestiti da donna. Spende quarantamila dollari l'anno da Dior per averlo ben vestito. I tre arabi dietro a noi vengono dal Kuwait. Hanno novecento milioni di dollari e sognano di creare un'industria cinematografica nel loro paese. Ma non trovano nessuno che voglia andarci a vivere, a nessun prezzo. E se tornano a casa senza un'industria cinematografica, rischiano la testa; così stanno diventando nervosi. Hanno studiato seriamente la possibilità di rapire Francis Ford Coppola e magari anche Stanley Kubrick, ma non sono sicurissimi di poterseli permettere. I russi, che stanno aspettando un tavolo, sperano di convincere George Roy Hill a fare un'altra edizione di *Guerra e pace* in modo da potergli far assumere il loro intero esercito al posto delle comparse. Ma vogliono che la storia sia ambientata in un prossimo futuro in modo da poter adoperare anche l'aviazione e i nuovi sottomarini nucleari... »

« Vito! »

« Se le dicessi la verità, sarebbe noiosa. »

« Me la dica ugualmente. » Gli occhi scuri di Billy sembravano disposti al flirt, come il mare.

« Percentuali. Parti dell'introito lordo. Parti di quello netto. Parti da farsi versare subito. Parti da ottenere in seguito. Punti e frazioni di punti. Noleggio di film a Torino. Noleggio di film al Cairo. Noleggio di film a Detroit, a... »

« Mi piaceva di più nell'altro modo. »

« Eppure io sono dell'opinione che lei sia una donna per la quale la verità è più seducente della menzogna. »

« Mi piace che mi si lasci qualche illusione. »

« Lei sarebbe una frana nell'industria del cinema. »

Billy si voltò di scatto a guardarlo, diventando seria. « Lo sa che, secondo Susan, è lei piuttosto che sta per diventare una frana? È vero o no? »

« No. Non credo. Ho fatto ventitré film e soltanto sei sono stati insuccessi dal punto di vista del guadagno. Sette, che hanno avuto un buon successo di cassetta, non sono stati successi per la critica. Gli altri dieci sono stati successi in un campo e nell'altro. È un ottimo record. In questo preciso momento ho debiti per trecentomila dollari e ho fatto tre film, l'uno dopo l'altro, che non hanno dato nessun utile però, a voler bene guardare, non hanno neppure fatto perdere quattrini, quindi comincio a pensare che la mia sorte sta per ricominciare a girare in meglio. »

« Come può parlarne con tanta freddezza? »

« Ma lo sa che lei è proprio una stupidina? Se mi preoc-
cupassi, non farei più questo mestiere. È semplice. Mi piace
fare i film più di qualsiasi altra cosa al mondo. Li so fare
molto bene! Però non sempre riesco a sapere quello che il
pubblico vuole, e così va a finire che qualche volta perdo
un po' di soldi. »

« Ma non le dà fastidio questo fatto di essere un giorno
sulla cresta dell'onda e un altro in fondo al pozzo? Non
ha paura che la gente possa ridere alle sue spalle? »

Lui la guardò stupefatto. « Ma come le sono venute in
mente queste paure? D'accordo, a nessuno fa piacere che
si rida alle sue spalle, però io non me ne preoccupo. Questa è un'industria incostante e volubile. Se non fossi disposto a correre qualche rischio, sarei già tornato a lavorare
nella fabbrica di argenteria di mio padre. »

La semplicità con la quale Vito si mostrava tanto sicuro di sé, irritò Billy. Ne provava invidia.

« Ma lo sa che ha un bel coraggio per un uomo pieno
di debiti? »

« Ecco, da come lo dice significa che ha colto il vero
spirito del festival », rispose lui ridendo. « Sta cominciando
a entrare nel nostro ordine di idee. Su, venga, andiamo a
fare quattro passi. C'è un numero eminente della Nuova
Hollywood che sta aspettando il nostro tavolino per comprarsi un po' di cocaina. » Lei si guardò intorno per cercare
di scoprire se era un'altra delle invenzioni di Vito.

« Ma, questa poi... È proprio vero che viene qui per
quello? »

« Sì. Scoprirà... che generalmente io dico la verità. »

Dopo aver pranzato in un *bistro* che si trovava in una
viuzza laterale, passarono il pomeriggio girando per Cannes,
visitando le botteghe degli antiquari e il vecchio porto, lontano dalla folla del festival. Più tardi, dopo che Vito ebbe
riaccompagnato Billy all'Hôtel du Cap perché lei si potesse
mettere in abito da sera, andarono a vedere un film inglese
nell'immensa Salle des Spectacles. Il pubblico di Cannes è
il più critico che ci sia e ci sia stato al mondo, dall'epoca
in cui i cristiani venivano dati in pasto ai leoni del circo.
La stampa di sinistra fischia e urla insulti. La stampa del

399

mondo libero urla insulti e disapprova rumorosamente. Ogni anno, per qualche strana combinazione, viene presentato qualche film che non offende la stampa di nessun paese. Tuttavia può capitare che offendano spesso i membri della giuria, una specie di mini-ONU che ha pochissimo in comune con quella autentica. E capita di rado che la scelta del film vincente goda i favori universali.

« Ha mai concorso al premio con un film? » Billy domandò a Vito.

« Sì, per ben due volte. Dieci anni fa con *Lampioni stradali*. E tre anni fa con *Ombre*. »

« Oh, li ricordo bene tutti e due, mi erano piaciuti moltissimo, soprattutto *Lampioni*. »

« Mi sarebbe piaciuto che fosse stata fra il pubblico quella volta. Mi aspettavo da un momento all'altro che venissero a prendermi con la carretta come con i condannati durante la Rivoluzione Francese. »

« A questo punto? »

« Peggio. Però con quel film ho portato a casa un bel mucchio di soldi. »

« Che cosa è successo del suo denaro, Vito? »

« Quando l'avevo, lo spendevo vivendo con tutte le comodità divertendomi in un modo favoloso. Quasi per punirmi da solo dei miei peccati, varie volte sono arrivato addirittura al punto di investirlo nei film che facevo e disgraziatamente spesso sono stati i meno redditizi. Ma non rimpiango neanche un centesimo di tutto quello che ho speso... ne guadagnerò ancora. » Non c'era modo di insinuare il dubbio in quella sua certezza incrollabile, pensò Billy, non era possibile.

Dopo il film, Vito condusse Billy a una cena al Moulin de Mougins, un ristorante che la *Guide Michelin* giudica degno di tre stelle.

« Si mangerà in un modo terribile, non si aspetti gran che », la avvertì tutto allegro. « Durante il festival, i cuochi non sanno più cucinare, i camerieri diventano di cattivo umore, i capocamerieri hanno un'aria tale che si direbbero prontissimi a rifiutare le mance, per quanto non arrivino mai fino a questo punto, e il vino buono diventa aceto. »

« E perché mai? »

« Non credo che vedano di buon occhio la gente del cinema. »

Mentre Vito la riaccompagnava in macchina all'albergo, Billy scoprì di avere una gran voglia di sapere se l'avrebbe rivisto. Dal momento che lui non diceva niente, alla fine azzardò una domanda.

« Avrebbe voglia di venire qui a pranzo domani? »

« Mi spiace, ma avrò da fare tutto il giorno. Arrivano due persone che devo assolutamente vedere. »

« Oh! » Billy non riuscì a ricordare che, nella sua vita da adulta, ci fosse stato qualcuno che avesse mai rifiutato un suo invito a pranzo o a cena. No, non era mai successo dal giorno in cui aveva sposato Ellis Ikehorn, il che voleva dire da quattordici anni.

« Be', e dopodomani? »

« Dipende. Se riuscirò a vedere queste due persone domani, credo che potrei farcela. Ma non verrò qui. Potremmo essere obbligati a tirarci dietro Susan. Mi fa venire in mente il capocameriere del Moulin de Mougins. La porterò alla Colombe d'Or. Le telefonerò domani sera per farle sapere se sono libero o no. » Era evidente che dava per scontato che lei, nel frattempo, non avrebbe fatto altri piani, pensò Billy stizzita.

« Potrei non essere qui », mentì.

« *Que sera sera*, come dicono nel paese dei miei vecchi. »

« Balle. Quella canzone è stata scritta per *L'uomo che sapeva troppo*. »

« Mio Dio! Un'ammiratrice di Doris Day! »

« Già, è proprio così », disse lei, presa alla sprovvista.

« Ah! Un'altra cosa che abbiamo in comune. Buona notte, Billy. »

« Curt? »

« Oh cazzo! Sue, stavo per addormentarmi. »

« Sono preoccupata per Billy. »

« Che cosa è successo, per tutti i diavoli? »

« Passa tutto il tempo con Vito Orsini. È dalla settimana scorsa che non la vedo più all'infuori di quei rari momenti in cui arriva di volo a cambiarsi per la cena. »

« E allora, con questo? »

« Come puoi essere così stupido! È alla caccia dei suoi soldi, naturalmente. »

« E allora, con questo? »

« Curt! »

« Sue, ti stai comportando come una madre nervosa. Billy è grande abbastanza per badare a quello che fa. Ha bisogno di una buona sbattuta. Probabilmente non c'è altro fra loro. E chi vuoi che non dia la caccia ai suoi soldi? »

« Ti trovo volgare in un modo disgustoso. Già, avrei dovuto immaginarlo quando mi è saltato in mente di sposare uno che veniva da Bayonne, nel New Jersey. La mamma me l'aveva detto. »

« Secondo me, quella che ha bisogno di una buona sbattuta sei proprio tu. Buona fortuna. E buonanotte, Sue. »

« Vito? »

« Sì, tesoro? » Erano nudi e splendidi, anche se arruffati e scomposti, nel letto di Vito al Majestic. Billy si sentiva allargare il cuore. Era come se un fiorellino di carta rinsecchito e pallido fosse stato buttato in un coppa di vino rosso e lasciato lì dentro ad assorbire quanto più poteva di quel liquido inebriante, finché non era diventato un papavero rotondo e rosso, intriso della rugiada mattutina. Si sentiva piacevolmente rilassata come un animale felino appagato, dopo un rapporto sessuale eccezionale e goduto profondamente.

« Vito, per piacere, vuoi sposarmi? »

« No, tesoro, disgraziatamente no. »

« Ma, perché no? »

« Hai troppi soldi. »

« Lo sapevo che l'avresti detto. È assolutamente, completamente ridicolo! »

« Non lo è affatto per un italiano. »

« Ma tu sei americano, dannazione! »

« Sì, ma ho concezioni italiane, orgoglio italiano. Devo

essere il padrone in casa mia. E come sarebbe possibile? Anche se firmassimo una ventina di accordi prematrimoniali con i quali mi dichiarassi pronto a non toccare un centesimo del tuo denaro, continueremmo sempre a vivere nello stile a cui ti sei abituata e con i tuoi soldi. »

« Vito... non riesco a sopportare di non averti! »

« "Avermi"... Billy carissima, tu pensi sempre nei termini sbagliati. Io ti amo, e questo è un problema che riguarda me e non te, ma non penso a me stesso come a qualcuno che si può acquistare. »

« Perché mi vuoi mettere dalla parte del torto? »

« Perché ci sei. Voltati e dammi un bacio. Cosa stai aspettando? Oh, così va meglio. Molto meglio. Puoi anche continuare. »

Billy non avrebbe smesso neanche se avesse potuto. Non era mai stata così innamorata in vita sua. L'incontro con Vito era stato sconvolgente. Così profondamente diverso dai suoi sogni giovanili di *glamour* con il suo conte francese, un'infatuazione fondata quasi integralmente sulla nuova scoperta che, a quel tempo, aveva fatto di se stessa. Ed Ellis, amato tanto teneramente, era stato così protettivo, così gentile, tanto più vecchio di lei che non c'era stato tormento, non c'era stata una lotta su piano pari in quel sentimento. Era stato come lasciarsi cadere su un letto di piume. Vito... Vito le aveva fatto perdere la testa come in quelle canzoni idiote dei diciottenni. Non si piegava alla sua volontà, non era disposto a cedere di un millimetro in quelle che erano le sue convinzioni personali, le leggeva nel cuore e, quel che era peggio, la capiva fino in fondo. Aveva soltanto sette anni più di lei, eppure la trattava con la stessa condiscendenza con la quale si tratta una ragazzina. Lo morse. Gentilmente. Sapeva già che se lo mordeva troppo forte, il morso sarebbe stato ricambiato.

Vito, con gli occhi rivolti al mare mentre subiva i morsettini della bocca ardente di Billy, era seriamente preoccupato. Fino a quel momento era riuscito a nascondere a Billy tutto il romanticismo della sua natura. Non appena l'aveva conosciuta, si era accorto che era una donna straordinariamente viziata, pronta a cogliere tutti i vantaggi possibili dal gioco che stava giocando. Quanto a lui, non aveva certo avuto l'intenzione di innamorarsi, però non era riuscito a impedirselo. Malgrado questo forse sarebbe ancora stato capace di salvarsi se non avesse scoperto quasi subito come tutte le arie, tutta l'avvenenza di Billy nascondessero una donna profondamente sola. Il suo errore più grande era stato quello di capirla perché questo l'aveva resa vulnerabile e, di conseguenza, adorabile. Diventava ogni giorno più adorabile, Billy, e sempre meno la "Vedova giovane e ricca" del suo soggetto cinematografico. Si sentiva dolere il cuore per la tenerezza, la compassione. Billy possedeva la sensualità più perfetta che gli fosse mai capitato di incontrare in una donna, non aveva ritrosie, né imbarazzo, né pudore. Erano fatti l'uno per l'altra. Ma lei era troppo ricca.

« Vito, e se vivessimo insieme? In questo modo io non ti "avrei"... non ti sembra? »

« No, Billy. E poi di solito, è l'uomo che deve chiederlo alla donna. »

« Già, questo succedeva quindici anni fa. Adesso le donne chiedono quello che vogliono e lo ottengono. »

« Da me no, tesoro, a meno che non sia io a volerlo dare. »

« Tu vuoi fermare la marcia del progresso », disse Billy e si sentì improvvisamente acida, stridula e falsa. Non aveva mai dedicato il minimo pensiero alla liberazione della donna e adesso, a sentirla, sembrava che non avesse fatto altro che pagare il suo contributo al movimento femminista da anni. Ma meglio sembrare assurda che respinta, meglio dire una battuta di spirito fiacca che ammettere la smania e lo struggimento che provava di farsi amare da lui, di farsi sposare da lui, come una di quelle svampite eroine dei romanzi del diciottesimo secolo alle quali, tanto, tantissimo tempo fa, aveva fatto giuramento di non assomigliare mai.

Curt Arvey, un figlio di mignotta di prim'ordine, era disposto a fare molte cose per assicurarsi un punto di vantaggio. Adesso era profondamente scocciato con sua moglie Susan, la quale aveva preso il tono di quella che era convinta che la faccenda fra Billy e Vito Orsini fosse tutta colpa sua perché era stato lui a suggerire di invitare Vito quella sera a cena. Si comportava come se Orsini non fosse altro che un gigolò a caccia di una donna piena di soldi, un modo non troppo raffinato per ricordargli come fossero stati i quattrini di lei, Susan, a servirgli da punto di partenza negli affari. Così Arvey telefonò a Vito invitandolo a venire a fare con lui, al suo albergo, una prima colazione un po' in ritardo sull'ora solita.

« I soliti bene informati mi dicono che hai un nuovo progetto, Vito. Parlamene un po'! »

« È il primo romanzo di una ragazza giovane, francese, un'altra Françoise Sagan, solo che questa è molto meglio. Ho ottenuto l'opzione per pochi soldi. È una storia d'amore che... »

« Un'altra storia d'amore? Ma il Messico non ti aveva guarito da questa roba? »

« Che cosa vuoi dire, Curt? Che a prendere l'influenza si guarisce dall'abitudine di respirare? Il giorno in cui la gente non andrà più a vedere una storia d'amore... una buona storia d'amore, Curt... sarà il giorno in cui il mondo finirà. È un libro che mi dà molte garanzie. Si sta vendendo in un modo fantastico in Francia, lo stanno pubblicando in Inghilterra e negli Stati Uniti uscirà in primavera. »

« Richiede grossi nomi? »

« Potrei riuscire a farcela anche senza: i due innamorati sono giovanissimi, potrebbero bastare due milioni e duecentomila dollari magari anche due milioni soltanto, dipende da dove lo girerò. Non è necessario che sia ambientato in Francia, è una storia universale. »

« Romeo e Giulietta? »

« Già, ma con un'impennata diversa, il finalino rosa. »

« Sembra una cosa buona. Vai a parlarne con il nostro ufficio che si occupa della parte finanziaria e combina l'affare »

« No, assolutamente no, Curt! » disse Vito, impallidendo.

« E perché cavolo no? » Curt lasciò cadere il tovagliolo per lo sbalordimento.

« È stata Billy a convincerti a farmi questa proposta.

Non ho la minima intenzione di farmi finanziare un film da una donna... »

« Cristo, Vito, ma tu stai diventando paranoico! Voglio vedere il giorno in cui io lascerò che una ricca signora mi offra due milioni di dollari perché il mio studio faccia un film che noi distribuiremo, al quale io personalmente dovrei dare il benestare e di cui dovrò rendere conto ai miei azionisti e al consiglio di amministrazione... Io non combino gli affari in questo modo e tu lo sai benissimo, nessuno studio lo fa. »

Vito sospirò profondamente. « A sentirti non avete guadagnato un centesimo con gli ultimi due film che abbiamo fatto insieme. »

« E con questo? Siamo usciti in pareggio. Se non altro i tuoi film sono di quelli che posso sempre visionare nella mia sala di proiezione privata e sentirmi soddisfatto, perché sono prodotti di classe. E dove c'è scritto che ogni film deve far guadagnare? Vito, saresti dovuto venire da me con questo progetto invece di aspettare che ti chiamassi! »

Arvey aveva ragione e Vito lo sapeva. Il suo difetto maggiore come produttore era l'orgoglio smisurato di cui era impastato. Teoricamente, un produttore dovrebbe essere pronto a combinare un affare con Lucifero in persona se il Principe delle Tenebre ha i soldi per finanziargli la produzione, e se si accorge che Lucifero è un po' riluttante, dovrebbe tornare la settimana dopo e ritentare la prova. E insistere ancora un'altra volta, in seguito, se proprio fosse necessario. Che gli venga l'anima o no, è un fatto che riguarda soltanto lui, è una questione di carattere puramente personale. D'accordo, Arvey non gli piaceva e non gli dava affidamento, ma questo non aveva niente a che vedere con il ritegno di andare a cercare il finanziamento da lui. Non aveva ancora venduto l'anima.

« Mi metterò in contatto con il tuo ufficio non appena sarò di ritorno sulla Costa », disse Vito in un tono pratico e positivo che era già di per se stesso una dimostrazione che si voleva scusare per quello che aveva detto poco prima.

« Resti fino alla fine del festival? »

« Sì... qualche affare ancora in sospeso. »

« Ne sono lieto. Ma supera di un centesimo i due milioni e duecentomila dollari e avrò le tue palle... oh, Vito, vieni stasera a cena, se sei libero. Sue vorrà congratularsi con te. Chissà come sarà titillata dalla notizia, quando lo saprà. Adora le belle storie d'amore. »

Mentre richiudeva la porta dietro Vito, Curt Arvey si concesse un risolino gorgogliante, soddisfatto, malizioso e compiaciuto. Due milioni e duecentomila dollari erano un prezzo ancora modesto da pagare per far vedere a quella snobbona di Filadelfia chi aveva sposato, chi portava i pantaloni in famiglia.

Mentre tornava in macchina a Cannes, Vito si accorse di qualcosa che in lui era cambiato. Abitualmente, in un momento come quello, avrebbe dovuto essere impegnatissimo a fare mentalmente l'elenco degli eventuali soggettisti e registi per il film. Invece provava una grande esultanza, ma una esultanza che, in certo qual modo, era connessa a Billy. Eppure, che cosa c'entrava lei?

Si trovava incastrato nel traffico dell'ora di punta di mezzogiorno sulla strada appena fuori Cannes quando, finalmente, intuì che quello stesso impulso che gli faceva prendere un libro o un'idea e immaginarli tradotti in film, adesso gli faceva venire una gran voglia di modellare, plasmare e cambiare la vita di Billy. Vedeva in lei una creatura infelice e voleva renderla felice. E il fatto che nessun altro all'infuori di lui avesse scoperto la creatura infelice sotto la « facciata » di Billy rendeva ancora più allettante la prospettiva. Era incantato dai suoi piedi grandi, dalle sue ossa lunghe. La pienezza matura e salda del suo corpo quando si toglieva quei vestiti ridicolmente belli lo lasciava stupito. Quanto c'era di nascosto in lei! Come avrebbe voluto continuare ad ascoltare per sempre quel leggero accento bostoniano che Billy pensava non venisse notato. Gli sarebbe piaciuto metterla incinta. Bah! Fantasie di questo genere potevano andare benissimo all'epoca in cui era un giovanotto, ma adesso erano i fatti che doveva affrontare. Con uno sforzo riportò il cervello sulla questione del regista ideale per la sua prossima produzione.

Billy era scesa a girellare per il parco dell'Hôtel du Cap, perdendosi per i sentieri semiabbandonati, evitando le radure e i prati dove avrebbe potuto incontrare qualche altro ospite dell'albergo che prendeva il sole su una panchina, aggirandosi nell'orto dove crescevano in file ben ordinate i fiori per l'albergo e le verdure per il ristorante. Tutti gli altri stavano dormendo oppure stavano facendo colazione nella propria camera. All'infuori di qualche giardiniere qua e là, aveva il parco a sua disposizione.

Si stava comportando come una bambina malata d'amore. Forse era un fatto essenzialmente sessuale. Vito sapeva come piacere a una donna, in un tale modo... Billy non aveva mai trovato niente di simile negli altri uomini. C'era una tale, non riusciva a trovare altra parola che « generosità », nel suo modo di fare l'amore! In quegli ultimi anni, era diventata lei quella che prendeva dagli altri, che comandava e diceva a un uomo esattamente ciò che voleva per ottenere la propria soddisfazione il più rapidamente possibile. Per lei, anche se non aveva mai adoperato questa definizione neppure con se stessa, erano maschi che si prostituivano.

Invece con Vito non ricordava più quei suoi modi possessivi. Aveva l'impressione che Vito indugiasse in lei come chi si gode una passeggiata lenta e pigra in un possedimento che ama e facesse tesoro di tutto quello che c'era in lei come se quella stessa felicità che le dava, gliela rendesse ancora più preziosa. Quando lei arrivava all'orgasmo, era come se avesse ricevuto un dono di valore inestimabile pur essendo stato lui a darglielo. Era pacato, misurato, senza fretta, in un modo perfetto. Quando era a letto con lui, a Billy sembrava che avessero tutto il tempo del mondo, che non ci fossero né fretta né pressioni né altra meta all'infuori del momento stesso che stavano vivendo. L'aveva spogliata di tutto il suo cinismo, di tutta la sua durezza, lasciandola morbida, impotente, aperta come... come non le era più successo dall'epoca di Parigi.

Billy si alzò, uscì dall'ombra dell'albero sotto il quale si era riparata e tornò verso l'albergo, un castello bianco e oro con le lunghe persiane verniciate di un pallidissimo grigio-azzurro. Non si trattava di qualcosa di puramente sessuale, e lo sapeva. Qualsiasi cosa dovesse succedere, Billy ormai sentiva fin nel midollo che Vito era il grande amore della sua vita. E questo fatto la terrorizzava.

Gli ultimi giorni del festival del cinema a Cannes sono come gli ultimi giorni prima degli esami a scuola. Tutti quelli che hanno presentato un film che è già stato proiettato, se la squagliano. Tutti quelli che restano, si accorgono che qualcosa è cambiato nell'atmosfera. L'ambiente da fiera con i suoi baracconi dei divertimenti scompare come se non fosse mai esistito; i giornalisti, con lo stomaco pesante e il classico mal di testa da dopo sbornia, si dileguano; le facciate degli alberghi riacquistano la loro dignità man mano che i vistosi cartelloni pubblicitari ne vengono tolti e si riesce finalmente a trovare un cameriere al quale ordinare da bere, mentre il vitto migliora notevolmente.

Susan Arvey aveva i nervi a fior di pelle. Lei e Billy avrebbero già dovuto essere partite per Parigi come avevano previsto originariamente, prima di venire al festival, ma Billy sembrava incollata a Cap d'Antibes. Tutta colpa di Vito Orsini, il quale riusciva ancora a spremere quattrini da quel film messicano che era uno scempio. In un eccesso di energia inconcepibile, lo aveva venduto a una dozzina di paesi stranieri. Come trovasse il tempo per combinare gli affari quando non faceva che vedersi con Billy, Susan non riusciva proprio a immaginarlo, ma tanto per cominciare, era una donna completamente priva di fantasia. Tuttavia ne aveva sempre abbastanza per imporsi di non dire a Curt che cosa pensasse della sua idea di finanziare il prossimo film di Vito. Del resto si sarebbe trattenuta dal farlo ancora per poco: un piccolo ritardo che sarebbe durato più di un giorno o, al massimo, due.

Il giorno prima che il festival finisse, Vito invitò Billy a pranzo alla Réserve di Beaulieu. Il ristorante di quel piccolo albergo, che è un vero gioiello, è costituito da una lunga galleria aperta, ombreggiata interamente di marmo, con i tendoni rosa, che dà sul mare: la sala da pranzo all'aperto più elegante del mondo.

Mentre ascoltava Vito che ordinava il pranzo nel suo italiano disinvolto e scorrevole, un pranzo che lei non aveva nessuna voglia di mangiare, Billy si rese conto di osservare quella scena, da dietro gli occhiali da sole, come se dovesse imprimersela bene nella memoria per il futuro. Stava cercando di fotografare Vito com'era adesso, con quella stupenda abbronzatura e il Mediterraneo dietro le spalle, mentre spiegava al cameriere a parole e a gesti che i gamberi dovevano essere serviti con tre diverse specie di salse. Billy si stava comportando come se il dado fosse stato tratto e la partita già perduta da molto tempo, come se non le restasse nient'altro da fare che salvare il suo orgoglio trattando quell'episodio come un altro capriccio di una donna frivola che aveva voluto un flirt intenso ma non impegnativo.

Lentamente si tolse gli occhiali da sole e li depose sulla tovaglia rosa. No, non poteva permettersi un fallimento così poco consono al suo carattere. Si sentiva ostinata, goffa, perfino brutale e non gliene importava niente.

« Vito. » La voce di lei aveva un tono che gli fece istintivamente alzare gli occhi. « Vito, mi mancano gli argomenti per una discussione. »

« Di che cosa stai parlando? »

« Volevo affascinarti con la mia arrendevolezza, volevo essere tutto ciò che tu potevi desiderare in una donna, convincerti che non avresti mai avuto il coraggio di perdermi, ma sbagliavo. »

« Non capisco, Billy. »

« Sbagliavo, perché i miei soldi non scompariranno come per incanto, non riuscirei a liberarmene neanche se lo desiderassi e non lo desidero. »

« Non posso darti torto. »

« No, non puoi trasformare questa mia affermazione in una battuta di spirito, solo perché hai cambiato il tono della voce! Sono ricca e lo sarò sempre. È molto importante per me. Ma non è giusto, vero? Se io fossi un uomo e tu una donna, se io fossi ricco e tu non lo fossi, il problema non esisterebbe neppure, non ti pare? »

Lui fissò Billy negli occhi: erano pieni di coraggio, disposti alla lotta. Non disse niente.

« Vito, sono sicura che al mondo ci sono altri uomini che non si possono comprare, ma non sono innamorati di me. Tu lo sei. E tu stai sciupando, stai buttando via questo amore per dimostrare quanto sei al di sopra della tentazione. Così finiremo per restare sconfitti tutti e due per il resto della nostra vita, non è vero? »

« Billy... »

« Non ti ho detto che mi mancavano gli argomenti per una discussione in cui riuscire a convincerti? Però, che peccato... non sopporto l'idea che tutto il nostro amore finisca sprecato così. »

« Neanch'io. » Era qualcosa che andava al di là dell'amore, pensò Vito. Esisteva, semplicemente, come il destino, come il patriottismo, come l'inevitabilità. Mise la mano su quelle di Billy. « Ti fornirò io l'argomento fondamentale. Devi promettermi che non mi comprerai mai, in nessuna circostanza, una Rolls Royce. » Billy si alzò in piedi di scatto. « E », aggiunse lui, « non dovrai mai organizzarmi una festa "a sorpresa". » Gamberetti minuscoli, squisiti, e bicchieri di vino caddero sul pavimento di marmo, sparpagliandosi da tutte le parti. Le parole di Vito non avevano ancora un senso preciso per Billy ma il suo stomaco o il suo cuore o quella parte di lei che capiva d'istinto queste cose prima ancora che arrivassero al cervello, fu colma di felicità. Tutti, in quel distintissimo ristorante, si voltarono a guardarli, chiedendosi qual era l'insulto che l'uomo aveva rivolto alla donna per spingerla ad aggredirlo in un modo così poco educato e civile.

« Se mi prendi in giro, ti ammazzo! »

« Non scherzo mai sulle questioni di famiglia. » Le persone sedute agli altri tavoli riportarono gli occhi sul piatto. Un'altra coppia di innamorati, a quel che pareva. Circondata dai camerieri che raccoglievano e portavano via gli avanzi e i vetri rotti, Billy ricadde a sedere sulla seggiola.

Fremeva di gioia e si sentiva vergognosa e timida come una bambina.

« Basta che tu adesso non aggiunga: "Te l'avevo detto!" » Vito le sfiorò il contorno delle labbra con un dito e le raccolse una lagrima dalla guancia prima che cadesse sulla maionese alle erbe, l'unico piatto rimasto sulla tavola.

Il cablogramma era indirizzato a Valentine. Lei lo aprì rapidamente e dopo averlo scorso con gli occhi, ancora incredula, si precipitò nell'ufficio che divideva con Spider e glielo mise davanti. MI SPOSO FRA UNA SETTIMANA CON VITO ORSINI. È L'UOMO PIÙ MERAVIGLIOSO DEL MONDO. PER FAVORE FAMMI QUALCOSA DI NUZIALE DA METTERE. SONO TANTO FELICE CHE QUASI NON CI CREDO. BACI E ABBRACCI. BILLY.

« Per tutti i diavoli! Anch'io non riesco a crederci... non sembra neanche la nostra padrona a considerare quello che scrive... Valentine, ma si può sapere perché piangi? »

« Elliott, tu non capisci un cavolo di niente quando si tratta di donne! »

Maggie ricevette la notizia durante una riunione con il suo capo soggettista.

« Ehi, senti un po' questa! Maggie, Orsini non è uno dei tuoi amiconi, per tutti i santi del cielo! Non credi che riusciresti ad avere l'esclusiva per un programma sul suo matrimonio? È la notizia più grossa da quando Gary Grant ha sposato Barbara Hutton. »

« Oh, vaffanculo! »

412

12

I DUE mesi che trascorsero dal giorno conclusivo del festival del cinema di Cannes al weekend del 4 luglio 1977 furono un periodo che servì a sistemare e a chiarire molte cose, in svariati e differenti modi, sia per Spider sia per Valentine. Per Vito fu un periodo di rinnovamento, di messa a punto di questioni importanti e di ripresa. Per Billy avrebbe dovuto essere una luna di miele, ma, a ben pensarci, l'unica luna di miele vera e propria che lei e Vito si godettero durò soltanto le undici ore del volo sulla rotta polare da Orly all'aeroporto internazionale di Los Angeles e a quel punto non erano ancora sposati.

Valentine si era messa a cercare un posto dove vivere non appena aveva acquisito la sicurezza che Scruples avrebbe avuto un futuro. L'unica qualità assolutamente necessaria che la sua casa doveva avere era una garanzia di riservatezza e di intimità. Le occorreva un posto in cui, con Josh Hillman, potessero trovarsi e amarsi in piena sicurezza. Bisognava che fosse abbastanza vicino a Scruples, abbastanza vicino alla casa di lui, abbastanza vicino al suo studio di Century City, in quanto il tempo che passavano insieme doveva venir sottratto alla sua vita pubblica, sempre impegnatissima. Finalmente, a West Hollywood, qualche isolato a est dell'estremo confine di Beverly Hills, trovò un attico in una costruzione stupenda, divisa in appartamenti, situata in Alta Loma Road. Possedeva tutti i vantaggi che Valentine cercava.

Naturalmente, fu la riflessione che fece subito Valentine, c'era qualche svantaggio, ma questo era prevedibile. Le inevitabili pareti interamente a vetri delimitavano una parte del soggiorno e della camera da letto. Se ci si avvicinava senza dovuta preparazione spirituale, ci si trovava di fronte a un panorama troppo ampio, troppo esteso e troppo alto di tutta la zona ovest di Los Angeles, fino all'Oceano Pacifico laggiù all'orizzonte. Per una persona come Valentine, nata e vissuta in città, tutta quell'aria, quella luce, quello spazio aperto le davano sempre l'impressione di essere appena scesa sulla terra da un altro pianeta. Tuttavia Valentine era un'illusionista e possedeva le squisite abilità di un prestigiatore di grande fama così, quando arrivarono da New York i mobili, sempre quelli che aveva spedito da Parigi negli Stati Uniti cinque anni prima, si votò corpo e anima, mettendo a frutto tutte le sue arti magiche, per creare di nuovo un'atmosfera diversa, un'epoca diversa. Questo si notava soprattutto la sera quando chiudeva le imposte nuove di legno bianco, tirava le tende, nuove anche quelle, fatte con una romantica *toile de Jouy* bianca e rosa, quasi identiche a quelle vecchie, ormai troppo sciupate, e accendeva le lampade con il paralume rosso. Aveva rivestito il suo vecchio divano di velluto e le ampie poltrone con una stoffa un po' all'antica, di Boussac, con un motivo verde prato e bianco che le ricordava un po' la Normandia, e aveva coperto il pavimento con quello che considerava il suo maggior capriccio, un tappeto antichissimo, a fiori, piacevolmente sbiadito, fatto a piccolo punto. La cucina nuova era un miglioramento rispetto alla sistemazione provvisoria di New York e Josh, il quale provava un acuto senso di frustrazione per l'indipendenza rivelata da Valentine, l'aveva sommersa dell'unico genere di regali che lei era disposta ad accettare: piante e litografie. Troppe, per il poco spazio che aveva, tanto che era stata costretta ad appenderle dappertutto, sulle pareti, su fino al soffitto e perfino in cucina.

Anche se le vetrate erano in quantità preponderante e un po' eccessiva, Valentine era molto contenta della sua nuova casa, perché serviva allo scopo per il quale era stata scelta. Era sicura che nessuno avrebbe saputo indovinare per quale motivo avesse deciso di vivere lì. Billy era troppo presa dal suo nuovo matrimonio per mostrare curiosità per gli affari altrui. Quanto a Josh, sua moglie non vedeva niente di sospetto nelle tre notti che passava con Valentine ogni settimana: finalmente dava i suoi frutti l'abitudine di tutta la vita di lavorare ogni giorno fino a tardi. Quanto a Elliott, be', c'era mancato poco che non scoprisse tutto, ma lei era riuscita a confondergli le idee. La sera del giorno stesso in cui vi era finalmente andata ad abitare e stava con Josh a fare l'amore sul letto nuovo, fra le coperte in disordine, la guardia di servizio nell'atrio le aveva citofonato per annunciarle la visita di Elliott. Valentine, in preda al panico, aveva detto all'uomo di spiegare che era già a letto, esausta e quasi addormentata. Ma il giorno dopo, in ufficio, Elliott l'aveva osservata con curiosità.

« A letto, Valentine? Alle sette e mezzo? Ma, anche se fosse stato così, perché non potevo venire di sopra? Perché eri a letto? Non sarebbe stata la prima volta! »

« Proprio per questo. » I suoi occhi gli lanciarono una bordata di schegge di pietra verde. « Mi tratti senza rispetto. La brava, vecchia Valentine, andiamo un po' a vedere cos'ha preparato di buono per cena. Non sono la tua settima sorella, Elliott! »

« Dài, Valentine, non sei giusta! C'è sotto qualcosa! Non ti ho mai trattata senza rispetto... sei la mia migliore amica. »

« Non dire assurdità » Scosse quella fiammata di riccioli rossi in modo da non dover guardare Spider negli occhi che avevano preso un'espressione addolorata e offesa. « Nessuno crede che un uomo e una donna siano soltanto amici. Ma non penserai che la gente creda anche solo per un minuto che io non sono una delle tue solite ragazze, un'altra della famosa sfilata, eh? Elliott, mi rifiuto di essere presa per una di loro, soprattutto adesso che siamo praticamente sempre l'una nella tasca dell'altro; dividiamo l'ufficio, anzi addirittura la scrivania, santo cielo! »

« Valentine, se vuoi, troverò un altro posto per la mia

415

scrivania. » Spider era sbalordito, come se Valentine lo avesse aggredito con la matita da disegno. « Non preoccuparti... non verrò mai più a trovarti senza un preciso invito. Tutto quello che volevo era portarti un regalo per la tua casa appena inaugurata e farti vedere una buffa lettera che ho ricevuto, la prima posta delle mie ammiratrici. »

« Oh, Elliott, non dire stupidaggini, basta che tu mi faccia avvertire prima di salire, ecco tutto. Scusami... me lo farai ancora il tuo regalo? »

« Domandalo un po' a quel buffo tipo che fa la guardia giù nell'ingresso... una fottuta, pesantissima cassa di bottiglie di champagne... mi ha aiutato a trascinarla fino all'ascensore. Speriamo che non gli sia venuta una di quelle ernie che danno l'arsura perché, altrimenti, se la sarà già bevuta tutta prima che tu arrivi a casa. »

« Oh, Elliott, grazie! Vieni a berne un po' stasera... per piacere. » Alzò la testolina rosso acceso e gli gettò una timida occhiata.

« Se avrò tempo. »

« Per piacere... cerca di venire... voglio che tu veda come mi sono sistemata. E la famosa lettera? Perché è così buffa? »

« Oh, figurati! Me l'ha mandata quella bambolina così sexy... Ti ricordi che le avevo fatto le fotografie gratis quando era senza lavoro? Quella che si faceva chiamare Zucchero Filato? Ha visto la nostra foto su *People* la settimana scorsa, con la storia di quello che abbiamo fatto per Scruples e mi ha riconosciuto. Mi scrive che le mie fotografie le hanno portato fortuna e che adesso per merito loro, lavora in proprio! »

Valentine prese la fotografia che Elliott le porgeva e rimase a guardarla incantata. Poi disse, sbarrando gli occhi per la meraviglia: « In confronto a lei, sembro un ragazzino. Sai che cosa ti dico? La posta delle tue ammiratrici mi piace più della mia. Io ho ricevuto una lettera di Prince, quel bastardo, in cui mi dice che è tanto contento che io sia diventata una donna di successo. Che sfacciataggine... Elliott, verrai stasera, vero? »

« Naturale che verrò! »

Ci andò infatti e si fermò per cena, com'era abituato a fare in passato e come Valentine si era aspettata che facesse. Ma poi la ragazza dovette ammettere con se stessa che la schiettezza e la spensieratezza della loro amicizia non erano più quelle di prima adesso che nella sua vita era entrato Josh, e il loro segreto.

Quando la serata finì Valentine si sentì stranamente vuota e inaspettatamente depressa. Doveva aspettarselo in fondo, si disse con la sua solita logica ferrea. Non si può avere tutto. E quello che lei aveva, valeva la pena di rinunciare a molte cose per conservarselo! Valentine si crogiolava nel pensiero di Josh, ammantandosi della consapevolezza del suo amore come di una coperta morbida e calda che avrebbe potuto anche tirarsi fin sopra la testa, se avesse voluto. Quanto a Josh, invece, si tormentava al pensiero che Valentine potesse risentirsi perché non osava condurla in un ristorante di prim'ordine per non correre il rischio di essere visto insieme a lei. Se non cenavano al *94.mo Aero Squadron* o in qualche posticino sconosciuto nella Valley, Valentine gli preparava qualche manicaretto nella sua cucina. Una volta al mese, più o meno regolarmente, riuscivano a passare insieme un weekend addirittura senza uscire dall'appartamentino di lei. Josh aveva paura che Valentine potesse trovare pesante la situazione e, invece, proprio quella mancanza di un'intesa più chiara fra loro andava benissimo per Valentine.

L'unico litigio che avevano avuto era stato quando Josh si era offerto, anzi aveva detto chiaramente che avrebbe dovuto essere lui a pagare l'affitto. « *Ah, ça jamais!* » aveva gridato Valentine, inalberandosi. Era tanto meravigliata che, per la rabbia, si era messa a parlare in francese. « Ma per chi mi prendi... per una mantenuta? Tu non mi mantieni come usava una volta che gli uomini mantenessero la loro amante. Io ho la mia indipendenza, la mia vita. Non parlarne mai più! »

Con la pelle tesa sugli zigomi, Josh chinò costernato quel suo viso grave e serio.

« Valentine, amore mio, come mi dispiace... non ho mai fatto niente di simile prima... ho pensato... è stato imperdonabile, è stato stupido da parte mia... » Lei prese fra le brac-

417

cia quella testa china e l'attirò contro di sé, arruffandogli i
capelli corti e brizzolati con il suo alito, e infine baciandogli
la bocca che aveva una piega triste.

« Hai pensato che fosse la cosa più corretta da fare in
queste circostanze. Ma dove prendi queste idee? Dai tuoi
libri di legge? Insegnano il comportamento corretto in una
relazione amorosa, a Harvard? Dov'è il tuo senso dell'avventura romantica? Devono averla lasciata fuori dal piano di
studi, eh? Dobbiamo riparare a questa dimenticanza... e in
fretta. »

Parecchi giorni dopo, quando aveva appena ottenuto
la patente di guida per lo Stato della California, Valentine,
spinta da una curiosità che non avrebbe mai pensato di provare, passò con la sua piccola Renault nuova davanti alla
casa di Josh Hillman in North Roxbury Drive. Si trovava a
un incrocio, con muri alti dietro i quali riuscì a intravedere
la rete di un campo di tennis e le cime di molti alberi. La
facciata di mattoni dipinti di bianco della grande costruzione era il simbolo di una ricchezza solida e considerevole, le
centinaia di cespugli di rose che bordavano in basso il muro
di cinta della proprietà e il vialetto che conduceva alla porta
d'ingresso rivelavano le cure più attente per la sua conser-
vazione e la presenza, come minimo, di un paio di giardinieri. Valentine non riuscì a collegarla con l'immagine di
Josh, né tantomeno con se stessa. La casa irradiava un senso
di solidità e di stabilità e il diritto di essere dov'era, un diritto talmente inevitabile e inequivocabile che non riuscì a
immaginare come il suo padrone potesse vivere in qualche
altro posto all'infuori di lì.

Si strappò dai ricordi della villa di Josh che non era
più tornata a contemplare e riportò il pensiero sul weekend
che si annunciava. Era quello del 4 di luglio e lei era stata
invitata al grande ricevimento annuale di Jacob Lace. Anche
Billy e Spider erano stati invitati, ma non ci sarebbero andati. Valentine non era riuscita a resistere a quell'attrazione,
anche se voleva dire farsi un viaggio di quattromilacinque-
cento chilometri in pochi giorni. Ma ci sarebbe stato tutto
il mondo della moda e adesso che anche lei, Valentine di
Scruples, ne faceva inequivocabilmente parte, voleva tor-

nare a New York e provare l'ebbrezza di ritrovarsi in quell'ambiente come una pari fra i pari.

Josh sarebbe venuto con lei alla festa di Lace. Non gli aveva chiesto com'era riuscito a trovare il tempo per farlo e neppure quali pretesti avesse propinato alla moglie, però sapeva che era ben deciso ad accompagnarla: in una folla così grande, le aveva fatto notare, nessuno avrebbe potuto trarre necessariamente la conclusione che fossero venuti insieme come sarebbe capitato, invece, in un ristorante; e al festival annuale di Lace la stampa non era mai invitata a fare servizi né giornalistici né fotografici.

L'unica nuvola sull'orizzonte di Valentine era il pensiero di fare le valigie. Una donna come lei, la cui professione consisteva, in buona parte, nell'organizzare il guardaroba delle altre donne, quando si trattava di riempire una valigia del necessario per se stessa, si sentiva cogliere da un senso disperato di costrizione e di nervosismo. Soltanto il giorno prima aveva fatto partire una cliente, completamente equipaggiata per un'estate nella quale avrebbe incluso un giro delle isole greche, una conferenza a Oslo, un matrimonio semiregale a Londra. Valentine le aveva disegnato il guardaroba necessario perché potesse presentarsi vestita in uno stile perfetto in ciascuna di queste occasioni senza che il tutto occupasse più di due valigie. Contemplò il vestito che si era fatta per il ricevimento di Lace: una camicetta a piegoline in chiffon verde mela con le maniche larghe e la scollatura che le lasciava nude le spalle; una gonna ampia, composta di otto strati di chiffon di un pallidissimo lilla, stretta in vita da una cintura rigida di velluto dello stesso verde dei suoi occhi. Molto *fête campêtre*, pensò Valentine, angosciata: ma come portarlo via? In una valigia appositamente riservata solo a lui, naturalmente, e immaginò che questa sarebbe stata la soluzione proposta da Elliott, il nuovo dittatore della moda.

Mentre Valentine faceva le valigie, Spider Elliott stava passando attraverso uno stadio di autocompassione che non aveva alcuna ragione al mondo e che era tanto insolito per lui come un'eruzione di foruncoli sul sedere. Andò a distendersi vicino alla piscina con un bicchierone di liquore e pensò che avrebbe potuto tentare di migliorare quell'umore elencandosi mentalmente le proprie fortune.

C'era quella casa appena affittata, per esempio. Appena dietro l'angolo di Doheny Drive, a nord di Sunset Boulevard, cacciata in fondo a una stradina senza uscita che poteva sfuggire facilmente a chi passava davanti senza conoscerla. Era un esempio quanto mai significativo del genere di vita superbo che un uomo potesse concedersi se non aveva moglie e figli a cui provvedere. Era stata completamente rimessa a nuovo dal padrone di casa di Spider, un celebre regista padre di nove figli, il quale aveva fatto voto di celibato non casto subito dopo il quinto divorzio.

Scruples era il negozio per la vendita al pubblico che faceva più scalpore di tutti gli altri al mondo, e il merito era in gran parte suo. Un « Urrà! » per Billy Ikehorn Orsini, dato che era la padrona di Scruples. Le donne di Beverly Hills e di tutte le altre località a nord, sud, est di Beverly Hills invadevano Scruples chiedendo a gran voce di essere condotte al cospetto di Spider, il quale doveva insegnare a ciascuna di loro a guardarsi con altri occhi. Per quelle donne era più importante del parrucchiere, del floricultore che si occupava delle loro piante d'appartamento, del maestro di tennis. Un « Urrà » per tutte le brave signore di Beverly Hills. Forse un giorno sarebbe diventato addirittura indispensabile, come un bravo psichiatra o addirittura uno specialista in chirurgia plastica. No, cancellare lo specialista in chirurgia plastica. La sua amica Valentine era sulla cresta dell'onda, da quella favolosa stilista che era diventata, e non facevano che parlare di lei su *WWD* e *Vogue* e *Bazaar*. « Urrà » per Valentine O'Neill e il suo misterioso segretuzzo, di qualsiasi cosa si trattasse. Che pezzettino di ragazza insopportabile, con quel caratteraccio, una francesina furba, piena di misteri. Grazie al cielo, non si era mai voluto immischiare in una relazione amorosa con lei. Un'altra fortuna da mettere in lista.

Suonò il telefono. Spider corse a rispondere. Probabilmente era Valentine che voleva assicurarsi che l'indomani sarebbe stato da Scruples a badare a tutto, mentre lei era in volo, diretta alla festa di Lace per mettersi in mostra. Invece era la sua segreteria telefonica con due messaggi che erano arrivati durante il giorno. Uno di Melanie Adams, che diceva di volerlo soltanto salutare, e il secondo sempre di Melanie Adams, per annullare il primo. La segreteria telefonica aggiunse che non erano ben sicuri se lui desiderasse avere quei messaggi o no; in ogni modo, per maggior sicurezza, avevano pensato che era meglio passarglieli. Spider riattaccò. « Urrà » anche per i messaggi telefonici. Ma possibile che l'elenco delle sue fortune fosse infinito? Lui era l'unico uomo in tutta Hollywood con una segreteria telefonica efficiente.

Melanie Adams. Il pensiero di lei non lo colpiva più come una sferzata dolorosa. Era andato a vedere il suo primo film, tanto per avere una conferma di certe cose. Forse avrebbe dovuto essere contento per lei, anche se gli sembrava un po' eccessivo pretendere un simile sforzo da se stesso, ma effettivamente quella ragazza era nata per far l'amore con le macchine da presa.

Adesso, negli ultimi quindici giorni, aveva preso l'abitudine di telefonare quando era sicura che lui non fosse in casa, lasciando brevi messaggi insignificanti e annullandoli invariabilmente nel giro di un'ora. Non riusciva a capire a che giochetti idioti e bambineschi la ragazza stesse giocando, comunque, di qualsiasi cosa si trattasse, non voleva restarci immischiato. Non aveva mai richiamato Melanie. Possibile che fosse passato soltanto un anno dall'ultimo 4 luglio, quando erano andati insieme al ricevimento di Lace? Sembravano dieci! Spider era stato invitato a cinque feste per il 4 luglio e aveva deciso di andare a tutte. E se avesse perso altro tempo a enumerare le sue fortune, avrebbe potuto rischiare di decidere di annegarsi in quell'ennesima fortuna che era la piscina di casa!

Il telefonò squillò ancora. Questa volta lo lasciò suonare sei volte prima di andare a rispondere.

« Spider? » Non era possibile sbagliare, era la stessa voce da ghiaccio bollente, dietro la quale aleggiava il fantasma invitante, lascivo, perversamente affettato e smorfioso della bella del Sud. Non riuscì a rispondere. « Spider? » ripeté lei. « Spider, so che sei tu e non è la segreteria telefonica, perché loro rispondono sempre per primi. »

« Ciao, Melanie. Addio, Melanie. »

« Non riattaccare! Per piacere. Lascia che ti parli per un minuto. È tanto tempo che ti penso, Spider, ma non ho mai trovato il coraggio di parlarti quando sapevo che saresti stato in casa. »

« Perché prenderti tanta pena? »

« Oh, Dio, capisco perché hai questo tono poco cordiale e hai ragione. Non mi hai mai perdonata per averti scritto in quel modo... »

« Fantastico. »

« No, per piacere, lascia che ti spieghi... era una specie di paura. Non volevo dire proprio così come ho scritto... e non era vero, niente affatto vero... ma avevo una tal paura di sentirmi legata a te... oh, Spider, non riuscivo a controllare la situazione, dovevo essere perfida perché ero così spaventata... »

« Melanie, non me ne importa. Davvero, credimi. Non è successo niente di male. Addio. »

« Aspetta! Per piacere, aspetta! Ho bisogno di vederti, Spider. Qui tu sei l'unica persona che una volta mi abbia voluto bene e ho bisogno di parlarti... ho proprio bisogno di vederti. »

« E quel tuo Svengali... Wells Cope... non ti vuole bene, lui? No, Melanie, l'idea di vederci è inutile, è una futilità; non abbiamo niente da dirci. »

« Spider, Spider... » Adesso lei singhiozzava senza ritegno. Spider diventava sempre molto sensibile quando c'era di mezzo una ragazza infelice. Aveva voluto troppo bene, in passato, a Melanie per voltarle le spalle adesso che lei doveva trovarsi in qualche guaio, si disse, pur sapendo che non lo faceva per motivi umanitari ma soltanto perché non sapeva resisterle.

« Sarò qui ancora per un'ora, Melanie. Se vuoi venire per pochi minuti, OK, ma nient'altro. Devo essere giù alla spiaggia per cena. »

« Dimmi solo come si fa a venire e arrivo subito. Oh,

grazie, Spider... » Aveva la faccia bagnata di lagrime mentre finiva di scribacchiare le indicazioni che lui le dava per raggiungere la sua casa, ma quando mise giù il microfono l'ombra di un sorriso soddisfatto cominciò ad aleggiarle sulla bocca stupenda.

« Domani », disse Vito con immensa soddisfazione, « si torna al lavoro. » Billy rise a quella battuta. Erano arrivati il giorno prima nella sua tenuta di Holmby Hills, che aveva un'estensione di dodicimila acri, e avevano passato quasi tutto il tempo a dormire per recuperare un po' le forze dopo il viaggio in jet che li aveva frastornati. Non avevano ancora disfatto le valigie, perlomeno lei non le aveva ancora aperte e, adesso che ci pensava, non si erano neppure sposati, ancora!

« Avrei dovuto cominciare stamattina », continuò lui camminando a passi inquieti intorno al grande letto a colonne con le cortine rigonfie di seta color geranio che si trovava al centro della camera da letto di Billy, una camera di almeno una dozzina di metri quadrati. « Fottuti scrittori, non si riesce mai a trovarli la domenica. Lo so benissimo che se ne vanno tutti fuori con quelle loro maledettissime barche in modo da non essere costretti a rispondere al telefono, mentre, in fondo in fondo, tutti quei coglioni la odiano l'acqua! »

Billy scese dal letto e, nuda, si avvicinò a una delle tante finestre della sua incantevole camera, dove Vito si era fermato a guardar fuori, immerso nei suoi pensieri, senza neppure vedere il giardino cintato, all'inglese, più sotto, o il gran parco ombroso che si estendeva più oltre, con i suoi ciuffi di alberi d'alto fusto, e i vialetti pieni di fiori selvatici, che conducevano alle serre fabbricate sul modello di quelle vittoriane di Kew. Gli appoggiò le mani sulle spalle e rimase ferma, capezzolo contro capezzolo, guardandolo fisso nel profondo degli occhi dove guizzava qualche puntino giallo. A piedi nudi, Vito era alto soltanto cinque centimetri più di lei e Billy provò a far finta di essere la sua gemella. Gli sfregò il naso con il proprio. Come facevano a respirare gli uomini con il naso piccolo? Lo osservò con aria grave, ten-

423

tando senza successo di arruffare quei suoi capelli così folti e ricci.

« Parli sul serio. » Non era una domanda.

« Sono già in ritardo sul previsto, per tutti i santi del cielo! È quasi la fine di maggio. E devo cominciare a girare non più tardi di luglio. Così non mi resta che giugno per procurarmi il soggetto, trovare il regista, distribuire le parti agli attori, trovare il cameraman adatto... »

« E se tu non cominciassi a girare fino a settembre o ottobre? Ci sarebbe molta differenza? »

« Differenza? » Vito era stupefatto, ma poi ricordò che certa gente non capiva nulla di come si fa un film.

« Adorabile, bellissima Billy, quella che sto facendo è una storia d'amore. Dev'essere conclusa, finita e in giro per i cinematografi per Natale, non un giorno più tardi. » Lei continuava ad avere l'aria perplessa. « Natale, Billy, è l'epoca in cui i ragazzini sono in vacanza dalla scuola, a casa dal college, è tempo di ferie e tutti vanno al cinema. E chi va a vedere le storie d'amore?... I ragazzini, amore mio... la gente giovane, il pubblico più grosso per un film. »

Billy prese un'aria saggia. « Naturale, è molto sensato quello che dici. Avrei dovuto rendermene conto. Be', naturalmente, Natale. Vito... ma, e il nostro matrimonio? Avevo pensato di poterlo fare venerdì, ma se tu sei così impegnato... »

« Dimmi soltanto quando e dove. Non ti preoccupare... sistemerò i miei appuntamenti in modo da esserci perfino in anticipo se ci riesco, però cerca di non combinarlo prima delle sei e mezzo, d'accordo, tesoro? »

Nelle settimane e nei mesi successivi Billy, che in quel momento aveva avuto la sua prima lezione sull'industria del cinema, avrebbe imparato molto, molto di più, perfino più di quello che le importava di sapere, come le capitò di pensare più volte.

Il romanzo francese *Gli specchi di primavera* di cui Vito si era procurato l'opzione, venne battezzato *Specchi*. Con un bilancio preventivo di due milioni e duecentomila dollari,

Specchi sarebbe stato quello che nel mondo del cinema viene definito un film « piccolo ». Si tratta di un genere di film che rientra in quella zona grigia fra i « grossi » film, con un costo superiore agli otto milioni di dollari, che si servono dei divi famosi come un'assicurazione contro un eventuale fiasco, un'assicurazione che non funziona necessariamente ma che, comunque, viene considerata indispensabile, e i film con un « bilancio preventivo basso », destinati a un determinato strato di pubblico sul quale si può contare con sicurezza e che è quello che frequenta i drive-in o i cinematografi di rione, disposto a pagare solo per vedere roba come gli inseguimenti in macchina, i comici che fanno sganasciare dal ridere e i vampiri.

Con un bilancio preventivo di due milioni o poco più, Vito non poteva permettersi di ingaggiare le stelle di prima grandezza. Tuttavia la qualità eccellente del romanzo e la sua stessa dedizione appassionata al film che stava per girare, e che voleva riuscisse di ottimo livello, richiedevano un bel copione, un bravo regista e un cameraman in gamba. Durante il viaggio in aereo da Parigi aveva fatto un breve elenco delle persone che voleva: Fifi Hill come regista, Sid Amos per scrivere il copione, Per Svenberg come operatore cinematografico. Abitualmente Hill chiedeva quattrocentomila dollari a film. Non c'era da aspettarsi che Amos ne chiedesse meno di duecentocinquantamila; Svenberg voleva cinquemila dollari la settimana e Vito calcolava che avrebbe avuto bisogno di lui per sette settimane. Complessivamente seicentottantacinquemila dollari di raro talento e di bravura. Vito non aveva intenzione di farli lavorare per sé per più di trecentomila più una percentuale da togliere al proprio utile personale nell'eventualità che il film procurasse un po' di profitti.

Sid Amos, il soggettista, un tipo fenomenale per la rapidità nel lavoro e il più adatto a scrivere l'adattamento di una storia d'amore, fu il primo con il quale Vito prese contatto.

« Be', Vito, certo che mi piacerebbe darti una mano. Mi hai fatto molti piaceri quando ne avevo bisogno. Ma sono impegnato, vecchio mio, impegnatissimo. Quel calabrache del mio agente crede che io sia una macchina da scrivere elettrica a due testine rotanti. Mi ha procurato tanti di quegli impegni che dovrei continuare a scrivere senza smettere un momento per i prossimi tre anni. »

« Sid, questo è il libro dell'anno. Ho preso Fifi e Svenberg. Ti chiederei di dire al tuo agente che accetti questo lavoro perché lo devi a te stesso. Non te lo perdoneresti mai, credimi, se comparisse il nome di un altro in *Specchi*. Il libro è fatto di materiale ottimo, questo l'hai detto tu stesso. Naturalmente è sottinteso che sarai pagato in contanti a quella tua Panamanian Company. Settantacinquemila dollari e puoi andare a raccontare al tuo agente e alle tasse che l'hai fatto a un prezzo stracciato per amore di un vecchio amico. »

« Settantacinquemila dollari! Stai scherzando. Non se ne parla neanche, Vito. »

« E il cinque per cento della mia quota. »

« Il sette e mezzo... e lo faccio soltanto per fottere le tasse ... e per vedere la faccia che farà il mio agente. »

Uno catturato, ne mancavano ancora due.

Otto anni prima, quando era sconosciuto e non ancora sperimentato, Fifi Hill aveva avuto da Vito il primo incarico per una regia. Era stato il suo primo successo e da allora ne aveva avuti molti altri. Ma Vito non faceva conto soltanto sulla gratitudine che a Hollywood era una condizione ancora più fuori moda della verginità. Sapeva che Hill aveva sempre sognato di fare un film con Per Svenberg. Vito non aveva ancora parlato con il grande operatore cinematografico, però promise a Fifi di ottenere i suoi servizi.

« Se non riesco a procurartelo, Fifi, niente affare. »

« Hai detto centoventicinquemila e la percentuale, Vito? Che cosa sarebbe? »

« Il dieci. »

« Dodici e mezzo... e Svenberg. »

Gli operatori hanno validi e fondati motivi di malcontento nei confronti dell'industria cinematografica. Svenberg ce li aveva in modo particolare. Era famoso soltanto fra gli iniziati in quell'ambiente: anche se i critici cercavano di superarsi a vicenda nel paragonare il suo lavoro a Vermeer, a Leonardo, a Rembrandt, nessuna persona che andasse abi-

426

tualmente al cinema, all'infuori dei fanatici di film d'élite, avrebbe mai fatto caso al suo nome. Vito sapeva che Svenberg avrebbe fatto qualsiasi cosa purché il suo nome diventasse famoso. Promise a quello spilungone di svedese che la citazione « Direttore della fotografia: Per Svenberg » sarebbe stata messa in evidenza in ogni pubblicità pagata sui giornali e sulle riviste, in ogni articolo di promotion diffuso dallo studio, in ogni genere di propaganda dedicata a *Specchi*, se avesse lavorato per duemila dollari la settimana.

Alla fine di un mese di negoziati, Vito ebbe la certezza di aver agganciato gli elementi chiave della sua produzione.

Quanto al suo compenso per il film, questo era già stato stabilito con lo studio. Anche se, di norma, in virtù della sua reputazione avrebbe dovuto ricevere duecentomila dollari, era disposto ad accettarne soltanto centocinquantamila vista la modesta entità del bilancio preventivo. Su uno dei blocchi per appunti, sparsi per la casa di Billy come indizi da seguire per una folle e pazzesca caccia al tesoro, Vito buttò giù le cifre che gli occorrevano approssimativamente per il resto del film. Anche se meno di quattrocentomila dollari erano contemplati per le voci più importanti quali il soggetto, il regista, il produttore e il cameraman, adesso aveva un bilancio preventivo portato, sia pure gonfiandolo un po', alla cifra di due milioni di dollari, avanzavano duecentomila dollari di scorta.

Era un bilancio con il quale poteva cavarsela, concluse Vito, purché niente, assolutamente niente, andasse storto.

Il problema della scelta di ciò che avrebbe dovuto indossare per vedere Spider fece sentire Melanie più viva di quanto non le fosse più capitato dall'ultima volta che era apparsa davanti alla macchina da presa. Si sentiva travolta da un'ondata di eccitazione erotica di fronte alla questione di come presentarsi a quell'incontro per il quale si stava preparando, un po' alla volta, da settimane. Aprì tutti i suoi armadi nell'alloggio che Wells Cope riservava agli ospiti, in preda a una deliziosa sensazione di panico, considerando e scartando dozzine di possibilità. Nel giro di qualche minuto trovò il vestito che era l'espressione migliore del modo in cui voleva apparirgli. Era in battista di un innocentissimo azzurro pallido, con una profonda scollatura rotonda e le maniche a palloncino, legato in vita da una fascia blu. Ci voleva soltanto un grande cappello con l'ala ampia per rendere l'illusione più completa, ma Melanie scelse, invece, un nastro azzurro per trattenere i suoi capelli color cannella. Quasi niente trucco, le gambe abbronzate, nude, sandali leggeri a tacco basso, ed ecco completato l'effetto che voleva ottenere: ben educata, infantile, quasi campagnola e, soprattutto, vulnerabile.

Mentre andava verso la casa di Spider, le sue mani, che stringevano il volante, erano scosse da un tremito. Finalmente stava per succedere qualcosa.

Il malcontento di Melanie Adams era cominciato subito dopo che aveva finito di girare il suo primo film. Per tutta la durata del lavoro era vissuta in una specie di stato di grazia. Aveva attribuito questo nuovo senso di pacificazione con se stessa all'idea che era nata per essere un'attrice e che aveva finalmente trovato il suo lavoro, che quella curiosa angoscia incomprensibile provata tanto spesso nella sua vita non si poteva spiegare altro che con la ricerca della professione più adatta per lei. Quando il film finì, durante la festa tradizionale che ne seguì, Melanie continuò a restare in carattere con il suo personaggio, parlando con l'innocente esitazione, prendendo l'atteggiamento distaccato e spirituale della ragazza che aveva interpretato, mentre intorno a lei gli altri attori e il personale di produzione si rilassavano riacquistando la propria personalità e preparandosi a dimenticare rapidamente il film appena fatto.

La mattina dopo Melanie si svegliò in preda alla desolazione. Non c'era uno studio dove andare, nessun truccatore, nessuna costumista ad aspettare la sua apparizione, nessun regista con il quale discutere, nessuna macchina da presa che confermasse la sua esistenza. Wells Cope le spiegò che era una reazione naturalissima, il cedimento che segue sempre ogni prolungato sforzo creativo quando questo è terminato.

« Quando comincerà... il mio prossimo film? »

428

« Melanie, Melanie, sii ragionevole. Ho ancora mesi e mesi di lavoro su questo film prima che possa considerarsi realmente finito. E anche quando tutto questo sarà fatto, non ho intenzione di mandarlo in circuito fino al momento opportuno, finché non siano liberi i cinematografi giusti. No, il tuo prossimo film non comincerà finché non avrò trovato un soggetto perfetto. Lo sto cercando, leggo bozze di stampa e sceneggiature ogni giorno, ma non c'è niente di appena appena accessibile, al momento. Perché sei così impaziente? Dovresti sfruttare questo periodo fra un film e l'altro per divertirti, va' a pranzo fuori con le amiche, gioca a tennis, trovati magari un corso di lezioni di danza, comprati qualche vestito. »

Anche se Wells Cope riceveva di frequente e ognuna delle donne che facevano parte della sua eletta cerchia di amicizie sarebbe stata felice di uscire a pranzo con Melanie, la ragazza non telefonò a nessuna di loro. Le chiacchiere fra donne non l'avevano mai interessata neanche quando andava alla scuola superiore. Non sapeva apprezzare l'intimità, sia pure un'intimità superficiale. La sua vita si ridusse alle lezioni con l'insegnante di recitazione il quale non poteva dedicarle più di un paio d'ore la settimana, a quelle di ballo moderno e ad aspettare. Tutto sarebbe cambiato, tutto sarebbe ricominciato, fu la promessa che fece a se stessa, non appena il suo film fosse stato messo in circolazione, anche se in realtà non sapeva bene che cosa volesse dire con quel « tutto » all'infuori del fatto che era arrivata tanto lontano, e così in fretta, che la sorte doveva riservarle in futuro qualche cambiamento straordinario.

Quando il film di Melanie venne fuori all'inizio della primavera del 1977, non ci fu un solo critico che non si innamorasse di lei. Erano anni che non si vedeva un trionfo personale come il suo. Cinque dei più importanti critici degli Stati Uniti non si divertirono affatto quando scoprirono che quattro detestati colleghi erano convinti anche loro che Melanie Adams fosse « la nuova Garbo ». Quanto a lei, lesse quegli articoli con la sensazione di essere baciata dalla gloria. Wells Cope diede una brillantissima cena in suo onore. Niente cambiò. Arrivarono a dozzine le lettere di congratulazione da persone che aveva conosciuto in passato. Melanie rilesse le critiche che erano arrivate da tutto il Paese. Ma niente cambiò.

« Ma che cosa ti aspettavi? » le domandò Wells vagamente esasperato. Era la manifestazione più violenta di un sentimento che si permetteva quando era fuori della sala di montaggio. « Non è stata un'incoronazione, ma solo il primo passo della tua carriera. Se vuoi avere la sensazione che la tua vita è cambiata, prova ad andare a New York a fare una visitina alle ragazze che lavorano da Eileen Ford, oppure, meglio ancora, vai a casa dai tuoi, ti tratteranno come una celebrità a Louisville, no? Ma qui tutto quello che otterrai sarà qualche domanda di farti un'intervista, e, chissà, forse ci sarà qualcuno che ti riconoscerà per la strada o in un negozio, ma altrimenti non sei altro che una nuova ragazza arrivata in città, Melanie. Che cosa ti immaginavi che facessero le attrici fra un film e l'altro? »

« Posso sempre mettermi a ricamare », mormorò Melanie, mentre lagrime di angoscia e di amarezza per quella delusione le riempivano gli occhi.

« Buona idea, sei sulla strada giusta », disse Wells, distrattamente, riportando la sua attenzione sul soggetto che aveva aperto davanti.

Il fallimento del suo primo film in quanto non era riuscito a colmare quel bisogno e quell'ansia di ricerca che la tormentavano da quando era nata, fece diventare Melanie più avida che mai nel cercar di ottenere dagli altri tutto quello che poteva. Tentare di manipolare Wells ai propri fini era inutile. Qualsiasi cosa lei facesse o dicesse, il produttore dimostrava una pazienza infinita nei suoi confronti. Era la forma che prendeva il suo amore per manifestarsi. La loro vita sessuale, elegante come una sarabanda e che, in principio, era stata così tranquillizzante, e la mancanza di curiosità che Wells provava per lei, le davano la sensazione di esistere sempre meno.

Fu a questo punto che cominciò a tentare di telefonare a Spider. La passione di lui, che ricordava così bene, era stata così insistente, così indagatrice, così esigente, che le parve potesse offrire la risposta al suo dubbio. Spider non l'aveva mai delusa, non aveva mai smesso di cercare di capire chi lei, Melanie, fosse veramente. Forse questa volta glielo avrebbe detto.

Il suo timido colpetto dovette essere ripetuto un paio di volte sulla porta prima che Spider si decidesse ad aprire. Melanie rimase immobile sulla soglia, offrendogli con aria ingenua la sua bellezza prorompente, aspettando con gli occhi bassi che la invitasse a entrare.

« Oh, piantala con queste sciocchezze, Melanie », le disse Spider brusco. « Non comportarti come se volessi sbatterti la porta sul muso. Su, entra... abbiamo appena il tempo per bere qualcosa. »

« Spider, Spider, mi parli in un modo così diverso », disse lei. Spider aveva dimenticato l'impatto dolcemente doloroso della sua voce. Il possesso di una voce simile, pensò disperato, dovrebbe esser limitato per legge alle donne brutte. Le preparò una vodka con acqua tonica, ricordando automaticamente che era la sua bevanda preferita, e le fece segno di andare avanti in direzione del lungo divano che si trovava all'estremità più lontana del soggiorno bianco arredato in modo austero. Circondato com'era da una valanga degli oggetti più disparati per tutto il giorno, Spider aveva deciso di vivere in un ambiente spazioso ma il più vuoto possibile. Spinse una poltrona pieghevole, di tela, abbastanza lontano da Melanie in modo da poter mettere fra loro una certa distanza. Lei si spostò il più vicino che poteva, sul divano. Spider, a meno di non spostare un po' più indietro la sua poltrona, si vide inchiodato in quel posto; non aveva altra scelta. Aspettò in silenzio.

« Grazie per avermi lasciato venire... » la voce di Melanie si interruppe, facendosi incerta. « Dovevo vederti. Spider... forse puoi spiegarmi certe cose. »

« Spiegarti! »

« Sono così confusa su certe cose... e tu avevi l'abitudine di farmi tante domande su me stessa... forse puoi spiegarmi quello che mi succede. »

« Bella mia, sei venuta nel posto sbagliato. Vai a cercarti un lettino dove distenderti in Bedford Drive e troverai dozzine di brav'uomini che non aspettano altro che aiutarti

431

a scoprire cosa cavolo c'è che non va in te, ma io non sono un analista e non ho intenzione di cominciare a esserlo adesso. Se hai bisogno di un consiglio per il tuo guardaroba, sono lietissimo di aiutarti, ma altrimenti, devi cavartela da sola. »

« Spider, non sei mai stato così crudele. »

« E tu? »

« Lo so. » Restò in silenzio, guardandolo gravemente senza neppure un barlume supplichevole negli occhi o un lieve palpito di persuasione, il che già di per sé era un gesto di abilità consumata, da vera artista. Il silenzio si prolungò. Melanie si rifiutava, muta, di scendere a una schermaglia verbale con i sentimenti di Spider. Sapeva che non ce n'era bisogno.

« Ah, cazzo! Qual è il problema? Wells Cope? La tua carriera? »

« No... no... non esattamente. È buono con me, non potrebbe essere più buono di così, e sta cercando disperatamente un altro soggetto per me... di questo non posso lamentarmi. Il fatto è che i risultati non sono stati quelli che speravo. Spider, non sono felice. » Disse queste tre parole con autentico stupore come se avesse scoperto questo fatto in quel preciso momento e dicesse per la prima volta ciò che veramente provava.

« E ti aspetti che sia io a dirti perché non sei felice? » disse Spider con voce priva di espressione, completando il pensiero di Melanie.

« Sì. »

« Perché proprio io? »

« Siamo stati felici in passato... ho pensato che forse ti ricordavi perché. » Era semplice, triste, dubbiosa, spogliata del suo mistero, una condizione che sembrava preannunciargli la resa definitiva.

« Io so perché ero felice allora, Melanie; ma non l'ho mai saputo con certezza per quel che ti riguardava. » La voce di Spider era aspra. Non voleva una vittoria, adesso.

« È così, hai pensato che potevi tornare da me e sentirti felice di nuovo, Melanie? È così? » Lei annuì timidamente. « Non funziona... non lo sapevi? »

« Ma potrebbe! Sono sicura che potrebbe funzionare. Oh, non sono una stupida; la so anch'io la storia della minestra riscaldata che non è più quella di prima, ma non credo che sia vera per chiunque, noi potremmo essere diversi. Io sono cambiata, Spider, sono cresciuta, credo; non sono più la stessa persona... e tu sei l'unico con il quale mi è sempre parso di poter... comunicare. Per piacere, per piacere! »

« Finirò per arrivare tardi alla cena a cui sono invitato, Melanie. » Lei si alzò dal divano e venne verso Spider. Lui rimase seduto dov'era. Melanie si inginocchiò sul nudo pavimento e gli abbracciò le gambe, appoggiandogli il mento sulle ginocchia come una bambina stanca.

« Lasciami stare così per un minuto... poi me ne vado », sussurrò con una vocina piccola piccola. « Oh, è bello esserti così vicino di nuovo, anche solo toccarti, restarti accanto... mi basta, quasi. » Alzò la testa dalle ginocchia di Spider e lo guardò negli occhi. « Per piacere. »

« Cristo! » Spider la prese fra le braccia e la portò in camera da letto. Mentre la spogliava, Melanie coprì con una tempesta di baci ogni parte del corpo di Spider che riusciva a raggiungere, come se avesse paura di vederlo cambiare idea. Mentre seguiva le mani di lui che le passavano sul corpo nudo, le labbra che cercavano tutti i posti che aveva amato, si lasciò sfuggire un gemito di piacere e quando sentì le labbra ardenti di lui fra le cosce disse « Bello... bello... bello » a denti stretti e quando la penetrò, si lasciò sfuggire un sospiro soddisfatto, mentre seguiva con il corpo ogni movimento di Spider. Quando fu tutto finito, restarono distesi insieme per un attimo, esausti, prima che Spider si tirasse su con un gesto brusco, andando a sedersi sull'orlo del letto. Di lì contemplò Melanie ancora distesa, in stato di abbandono. Lentamente, la ragazza girò gli occhi verso di lui abbozzando un sorriso compiaciuto.

« Ah, è stato così bello... Dio, mi sento meravigliosamente bene! » Agitò le dita dei piedi e stiracchiò le braccia oltre la testa con un gemito di sollievo. Spider ebbe la certezza che in quel momento non recitava. « Lo sapevo... ne ero sicura... vedi, non avevo ragione? Possiamo amarci di nuovo come una volta. »

« Ti senti felice adesso? »

« Tremendamente felice, tesoro. Spider adorato. »

« Io, no. »

« Cosa! »

« Provo la stessa felicità che proverei se avessi appena finito di farmi fare un buon massaggio. Il mio uccello ti dice grazie, ma felice... felice nel cuore... no. Erano parole senza la musica, Melanie. » Aveva appoggiato la mano su quella della ragazza e gliela strinse quando notò che un'espressione di paura aveva cancellato il sorriso di prima. « Mi spiace, dolce creatura, ma mi sento soltanto svuotato, svuotato e triste. »

« Ma com'è possibile, dal momento che mi hai resa così felice? » Quel tono supplichevole e piagnucoloso era, forse, il più genuino e autentico che avesse mai sentito uscire dalle labbra di Melanie fin dal giorno in cui l'aveva conosciuta.

« Per me non è più sufficiente, Melanie. Tu non mi ami, vuoi soltanto che sia io ad amarti. »

« No, Spider, te lo giuro... ti amo... sul serio! »

« Se fosse vero, non sentirei questa tristezza, questo senso di vuoto. Quando sento qualcosa dentro, ascolto. Tu ami il modo in cui ti faccio sentir bene, ami il modo in cui sei entrata qui dentro per sedurmi, ami l'attenzione, le carezze, l'essere ascoltata, le domande, la discussione che ha come oggetto Melanie e il perché nella sua vita c'è qualche cosa che non funziona. Ma, amare me? Su, figuriamoci! Non mi hai neanche chiesto come stavo. Tu ami quello che puoi prendere, non quello che puoi dare. Guarda, forse sarà anche vero che vorresti potermi amare, ma non ci riesci. »

« Come posso convincerti... che cosa posso dire... come posso farti credere... »

« Non puoi. Non essere triste, tesoro, non puoi. Tutto qui. Molto semplice. »

Melanie lo guardò e vide che Spider la conosceva meglio di quel che si conoscesse lei. Aveva bisogno di quella capacità di conoscersi, ne aveva bisogno per se stessa.

« Spider... »

« Lascia perdere, Melanie. Non può funzionare. » La voce di Spider era implacabile, distaccata. E peggio ancora, era piena di un sincero sollievo. Perfino Melanie sapeva riconoscere la sconfitta quando ci si trovava di fronte, anche se era la prima volta che le capitava nella vita. La luce di cui aveva pieni gli occhi scomparve bruscamente come un televisore che viene spento.

« Ma, ma... oh, Spider, che cosa faccio adesso? » piagnucolò.

Lui le sfiorò con un dito la curva della guancia dall'orecchio al mento, un gesto così impersonale che era ancor più definitivo di uno schiaffo.

« Torna a casa, Melanie. Un giorno o l'altro succederà pur qualcosa alla più bella ragazza del mondo, puoi star certa! »

« A che diavolo vuoi che mi serva! »

« Non pretendere troppo, bambina, non pretendere troppo! »

La festa di Jacob Lace era al culmine quando arrivarono Josh e Valentine. Era stata lei a combinare le cose in modo da arrivarci un po' sul tardi in modo da non farsi notare troppo. Così, confusi tra la folla, passeggiarono sui prati verdi, godendosi con immenso piacere la sensazione insolita di trovarsi insieme in pubblico.

Tuttavia la loro presenza non poteva passare inosservata. Valentine, con quell'aria da giovane maga che sorvegliava il regno che le spettava di diritto, il passo lieve, danzante, e il vestito spudoratamente romantico, dava l'impressione che le mancasse soltanto la bacchetta magica con una stella luccicante in punta per essere trasformata in Tatiana, la regina delle Fate. Josh, abituato a una Valentine confinata entro quattro mura, intenta a cucinare la cena, a bere vino o a fare l'amore, faticava a convincersi che fosse la stessa ragazza che adesso si aggirava fra centinaia di persone celebri e famose con la stessa disinvoltura di chi è nato su un palcoscenico.

Un ometto si staccò dalla folla e si affrettò ad andare incontro a Valentine. Quando la raggiunse, le buttò le braccia al collo senza degnare di uno sguardo Josh.

« Jimbo! » esclamò lei, piacevolmente sorpresa.

« Dovrei prenderti a sculacciate, ecco che cosa dovrei fare, furba puttana sexy che non sei altro! » Valentine, per tutta risposta, scoppiò a ridere ancora più forte di prima, passando le dita fra i capelli dello sconosciuto mentre Josh restava a guardarli allibito, incapace di credere che qualcuno potesse parlarle con quel tono. « Ci sei mancata da matti, a Prince più di tutti, anzi no, a me più di tutti... come hai avuto il coraggio di scappartene via a quel modo per diventare ricca e famosa? Forse non riuscirò a perdonarti mai più. Dov'è la tua gratitudine, ragazza? Non mi hai mandato neanche un biglietto di auguri a Natale! »

« Jimbo, non ti ho mai dimenticato,. ma ho avuto tanto da fare... oh, come se tu non lo sapessi! Questo è Josh Hillman. Josh, Jimbo Lombardi è uno dei miei compagni di giochi di una volta... cattivissimo, per di più. » I due uomini si strinsero la mano con un po' di imbarazzo. Valentine, intanto, non si staccava dal braccio di Jimbo. « Dimmi che cosa hai fatto di bello in questi ultimi tempi, pessimo soggetto. Chi sei riuscito a corrompere ultimamente? »

« Effettivamente... »

« Su, racconta! »

« Ecco... dicono che le grandi mode partono tutte dalla Costa, ma questa volta credo che sia New York a essere la prima, e io sono il numero uno a New York. »

« Piantala di fare tanti misteri », lo stuzzicò lei.

« Stupende creature sposate. » Jimbo piegò la testa da un lato e la guardò con orgoglio. « Quasi subito dopo che hanno detto sì. »

« Jimbo... sei proprio perfido », disse Valentine in tono un po' ironico. « Che cosa fai, li aspetti sui gradini della chiesa e poi riesci a incantarli e a farli venire via con te? »

« Niente di simile, Valentine, come sei poco fine! Aspetto il primo anniversario, mia cara, è il meno che posso fare, e poi... be', ti posso dire solo questo, che rimarresti di stucco a vedere come è facile. »

« Oh, no, niente affatto. E che cosa succede alle povere spose? »

« Per quanto strano possa sembrare, in genere sono talmente lusingate di far parte del gruppo di Prince, che passano sopra a tutto. Oh, trovano tanti modi per divertirsi, secondo me! Uno spasso favoloso, e tu lo perdi tutto. »

« E come reagisce Prince di fronte a queste tue iniziative private? »

« Santo Iddio, tesoro, Prince e io è come se fossimo sposati! Lo sai questo... sono suo per la vita... queste cosette non gli fanno il minimo effetto. Prince non crede nel pugno di ferro. Preferisce lasciare le briglie sul collo alle persone. »

« Certo che, con me, ha fatto proprio il contrario », disse Valentine in tono superficiale, ma non del tutto privo di un certo risentimento.

« Ma, carissima Valentine, lì si trattava di affari! Senti, dev'essere qui in giro. Chissà come sarà contento di vederti. Vado a cercarlo e gli dico che sei qui. Poi ci ritroviamo. » E si allontanò in gran fretta, com'era venuto, schioccando un altro bacio a Valentine e salutando Josh con un cenno della mano.

« Chi era quell'essere? » domandò Josh strabiliato.

« Oh, un vecchio amico. Un amico fantastico. Bisogna conoscerlo, tesoro. »

« Temo che sia un po' difficile. »

« Oh, non essere così noioso; non tutti possono fare l'avvocato. » Valentine era ancora eccitata per l'incontro con Jimbo: le erano sempre piaciute le sue smargiassate, i suoi modi seducenti, l'immediata simpatia che aveva avuto per lei e che le aveva permesso di entrare a far parte della cerchia degli intimi amici di Prince. « In realtà, Jimbo è stato un eroico soldato, ha medaglie a tonnellate, tutte prese in Corea. E a quell'epoca, era normale. Racconta certe storie così strane che ho fatto fatica a crederci, ma mi ha detto che era stato sedotto in ospedale, quando era in trazione e quindi non poteva difendersi in nessun modo. Credo che sia stato un infermiere o forse anche un dottore. È stato così che è cominciato; poi si è messo su quella china e non c'è stato più niente da fare. »

« Non ne dubito », disse Josh, cercando di non dare un tono burbero alla sua voce.

Mezz'ora dopo, mentre aspettavano che il barman preparasse le loro bibite in una delle tende sparse qua e là nel giardino di Lace, Josh si irrigidì prevedendo quello che li aspettava, quando un bell'uomo dall'aspetto interessante guardò Valentine e la riconobbe. Stava per voltarsi e allontanarsi, come per evitarla, quando lei esclamò in tono imperioso: « Come stai, Alan? » Quello si voltò e avanzò di qualche passo, abbozzando un sorriso un po' incerto. « Josh, ti presento Alan Wilton, la prima persona con cui ho lavorato nella Seventh Avenue. Josh è un mio amico della California. »

« Sì », disse Wilton, con un tono pieno di nervosismo. « Ho letto quello che scrivono di te i giornali, Valentine. Hai ottenuto un magnifico successo. Ne sono felicissimo, ma non mi sorprende affatto. Che in te ci fosse la stoffa della grande stilista, lo si sapeva, era solo una questione di tempo. »

« Dimmi un po', Alan », mormorò Valentine in un tono pericolosamente soave. « Come sta il tuo piccolo amico, Sergio? È sempre con te, continua sempre a fare quello che vuoi, continua a prendere ordini... oppure continua a darli, gli ordini, Alan? Non l'hai portato con te stasera? No? Non era stato invitato? Peccato, un ragazzo così bello, così affascinante, Sergio... anzi, addirittura irresistibile... non sei anche tu di questo parere, Alan? » Josh, senza capire, guardò lo sconosciuto che ora aveva la faccia liscia e olivastra coperta di rossore. « Valentine... » cominciò Alan in tono supplichevole.

« E allora, Alan, Sergio è sempre con te o no? » Josh non aveva mai sentito la sua voce trasformarsi in una sferzata glaciale come in quel momento.

« Sì, lavora sempre per me. »

« Che cosa stupenda può essere un servizio fedele, vero? E la lealtà e l'onestà... mio Dio, Alan, sei proprio un uomo fortunato. A dire la verità, credo di sapere già la risposta alle domande che ti ho fatto... ho visto la tua nuova linea di confezioni e Sergio continua a servirsi dei miei vecchi schizzi. Non sarebbe ora di cambiare, Alan, oppure è diventato troppo... indispensabile? Forse ti sei accorto che non puoi stare senza di lui, è così? Che linea sottile separa il padrone dal servo... o dovrei dire dallo schiavo? Ho riflettuto spesso su questo. E tu, Alan? » Valentine gli voltò le spalle, prese Josh sottobraccio e si allontanò rapida, tremando in tutto il corpo in preda a una emozione che Josh non poteva capire.

« Ma cos'è stata tutta questa storia, per amor del cielo? »

« Quello schifoso finocchio! »

« Non ti capisco... adori Jimbo, detesti questo tizio... ma è assurdo. »

« Non chiedermi di spiegartelo, Josh. È troppo complicato. » Valentine sospirò profondamente e scosse la sua zazzeretta ricciuta color paprika come se volesse buttarsi dietro le spalle tutto quell'incidente. « Su, vieni, voglio farti conoscere certe persone... Prince e la sua banda... Osserva la gente brillante, amore; a Beverly Hills non abbiamo niente del genere, forse qualche pallida imitazione, ma niente di simile. » Poco dopo, mentre Josh avanzava riluttante, chiamato da un gesto spazientito di Valentine, sentì un uomo dallo aspetto di gentiluomo di campagna sempre vestito di tweed anche se adesso era in smoking, che le diceva, stringendole le mani fra le proprie: « ... così, vedi, Valentine, mia cara, è a me che devi tutto questo... se io non ti avessi licenziata come un vero idiota, tu saresti ancora a lavorare per me invece di essere diventata la stella più splendente nel cielo della moda ».

« Oh, no, Prince, non illuderti », rispose Valentine con una incrollabile sicurezza, « avrei trovato il modo di arrivare dove sono arrivata anche a dispetto della tua mancanza di buone maniere. » E gli diede il bacio del perdono.

Prince osservò con aria piena di interesse Josh quando Valentine li presentò. « Così questo è il tuo amico californiano, piccola mia? »

« Oh, Prince, come sei sciocco. Il signor Hillman è il mio avvocato. L'ho fatto venire perché mi proteggesse dai vecchi amìci. »

« Hillman, naturalmente... Josh Hillman. Come sono stato stupido. » Si voltò verso Josh con una luce nuova negli occhi. « Sua moglie Joanne è una delle nostre più adorate clienti... Joanne e io ci conosciamo da tanto tempo, signor Hillman, come lei certo saprà se ricorda di aver pagato le mie fatture. Una signora incantevole e deliziosa. La prego, le dia un bacio per me quando torna a Los Angeles. »

« Non me ne dimenticherò, signor... ehm... Prince », disse Josh.

« Prince soltanto, signor Hillman, Prince soltanto », rispose l'altro con una risatina sorda, degna di Enrico VIII.

Valentine cercò di allontanarsi con Josh dal gruppo degli amici di Prince. Quando si voltò a guardarlo, osservò che era pallido, con la faccia preoccupata.

« Buon Dio, non avrei mai creduto... e Prince le racconterà tutto per filo e per segno, su questo puoi contare... lo conosco troppo bene per illudermi che si lasci sfuggire questa occasione. Forse se gli dicessi due parole... »

« No, assolutamente », rispose Josh. « Renderebbe tutto ancora più chiaro. Lui, in questo momento, non è sicuro di niente, ma se tu gli parlassi, lo saprebbe con certezza. In fondo, un avvocato può ben farsi vedere in pubblico con una cliente! Non pensarci più, tesoro, non è importante. »

Colta da un tremito, Valentine gli si aggrappò al braccio e lo condusse al riparo di un ciuffo di alberi. « Oh, Josh, è stato un errore farti venire. Sono molto preoccupata. »

« No, non essere preoccupata, te ne prego. Sei troppo bella per angustiarti in questo modo. Ti rovini tutta la festa... stasera... sei una maga irlandese ed è un peccato nascondere sotto gli alberi questo vestito così bello. Andiamo a ballare. No? Bene, se non vuoi ballare, stiamocene qui sotto gli alberi a sbaciucchiarci. » La strinse fra le braccia e la baciò finché la sentì rilassarsi e rispondere al suo ardore, a dispetto dello choc che aveva avuto per colpa di Prince. « Così va meglio, amore mio. Adesso, andiamo a ballare. » E Josh riuscì a trascinarla sulla pista da ballo, affollata di belle donne, nessuna delle quali poteva eclissare Valentine in quella serata trionfale.

Verso l'alba, quando tornarono finalmente nella suite del loro albergo, Valentine si addormentò subito. Josh Hillman rimase alla finestra a vedere il sorgere del sole, una cosa che non faceva più dall'epoca in cui andava all'università, quando rimaneva alzato tutta la notte a studiare. Stava pensando alla nuova Valentine che gli si era rivelata quella sera, una Valentine che sapeva essere caustica, graziosa, maligna, dispettosa e adorabile di volta in volta nel giro di mezz'ora, una Valentine che si trovava perfettamente a proprio agio alla festa più importante e affollata che mai avesse visto, una Valentine che tutta quella gente aveva trattato come un'eroina. Si rese conto che, fra tutti i sentimenti che aveva provato la sera prima, il senso di pericolo e il risentimento avevano avuto una parte preponderante quando aveva visto Valentine sfuggirgli per entrare in un mondo, e assumere un ruolo, per i quali non l'aveva mai preparato.

Di tanto in tanto, da quando Valentine era tornata dal primo viaggio in Inghilterra, Josh Hillman, nel suo modo spassionato e caratteristico di uomo di legge, traeva la conclusione di aver raggiunto l'equilibrio perfetto nella sua vita. Aveva tutto: la posizione di avvocato brillante e saggio nel suo studio; un posto solidissimo nella struttura di potere della sua comunità; una moglie che si occupava di metà delle opere di beneficenza di Los Angeles ma riusciva contemporaneamente a essere una buona madre e un'abilissima padrona di casa e, a completamento di tutto questo, Valentine che gli aveva portato quel gusto per l'avventura romantica che non aveva mai provato prima e che, al tempo stesso, era tanto indipendente e tanto fiera da non voler niente da lui.

Adesso, contemplando le torri di New York, Josh Hillman provò a prendere in esame spassionatamente la vita ideale che aveva avuto e si pose una domanda insolita: perché aveva messo in pericolo tutto ciò?

L'aveva sempre saputo, fin dal giorno in cui Valentine gli aveva detto che sarebbe andata al ricevimento di Lace, che era impossibile, se ci fosse andato anche lui, non incappare almeno in una persona di sua conoscenza. Le persone che hanno raggiunto un certo livello sociale finiscono per conoscersi dappertutto nel mondo. E lui, Josh, non aveva fatto niente per evitare di essere scoperto. Quindi, ne veniva di conseguenza che aveva voluto essere scoperto. Con tutto ciò non era un uomo che mirasse all'autodistruzione. Al contrario, aveva fatto una vita costruttiva per quarant'anni, una vita pianificata con cautela, con serietà, per procurarsi tutti i beni e i vantaggi che un uomo di buon senso poteva desiderare per se stesso. Lui, Josh, era l'uomo più pieno di buon senso che avesse mai conosciuto.

Con una certa stanchezza, Josh Hillman arrivò alla conclusione che nessun uomo poteva vivere una vita basata interamente sul buon senso e avere ancora un po' di rispetto per se stesso. Si accorse che molti pezzi del mosaico andavano a posto nel suo cervello. Poiché era arrivato a varie conclusioni, quali che fossero, sentì un immenso bisogno di dormire e di non portare oltre quella linea di pensiero. Era già una novità sufficiente scoprire in una sola notte di non essere più l'uomo che aveva sempre creduto di essere.

Anche questa volta Valentine e Josh avevano organizzato le cose in modo da rientrare a Los Angeles con due voli diversi. Ma la mattina successiva la festa, Josh cambiò il suo biglietto per essere sullo stesso aereo che prendeva Valentine e le spiegò che lo faceva perché non ci sarebbe stato nessuno a riceverlo all'aeroporto. Aveva appena telefonato alla sua famiglia avvertendo che non sapeva con precisione quando sarebbe rientrato.

Non esiste momento di intimità più esaltante e che abbia qualcosa di più speciale di quello che provano due persone sedute insieme a bere champagne in un salottino di prima classe a diecimila metri dal suolo. Valentine era seduta al finestrino e stava ripensando a qualcuno dei momenti più piacevoli del ricevimento di Lace, quando Josh interruppe le sue fantasticherie.

« Smettila di sognare a occhi aperti, tesoro, e stammi a sentire. » Valentine si voltò, pronta a prestargli tutta l'attenzione possibile, ma aveva ancora in mente la festa. « Devo dirti qualcosa », disse Josh, prendendole una mano fra le sue. « Voglio che ci sposiamo. »

« Oh, no! » Valentine rimase colpita come Josh dalla violenza e dalla immediatezza della propria reazione. Per quanto le parole di Josh fossero inaspettate, la sua risposta fu istantanea. « Non puoi dirlo sul serio; è impossibile! »

« Non è affatto impossibile. Sono mesi che ci penso.

Solo che non me ne ero mai accorto. L'ho capito la notte scorsa. »

« No, no, Josh, è una follia. La verità è che ti senti di buon umore perché non esistono telefoni su questo aeroplano. Che pazzia! »

« Non è affatto vero, tesoro. Non sono il tipo che si dà alle follie, non ti sembra? » Adesso Valentine lo guardò con un'espressione nella quale alla sorpresa di prima si univa la rabbia.

« Anche l'uomo più ragionevole del mondo ha i suoi momenti di pazzia », ribatté asciutta. « Josh, lo sai benissimo che è impossibile. Non voglio neanche parlarne. Io sono felicissima delle cose così come stanno. Io ho te e tu hai me... perché dovresti rovinare la tua vita, quella di tua moglie e quella dei tuoi figli? »

« Cristo, sei più conformista di me. "Rovinare la mia vita"... che cosa credi? Che un divorzio rovinerebbe la mia vita? È una cosa banalissima che succede tutti i giorni e alle persone migliori del mondo. L'unica cosa che potrebbe rovinarmi la vita sarebbe quella di passare il resto dei miei giorni senza di te. »

« Ma come puoi essere così egoista? E tua moglie? Ma se siete sposati da diciannove anni! Ti ama, deve amarti! »

« Io credo che se dovesse scegliere fra me e il Centro di Musica, magari anche con il Cedars Sinai, sceglierebbe loro e lascerebbe andare me. Sono anni ormai che non abbiamo più una vita piacevole insieme, e tu lo sai. Se avessi amato mia moglie non mi sarei mai innamorato di te nel preciso momento in cui sei entrata nel mio ufficio. Avrei pensato soltanto che cosino appetitoso e pieno di pepe è questa ragazza, ecco che cosa avrei pensato, e ti avrei dimenticata. » Valentine non ne fu completamente convinta.

« E i tuoi ragazzi? Sono tre. Come puoi pensare... anzi, come puoi addirittura prendere in considerazione l'idea di... divorziare con tre figli? »

« Questa è la parte più brutta della faccenda, sono d'accordo. Però ascoltami, Valentine, sono cresciuti in una casa che offriva ogni sicurezza, sono bravi figlioli, hanno già una personalità ben formata, hanno superato lo stadio più vulnerabile della loro vita; non posso rinunciare a vivere con te il resto della mia vita solo perché sono ancora adolescenti. Fra sei anni avranno finito il college e se ne saranno andati ognuno per la propria strada, anzi, fra due anni soltanto andranno al college e torneranno a casa solo per le vacanze. E Joanne è ancora abbastanza giovane e attraente per risposarsi. » Valentine meditò per un attimo su tutte queste considerazioni mentre la sua rabbia svaniva, ma la riluttanza restava forte come prima.

« No, no, è impossibile. Mi troverei in una posizione così falsa, mi odierebbero; la gente... la gente direbbe... oh, non riesco neanche a pensarci! Non lo sopporto! »

« Sono cose che non durano più di otto giorni, tesoro mio, e tu lo sai. Abitiamo a Beverly Hills, non in un villaggio inglese dell'epoca vittoriana. Ti lasci sconvolgere da cose che non hanno un gran significato quando le confronti con la possibilità che noi si possa vivere insieme per il resto dei nostri giorni. »

« Ma, e io? E se volessi avere bambini? Tu hai già una famiglia e i tuoi figli sono grandi. Lo capisci questo? » domandò in tono lamentoso.

« Mi piacerebbe metterti incinta anche domani. Puoi avere tutti i figli che vuoi per quel che mi riguarda. Vedi, a me piacciono i bambini... questo è un particolare di me che non sapevi. » Si mise a ridere. « È il mio vizio segreto. »

« E la mia carriera è appena cominciata, Josh. Devo lavorare tutti i giorni, perfino il sabato. Non potrei dirigere una casa allo stesso modo di tua moglie... »

« Sciocca, adorabile Valentine. Dici un sacco di stupidaggini. Sentimi bene: puoi avere tutti i bambini che vuoi e la tua carriera e tutta la servitù che ti occorrerà per mandare avanti il ménage comunque io non vorrei un treno di vita e una casa troppo impegnativi. Valentine, non mi ami abbastanza? È questa la verità? »

Lei scosse la testa, facendo segno di no e distolse gli occhi per sfuggire allo sguardo indagatore di Josh.

« Sei avvocato fino al midollo, Josh; non riesco a spiegarlo in un modo logico. È un'idea troppo grossa. Abbiamo un amore meraviglioso... e adesso tutto deve finire in un

Bum! Le vite di tutti devono essere riorganizzate e tutti dovranno prendere un posto diverso da quello di prima solo perché tu vuoi sposarti. Non è... *comme il faut*, ecco. »

Josh sorrise, pieno di sollievo e di indulgenza. Portava quella idea dentro di sé da troppo tempo per non rendersi conto di quanto dovesse essere sbalordita, anzi addirittura sconvolta, Valentine nel sentirgliela esporre. In fondo, era il prodotto di una cultura che non prendeva tanto alla leggera il matrimonio e il divorzio, lei! E neanche lui, a ben pensarci.

« Ascoltami, tesoro, se non vuoi dirmi sì e non vuoi dirmi no, puoi almeno rispondermi con un forse a tempo indeterminato? »

Di malavoglia, ma non essendo più capace di restare decisamente sulle proprie posizioni, Valentine disse: « Soltanto un forse a tempo indeterminato, ed è tutto, assolutamente tutto. Per piacere, Josh, ti avverto: non illuderti che sia qualcosa di più perché non lo è. E non fare altri progetti che riguardino anche me e non parlarne con nessuno, nessuno, intendi? Altrimenti ti risponderò di no, te lo giuro. Non voglio che mi si faccia fretta perché prenda una decisione. Non voglio sentirmi fare pressione, non prenderò una decisione finché non sarò pronta ».

« È più difficile raggiungere un punto d'accordo in una trattativa di affari con te che con Louis B. Mayer. E lui è morto! OK, vuol dire che cominceremo con un forse a tempo indeterminato e vedrò di fare quello che posso per migliorare la mia posizione. »

Il suo cervello di uomo di legge era già impegnato a studiare il modo di ottenere il divorzio da Joanne con un minimo di recriminazioni, un massimo di dignità e il meno possibile di perdite nelle proprietà comuni. Josh Hillman aveva validi motivi per sentirsi sicuro che un « forse » di qualsiasi tipo da parte di Valentine sarebbe diventato, col tempo, un « sì ».

Vito e Fifi Hill si accinsero a cercare gli attori per *Specchi* con quel gusto speciale e quella sensazione di recitare la parte di Dio in terra che derivavano soltanto dal fatto che, nel bilancio preventivo, non erano contemplati compensi da divo per nessuno. Privati del solido sostegno che offre sempre il nome di una stella di prima grandezza, potevano permettersi di spaziare maestosamente col pensiero fra le centinaia di nomi di attori che già lavoravano, per non parlare delle migliaia di quelli che non lavoravano, scegliendo, considerando, scartando, tornando a prendere in considerazione, provando determinate combinazioni di protagonisti, rifiutandole, il tutto con una specie di godimento tanto innocente quanto arrogante che sarebbe totalmente sparito non appena una scelta precisa fosse stata fatta e si fossero visti costretti a sostenerla.

Già molto prima del 4 luglio erano stati trovati gli attori che avrebbero recitato le tre parti più importanti, quelle dei due innamorati e una terza, quella della ragazza amica dei due innamorati. Quest'ultima, che era in sostanza una parte di secondo piano ma di grande importanza, venne affidata a una ragazza che si chiamava Dolly Moon. Due anni prima aveva fatto parte regolarmente del complesso degli attori che recitavano in uno di quei programmi televisivi mandati in onda d'estate come riempitivo. Generalmente si affidano, per avere successo, a quella comicità che viene chiamata « da torte in faccia », e consiste soprattutto in battute di spirito banali e vecchiotte e in scenette nelle quali i personaggi che abbiano una discreta presa sul pubblico si comportano simpaticamente da idioti e se ne lasciano fare di tutti i colori. Dolly Moon aveva attirato l'attenzione del Paese per qualche settimana con una risata caratteristica che stava fra il gorgoglio, lo « jodler » da montanara tirolese e il nitrito, con la quale accettava bonariamente la serie di umiliazioni prive di spirito di cui la volevano vittima i soggettisti di ogni puntata. Possedeva l'attrazione rara e particolarissima dell'attrice comica nata: bastava vederla una volta per non dimenticarsi più del suo aspetto perché aveva un'aria goffa, cocciutamente sciocca, tenace e inaffondabile, con gli occhi troppo grandi sempre sbarrati di fronte a ogni evento, la bocca troppo grande sempre pronta al sorriso, il sedere e i seni troppo voluminosi che la rendevano il bersaglio dei sogghigni appena velati dei soggettisti.

Tuttavia, prima di poter sfruttare quel successo imprevisto, la ragazza si era innamorata di un cowboy che si esibiva in un rodeo ed era scomparsa, fra la rabbia e gli improperi del suo agente, per seguire la tournée di lui. Vito l'aveva vista in quell'unico programma della TV e, con la sua famosa memoria per le facce interessanti, l'aveva ricordata ed era riuscito a rintracciarla. Era tornata a Los Angeles, non ne voleva più sapere di rodei ed era senza lavoro.

I due innamorati dovevano essere Sandra Simon e Hugh Kennedy. Sandra Simon aveva diciannove anni e possedeva un garbo languido e gentile e un fascino inquietante, da piccola orfana derelitta, che faceva subito presa. In quel periodo stava recitando in una trasmissione televisiva a puntate che aveva ottenuto un gran successo di pubblico, e il suo agente aveva incontrato non poche difficoltà per ottenere che il suo personaggio comparisse nel copione per le sette settimane necessarie a farla lavorare con Vito. D'altra parte la ragazza ci teneva a lasciare la TV per il cinema e finalmente era riuscita a ottenere quello che voleva.

Hugh Kennedy si era diplomato alla scuola drammatica di Yale, e aveva fatto molto lavoro nei teatrini minori prima di ottenere una parte in un film in costume di second'ordine. Vito, che considerava indispensabile per il proprio lavoro andare a vedere il maggior numero possibile di film, e qualche volta arrivava al punto di assistere a tre proiezioni al giorno, aveva notato che, malgrado il turbante e i baffi finti, Kennedy aveva il bell'aspetto venato di romanticismo del tipo virile contemporaneo che sembra scomparso dagli schermi con grande desolazione delle spettatrici.

Prima della fine di giugno erano stati trovati oltre ai tre personaggi principali, anche tutti quelli che avrebbero dovuto assumere i ruoli minori. Sid Amos, lavorando con tutta la rapidità possibile, aveva già consegnato tre quarti di un copione che era addirittura migliore di quanto Vito avesse sperato e aveva promesso il resto per la settimana successiva. Il ritmo frenetico di quelle ultime settimane aveva lasciato Vito esultante e pieno di aspettative. L'ultima cosa al mondo che desiderasse era di trovarsi con un sabato libero ma, dopo aver tentato senza successo di fare una dozzina di telefonate, dovette arrendersi all'inevitabile e passare qualche ora di relax con Billy.

« Sai che cosa faccio adesso? » le chiese.

« Chiami Tokio? »

« Ti porto fuori a cena. Una creatura grande, grossa, stupenda, favolosa a letto, come sei tu se lo merita. Una cena romantica... a base di pastasciutta! »

« Caspita! » disse Billy. Ma il suo sarcasmo andò completamente sprecato con Vito che aveva cenato a casa ogni sera, da quando si erano sposati, con il telefono vicino al piatto. Quando erano tornati a casa da Cannes, aveva chiesto che gli installassero tre linee telefoniche separate in camera da letto, nel suo bagno, nel suo spogliatoio, nella biblioteca, in sala da pranzo, nel soggiorno e nel padiglione della piscina. Oltre a questo, non aveva fatto altri cambiamenti nell'imponente residenza di Billy in stile inglese, con la sua struttura di solido legno stagionato, che era stata costruita e abitata sempre dalla stessa famiglia fin dagli anni Venti e si trovava in una proprietà terriera di dodici acri, gli ultimi del possedimento spagnolo originario del Rancho San José di Buenos Aires. Billy l'aveva pagata due milioni e mezzo di dollari nel 1975 e aveva speso quasi un altro milione per ristrutturarla e arredare completamente a nuovo le trentasei camere che la componevano. Adesso queste erano state ridotte solo a venti, ma sprigionavano un voluttuoso senso di benessere piene com'erano di tesori e comodità di ogni genere e Vito, da quando aveva preso la decisione di sposare Billy a dispetto della sua favolosa ricchezza, se li godeva apprezzandoli profondamente fra una telefonata e l'altra, una riunione di lavoro e l'altra.

« Andiamo alla *Boutique* », disse. « Forse, se proviamo subito, riusciamo a prenotare un tavolo. Perché non telefoni ad Adolph e non ti fai fissare un tavolo per le otto e mezzo? »

« Se vuoi una serata romantica », rispose Billy acida, « perché non cominci con il telefonare tu stesso ad Adolph? »

La *Boutique* del ristorante La Scala è di proprietà di

448

Jean Leon, il quale è anche il padrone della Scala, più cara e più elegante. La cucina è la stessa, ma la *Boutique* attira le ragazze più carine e gli uomini più interessanti di Beverly Hills. Mentre la Scala è solo un altro buon ristorante italiano, la *Boutique* è molto particolare. È l'unico ristorante di Beverly Hills che potrebbe essere trasportato pari pari a New York City e trovarvi la stessa accoglienza. Si apre venti minuti prima di mezzogiorno per il pranzo, per il quale non si accettano prenotazioni, e già cinque minuti dopo ognuno dei sette séparé e dei quindici tavoli è occupato e al bar c'è la gente che fa la fila, imprecando contro se stessa per essersi illusa ancora una volta che il ristorante non fosse così affollato a un'ora tanto antelucana. Il sabato, alle tre del pomeriggio c'è ancora gente che aspetta di pranzare. Le vetrine della *Boutique* che danno sulla movimentatissima Beverly Drive, sono piene di scatole di marche rare di pasta e di bottiglie di olio d'oliva importato, di pacchetti di grissini, di vasi di vetro pieni di olive, acciughe, peperoncini e carciofini sott'olio. Dal soffitto pendono i fiaschi di Chianti, mentre le bottiglie, affiancate nelle rastrelliere, salgono fino a incontrarli e, in un angolo, c'è un banco di salumeria dove Adolph, il capocameriere in servizio di sera, affetta un tipo speciale di salame all'ora del pranzo di modo che il brusio della conversazione, che stupisce tanto è educata e vivace per essere nella California del sud, è punteggiato a intervalli regolari dal rumore del suo coltello.

Vito e Billy stavano avviandosi verso uno dei migliori séparé preceduti dal cameriere quando Vito scorse Maggie MacGregor e un giovanotto seduti a uno dei tavolini al centro del locale. Fece un cenno di saluto a Maggie e, non appena Billy si fu seduta, andò a salutarla più calorosamente con un grande abbraccio. Chiacchierarono rapidamente per qualche minuto e poi Billy vide che Maggie e il suo accompagnatore si alzavano e si avvicinavano al loro séparé.

« Non volevamo venire a darvi fastidio con la nostra presenza mentre cenate », disse Maggie in tono di scusa a Billy, « ma Vito ha talmente insistito! E lei sa com'è irresistibile quando vuole qualche cosa. »

« Oh, non ci date nessun fastidio. Non potrebbe farmi

maggior piacere », rispose Billy mascherando la propria irritazione con un sorriso garbato che avrebbe fatto onore alla zia Cornelia.

Le due donne si conoscevano in quanto Scruples considerava Maggie una delle sue migliori clienti, ma non si erano mai scambiate più di un saluto. Maggie, nell'opinione di Billy, era come un piccolo cane barbone aggressivo, ringhioso e pericoloso se non lo si trattava con il rispetto dovuto, perché lei aveva aperto e sfrenato bisogno di potere del quale non sembrava vergognarsi. Billy, che possedeva lo stesso forte bisogno di dominare, lo sentiva negli altri prima ancora di cogliere la presenza di qualche altra qualità, allo stesso modo in cui una donna che fa l'arrampicatrice sociale con impegno è capace di scoprirne un'altra anche fra centinaia di persone. A completar l'opera, Maggie faceva sentire Billy goffa e sciocca. Maggie era rimasta così entusiasta del modo in cui si vestiva per i programmi alla TV che si era comprata un guardaroba completo da Scruples anche per la sua vita privata, così squisito e raffinato che si era trasformata, seguendo i consigli di Spider, in una cortigiana dall'aria ambiguamente virginale, una specie di mezzana dall'aspetto immacolato, un roseo Fragonard o Boucher in abiti moderni.

Maggie, con tutta la sua intelligenza, perdeva il senso della misura quando si trattava di Billy. La vedeva soltanto sotto un aspetto, la donna che ha tutto, e non intendeva soltanto gli evidenti vantaggi che le dava la sua posizione, ma anche quell'imbattibile stile « alla Winthrop » che Maggie non riusciva mai a dimenticare, come l'altezza invidiabile e la magrezza e infine anche, maledizione, Vito Orsini.

« Angelo mio », si mise a tubare, « come mai si sente parlare tanto del tuo prossimo film? Mi ha detto Fifi che andate anche a girarlo fuori. Voglio venire a farti visita con qualcuno dei ragazzi della nostra stazione TV... potremmo mettere insieme un altro bel servizio. »

Vito fece un segno di scongiuro. « Gesù, Maggie, non sono superstizioso, ma ti sembra proprio una buona idea? » E scoppiarono a ridere tutti e due lasciando un po' perplessi sia Billy sia il giovane accompagnatore di Maggie, Herb

Henry, perché sembravano due complici che ridessero per qualcosa che soltanto loro sapevano.

« Senti, bambino, secondo i miei calcoli sono ancora io a trovarmi in debito con te, capisci quello che voglio dire? » domandò Maggie. Vito fece segno di sì. Sapeva perfettamente che la prontezza con cui Maggie aveva trovato una soluzione alla spinosa faccenda messicana non era stata del tutto scevra da un po' di calcolo per i vantaggi personali che gliene potevano venire. Del resto, fosse capitata anche a lui la stessa occasione non se la sarebbe lasciata sfuggire.

« Quando avrete scelto la località dove andare », continuò Maggie, « fammelo sapere e organizzo tutto io. Sono così stufa di fare programmi sugli attori che mi vien voglia di vomitare. Mi piacerebbe fare qualcosa sui produttori. Un giorno della vita di un produttore, qualcosa su una persona matura e responsabile, una volta tanto! Già, è un'idea che mi piace sempre di più... un cambio di ritmo. E tu sei il più maturo e il più responsabile di tutti i produttori che ci sono sul mercato. » Lanciò a Vito un'occhiata piena di ammirazione e di nostalgia. Poi, ricordandosi con un po' di ritardo quello che la buona educazione richiedeva, si rivolse a Billy. « Non la trova una buona idea? » Ma prima che Billy potesse rispondere, Vito si intromise.

« Gireremo a Mendocino, Maggie. Si comincia il 5 luglio e passeremo là tutte e sette le settimane di lavorazione. » Billy si accorse che il suo incantevole sorriso da maschera di cera si spegneva, sostituito da un'espressione di gelida sorpresa. Sapeva che Vito stava prendendo in considerazione varie località della California settentrionale, ma era soltanto adesso che veniva messa al corrente del fatto che una decisione era già stata raggiunta. « Quindi », continuò Vito, « se hai veramente intenzione di venire, comincia a darti da fare perché i tuoi capi si mettano in moto e ti ottengano una prenotazione perché quel posto deve pullulare di turisti. »

« Qualsiasi cosa sarà sempre meglio del motel messicano dove siamo stati l'ultima volta », disse Maggie con una risata che chiedeva la complicità di Vito ed escludeva tutti gli altri.

Mentre tutti e quattro attaccavano i cannelloni e i gamberi alla marinara la conversazione prese una piega ancora più stupefacente. Vito si lanciò nella discussione di qualcosa che chiamava « contabilità creativa ». Era il suo passatempo preferito: si trattava di un'esposizione dei metodi con i quali i maggiori studi di Hollywood erano stati i pionieri dei modi più ingegnosi di ridurre i profitti reali sui loro resoconti finanziari in modo che la gente che partecipava con una quota agli utili di un film, come i produttori, i registi e qualche volta anche gli attori, si trovasse in mano soltanto una frazione di quello che spettava loro, e magari anche niente del tutto.

Billy si accorse di essere completamente tagliata fuori dal discorso. Per quanto incredibile potesse essere, eccola lì seduta alla *Boutique* in compagnia del marito che amava, eppure con la stessa sensazione che aveva provato ai pasti del collegio, quando si trovava in trappola, costretta a sedersi allo stesso tavolo delle ragazze più popolari della scuola, a sentirle chiacchierare di amici comuni o delle feste alle quali erano andate mentre lei, invisibile e trascurabile, si sentiva annegare nella densa poltiglia della propria mortificazione e dell'odio che provava per la mortificazione subìta.

Prima che la cena finisse, Billy si accorse di aver imparato un sentimento che la vita le aveva sempre risparmiato: la gelosia, il turbamento più vergognoso, più abietto che esistesse.

Tutte le forme di sofferenza che aveva sperimentato durante gli anni dell'adolescenza e mentre diventava adulta, erano state forme di invidia, la sensazione che gli altri avessero qualcosa che anche lei desiderava avere ma non riusciva a ottenere. Ma qui c'era Vito suo marito da poco più di un mese, completamente assorbito dalla conversazione con una donna che faceva parte del suo mondo di lavoro e con la quale era evidente che divideva qualche segreto, dimenticandosi che c'era anche Billy con lui, divertendosi con gusto, mangiando con piacere come se lei non esistesse neppure. Si sentì lo stomaco pieno di bile per la gelosia e al tempo stesso si accorse che il suo io, nel profondo, era sconvolto per lo stupore: pareva incredibile che una donna come lei dovesse cedere a un turbamento così disgustoso e meschino.

Tornando a casa in macchina, Billy domandò in un tono noncurante che nascondeva un certo interesse: « Vito, chissà da quanto tempo conosci Maggie, vero? »

« No, tesoro, la conosco solo da un paio di anni. È venuta a Roma a farmi un'intervista, una volta, sai, mentre facevo quel film con Belmondo e la Moreau. »

« È stato allora che hai avuto una relazione con lei? » chiese in modo brillante, sempre con lo stesso tono un po' noncurante. Un altro uomo si sarebbe lasciato ingannare.

« Senti, Billy, non siamo bambini. Non abbiamo aspettato di incontrarci per perdere la nostra verginità e prima di sposarci eravamo rimasti d'accordo che non avremmo discusso il nostro passato. Non ti ricordi quel discorso che abbiamo fatto in aeroplano? » Scosse la testa con aria grave, guardandola. « Non voglio sapere, non vorrò mai sapere, neanche una sola parola sugli uomini che hai avuto nella tua vita. Sono molto geloso. E mi aspetto lo stesso rispetto per la mia vita. » Staccò una mano dal volante e la appoggiò su quelle di Billy. « Maggie stasera te l'ha fatto pesare un po' troppo e non posso darti torto. Sì, abbiamo avuto una piccola storia a Roma, niente di così terribilmente importante, ma siamo rimasti buoni amici. »

« Ti stai dimenticando del Messico? » Billy provò la sensazione che la bocca le facesse una smorfia di disgusto mentre pronunciava queste parole, ma non riuscì a trattenersi.

Vito si mise a ridere fragorosamente « Il Messico! Stupida, stupida, tesoro, sei un'idiota! Quel terribile motel è stato quello dove... non ti ricordi la storia di Ben Lowell e della sua controfigura che lui aveva picchiato e che morì poco dopo? Mio Dio, ma dov'eri in quel periodo? Se ne parlava dappertutto. »

« Me ne ricordo vagamente. Ero occupata con Scruples. Ma tu... nel Messico... con Maggie? »

« Amore mio, guarda che adesso stai esagerando. Questo è proprio quel genere di conversazione sordida e squallida che ci eravamo promessi di non fare mai. Adesso l'argomento dev'essere chiuso, per sempre. Tu non hai ragione di essere gelosa di nessuna donna al mondo e io non te ne darò mai motivo. Non amo nessun'altra. Non c'è nessun'altra che possa essere paragonabile a te. Tu sei mia moglie. »

Billy sentì la nausea provocata dalla gelosia che diminuiva lentamente nel suo ventre, ma non scomparve del tutto neppure in seguito a quello che Vito le aveva detto. In fondo, non era stata gelosa di Maggie come donna, ma di Maggie come persona che aveva avuto una parte nell'ossessione che provava Vito per il mondo del cinema.

Mentre salivano abbracciati, diretti alla camera da letto, Billy si ricordò stizzita che l'unico uomo che fosse mai riuscita a rispettare era l'uomo pieno di dedizione, l'uomo appassionato, l'uomo al quale il suo lavoro importava enormemente e che vi si buttava anima e corpo. Quando Vito le aveva detto, la prima volta che lei gli aveva chiesto di sposarla, che non era un uomo da « acquistare », aveva creduto che volesse dire che non lo si poteva comprare. Adesso si accorgeva come il significato di quella parola fosse diverso: Vito aveva voluto dire che non lo si poteva possedere. E lei si era cacciata a testa bassa nel paradosso; lei, che aveva sempre insistito sul concetto della proprietà, aveva cercato, con un impegno che non aveva mai messo in nessun'altra impresa, un uomo che non avrebbe mai potuto possedere. Ricorrendo alla forza e all'astuzia, si era costruita con le proprie mani la prigione in cui si trovava.

454

13

AL principio di luglio, il lunedì successivo la cena alla *Boutique*, Vito, accompagnato da Fifi Hill e dal direttore artistico di *Specchi*, partì per andare a Mendocino a preparare tutto l'occorrente per il film che voleva girare in quella località. Quando se ne andò, Billy si sentì cadere addosso la solitudine come una cappa polverosa. Dall'epoca del suo matrimonio, avvenuto un mese e mezzo prima, Billy aveva trascurato Scruples. Adesso si affrettò a tornare nel suo studio, l'unica parte del grande magazzino che non aveva subito alterazioni nell'arredamento. Aveva sempre amato quel locale tranquillo e lussuoso, ma ora lo trovò stranamente malinconico. La collezione di acquarelli di Cecil Beaton appesa alle pareti tappezzate di velluto grigio-azzurro, i mobili delicati, con le guarnizioni di bronzo dorato, in stile Luigi XV, il *bureau à cylindre* al quale lavorava e che avrebbe dovuto trovar posto in un museo, perfino il porta documenti di Fabergé, che era stato fatto per lo zar Nicola II e nel quale . Billy conservava i documenti più importanti: tutto le parve privo di vita, come se mancasse a quegli oggetti preziosi una dimensione fondamentale. Quella stanza non le diede alcun conforto. Allora la lasciò spazientita e fece un giro completo di Scruples da cima a fondo senza trovare niente da criticare. Il negozio, durante la sua assenza, aveva assunto un aspetto spudoratamente prospero.

Dopo pranzo aveva un appuntamento con Valentine per discutere il suo guardaroba per l'autunno. Mentre lavoravano insieme ebbe l'impressione che Valentine fosse cambiata in un modo impercettibile ma, non per questo, meno misterioso e inquietante. Durante l'anno che era passato dal suo arrivo a Scruples, quella ragazza aveva preso lentamente la patina piacevole che dà la fama e il successo. Era sempre stata molto decisa di carattere, ma c'era sempre stato nei suoi modi così vivaci e incandescenti un eccesso di sicurezza e di sfida come se, al minimo accenno di contrarietà, fosse pronta a partire come un fuoco di artificio. Adesso si era ammorbidita e maturata e aveva acquistato una maggiore dolcezza. Non sfidava più apertamente Billy con il suo atteggiamento, per contraddirla, ma aveva assunto un tono di convincimento pacato, meditato, fondato sulla sicura riuscita del suo lavoro, che faceva un contrasto divertente, eppure singolarmente vivo, con la figurina scattante e quasi da ragazzina, ormai fotografata innumerevoli volte.

Nel complesso, quella di portare Valentine a Scruples era stata un'eccellente idea, si disse Billy congratulandosi con se stessa, ma aveva almeno il tempo di divertirsi un po', la ragazza? Che non ci fosse niente fra lei e Spider, nessun legame segreto, ormai era più che certo.

No, era difficile che potesse essere Spider, a meno che non si trattasse di un suo fratello gemello. Da quello che era arrivato da varie fonti agli orecchi di Billy, Spider aveva un tal numero di donne per le mani che c'era da meravigliarsi come avesse ancora la forza di venire a lavorare. Eppure era il primo ad arrivare a Scruples la mattina e l'ultimo ad andar via la sera. E ogni donna che lo conosceva, finiva per cercare, di apparirgli sotto il suo aspetto migliore. Con tutto questo, anche lui era cambiato. Il sorriso pagano, così pronto alla gioia, si era un po' appannato, almeno così le sembrava. Adesso era soltanto un sorriso, non sottintendeva più nessuna piacevole aspettativa.

Valentine O'Neill e Spider Elliott avevano tutti e due un valore incalcolabile per quel grosso carrozzone, quel bazar barocco, quel mondo della fantasia che era Scruples. Billy si accorse che, pur essendo le persone con le quali lavorava, non li conosceva affatto bene. Ma a Billy non venne in mente che questi pensieri non le sarebbero neppure passati per il cervello soltanto pochi mesi prima. Forse si sarebbe indignata, certo sarebbe rimasta perplessa e imbarazzata se qualcuno le avesse fatto notare come la sensibilità che aveva rivelato nello scoprire i cambiamenti avvenuti in Spider e in Valentine non fosse altro che il segno di un cambiamento ancora più grande, avvenuto dentro di lei.

Mendocino, la cittadina costiera che Vito aveva scelto per la lavorazione di *Specchi*, è una vera e propria Brigadoon californiana. Situata sulla costa, trecentocinquanta lunghi e tortuosi chilometri a nord di San Francisco, anche al viaggiatore meno dotato di fantasia sembra appena sorta dalle nebbie di cent'anni fa, intatta e non sfiorata neppure dal ventesimo secolo. È inerpicata su una ripida scogliera dalla forma arrotondata che si protende nell'oceano Pacifico. L'intera località costituisce una vera e propria pietra miliare dal punto di vista storico e come tale è riconosciuta ufficialmente. Entro i confini del villaggio, infatti, ogni viaggiatore che vi giunge cercherà inutilmente un MacDonald's o un Burger King o anche solo un'indicazione semplice e modesta: l'epoca moderna non è ruscita a deturpare questo posticino incantato e incantevole, un'antica località di opifici le cui più vecchie costruzioni risalgono all'inizio del decennio che va dal 1850 al 1860 e hanno l'impronta dello stile vittoriano più semplice, quello che veniva definito il « gotico del falegname ». Qui, diversamente dall'idea che tutti si fanno della California, le case sono fatte di legno, di tronchi e di assicelle, un tempo verniciate in rosa, giallo e blu e adesso con la pittura sbiadita che ha preso le sfumature delle tinte pastello più spente e romantiche, circondate da tratti di terreno incolto dove crescono lussureggianti i cespugli di rose selvatiche, l'erica bianca, i fiori. Ogni nuova costruzione di Mendocino, e comunque non viene dato il permesso di fabbricazione se non molto di rado, deve imitare rigidamente questo stile da Cape Nord. Perfino le insegne dell'unico albergo, della banca e dello spaccio di generi vari, nonché quello dell'ufficio postale, sono d'epoca. Sui tre lati che guardano il mare Mendocino è protetta da ampie estensioni di prati che assomigliano alla brughiera scozzese tanto sono nudi, aridi e spazzati dal vento; fanno parte del demanio statale e quindi resteranno in quelle condizioni naturali per sempre.

Con tutto ciò la popolazione di Mendocino non è rimasta altrettanto legata al passato, anzi, tutt'altro! La località attira molti giovani artisti e artigiani, gente risoluta e individualista che sbarca il lunario vendendo le proprie opere ai turisti che invadono ogni anno il villaggio oppure che possiede negozi, gallerie d'arte e piccoli ristoranti rintanati fra le vecchie case del centro.

Vito aveva deciso di girare *Specchi* a Mendocino per parecchie ragioni. *Les Miroirs de Printemps*, il romanzo francese che aveva acquistato, doveva essere ambientato in una località americana. La storia originale aveva luogo a Honfleur, il villaggio di pescatori della Normandia, fin troppo sfruttato come soggetto dai pittori, che era anche una località frequentata dagli artisti e dai turisti. Il clima, in tutti e due i posti, era abbastanza simile con la nebbia e qualche giornata fredda anche in piena estate. Honfleur, meta favorita delle invasioni da molto tempo prima di Enrivo V, ha un carattere meno guerriero e militaresco della cittadina della California settentrionale, ma, come quella, non ha subito i danni del tempo.

Prima che si cominciasse a girare il film, erano state scelte tutte le località di Mendocino necessarie per gli esterni, stabilito l'eventuale affitto da pagare, firmati i contratti legali, ottenuti i permessi e reclutati come comparse un certo numero di abitanti del posto, pittoreschi come una banda di giovani zingari. Vito aveva affittato una casetta per sé e un'altra per Fifi Hill, il regista. L'operatore cinematografico, Svenberg, avrebbe alloggiato all'Hôtel Mendocino insieme con gli attori principali mentre gli altri, che avevano parti di secondo piano, sarebbero arrivati, all'occorrenza, da San Francisco su un piccolo aeroplano in grado di atterrare nel minuscolo aeroporto di Mendocino. Il personale della troupe e i tecnici vennero installati nei motel di Fort Bragg, una cittadina assolutamente anonima a qualche chilometro di distanza, più in su, sulla costa.

Billy non era mai stata a Mendocino. Anche se si trova soltanto a poche centinaia di chilometri a nord ovest di Napa Valley, situata più nell'interno, dalla valle si può raggiungere la costa soltanto per mezzo di due strette strade di campagna piene di curve. Erano anni che Billy sentiva parlare del pittoresco villaggio e quindi era eccitatissima all'idea di andare a passarvi le settimane della piena estate mentre si girava *Specchi.*

Nelle valigie mise gli indumenti più semplici che aveva. Non voleva passare per la donna che faceva sfoggio del proprio guardaroba, pensò, e scelse i pantaloni di lino più semplici, le camicette di seta e di cotone più vecchie che aveva, i maglioni più classici. Poi, per la sera, arrivò alla conclusione che lei e Vito avrebbero cenato insieme in qualcuno degli ottimi ristoranti degli alberghetti di campagna dei dintorni di Mendocino e aggiunse qualche gonna lunga e qualche camicetta semplice ma elegante, con qualche giacca pesante perché, al calar del sole, l'aria poteva rinfrescare. Se la sarebbe cavata con quattro borsette, calcolò, e con gli orecchini d'oro e le collane più semplici. Tutto considerato, una inezia! Riempì un'altra valigia di biancheria e di vestaglie. Se non altro, sarebbe riuscita ad avere un aspetto affascinante almeno quando lei e Vito erano a casa insieme. D'accordo, l'aveva già avvertita che la loro villetta, una delle poche disponibili al culmine della stagione turistica, era molto semplice, anzi brutta e cadente. Ma Billy era sicura che le cose non potessero essere orribili come Vito gliele aveva dipinte e poi che cosa importava? Quello che importava era che Vito e lei sarebbero stati insieme in quell'avventura, una estate a Mendocino, mentre si girava un film... già solo questo fatto era elettrizzante.

Vito non aveva nascosto il suo timore che lei non trovasse occupazioni sufficienti a riempirle la giornata durante la settimana. E aveva suggerito che venisse a Mendocino in aereo solo per il weekend, ma Billy si era indignata per questa proposta. Ma che cosa credeva? Che non avesse nessun interesse per il suo lavoro? Al contrario, non vedeva l'ora di partecipare anche lei al processo di lavorazione di un film.

Martedì, 5 luglio, si cominciò a girare *Specchi*. All'ora di pranzo del giovedì erano ancora a lavorare su un prato più alto di Mendocino, oltre un ponte, dal quale si poteva spaziare con lo sguardo sull'intero villaggio. I tecnici della fotografia e quelli delle luci si erano accampati sulla riva di un piccolo stagno con le ninfee, perfettamente rotonde, circondato da erbe alte e folte, che pareva un miracolo nascosto in quel prato sassoso e arido. Se non si sapeva con precisione dove fosse, niente di più facile che finirci dentro in pieno.

A Billy era già successo. Mentre esplorava il terreno durante il primo giorno di lavorazione del film, quando lo stagno con le ninfee non era ancora stato usato, era scivolata sulla riva ripida e fangosa ed era entrata nell'acqua melmosa fino alle ascelle. I pantaloni bianchi di lino che indossava e la borsa di Hermés che era la sua preferita, di tela e cuoio bianco, erano stati rovinati completamente, ma il danno maggiore era stato quello inflitto al suo orgoglio. Si era messa a urlare e due operai erano stati distaccati dal loro lavoro per tirarla fuori da quello stagno profondo, anche se non lo si sospettava, a vederlo. Successivamente uno dei due era stato anche incaricato di riaccompagnarla in macchina, gocciolante e umiliata, come un'attrice alla quale era stata affidata per errore la parte di Ofelia, perché andasse a cambiarsi.

Eppure, ripensandoci, doveva ammettere che quell'incidente, che aveva tutte le caratteristiche della comica di quart'ordine, almeno per un momento l'aveva fatta sentire affiatata con la troupe. Perché a Mendocino tutte le persone che erano venute per la lavorazione di *Specchi* avevano un preciso incarico da svolgere all'infuori di Billy. Di tutti gli elementi, di tutti gli oggetti presenti, lei era il meno produttivo: la moglie del produttore. Non si era mai sentita tanto invisibile e, per quanto potesse sembrare un paradosso, tanto vistosa, ma nel modo sbagliato. I pantaloni fatti su misura, le camicette semplicissime che aveva portato con sé, stonavano ed erano tanto fuori posto come lo sarebbe stato un vestito di stile edoardiano di quelli che si mettono per le corse di Ascot. Billy non poteva farci niente ma i suoi capi di vestiario sportivi più vecchi risalivano soltanto all'anno prima, avevano un taglio perfetto ed erano stati fatti su misura con le stoffe più belle e i più squisiti colori estivi. Non poteva farci niente se il suo stile personale, la sua altezza, la sua stessa ossatura, facevano sì che fosse impossibile per lei confondersi fra gli altri della troupe, quelli che lavoravano e che portavano l'uniforme giusta, spiegazzata, sciupacchiata e sbiadita, fatta di giacchette e di pantaloni in tela blu, di jeans, e che veniva indossata da tutti indistintamente, da Vito fino all'ultimo operaio.

Tuttavia, mentre frugava inutilmente nelle botteghe di Mendocino e di Fort Bragg alla ricerca di jeans che fossero abbastanza lunghi e abbastanza stretti per andarle bene, rifletté che il problema non stava tanto nel suo aspetto esteriore. Questo non era niente al confronto dell'antico nemico contro il quale stava lottando, che svelava tutta l'infelicità della emarginata: l'atmosfera grigia della sua giovinezza quando qualsiasi gruppo di cui facesse parte non l'aveva mai inclusa nelle più varie e intense attività, nei più complicati preparativi per combinare qualcosa. Chi cavolo aveva detto che « il tempo guarisce tutte le ferite » non sapeva di che cosa cavolo stesse parlando, pensò furiosa. Niente guarisce le vecchie ferite. Erano sempre lì, dentro di lei, ad aspettare, pronte a renderla inerme e incapace non appena si presentava una situazione che la riportasse all'atmosfera angosciosa del suo passato. A quel punto ogni altra cosa, tutto il *glamour*, tutto il denaro, tutto il potere che le era arrivato dopo quei primi diciotto anni sembrava trasformato improvvisamente in quei fronzoli appariscenti che servono da richiamo nell'allestimento di una vetrina. Possibile che dovesse restare segnata dalle vecchie ferite per tutta la vita?

Sul set, invece, mentre si girava il film, Billy faceva buon viso a cattivo gioco. Qualcuno aveva trovato una poltrona pieghevole di tela in più e l'aveva messa vicino a quella di Vito, per lei. In teoria, quindi, Billy aveva un posto prestabilito dove sedersi per stargli vicino. In pratica, Vito non adoperava quasi mai la sua, eccetto che per buttarci sopra la giacca, il maglione e, man mano che la giornata diventava più calda, la camicia. Ogni volta che veniva a buttarci un capo di vestiario, le arruffava distrattamente i capelli con una carezza, le domandava sempre se stesse bene, se il libro che leggeva fosse bello e poi spariva di nuovo prima che lei potesse rispondere anche a una sola delle sue domande. Rossa di collera, si sentiva sempre di più come un cane senza padrone.

Mentre si sta girando un film, il posto dove si gira, sia in un teatro di posa sia all'aperto, passa sotto la supervisione del regista, ma se Fifi Hill, a questo punto, era diventato il generale, Vito era stato trasformato in un intero esercito di sergenti maggiori, pur rimanendo sempre, in ultima analisi, il comandante in capo.

La qualità più grande di Hill era la sua flessibilità, la sua buona disposizione a servirsi del soggetto come un trampolino di lancio piuttosto che un vangelo. Come Vito, non dimenticava mai che, fondamentalmente, quello che stavano facendo era soprattutto recitazione e che recitare significava divertirsi. Fifi sapeva creare un'atmosfera in cui tutti gli attori e le attrici scoprivano di essere un po' innamorati di lui e lui era un po' innamorato di loro. Al tempo stesso, non sollevava obiezioni se c'era qualcuno che avesse bisogno di odiare il suo prossimo.

Dopo l'incidente dello stagno delle ninfee, Billy non ebbe più il coraggio di muoversi e finì per sentirsi, praticamente, inchiodata sulla seggiola. Cavi elettrici, dall'aspetto misterioso ma inequivocabilmente sinistro, erano sparsi ovunque, in agguato. Se si metteva a gironzolare qua e là, sapeva che correva il rischio di dare fastidio all'uno o all'altro gruppo di tecnici, e aveva giurato a se stessa che non si sarebbe più cacciata nei guai per non far perdere neppure un secondo di tempo prezioso agli altri. Ma, sia pure tenendo presente che il suo punto di vista era necessariamente limitato per ragioni contingenti, dopo parecchi giorni di lavorazione Billy finì per arrivare alla conclusione abbastanza giusta che girare un film voleva dire aspettare per il 98 per cento del tempo ed entrare in azione solo per il 2 per cento. Nessuna vicenda della sua vita, né tantomeno quello che aveva letto sul cinema, l'avevano preparata per la noia implacabile di quell'esperienza.

Possibile che lei fosse l'unica persona al mondo a trovare che il fatto di passare mezza giornata in attesa che venisse sistemato il set, per poi accorgersi che tutte le luci andavano cambiate, non potesse considerarsi un modo autentico e vivo di far del teatro? Non c'era nessuno a cui avrebbe osato chiederlo. Meno che mai a Vito; piuttosto preferiva marcire lì, in fondo a quella poltrona pieghevole. E poi l'unico momento in cui erano soli, era la sera tardi, dopo che lui aveva rivisto le inquadrature girate durante il giorno. Seduta lì, nella poltrona di tela del regista, Billy sorrise tra sé mordicchiandosi il labbro inferiore. Per quanto Vito si desse un gran daffare tutto il giorno, non aveva niente da ridire sul modo in cui si comportava la notte. Le dava una sbattuta così ardente e così impetuosa che, generalmente, faceva quelle osservazioni sull'estrema noiosità della lavorazione del film senza molto impegno già tutta presa da piacevoli aspettative sensuali. Si sentiva attraversare da un fremito irresistibile, quasi insopportabile mentre si immaginava intenta ad attraversare il prato con Vito, salire sulla roulotte Winnebago parcheggiata lì solo per lui, chiudere a chiave la porta, liberarsi dei vestiti. Sarebbe rimasta così, in piedi, con le gambe aperte, assolutamente immobile, osservando il suo pene che lentamente diventava eretto e rigido, mentre la sua faccia assumeva quell'espressione apatica, con gli occhi quasi spenti come ogni volta che vedeva il corpo nudo di Billy, come un toro sacro, come un dio dei boschi in un disegno di Jean Cocteau. Ripensandoci, immaginando quale sarebbe stato l'odore del suo corpo, già tutta sudata sotto il sole, Billy chiuse gli occhi color fumo, strofinando impercettibilmente una coscia contro l'altra.

« Pranzo, signora Ikehorn! » le tuonò una voce nell'orecchio. Billy sussultò e quasi rovesciò la sedia: ma chi le aveva parlato era già andato via.

Pranzo, pensò, arrossendo furiosa. Come osavano chiamare pranzo quel pasto da voltastomaco? Veniva servito direttamente sul set, ogni giorno, da un ditta specializzata in forniture di pasti alle troupe cinematografiche che si trovavano a girare all'aperto. Per tradizione il cibo era abbondante: enormi vassoi di cotolette di maiale, piatti di pollo fritto, zuppiere di spaghetti e polpettine di carne, patate in insalata, montagne di costate di manzo alla griglia, stillanti grasso, pentoloni pieni di salsicce calde e fagioli al forno, incrostati di zucchero bruno: un piatto più pesante e indigesto dell'altro.

Messa di fronte a questo banchetto, più adatto a una squadra di manovali, Billy era riuscita finalmente a scoprire un po' di gelatina di frutta e, una cosa che aveva del miracoloso, un piatto di formaggio molle guarnito di carote grattugiate, un tipo di alimento che aveva sempre detestato fin dall'epoca in cui andava a scuola. Ma, perlomeno, non era roba fritta.

Andò a sedersi nella roulotte, dove il suo mondo sembrava ridotto a quel mucchietto di formaggio bianco e molle, e si accorse di essere troppo arrabbiata per aver voglia di mangiare. Aveva l'impressione che quella rabbia fosse una specie di palla di gomma dura e soda che le riempiva il ventre, ma ben presto scoprì che soltanto una parte molto modesta di essa era provocata dalla sua innata timidezza e dalla netta sensazione di quanto dovesse apparire diversa a tutti gli altri membri della compagnia di *Specchi*.

La parte più grossa di quella rabbia che la rodeva era provocata da ben altro. Era furiosa contro Vito perché la trascurava anche se vi era costretto dal suo lavoro. Era furiosa contro quel lavoro che la rendeva automaticamente un'estranea, una emarginata. Era furiosa contro se stessa perché desiderava stare con lui e per colpa di questo desiderio si trovava bloccata lì, a Mendocino, dove sapeva di non poter essere utile a nessuno e dove non le restava da fare che autocompiangersi. Era furiosa perché, se fosse tornata a Los Angeles adesso, avrebbe dovuto ammettere con se stessa che aveva perduto la sfida che si era imposta. Se fosse partita avrebbe dimostrato di non saper accettare la vita quando non andava secondo i suoi desideri. Era furiosa perché non poteva avere quello che voleva quando lo voleva e come lo voleva. Stava per lasciarsi andare a uno scatto irrefrenabile di rabbia perché si era cacciata nei guai da sola e adesso, cavolo, non le restava che arrangiarsi come poteva.

464

Afferrò il piatto di insalata e di gelatina e uscì dalla roulotte. A chi poteva chiedere un po' di compagnia? Non certo a quel branco di operai che si sganasciavano dalle risate. Forse, per la prima volta era meglio non tentare con loro. Svenberg? Era seduto tutto solo, e doveva avere davanti a quegli occhi da nordico la visione del suo nome scritto a lettere luminose sul cartellone. Un'interruzione non gli sarebbe stata gradita. Gli attori? Quel giorno c'erano solo Sandra Simon e Hugh Kennedy a girare ed erano scomparsi da un'altra parte. Si accorse di avviarsi a grandi passi verso la roulotte dei truccatori. I due parrucchieri gay stavano spettegolando alla sua ombra.

« Signora Ikehorn! » Balzarono in piedi lusingati e impacciati.

« A dire la verità, sarebbe signora Orsini, ma non badateci... chiamatemi Billy. »

Si lanciarono un'occhiata furtiva, pieni di stupore. Allora non era quella puttana ricchissima e sussiegosa che tutti credevano.

« Perché non ti siedi qui, Billy? Mio Dio, che bell'orologio. »

« I suoi capelli sono fantastici... chi è il tuo parrucchiere? »

« Mi piaccioni i tuoi pantaloni... »

« Mi piace la tua cintura... »

Be', era sempre meglio di niente.

La parte di film girata ogni giorno veniva spedita per aereo a un laboratorio di San Francisco dove veniva stampata e rimandata, sempre per via aerea, a Mendocino. Il direttore della produzione aveva scoperto a Fort Bragg un cinematografo, che in quel periodo non veniva usato, dove si potevano visionare i risultati del lavoro della giornata in condizioni decenti. E con questo, pensò Billy, se ne andava anche l'illusione delle famose cenette nelle piccole trattorie di campagna. Vito aveva appena il tempo necessario per tornare a casa, farsi rapidamente una doccia, e infilare un altro paio di jeans. Poi correva a raggiungere Fifi, Svenberg, Sandra

Simon e Hugh Kennedy per mangiare insieme un boccone alla Casa Internazionale della Frittella prima di vagliare il materiale.

Billy si era accorta di essere piena di aspettativa al pensiero di assistere a quella proiezione. La sua fantasia, alimentata da Hollywood, vedeva un grande salone per la proiezione privata, capaci poltrone di cuoio, una nuvola di fumo che saliva da costosissimi sigari, un'atmosfera privilegiata da persone importanti, e magari, addirittura, anche il fantasma di Irving Thalberg. La realtà era un'altra: un cinematografo antiquato e cadente che puzzava di piscio, con i sedili pieni di gobbe che dovevano contagiare la gente con le malattie più innominabili se i germi che vi si trovavano erano ancora vivi e uno schermo pieno di una quantità incomprensibile di immagini. Quando Billy ebbe visto la stessa scena ripetuta quattro o cinque volte, ogni versione era leggermente diversa dalle altre, ed ebbe ascoltato Vito, Fifi e Svenberg che discutevano animatamente ognuna di esse come se esistessero delle differenze abissali, cominciò a fremere di rabbia dentro di sé davanti a quell'eterna mania di cercare il pelo nell'uovo.

Sabato, quando Vito aveva finito di discutere qualche cambiamento nel soggetto con Fifi Hill, finalmente poteva rivolgere la sua attenzione alla moglie. La lavorazione proseguiva entro i tempi stabiliti, la proiezione delle inquadrature girate giornalmente lasciava sperare grandi cose, Sandra Simon e Hugh Kennedy avevano cominciato una relazione amorosa anche nella vita reale e questo dava alle scene girate insieme una sensualità pirotecnica che trasudava dallo schermo e che, era Fifi stesso ad ammetterlo, neanche lui sarebbe riuscito a cavar fuori dai due attori. L'opera della macchina da presa era la più ispirata che mai Svenberg avesse prodotto e, cosa quanto mai confortante, il generatore si era già rotto. Siccome c'era da aspettarsi che succedesse almeno un paio di volte nel corso della lavorazione di qualsiasi film, Vito era contento che fosse già capitato: meglio adesso che dopo. Tutto andava come doveva andare. Il tessuto connettivo di un film, quando lo si gira, è fatto di incidenti e incomprensioni, sbagli e correzioni, tensioni

466

e risate clamorose, scontri e riconciliazioni, disorganizzazione e soluzioni ingegnose di ripiego; e tutto stava verificandosi secondo il previsto.

« Vito », azzardò Billy, mentre lui allungava le braccia per prenderla in grembo, « non diventi mai... impaziente? » Stava quasi per dire « Non ti annoi mai? » ma poi l'altra formula le era sembrata una scelta migliore. Meno netta nei giudizi.

« Impaziente, tesoro? Come, quando? »

« Be', ti ricordi quando si è rotto il generatore e tutti voi siete dovuti star lì seduti ad aspettare che lo aggiustassero? Ecco, come quella volta. » Come sempre, come ogni singola, cretina giornata, pensò.

« Già. È proprio questo che mi distrugge. Ma, in fondo, non ha molta importanza. Dopo tutto, l'intera faccenda è talmente noiosa che un'ora in più o in meno non fa molta diferenza alla lunga. »

« Noiosa! »

« Naturalmente, amore. Tesoro, dolcissima Billy. Metti qui la testa, in grembo a me. Ah. Bello! Girare un film è la cosa più noiosa che ci sia in tutta l'industria del cinema. »

« Ma tu non ti comporti come se fossi annoiato! Non hai l'aria annoiata! Voglio dire che sei talmente preso da tutto quello che state facendo... non capisco... » Billy alzò la testa da quell'incavo caldo fra le gambe di Vito a guardarlo stupita.

« Senti, è semplice. È noioso, ma io non sono annoiato. »

« Non ti capisco. »

« Ti darò un esempio. È come essere incinta. Nessuna donna verrà mai a dirti che, per la maggior parte dei nove mesi, non si è annoiata a morte... chi può pensare al miracolo della nascita giorno e notte? Ma di tanto in tanto il bambino scalcia un po' e questa è una cosa affascinante, eccitante, è qualcosa di reale. Intanto lei non fa che diventare grossa e sempre più grossa e anche questa è una cosa maledettamente interessante, e poi, alla fine, c'è il bambino. Così è una cosa noiosa, ma lei non si annoia. In ogni modo, tutto il divertimento viene dopo, quando la produzione è finita, e c'è

da mettere insieme il film, il montaggio e il missaggio. »
Sembrava molto soddisfatto di sé per quelle spiegazioni.

« Capisco perfettamente », disse Billy ed era la verità.
Voleva dire che Vito era la madre e il padre del film, mentre lei era solo una parente acquistata per via del matrimonio.

Cazzo. Oh, cazzo. L'uomo che amava si stava divertendo pazzamente a fare la cosa che gli piaceva di più al mondo e lei si rodeva dalla rabbia. Tutte quelle scempiaggini a proposito dei bambini, che cosa diavolo voleva saperne Vito di quello che si provava quando si era incinte? Fare i film era un lavoro da bambini e da pazzi, tutti uniti nell'illusione comune di dare alla luce un'opera d'arte. Forse Vito non era annoiato ma lei lo era, eccome! Era annoiata, annoiata, annoiata da non poterne più.

Josh Hillman e sua moglie stavano mangiando salmone lesso freddo e insalata di cetrioli nella loro sala da pranzo di Roxbury Drive, una stanza stupenda in cui potevano invitare quarantotto persone a cena dando posto a tutti intorno al tavolo, oppure organizzare una cena in piedi per trecento ospiti come avevano già fatto. Erano soli quella sera perché i loro figli si trovavano in Francia dove sarebbero rimasti tutta l'estate a migliorare il loro francese.

« Cos'hai fatto oggi di bello? » domandò Josh a Joanne, dopo aver esaurito tutti i pettegolezzi di argomento legale ma non volendo che calasse il silenzio fra loro.

« Io? » Lei parve un po' stupita. « Ho pranzato con Susan Arvey. Credo che stia diventando un po' acida o forse è sempre stata una prude eccessiva. Comunque adesso è peggiorata. E poi, c'è Prince in città con la sua collezione, così sono andata da Amelia Grey's a ordinare qualcosa per l'autunno. »

« Come sta Prince? »

« Come sta... Josh, ma tu non l'hai mai conosciuto! »

« Be', è... ne parli da un tal mucchio di tempo che ormai lo considero praticamente uno della famiglia. »

« Un po' difficile », rispose lei, ridendo. « Ho i miei

dubbi in proposito. Non credo che si adatterebbe. Non siamo abbastanza grandiosi per lui. Però stava bene ed è stato adorabile come al solito con me. E poi aveva certi vestiti fantastici, meglio di quelli dell'anno scorso. »

Così Prince non aveva accennato a lui, pensò Josh. Perché si sentiva così deluso? Il suo cervello intelligente, addestrato troppo bene e da troppo tempo a trovare subito la risposta giusta, gli fornì quella che non desiderava. Aveva contato sul fatto che Prince facesse la porcata che si aspettava. Era stato così certo, così convinto che quell'individuo non sarebbe riuscito a trattenersi dal raccontare a Joanne che l'aveva visto con Valentine alla festa di Lace! Era una notizia che avrebbe precipitato le cose. Adesso toccava a lui fare la prima mossa. Certo che Joanne, placidamente seduta al suo posto, mentre stava per suonare perché la cameriera venisse a sparecchiare, sembrava molto soddisfatta della sua sorte. Dannazione, al diavolo tutto, pensò, e dannazione a lui per essere così vigliacco.

« Tè freddo, caro? »

« Sì, grazie. »

Dolly Moon arrivò a Mendocino quando il film era già in lavorazione da quindici giorni. Vito aveva organizzato la cosa accuratamente in modo da girare, in quel periodo, tutte le scene nelle quali lei non c'entrava per risparmiare almeno mille dollari sul suo vitto e alloggio, oltre a pagarla tremila dollari meno di quel che avrebbe dovuto, dato che restava impegnata per un periodo di tempo minore.

Billy vide il nuovo arrivo il giorno in cui Dolly e Sandra vennero riprese mentre camminavano insieme per una strada di Mendocino. Il contrasto fra le due ragazze era delizioso, pensò Billy. Sandra bella, in un modo così poetico, così lirico, e quell'altra ragazza così buffa mentre camminava saltellando e un po' goffa nell'abbondanza delle forme pienotte.

Nell'intervallo per il pranzo si mise in fila con gli altri per andare a servirsi al lungo tavolo sul quale erano disposti i piatti di portata, già inorridendo nel suo intimo al pensiero di doversi subire la storia della vita, dei tempi e delle tribolazioni dei due parrucchieri. Stava passando davanti alle cotolette di maiale quando sentì un voce alle proprie spalle che diceva:

« Ho paura di star male di stomaco ».

Billy si voltò allarmata e vide Dolly Moon con un'espressione di disgusto sulla faccia.

« Qualcosa che non va? »

« Qualcosa che non va! Ma si rende conto che su questa tavola non c'è niente che non stia letteralmente nuotando nel grasso? »

« Ci sono carote grattugiate e formaggio molle quando si arriva in fondo. »

« Oh, mai! Sarebbe un insulto al mio stomaco. Senta un po', se anche lei a questa robaccia non piace, perché non ce ne andiamo a mangiare insieme; ho visto un posto dove vendono quei panini fatti sul momento: avocado, prosciutto, peperoncino arrostito, fette di tacchino freddo, tutte cose che un essere umano può cacciarsi nella pancia senza diventare una balena. Che cosa ne dice? »

« Mi faccia veder dov'è. »

Dal momento che una folla di turisti si era radunata a osservare, piena di interesse, quelli del cinema che mangiavano il pranzo, Billy e Dolly riuscirono a trovare un tavolo libero in uno snack-bar vicino che serviva vitto sano, generi di salumeria e lasagne fatte in casa. In silenzio, Dolly si accinse a demolire una metà di un panino gigantesco mentre Billy, mangiucchiando un'insalata di tonno, la osservava con viva curiosità. Qualche ciuffo dei vaporosi capelli di Dolly era dello stesso, identico colore della marmellata di arance, qualche altro di un castano abbastanza anonimo, il suo sguardo azzurro-grigio era serafico, il naso e la vita erano sottili, ma tutto il resto, nella ragazza, era un po' troppo gonfio.

« Sono uno spettacolo, vero? » disse Dolly cominciando a parlare con vivacità.

« Uhu? »

« Oh, andiamo... il petto e il sedere... non crederà che non me ne renda conto, eh? Senta, andavo a una scuola di

470

Mormoni quando studiavo, ma quando avevo dodici anni non ho potuto neanche proporre la mia candidatura per diventare l'organizzatrice della claque per la nostra squadra, dicevano che con la mia figura, avrei dato una impressione sbagliata. È stato allora che ho abbandonato la chiesa. Con tutto ciò, forse, se non avessi queste cose, non troverei da lavorare per vivere. »

« Ma questo non è affatto vero! Ho visto il suo lavoro, ho visto il film che ha fatto e la considero un'attrice veramente dotata, incredibilmente dotata! » esclamò Billy in un tono privo di qualsiasi adulazione.

Dolly sorrise di gioia, una gioia candida, senza complicazioni. « Caspita, lo sa che lei è press'a poco l'unica persona che me l'ha detto? Di solito piantano gli occhi sulle mie tette o sul popò e non stanno attenti a quello che dico. Scommetto che anche se recitassi la parte di Lady Macbeth o della madre di Amleto o di Medea... »

« O Giulietta o Camilla o Ofelia oppure, senta, io la vedo piuttosto nelle vesti di Peter Pan. » Billy e Dolly scoppiarono a ridere pensando a quella sfilata di personaggi che Dolly non avrebbe mai recitato.

« Accidenti, come sono contenta di averla conosciuta », disse infine Dolly smorzando un po' quella sua risatina che aveva un timbro così straordinario e personalissimo. « Sono arrivata solo ieri sera e non conosco anima viva in tutta la compagnia. Ho la camera vicina a quella di Sandra Simon e per una buona metà della notte hanno fatto, lei e Hugh Kennedy, i rumori più imbarazzanti... e questo vuol dire che non potrò fare molta amicizia con lei e, caspita, è dura trovarsi in un posto a girare quando non si ha neanche un'amica. »

« Me ne sono accorta », disse Billy a denti stretti. « Che cosa vuole dire quando parla di "rumori imbarazzanti"? »

« Be', facevano un tal baccano che ho cominciato a eccitarmi anch'io. D'altra parte credo che non sia decoroso stare a ascoltare quello che due fanno in privato... ero così imbarazzata. Adesso vado a comprarmi i tappi per gli orecchi. »

471

« Ah, allora è per questo che non si fanno mai vedere all'ora di pranzo. »

« In un'ora si possono fare un mucchio di cose. Probabilmente fanno una colazione abbondante al mattino. L'amore non è una cosa meravigliosa? »

« Oh, sì, sì, certo », rispose Billy con aria assorta.

« Una ragazza come lei... ehi, come ha detto di chiamarsi... Billy?... carino... una ragazza come lei deve avere un milione di uomini. »

« Infatti, era così », disse Billy. « Ma adesso ne ho uno solo. »

« Io non ce l'ho più, il mio. È durata un anno, ma il mio ragazzo, quel bastardo, Sunrise, voleva più bene ai suoi cavalli selvaggi che a me. Accidenti, mi piacerebbe trovare un ragazzo fisso, ma è difficile quando si ha questa faccia che mi ritrovo, così da poco di buono. Una volta ho cercato di mettermi una parrucca castana, semplicissima, gli occhiali e un brutto vestito due numeri più grande della mia solita misura, ma la prima volta che ho attraversato la strada, l'autista di un autocarro che passava mi ha gridato: "Vuoi un pezzetto della mia salsiccia, quattr'occhi?" e poi il suo collega, ha detto che con due tette come le mie non avevo bisogno di vedere dove andavo, e allora perché portavo gli occhiali?... insomma sono senza speranze », concluse Dolly. « Già, quello di cui ho realmente bisogno è un ragazzo fisso, ma non noioso, potrebbe essere un dentista o un ragioniere, o.,. che altri tipi di uomini ci sono che potrebbero volere un rapporto fisso con me? »

Un ragazzo fisso. Ecco un argomento sul quale Billy sentiva di poter dare a Dolly i più ampi ragguagli. Smaniava dalla voglia di fare un po' di bene a Dolly Moon e benedisse la sorte che la metteva nelle condizioni adatte per fornirle i migliori consigli che avesse mai dato a qualcuno.

« Oh, mi stia bene a sentire, Dolly Moon. Quando avevo qualche anno meno di lei, sono andata a abitare a New York City. Avevo un'amica con la quale dividevo l'appartamento... »

Dolly ascoltò in silenzio, attentamente, Billy che le raccontava la storia dei giorni passati con Jessica, dei giorni al

Katie Gibbs, dei giorni dei favolosi ebrei. Billy non aveva più fatto un discorso così intimo e così sincero con nessuna altra donna dai tempi di Jessica, e oramai erano passati un bel po' di anni, ma Dolly, questo, non lo sapeva. Pensò semplicemente che la sua nuova amica era gentile ed elegante e aveva vestiti molto carini e proprio quel genere di bellezza che lei, Dolly, ammirava di più. Così, quando si avviarono di nuovo verso la parte della strada che era stata cintata per la lavorazione del film, avevano già preso la decisione di mangiare insieme ogni giorno, a pranzo.

Mentre si dirigevano verso la roulotte dove gli attori si truccavano, Dolly disse un po' riluttante: « Prima, devo passare un momento di qui, Billy. Senta un po', ma che cosa fa lei, costumista, parrucchiera, o *script girl*? »

« Servono anche quelli che si limitano a star seduti e ad aspettare. »

« Non capisco. »

« Sto seduta e aspetto mio marito, Vito Orsini. »

« Oh, mio Dio! È la moglie del produttore! »

« Dolly, se lo dice un'altra volta, non le spiegherò più niente, neanche una parola, sul modo di trovare gli ebrei. Anzi, eviterò di farle conoscere i migliori e non le darò neanche il loro numero di telefono. A proposito diamoci del tu: io sono Billy e tu sei Dolly, e basta. »

« Ma, caspita... non sei orgogliosa di essere... quello che sei? »

« Sono tremendamente orgogliosa di lui ma non di essere quello che sono. Qui nessuno sa perché sono venuta anch'io, ma siamo sposati appena da due mesi e... e... »

Dolly abbracciò Billy come se volesse consolarla. « Sta' a sentire. Ho seguito un rodeo per un anno e i cavalli mi terrorizzavano. Quindi capisco perfettamente quello che devi provare. Perlomeno sono pronta a scommettere che il signor Orsini non puzza di letame quando torna a casa la sera. Sta' a sentire, il signor Hill mi ha detto che vuole che vada ad assistere ogni sera alla proiezione delle inquadrature che sono state girate durante il giorno. Non vorresti sederti vicino a me e spiegarmele? Non ci capisco mai niente, io. Ho fatto soltanto un film prima di questo e mi confondo in un modo pauroso. Ehi, cosa c'è da ridere in·quello che dico? In fondo, sei la moglie del... Billy, ma non ridere in questo modo, come un'isterica... ehi, su andiamo! Oh, santo Iddio, ma dov'è il mio Kleenex? »

Il mercoledì, mentre si era in piena attività, arrivarono Maggie MacGregor e i suoi cameramen con l'intenzione di passare a Mendocino i cinque o sei giorni necessari a raccogliere il materiale per una puntata del solito spettacolo televisivo che doveva avere Vito come protagonista e che era stata intitolata, anche se non ancora definitivamente: « Un giorno della vita di un produttore ».

Billy stava a guardare, celando i pensieri neri dietro un sguardo impenetrabile e, intanto, Maggie si dava un gran daffare, tutta allegra, pienamente e giustificatamente convinta, come tutti i giornalisti della TV, che gli affari del mondo intero sono per loro, personalmente, quello che è il recinto di gioco per un bambino. Quanto alla gente di Mendocino, per quel che potevano giudicare loro, Maggie era la prima autentica « stella » a comparire nel villaggio. Ormai, a questo punto, si erano talmente abituati a seguire la lavorazione di Specchi che trattavano la compagnia con la stessa noncuranza e la stessa indifferenza che avrebbero dimostrato per i giochi e le baruffe dei loro cani, dei loro gatti e dei loro bambini. Anche se provavano un interesse pieno di benevolenza per la gente che recitava in Specchi, non erano riusciti a riconoscere nessuno di loro all'infuori di Sandra Simon, ma perfino lei era un personaggio familiare soltanto per le donne di casa che avevano seguito le puntate dello sceneggiato televisivo nel quale aveva recitato. Ma Maggie MacGregor, quella sì che era « qualcuno »!

Maggie correva, saltava di qua e di là, scavalcando gli innumerevoli cavi elettrici, cacciandosi, senza pensarci due volte, in ogni gruppetto di operai o di tecnici come se fosse la padrona dell'intera compagnia di Specchi, da Vito fino all'ultima matita per gli occhi che si trovava nella roulotte dei truccatori. Si piantava senza la minima reticenza nel bel mezzo di quel territorio vietato dove si girava il

474

film, dal quale Billy si sentiva ricacciata come se glielo avessero impedito invisibili, ma ben precise barriere. Guardandola con due occhi che sembravano pezzetti di granito, Billy si disse con amarezza che Maggie aveva tutte le maledette credenziali. Cristo, ma come doveva fare per piantare in asso quel film e andarsene?

Prese la decisione di fare una lunga passeggiata per i prati intorno a Mendocino. Avrebbe lasciato il posto dove giravano il film, si sarebbe trovata un bel pezzo di prato con l'erba morbida e ci si sarebbe distesa per star sola e tornare in un umore migliore e più ragionevole. Dolly, la sua amica Dolly, era impegnata, così sarebbe andata a spasso da sola e sarebbe ritornata indietro più fresca, rinnovata e rilassata.

Tornò tre ore dopo, infatti, sentendosi un'altra. Il sole, il vento e la brezza che soffiava dal Pacifico ne avevano approfittato per fare quello che volevano con lei. E lo stesso era stato per il *Toxicodendron*, una pianta infida che cresceva lussureggiante come i rovi e i fiori selvatici, ma assai meno visibile e riconoscibile su quella brughiera incolta. Il giorno dopo Billy era in viaggio, diretta a Los Angeles e allo studio del miglior dermatologo della Costa. Cercando di non grattarsi, Billy guardò fuori dal finestrino e si domandò se era meglio sopportare l'eruzione cutanea provocata dal *Toxicodendron* oppure tornare a Mendocino a fare la vita che aveva fatto fino a quel momento per tutto il resto della lavorazione del film. Non era certo un'alternativa ideale ma, Cristo, qualsiasi cosa era sempre meglio che ritornare.

Cambiò parere molto presto. L'eruzione cutanea provocata dal *Toxicodendron*, scoprì Billy, assomigliava molto all'irritazione che davano i pannolini dei neonati. E un dottore poteva farci molto poco all'infuori di prescrivere qualche preparato che alleviasse un po' il prurito e tranquillanti e pastiglie di sonnifero. Billy passò i cinque giorni successivi in una profonda infelicità, con il cervello annebbiato, ma in preda a un disagio che non accennava a diminuire. La sua disperazione si placò solo parzialmente quando si accorse che l'eruzione non le si era estesa anche alla faccia. Vito telefonava ogni sera, ma era sempre una comunicazione che la lasciava inspiegabilmente insoddisfatta. Gli domandava come riuscisse il film ma, a dire la verità, non prestava molta attenzione alle risposte concise di Vito, tanto che, alla fine, la formula: « Tutto va discretamente, tesoro, proprio discretamente », diventò il tema dominante di quelle chiamate notturne, piene di frustrazione, che dicevano la verità soltanto in parte.

Dopo i primi dieci giorni Billy provò l'impressione di aver fatto un grande passo avanti. Le grosse vesciche sulle mani, specialmente in mezzo alle dita, e su tutte le gambe, stavano asciugandosi lentamente, e non si svegliava più venti volte per notte per accorgersi, piena di orrore, che si era grattata nel sonno. Continuava ad avere un aspetto piuttosto malridotto, doveva ammetterlo, ma improvvisamente si accorse di avere un bisogno disperato di compagnia. Oh, come sentiva la mancanza della zia Cornelia e del suo modo deciso e diretto di aggredire la vita. Chissà se Lilianne sarebbe venuta a trovarla, se avesse mandato l'aeroplano a prenderla? No, ricordò con tristezza, ogni estate la Comtesse andava in visita da Solange e da Danielle, le quali ormai erano tutt'e due sposate e vivevano in Inghilterra. Lì, da loro, si crogiolava nel piacere di sentirsi chiamare « nonnina » da educatissimi bamberottoli anglosassoni e di farsi chiedere di insegnare loro l'arte di tostare una fetta di pane al fuoco del camino. Seguendo un impulso improvviso, Billy prese il telefono e chiamò Jessica Thorpe Strauss a Easthampton.

« Jessie? Dio sia ringraziato che ti trovo in casa! »

« Billy, tesoro, dove stai? A New York? »

« Sono tornata a casa, in California, e sto rimettendomi da un'eruzione cutanea che mi ha fatto venire una pianta selvatica e mi sarei tagliata le vene dei polsi se non mi avessi risposto! »

« Buon Dio, e io che ti pensavo a fare una favolosa luna di miele con un uomo divino. »

« Non è precisamente così. Come stanno i tuoi cinque magnifici bambini e quella creatura adorabile che è David? »

« Cara, è meglio non chiedermelo! »

« Che cosa è successo? »

« Quel figlio di buona donna se li porta fuori con sé, tutti i giorni, dall'alba, al tramonto, perché vuole che imparino ad andare a vela e tu lo sai come soffro il mal di mare quando metto piede su una barchetta a remi! Tutto quello che vogliono da me sono scarpe da tennis asciutte, in continuazione... e dozzine di calzerotti puliti. Che estate orrenda. »

« Jessie, se ti mando a prendere in aeroplano, non faresti un pensierino sulla possibilità di venire qualche giorno da me? Bisognerà restare in casa perché non posso ancora uscire, ma sarebbe un tal divertimento! » la supplicò Billy.

« Fra quanto tempo può arrivare qui il tuo aeroplano? »

« Avverto il pilota e ti richiamo immediatamente. Sei sicura che non sarà troppo complicato piantare in asso la famiglia nel bel mezzo di un'estate come questa? Sul serio, dimmelo! »

« Complicato? Ah! Non gli lascio neanche un messaggio. Così impara quel bastárdo! »

Jessica arrivò il giorno dopo. Aveva sempre la stessa incantevole tendenza ad afflosciarsi, solo che adesso il suo fragile corpicino era imbottito da ben sette chili più di prima e quindi il suo atteggiamento appariva più voluttuoso e tentatore che poeticamente patetico. Stava per compiere trentotto anni ma gli uomini sospiravano ancora quando faceva palpitare lievemente le ciglia, guardandoli, su quegli occhioni miopi color lavanda seminascosti dai folti riccioli spettinati e lievi come la piuma, che regolava distrattamente con la forbicina per le unghie quando le sembrava che si intromettessero eccessivamente nel suo campo visivo. Il marito di Jessica, David Strauss, in quell'epoca era diventato uno dei più importanti banchieri che si occupassero di investimenti e Billy aveva invidiato a lungo all'amica quel matrimonio felice e i figli che ne erano venuti nonché la sua larga cerchia di amicizie e la vita piena e organizzata in un modo magnifico, così diversa da quella che conduceva lei.

Le due donne ripresero la loro conversazione nel punto preciso in cui l'avevano interrotta quattro anni prima, all'epoca del loro ultimo incontro. Dopo due giorni si erano ragguagliate quasi completamente sugli avvenimenti di quel periodo durante il quale si erano parlate solo per telefono. Billy adesso si sentiva abbastanza bene per uscire e sedersi sul bordo della piscina all'ombra mentre Jessica stava a prendersi il sole lì vicino, immergendo di tanto in tanto la punta dei piedi nell'acqua, in preda a un senso di piacevole benessere.

« Oh, la felicità », sospirò dopo un breve silenzio, « l'assoluta, l'intensa felicità di non avere né figli né marito. Non puoi immaginare come mi senta in paradiso! Non so come può essere il nirvana, ma questo vale almeno il doppio. Chi può aspirare al nulla perfetto quando esiste la California? »

« Però, Jessie », domandò Billy allarmandosi un po', « tu li adori tutti sempre, vero? La vita meravigliosa che hai non è soltanto una facciata che serve per il prossimo, eh? »

« Oh, Signore, no cara, io adoro la mia sudicia marmaglia, ma qualche volta... be'... spesso... o non so, forse una metà del problema sta nella scelta dei menu. »

« Jess, è ridicolo. Hai la cuoca migliore della Costa orientale. »

« Avevo, tesoro. Avevo la cuoca migliore. La signora Gibbon se ne è andata tre mesi fa. Tutto è cominciato press'a poco un anno fa quando le ragazze sono diventate vegetariane, ma con un rigore! Be', come si fa a mettersi a discutere? È un'idea così santa e pura. Una maledetta barba! Poi i gemelli si sono rifiutati di mangiare tutto quello che non era la pizza e hanno continuato così per sei mesi. Non avere mai gemelli, tesoro, hanno una forza di volontà schiacciante. Per evitare che rischiassero di diventare denutriti dovevamo triturare le pastiglie di vitamine e spargerle artisticamente fra i peperoni. La signora Gibbon pretese di avere un autentico forno per preparare la pizza, così gliene procurai uno, ma l'unica cosa che le impediva di andarsene, se vuoi proprio saperlo, era il fatto di poter cucinare per David. Sai che non tocca cibo se non è preparato secondo i canoni della più autentica cucina francese, così l'orgoglio di lei era appagato.

478

Ma il punto di rottura è arrivato quando David jr. ha fatto la sua esperienza religiosa. »

« Come hai detto? Esperienza religiosa? »

« Mangia solo quello che permette la religione ebraica. » Billy la guardò smarrita. « Ha deciso che voleva un Bar Mitzvah. Poi ha cominciato a studiare l'ebraico e a leggere il Vecchio Testamento, e il passo successivo è stato quello di nutrirsi con vitto rigidamente *kosher*. A questo punto la signora Gibbon si sentì così ferita nei suoi migliori sentimenti che fece le valigie e ci lasciò. Non posso darle torto ma, da allora, ho avuto almeno una dozzina di cuoche. Tutte dicono che non sapevano di dover far da cucina per un ristorante e scappano nottetempo! »

« Oh, povera Jessie. » Billy scoppiò a ridere in modo irrefrenabile di fronte alla sua avvilita amica. « Scusami, ma l'idea di David jr... Che cosa fa? Accende anche le candele il venerdì sera? »

« Naturalmente. »

« Così li hai allevati come ebrei, in fin dei conti », disse Billy.

« Oh, no, carina, solo i maschi. Le ragazze sono episcopali, battezzate nella stessa chiesa in cui sono stata battezzata io. Un po' come i Rothschild, capisci... i ragazzi devono continuare la tradizione della famiglia paterna, ma le femmine possono regolarsi come vogliono. » Jessie tacque e lanciò un'occhiata a Billy. Dopo essersi assicurata che quello che aveva letto in faccia all'amica negli ultimi giorni non era una sua fantasia ma esisteva realmente, si allontanò dalla piscina e cambiò discorso. « Quando la smetti di fare l'eroina e mi racconti tutto? »

« Raccontarti che cosa? Non ho niente da nascondere. Non ho fatto che lamentarmi dell'eruzione che ho addosso da quando sei arrivata e mi sono sentita un po' meglio a ogni piagnucolio che ho fatto. Altro che eroina! »

« Su avanti. »

« Ma si può sapere che cosa vuoi, Jessie? »

« Vito. »

« Vito? »

« Tuo marito. »

« Ah! »

« Già, proprio lui », insistette Jessie implacabile. « Vito, lo sposo. »

« È un uomo magnifico, Jessie. Non ho mai conosciuto un altro che fosse incredibilmente dinamico, pieno di fantasia, energico come lui. »

« Balle. »

« Non riuscirò mai a passarla liscia con te. »

« È un dieci? »

« Oh, quello. Certamente ti puoi fidare di me, per questo. »

« Va bene, e allora cos'è l'orribile ostacolo, l'intollerabile dilemma, l'inghippo imprevisto e assolutamente eterno e duraturo? »

« E chi ha mai parlato di inghippo? »

« Tutte le mogli che conosco, me inclusa, qualche volta la sera quando mi sto preparando per andare a letto e David è già addormentato. Il marito di ogni donna è senza speranza, sotto l'uno o l'altro aspetto. »

« Ellis non lo era », rispose Billy a mezza voce.

« Ah, Billy, non sei giusta se dici così. Tu sei stata la moglie bambina di Ellis per ben sette anni. Non sei mai diventata una delle solite mogli perché quando stava bene, faceva tutto quello che poteva per farti piacere, proteggerti e renderti felice. Perfino la sua vita di lavoro era passata in second'ordine di fronte a te. E poi, dopo tutto questo, quando è rimasto invalido, non potevi certo essere una moglie come tutte le altre! Non ti critico, cara, ma non hai mai imparato a giocare secondo le regole del gioco. »

« Gioco? Regole? A sentirti sembri uno di quei libri in cui si dice che bisognerebbe infilarsi un aderentissimo completo di cuoio nero e aspettare il marito con un bicchierone di gin con ghiaccio in una mano e l'umile richiesta di un aumento della cifra per le spese mensili di casa nell'altra. No, questo da te non me lo aspettavo, Jessie. Non posso crederci. »

Jessica scosse la testa guardando Billy con un'aria in cui al divertimento si mescolava la compassione. Ma perché Billy non voleva adattarsi alla realtà? In ogni modo, il cuoio non c'entrava. David impazziva per i pagliaccetti di seta confezionati da Fernando Sanchez. « Il gioco », disse pronunciando lentamente le parole, « è quello del matrimonio felice. Le regole sono i compromessi ai quali devi adattarti per arrivarci. »

« Compromessi! » esclamò Billy, punta sul vivo. « Ma se non ho fatto altro che questo da quando mi sono sposata! Un fottuto compromesso dopo l'altro. La piccola Billy, mite e gentile. Credimi, non avresti riconosciuto la tua vecchia amica se mi avessi visto su a Mendocino a fare la moglie perfetta del produttore. »

« Provando soltanto odio in ogni momento di quella scena. »

Più o meno, eccetto quando eravamo soli la notte. Credo che gli unici attimi in cui Vito si accorgeva realmente della mia presenza erano quelli in cui facevamo l'amore. Mi domando se riuscirebbe a riconoscermi senza avere sott'occhio... quello che ho in mezzo alle gambe... Schifoso figlio di puttana! »

« Be', divorzia se le cose sono a questo punto. »

« Sei impazzita, Jessie? Sono pazza di lui. È già stato difficile riuscire ad averlo... non ho nessuna intenzione di lasciarmelo scappare. Non potrei vivere senza quel vigliacco. »

« E allora comincia a dedicarti ai compromessi. Graziosamente, volonterosamente, garbatamente e con tutto il cuore. »

« Oh, Dio, chiedi troppo! No, piantala, parli come tutto quel branco di sorelle Brönte nevrotiche e saccentone messe insieme. Ma non hai mai sentito parlare del movimento di liberazione femminile? Perché diavolo non potrebbe adattarsi a qualche compromesso anche lui? »

« L'ha già fatto. Ti ha sposata andando contro le proprie idee ed è disposto a vivere a modo tuo ben sapendo che dieci decimi di tutte le persone che incontra lo giudicano probabilmente una specie di mantenuto. Ma non si è lasciato svilire da questi pensieri né tantomeno ti ha costretta a cambiare qualcosa nel tuo modo di vivere. »

« Oh, quello. »

« È molto, Billy, specialmente per una persona come Vi-

481

to che ha tutto quell'orgoglio maschile italiano di cui parli tanto. »

« Immagino che tu abbia ragione. Va bene, hai ragione. Con tutto ciò... » perfino Jessica non poteva capirla fino in fondo, pensò Billy amaramente. Ma a quali compromessi stava pensando, si può sapere? La solita infedeltà ammantata di discrezione del solito ambiente di bancari di New York Easthampton Southampton, le volte che l'uno o l'altra ha bevuto troppo a una festa, l'irritazione autentica ma non poi così sconvolgente per un'abitudine fastidiosa che David non si rendeva neppure conto di avere? In fondo, con tutte le sue lamentele, che cosa stava facendo David in quel momento? Stava trafficando su e giù per la barca con i suoi figli esattamente come avrebbe fatto qualsiasi altro uomo normale durante le vacanze estive invece di concentrarsi completamente, anima, corpo, volontà e cervello, perché un film riuscisse come doveva. E poi, che cosa poteva aspettarsi Jessie, se soffriva il mal di mare?

Jessica diede a Billy un'occhiata quasi materna, nella quale si univano la tenerezza, l'intuizione e la riluttanza a ferirla. Povera Billy, pensò, già insoddisfatta, eppure come si fa a raccontarti quello che succede veramente in ogni matrimonio che resiste? Chi può insegnarti che ci sono momenti in cui sembra che la sorgente dell'amore si sia prosciugata e bisogna tirare avanti facendo leva solo sulla fede, e che ci sono altri momenti in cui tutti e due, marito e moglie, si chiedono se non sarebbe stata una cosa magnifica non essersi mai incontrati? Come si fa a spiegare che bisogna imparare a comunicarsi reciprocamente i propri veri sentimenti a dispetto della trappola delle parole e dei gesti...? No, non poteva proprio aiutare Billy. Perfino le amiche migliori del mondo non si possono aiutare nel matrimonio, una specie di paesaggio fatto di terremoti e sabbie mobili, eccetto che nei modi più superficiali, per esempio lasciando capire all'altra che non è sola.

Jessica si avvicinò a Billy e le diede un bacio in cima alla testa. « È semplicemente la depressione da dopo luna di miele. Capita a tutti », disse. « Aspetta, fra qualche mese non te ne ricorderai neanche. Sta' a sentire, mangiamo qualcosa che faccia ingrassare terribilmente stasera a cena, e poi domani digiuniamo, perlomeno fino all'ora di pranzo. Ne abbiamo bisogno tutte e due. »

« Come puoi parlare di "bisogno" quando c'è di mezzo qualcosa che fa ingrassare? » domandò Billy incredula.

« Semplice. Non hai sentito quella teoria europea sulle diete? Se il tuo metabolismo non è abituato a ricevere cibi che ingrassano e tu di colpo ti metti a darglieli, il tuo corpo riceve uno choc e perde immediatamente peso. Naturalmente non si può farla diventare un'abitudine. »

« Sei sicura di quello che dici? » domandò Billy, sbirciando la pancetta che l'amica metteva in mostra.

« Assolutamente sicura. Peserei una tonnellata se non lo facessi di tanto in tanto. »

Si misero a ridere e abbandonarono l'argomento del matrimonio per tutto il resto della visita di Jessie. Alla fine della settimana questa tornò a Easthampton con visibile riluttanza all'idea di dover ricominciare a pensare al menu per i pasti, ma piena di una nostalgia, che non si sforzava affatto di nascondere, per la sua marmaglia abbronzata dal sole.

« Billy, tesoro », disse Jessica mentre si salutavano davanti alla scaletta dell'aereo. « Ho paura di non esserti stata di grande aiuto, ma quello che ti ho detto è il miglior consiglio che ti posso dare. Ricordati: ogni governo, anzi, addirittura ogni beneficio umano, ogni umana gioia, ogni virtù e ogni azione giudiziosa si basano sul compromesso e sul baratto ».

« Dove diavolo hai trovato questa piccola citazione, ricamata su un cuscino? »

« Edmund Burke, se non erro. » Jessica rispose con una smorfia spiritosa.

« Ragazza del Vassar, fuori di qui », rise Billy abbracciando per l'ultima volta la sua fragile amica. « Va' e non peccare più o qualcosa del genere. Sono l'unica persona al mondo che ti conosceva quando non eri ancora così maledettamente virtuosa e dannatamente tollerante. »

A Mendocino la proiezione del lavoro fatto durante la giornata era finita e Vito, con Fifi, era tornato a casa in silenzio. Qui, continuarono a tacere mentre si preparavano qualcosa da bere e si lasciavano cadere sulle poltrone semisfondate, coperte dalla fodera, del soggiorno umido.

« Non ci siamo, Fifi », disse infine Vito.

« Anche un cieco se ne sarebbe accorto », rispose Fifi. « Basta sentire le loro voci... »

« Sono due giorni che va così. Ieri pensavo che lei, forse, non stesse bene, ma oggi sul set non ho fatto che osservarli... »

« E quando non stai lì a osservarli? » lo interruppe pacatamente Fifi, troppo avvilito pèr azzardare anche il minimo sarcasmo.

« ... con la speranza che qualcosa cambiasse. Ma non ci imbrogliano neanche per un minuto; non c'è mezzo metro di pellicola che si possa adoperare. Siamo indietro di due giorni nella lavorazione e questi due fottuti ragazzini ci danno certi risultati che fanno schifo. »

« Ho usato tutti i trucchi che conosco. Niente, niente, Vito. Sandra non vuole parlare, Hugh non vuole parlare, dicono che fanno del loro meglio, lei piange, lui grida,... ci vorrebbe il plotone di esecuzione. Ecco di che cosa abbiamo bisogno. »

« Un film, Fifi, ecco di che cosa abbiamo bisogno, di un film. Non ho fatto in tempo a dirtelo prima della proiezione, ma stasera, subito dopo cena, mi hanno bloccato, separatamente, e mi hanno dichiarato che non reciteranno le scene che abbiamo preparato per loro per i prossimi due giorni. »

« Che non reciteranno...?!? » Fifi si alzò di scatto dalla poltrona, sembrava impazzito.

« Già, la scena di nudo, la grande, famosa scena d'amore che dobbiamo avere a tutti i costi perché è quella che tiene insieme tutto il film, la scena più importante di tutto questo fottuto soggetto. Non vogliono, ripeto, non vogliono apparire insieme nella scena di nudo. »

« Vito! E tu, che cos'hai detto? Che cosa hai fatto? Non

484

possono farci una cosa simile! Per amore di Dio... fa' qualcosa! »

« Fifi, annulla le riprese di domattina. Sarebbe inutile. Poi noi due andremo a parlare, separatamente, con ognuno di questi due bambini deficienti. Andremo fino in fondo. Sistemeremo la faccenda. Succedono anche cose peggiori quando si gira un film, eppure si continua a farli, lo sai meglio di me. »

« Andiamo, Vito, sai benissimo che tutto, dico tutto, in questo film dipende dal fatto che bisogna far credere che i due ragazzi siano più innamorati di Romeo e Giulietta. E fino a due giorni fa erano riusciti a convincere perfino me che era così. »

« Fifi, cerchiamo di dormire un po'. Ti raggiungo al tuo albergo per colazione, domattina. Poi vediamo di risolvere la faccenda. »

Quando Fifi se ne fu andato in preda allo sconforto, Vito tornò a sedersi e continuò a pensare alla gravità della situazione. Se Fifi era così preoccupato per la qualità della recitazione che riusciva a ottenere da quei due marmocchi, Vito si trovava di fronte a un problema ben maggiore. Quando Maggie era venuta a Mendocino quindici giorni prima, gli aveva portato alcune notizie alle quali faticava a credere.

« Vito », aveva insistito, « non posso dirti chi me l'ha raccontato, ma puoi credermi. Non si tratta semplicemente di una delle solite voci. Arvey ha detto che, se appena gliene viene offerta l'occasione, vuole esercitare il diritto di sostituzione su *Specchi*. »

« Perché, Maggie, perché? » Come sapevano benissimo tutti e due, si tratta di una clausola che viene inserita regolarmente in ogni contratto e secondo la quale appena un produttore supera le spese in ogni bilancio può venir sostituito dallo studio. Si tratta di una clausola che non viene quasi mai messa in atto e molte centinaia di produttori, tenuti in minor considerazione di Vito Orsini, superano le spese previste dal bilancio e finiscono la lavorazione del film in ritardo sui tempi stabiliti senza che lo studio si faccia sentire all'infuori che con qualche lamentela.

« Da quello che sono riuscita a capire, dopo Cannes

non ha fatto che smangiarsi per aver investito un po' di soldi in *Specchi*. Voleva soltanto farsi bello, così almeno mi sembra, e quando vi siete sposati, tu e Billy, ha creduto di essere stato incastrato. Ha fatto un gesto grandioso per fregare sua moglie e una settimana più tardi ecco che tu vai a impalmare una delle donne più ricche del mondo mentre lui si ritrova sempre ad avere sul gobbo quella snobbona di Filadelfia che non gli ha mai mollato un centesimo senza farglielo pesare. »

« I soldi di Billy... ma non c'entrano quelli! »

« Già, va' un po' a raccontarlo a Arvey. Lui crede che tu dovresti finanziarti i film con il malloppo di tua moglie invece di adoperare i soldi dello studio. »

Sì, pensò Vito, ricordando quello che Maggie gli aveva detto; avrebbe dovuto insospettirsi di più quando Arvey gli aveva dato via libera con tanta facilità. Credeva a tutto quello che Maggie gli aveva raccontato. Era quanto mai logico. E disgraziatamente sembrava perfettamente sensato.

Il giorno dopo, appena prima di mezzogiorno, Fifi Hill e Vito cercarono un posticino un po' appartato nell'Hotel Mendocino e sedettero in mezzo a una quantità di mobili vittoriani, coprischienali di pizzo, palme in vaso, come due samurai sconfitti che cercassero di decidere quel era il posto più adatto per il kara-kiri di rito.

« È inconcepibile », brontolò Vito. « Fifi, se Sandra fosse stata morta stecchita, sarebbe resuscitata dopo quello che le ho detto. Ho adoperato tutti i mezzi, perfino la verità, ma anche questa non è servita a niente. Ho supplicato, ho urlato, ho fatto tutto tranne scoparla... E sarei stato disposto anche a quello, ma sembrava di ghiaccio. »

« Vito, c'ero. Risparmiami! »

Vito non prestò la minima attenzione allo sfinito regista. « E quel piccolo leccaculo di Hugh Kennedy, che gli possa marcire l'uccello, si è comportato allo stesso modo. "Chiami il mio agente!" Chiamerò il suo agente, naturale! Ma non si rende conto che, il suo, è un suicidio, professionalmente parlando? »

« Non è intelligente abbastanza per capirlo... Non è uno della solita gente brillante alla quale sei abituato, Vito. E poi c'è un'altra cosa. Anche se riuscissimo a convincerli a recitare la scena di nudo, a che cosa vuoi che serva, se sono di quell'umore? »

« Magari è soltanto un litigio fra innamorati. Adesso torno da Sandra, da solo e... »

Fu interrotto da una voce timida al suo fianco. « Signor Orsini? »

« Dolly. Dolly carissima, l'unica persona rimasta sulla terra con il cervello a posto. Vai via, tesoro, stiamo parlando. »

« Ho pensato che dovevo dirglielo. Non vorrei che mi considerasse una ficcanaso, ma l'avrei detto a Billy perché venisse a dirlo a lei, solo che non è qui, così ho pensato... »

« Cosa? »

« Vede, non si tratta solo di quello che lei ha detto. Ho sentito parlare di litigio da innamorati, ma si tratta di peggio. Ho sentito tutto attraverso la parete... non mi sono più decisa a comprare i tappi per le orecchie... è cominciato quando Sandra ha accusato Hugh di fare di tutto per mettersi in mostra e attirare l'attenzione su di sé, e di rubarle le scene. E... »

Fifi la interruppe. « È vero. Me ne sono accorto anch'io e l'ho avvertito, ma lui ha continuato ugualmente. »

« E allora Hugh si è messo a fare l'antipatico e le ha detto che non sapeva recitare, che andava bene soltanto per quegli schifosi sceneggiati della TV, mentre lui era un vero attore, capisce, e allora lei gli ha detto che aveva l'uccello grosso come il pollice di un bambino ma, disgraziatamente, non altrettanto duro, e lui ha risposto che non si saprebbe neanche dove ha le tette, lei, se non ci fossero i capezzoli, e lei ha detto che Hugh ha i foruncoli pieni di pus sul sedere e lui ha risposto che una peggio di lei, da sbattere, non l'aveva mai avuta... e che là sotto puzza come il mercato del pesce... ed è andata sempre peggio. Non potrei neanche ripetere molte delle altre cose che si sono detti perché mi vergogno. »

« Comunque, il concetto generale l'ho afferrato », disse Fifi.

« Così », concluse Dolly, « non si tratta di un litigio da

innamorati perché innamorati non lo sono più. Si odiano. Voglio dire che hanno esagerato. »

« Già, hanno proprio esagerato, Dolly. Grazie. Ci è servito molto sapere cos'era successo. E adesso, vai, tesoro, abbiamo bisogno di parlare. »

« Ecco, adesso sappiamo tutto, Vito », disse Fifi. « Un uomo non può dimenticare queste cose, neanche se vuole. E il ragazzo non vuole. »

Ci fu un lungo silenzio. Il salone sovraccarico di bric-à-brac dell'albergo si riempì lentamente di turisti assetati che venivano serviti da graziose bariste.

« Adopereremo due controfigure per le riprese », annunciò Vito. « Sì, Fifi, si può fare. »

« In una scena di nudo? Ma sei pazzo! »

« Non ho detto che fosse un'idea da persona che ha il cervello a posto. Ho solo detto che si potrebbe farlo. Ci sono ragazzi a sufficienza in questo posto per trovarne una che assomigli a Sandra vista di spalle, e faremo la stessa cosa con Hugh. Parrucche, Fifi, parrucche. Li troveremo questo pomeriggio stesso. Poi riprenderemo le scene due volte, una con la controfigura di Sandra insieme a Hugh e poi il contrario. Non vedremo mai la faccia di queste controfigure, ma solo la nuca e il corpo. E poi faremo un lavoro di incastro della pellicola. »

« Non ce la farai! »

« Abbiamo un'altra scelta? »

Svenberg rimase incantato da quell'idea. Per lui la carne era carne, la luce era luce e la sfida alla sua abilità la cosa più importante. Mentre Sandra recitava la scena con la controfigura di Hugh, Vito le avrebbe letto le parole che Hugh doveva dire e lei avrebbe risposto. Mentre Hugh recitava la scena con la controfigura di Sandra, Dolly avrebbe letto la parte di Sandra. Successivamente, tutto questo sarebbe stato incorporato in un'unica scena con il sonoro corretto. Vito insistette perché Hugh fosse presente sul set mentre lavorava Sandra e che Sandra ci fosse mentre lavorava Hugh. I due ex innamorati, come lui aveva sperato, ingaggiarono a questo punto una vera e propria Olimpiade della recitazione, rivaleggiando nel mettere più pathos fervore e sensualità

488

nella scena e abbandonando i loro corpi nudi a due sconosciuti altrettanto nudi con una tale ostentazione di acceso erotismo che Vito non aveva mai visto su nessun set.

Quando quelle due giornate estenuanti furono passate, Fifi ricordò a Vito che c'erano ancora da rifare completamente i due giorni di film ripresi prima della scena di nudo. Tutte le altre scene del soggetto comportavano la presenza di Sandra e Hugh in compagnia di altre persone e quindi Vito non prevedeva che sarebbero sorti incidenti, ma come avrebbero potuto cavarsela con quelle due giornate di lavoro che mancavano?

« Ho riscritto il soggetto di notte », disse Vito. « Ecco... la strada è diversa, ma si arriva sempre allo stesso punto. Ho appena dato qualcosa in più da fare a Dolly... può andare, con i cambiamenti che ho fatto. »

Fifi lesse rapidamente le pagine del copione. « Funziona, funziona. Ma dove lo prendiamo il tempo? » Vito gli porse un altro fascio di fogli.

« Queste scene non si girano, non ne abbiamo un assoluto bisogno. Ho badato a sistemare i momenti di vuoto, gli scollamenti. Il senso torna. Così siamo in ritardo di un giorno solo rispetto al previsto, Fifi. E se non riesci a farcela, ti butteremo fuori a calci dall'Associazione dei Registi. »

« Soddisfatto, eh, vecchio bastardo? »

« Oh, le solite gioie di chi lavora nel mondo dello spettacolo. »

14

IL fatto di essere rimasta vittima del *Toxicodendron* aveva compiuto l'incanto, come Billy scoprì quando ritornò finalmente a Mendocino per l'ultima settimana delle riprese del film. Da moglie del produttore si trovò trasformata nella compagna ferita, rientrata al fronte dall'ospedale da campo per continuare a combattere a fianco a fianco con la truppa. Tutti, a cominciare da Svenberg sempre chiuso nel suo isolamento e nei suoi sogni, fino agli autisti dei « carri del miele », come venivano chiamate le indispensabili latrine su quattro ruote, la accolsero con entusiasmo e le domandarono come si sentisse.

Faceva colazione ogni giorno con Dolly. Billy che continuava a contare come avrebbe sempre fatto ogni caloria che metteva in bocca, non poteva fare a meno di inorridire di fronte a Dolly, che con un seno e un sedere rabelaisiani che continuavano a prosperare in modo superbo, mangiava un panino contenente fette di avocado con insalata russa, su uno strato di formaggio, uno di *pastrami* e uno di fegato affettato, fra le due metà di pane ben imburrato e, come contorno, un'insalata di patate condita con doppia porzione di maionese.

« Dannazione », disse Dolly raspando dall'insalatiera gli ultimi pezzetti di patate, « non c'è tempo per un altro panino, eh? »

« Hai ancora fame? » domandò Billy con rispetto misto a rimprovero.

« Muoio di fame, addirittura! Vedi, dopo aver vomitato la colazione, è lunga arrivare fino al pranzo. »

« Vomitato? »

« Certo. Ma durerà ancora per poco. Sono appena all'inizio del terzo mese e tutti dicono che è il periodo peggiore per le nausee del mattino. »

« Oh, Dolly! Oh, buon Dio... ma com'è successo? »

Dolly alzò al cielo gli enormi occhi rotondi. E il suono delle risatine represse che le sfuggivano si mescolò agli squittii faticosamente repressi di Billy. Finalmente questa riuscì a calmarsi abbastanza per domandare: « Cosa pensi di fare? »

« Caspita, suppongo di dover fare qualcosa ma, non so come, adesso l'idea è quella di avere il bambino. Può sembrare una pazzia, però mi pare giusto, sai. Sono già rimasta incinta altre volte e non ho mai pensato neanche lontanamente di portare a termine la gravidanza, ma questa volta... »

« E il padre? » domandò Billy.

« Sunrise? Oh, lui mi sposerebbe anche domani ma io non ho la minima intenzione di passare il resto dei miei giorni nei rodei. Glielo racconterò dopo. Ma chi va a pensare che basti dimenticarsi la pillola per due giorni per ritrovarsi con questo scherzetto? »

« Qualsiasi ginecologo, Dolly. E i soldi? Ci vogliono soldi per avere un bambino e pagare una balia e comprarsi il guardaroba adatto per i mesi dell'attesa... » Billy non concluse il suo pensiero.

« Posso vivere un anno, anche un anno e mezzo, con quello che sto guadagnando con *Specchi*; poi ci penserò. »

Billy sbirciò l'amica che faticava a nascondere la gioia che le dava quella gravidanza. Non aveva mai incontrato una persona così sfacciatamente ottimista. « Potrei... credi... il bambino avrà bisogno di una madrina, non ti pare? »

« Oh, sì! Sì! » Dolly abbracciò Billy con tale entusiasmo da soffocarla. « Non vorrei nessun'altra che te! »

Perlomeno, pensò Billy, questo le dava la possibilità di assicurarsi che tutto venisse fatto nel modo migliore. Il suo figlioccio non sarebbe nato di certo senza il necessario. Le passarono rapidamente per il cervello visioni di battesimi bostoniani. Tazze d'argento e sherry d'annata, vescovi e biscotti e minuscoli servizi di forchettine e cucchiaini; forse in questo caso sarebbe stato più gradito l'abbonamento a una di quelle lavanderie che facevano il servizio dei pannolini. Una culla, un fasciatoio, una carrozzina? Tutt'e tre, tanto per cominciare. E poi, si sarebbe visto.

La lavorazione di *Specchi* finì entro il termine previsto, venerdì 23 agosto, e la festa di rito per la conclusione del lavoro fu fissata per la sera successiva.

Tutte le sale private dell'Hotel Mendocino erano state affittate dall'ufficio produzione per l'occasione. L'abbondante e raffinato buffet era stato divorato, rifornito di nuovo e divorato un'altra volta. Il bar sarebbe rimasto aperto finché l'ultimo uomo e l'ultima donna presenti non avessero deciso di andare a dormire. Dato che il film era terminato, nessuno si sentiva in dovere di andarsene a letto presto quella sera, eppure ci si accorse che due persone avevano tutte le intenzioni di ritirarsi per tempo e con uno scopo inequivocabile, a ben guardarli:

« Vito », disse Fifi, quasi balbettando, tanto si sentiva offeso e insultato, « vedi anche tu quello che vedo io? »

« Se quello che vedi tu sono Sandra Simon e Hugh Kennedy che stanno battendo in ritirata per andare a letto, allora sì, vedo anch'io la stessa cosa. »

« Stasera hanno fatto la pace? »

« Naturalmente... troppo tardi perché ci possa essere utile. Qualche volta, se non sapessi controllarmi, credo che riuscirei addirittura a odiare certa gente che, per professione fa l'attore, ma sono una persona tollerante, grazie a Dio. »

« Che possa morire con un'erezione », sibilò Fifi.

« Nooo, che tutte le sue eiaculazioni siano premature », lo corresse Vito.

« Che non riesca mai a tirarlo su. »

« No, Fifi, non è abbastanza raffinato... che lo tiri su... ma che nessuno se ne accorga », gli fece eco Vito.

« Mi scusi, signor Orsini », disse il direttore dell'albergo, « fuori nell'atrio c'è un tale che vuole vederla a tutti i costi. Dice che viene dall'Arvey Film Studio. »

Nell'atrio, Vito trovò uno sconosciuto con giacca e cravatta, che si presentò subito come un incaricato dell'ufficio legale dello studio e porse una lettera a Vito. Questi la aprì con l'immediata sensazione che si trattasse di qualche cosa di spiacevole. Nessuna comunicazione da parte dello studio doveva arrivargli in questo modo. Scorse rapidamente il testo della lettera. « Tenendo conto del paragrafo... contratto... relativo alla produzione del film intitolato *Specchi*... le è già stato notificato che ... lo studio ha esercitato i suoi diritti di effettuare una sostituzione nella produzione in quanto il produttore non è stato in grado di contenere le spese entro il bilancio preventivato... »

Vito guardò il legale e riuscì a mantenersi calmo nononostante avesse una gran voglia di prenderlo a pugni, maciullarlo, massacrarlo. Era inutile mettersi a discutere con quel tizio. Vito, secondo i suoi calcoli, era rimasto nel bilancio. D'altra parte, ci sarebbero voluti mesi prima che l'ufficio contabilità e i commercialisti potessero dimostrare se, effettivamente era uscito dai preventivi del bilancio. E, allora, sarebbe stato troppo tardi.

« Ah, così », disse Vito. « Viene a bere qualcosa? »

« No, grazie. Sono qui per ritirare tutta la pellicola lavorata, metro per metro. Spiacente, ma queste sono le istruzioni che ho avuto. E non solo quella che è già stata stampata, ma anche i negativi. Ho qui fuori un furgone e due uomini che porteranno via tutto. Ci siamo perduti venendo da San Francisco e abbiamo fatto tardi, ecco perché mi sono visto costretto a interrompere a questo modo la festa. »

« Ah, un vero guaio. Ma ho paura che lei abbia fatto un viaggio inutile. Però, forse, riuscirà a farsi dare una camera qui, per la notte. »

« Inutile? »

« Non ho in mano neanche un metro di pellicola. Nessun negativo. Niente. Devono essere già nello studio. »

« Sa benissimo che, nello studio, non ci sono. » L'avvocato cominciava ad arrabbiarsi.

Vito si rivolse a Fifì Hill e a Svenberg che l'avevano

seguito nell'atrio dell'albergo. « Fifi, sai qualcosa della pellicola del film? Sai dove sono i negativi? Arvey si assume lui l'incarico di continuare il lavoro di produzione e questo signore li vuole. »

Fifi assunse un'aria stupita. « E che cosa vuoi che me ne faccia io di quella roba? Forse lo sa Svenberg. Per? »

L'allampanato svedese scosse la testa. « Io mi limito a manovrare la macchina da presa, non mi tengo il film sotto il letto. »

« Spiacente », disse Vito « probabilmente è in viaggio... in un posto o nell'altro. Salterà fuori... i film non si perdono, sa! »

Il legale dello studio considerò i tre uomini che aveva davanti e che lo guardavano con un'espressione così pacata. Lunedì avrebbe ottenuto un mandato e costretto Orsini a consegnare il film, ma fino a quel momento non poteva far nient'altro.

« Accetto l'offerta di bere qualcosa. Non solo, ma ho saltato la cena. È rimasto qualcosa da mangiare? »

Billy era in un angolo, circondata da un gruppetto di uomini che non le nascondevano la loro ammirazione, quando Vito le comparve al fianco e le sussurrò che dovevano andar via. In principio pensò che fosse un po' presto per abbandonare la festa, ma poi si rese conto che, adesso che il film era finito, Vito doveva avere una gran voglia di fare l'amore per celebrare l'avvenimento.

Ma il suo giubilo fu di breve durata: c'era anche Fifi ad aspettarli e tornarono insieme a casa in un silenzio che Billy ebbe il buon senso di non interrompere.

Non appena furono entrati, Vito le spiegò, come aveva già fatto qualche settimana prima a Hill e a Svenberg, le intenzioni di Arvey. Ma ci volle un minuto perché Billy capisse come la clausola di sostituzione potesse venire messa in atto sia che Vito avesse effettivamente superato le cifre in bilancio sia in caso contrario.

« Non ho il tempo di dimostrare che sbagliano », disse Vito con aria tetra. « Se riescono a mettere le mani sulla pellicola, la faranno tagliare da chi vogliono loro, come vogliono loro, e probabilmente la massacreranno, facendo un

494

lavoro affrettato, senza mai lasciar vedere a nessuno di noi il pasticcio che hanno combinato. Possono prendere questo film e ridurlo in un altro talmente diverso, che nessuno crederà che Fifi lo abbia diretto o Svenberg fotografato. Il momento nel quale si crea il vero film è quello successivo alla produzione vera e propria: è lì che i film si fanno... o si distruggono. »

« Oh, Vito », gemette Billy. « Non riesco a sopportare questa idea! »

« Neanch'io, tesoro. Ecco perché ogni metro di pellicola è sottochiave a Fort Bragg. I negativi sono stati portati via dal laboratorio di San Francisco e nascosti altrove, a nome mio. Non appena Maggie mi ha avvertito, ho deciso di prendere tutte queste precauzioni. »

« E Arvey? » domandò Fifi, il quale era sempre informato di quello che Vito faceva. « Non si lascerà crescere l'erba sotto i piedi. »

« Quella testa di cazzo puzzolente non avrà altra scelta », rispose Vito con aria cupa. « Non ho intenzione di consegnare il film allo studio finché non sarà finito cioè finché non sarà montato, finché non avremo messo a punto il sonoro e non sarà passato al missaggio. »

« Toronto? È a questo che stai pensando? » domandò Fifi.

« No, lavoreremo a Hollywood. Lo sai anche tu che i nostri tecnici sono i migliori che ci siano. E lo faremo anche se fossimo costretti ad affittare alcune sale in un albergo. Non saremmo i primi, del resto! »

Billy lo interruppe eccitatissima, in un impeto di gioia, perché pensava che, finalmente, avrebbe potuto dare anche lei il suo contributo alla produzione.

« Sale d'albergo! Quando c'è la nostra casa? Vito, ma sarebbe l'ideale, non te ne rendi conto? Proprietà privata, tutte le stanze del mondo e le guardie che non lasceranno passare nessuno. Oh, Vito, non dire di no! Per piacere, lasciamelo fare », lo supplicò, vedendo che lui aveva l'aria incerta.

« Guardie? Quali guardie? » domandò Vito.

Billy arrossì lievemente. Non aveva pensato che Vito non ne era mai stato informato.

« Ho sempre avuto le guardie armate ventiquattro ore su ventiquattro da quando è morto Ellis. Avevo paura che qualcuno tentasse... oh, non so... di entrare in casa per rubarmi i gioielli o, magari, per rapirmi o qualcosa del genere. »

« La casa non ti sembrerà più la stessa, dopo », l'avvertì Vito.

« Accetta Vito, altrimenti accetto io », disse Fifi. « Suppongo che avrai una camera libera per gli ospiti, Billy, tesoro? Io mi trasferisco da te. Dovremo lavorare diciotto ore al giorno, ma questo non mi preoccupa l'ho sempre fatto! »

« Ventiquattro ore al giorno, Fifi », rispose Vito, « e si comincia subito. Adesso prendiamo la roulotte e andiamo a Fort Bragg a ritirare la pellicola. Non lascio indietro neanche un metro di pellicola di scarto. Billy, fai le nostre valigie intanto che io e Fifi carichiamo la roulotte. Ci saranno una ventina di cartoni da prendere. Torniamo fra un paio d'ore. Viaggiando tutta la notte, si dovrebbe essere a casa prima che l'avvocato si svegli. »

« Sì, caro », disse Billy, nascondendo perfettamente la sua rassegnazione. Non sembrava il momento più opportuno per suggerirgli di fare l'amore.

Durante le settimane successive, Billy riuscì a trovare qualche attimo per chiedersi se aveva mai pensato che cosa volesse dire montare un film in casa propria. L'ampia, accogliente residenza in stile Tudor prese contemporaneamente l'aspetto di un bagno turco, di un locale delle caldaie, di una festa assolutamente diversa dal solito, di un sottomarino in assetto da battaglia, di una tavola calda di alta classe e di una casa di cura di lusso per malattie mentali.

Oltre a Fifi, vennero immediatamente istallate in casa come ospiti permanenti altre due persone: Brandy White, la direttrice del montaggio, una donna brillante e intelligente con la quale Vito aveva lavorato già in passato, e la sua amante e assistente, Mary Webster. Avevano detto alle loro amiche che sarebbero partite insieme per una vacanza e nessuna, nella cerchia di lesbiche intellettuali e piene di talento alla quale appartenevano, se ne era meravigliata. Poi si erano sistemate nella camera degli ospiti più grande che Billy avesse.

« Ci vorrà anche un'altra camera degli ospiti per la segretaria del montaggio », aveva detto Vito a Billy durante quella lunga notte di viaggio da Mendocino a Los Angeles.

« Che cosa dovrebbe fare? » aveva domandato Billy.

« Prendere nota di quello che il direttore del montaggio, Fifi e io diciamo mentre guardiamo il film e ricopiarlo a macchina in modo da avere una registrazione precisa di quello che si è fatto per il lavoro del giorno successivo, oltre a scrivere sotto dettatura qualche lettera, rispondere al telefono e badare a cose di questo genere. »

« Lo faccio io », aveva detto Billy.

« Ascolta, tesoro, lo so che vuoi essere di aiuto, ma non immagini neanche lontanamente come sia noioso e minuzioso questo lavoro, diventeresti pazza in una settimana.

« Vito, questo lavoro lo faccio io. Se non ti piacerà il mio modo di farlo, potrai sostituirmi e non mi offenderò. Ma non voglio star lì a guardare, succhiandomi il pollice, mentre tutti voialtri finite il film. Anch'io ho un interesse acquisito nel successo di questo film, o te ne sei dimenticato? Sono la moglie del produttore. E la segretaria del montaggio! Questo è un campo in cui ho delle capacità che possono venirti utili. »

Vito aveva acconsentito con una certa riluttanza convinto che Billy non avrebbe sopportato a lungo l'atmosfera surriscaldata, semibuia e piena di tensione del locale di montaggio, ma nel giro di un solo giorno quello che aveva imparato al Katie Gibbs le era tornato sulla punta delle dita e il desiderio frustrato di fare qualcosa anche lei l'aveva resa capace di dedicarsi a quel lavoro fino in fondo, sempre pronta e a totale disposizione di tutti. E fu a questo punto che cominciò a capire perché il montaggio fosse importantissimo anche per le scene fotografate nel modo più perfetto e meglio recitate: cominciò ad apprezzare come la scelta di un primo piano invece che di un campo medio potesse cambiare totalmente l'atmosfera di una scena e a intuire perché, qualche volta, fosse necessario scartare anche il pezzo più stupendo di una pellicola per conservarle un certo ritmo o un certo carattere.

La biblioteca di Billy, riempita dell'attrezzatura necessaria che era stata noleggiata, diventò il locale in cui si eseguiva il montaggio. La più grande delle sue stanze di soggiorno venne trasformata in una sala di proiezione. Mick Silverstein, il compositore delle musiche per *Specchi*, prese posto al grande piano a coda Steinway che si trovava nell'ex sala da gioco e cominciò a lavorare ai vari temi musicali per il film. Nel giro di una settimana arrivarono anche i due tecnici per gli effetti sonori i quali passavano la giornata intera a realizzarli, man mano che ogni bobina di pellicola veniva completata. Ma il rumore che facevano era talmente frastornante, per quanto li avessero relegati in quell'angolo sperduto della casa, che dovettero spostarli nel garage. La sala da pranzo era in funzione permanente, dato che non era possibile sapere in anticipo quando l'uno o l'altro degli ospiti avrebbe avuto tempo per mangiare un boccone. Alle sette si serviva la colazione per Fifi, Vito, Billy, Brandy e Mary. Dalle undici del mattino a mezzanotte si doveva sempre avere a disposizione, anche da un momento all'altro, qualcosa da mettere sotto i denti.

Billy non sapeva assolutamente dirigere una casa, ma avere imparato a conservarsi il personale seguendo gli insegnamenti di Ellis: « Assumi sempre i migliori, bada che siano professionisti seri nel loro lavoro », le aveva detto, « trattali con tutto il rispetto possibile, pagali almeno il venti per cento in più degli stipendi correnti... e augurati che tutto vada per il meglio. » Sia il maggiordomo sia il cuoco lavoravano con Billy da anni. Ma quei dieci giorni in cui si era visto costretto a tenere tavola imbandita in permanenza, con piatti freddi e caldi per gente che mangiava in un modo così irregolare, avevano convinto il cuoco abituato troppo bene, a far le valigie brontolando contro le stranezze che succedevano in quella casa e contro i padroni privi di considerazione per il personale. Il maggiordomo invece era di pasta più malleabile. Si incaricò di assumere altre due ragazze per la cucina e chiamò due colleghi che avevano fatto con lui la II guerra mondiale lavorando come cuochi per il Quartermaster Corps. Le tre cameriere fisse cercavano di tenere la casa il più pulita possibile anche se non facevano che scandalizzarsi per la quantità di rifiuti che si riproducevano misteriosamente, il numero esagerato dei mozziconi di sigaretta, i segni di sporcizie sui muri, l'attrezzatura per il montaggio che aveva fatto i buchi nei tappeti persiani antichi e in quello della sala da pranzo che, malgrado i loro sforzi, sembrava calpestato di continuo da un esercito che sembrava divertirsi a macchiarlo di quella salsa che si serve con la carne di manzo affumicata.

Del gruppo fisso faceva parte praticamente anche Josh Hillman che arrivava sempre precipitosamente dal suo ufficio per controbattere le minacce che gli avvocati dello studio continuavano a mandare a Vito con un autentico sbarramento di documenti legali. Un giorno, arrivando per parlare con Billy, mentre aspettava di essere introdotto dalle severissime guardie, notò tre uomini che aspettavano, imperturbabili, davanti al cancello: erano pronti a presentare a Vito un mandato di comparizione in tribunale se avesse messo piede fuori dalla proprietà.

« Arvey non ha fantasia », disse Josh a Billy. « Se volesse, potrebbe noleggiare un elicottero, atterrare sul prato con i suoi accoliti, entrare in casa con la forza e presentare il mandato a Vito. »

Billy gli rispose con una risata stanca. « Può darsi che si arrivi anche a questo. È talmente infuriato... come si fa a sapere che cosa potrà tentare ancora? »

Hillman faticava a riconoscere Billy nella nuova tenuta da lavoro: la tuta da atletica in spugna, sformata sui fianchi, le scarpe da tennis, i capelli raccolti frettolosamente in una coda di cavallo. Se non ci fossero stati i due grossi brillanti che continuava a portare alle orecchie, avrebbe potuto prenderla... be', non sapeva per che cosa esattamente, ma sembrava che Billy Ikehorn fosse scomparsa, al suo posto c'era una donna un po' stanca, efficiente, vestita con trascuratezza.

« Riesco solo a tenerli a bada, ma nient'altro », disse a Billy. « Come vanno le cose, qui? Di quanto tempo avete bisogno ancora? »

« Siamo in vista della fine », sospirò lei. « Non abbiamo fatto che mandare il film al laboratorio, avanti e indietro, ogni due giorni per le stampe, gli effetti ottici, i titoli... e altre cose che non capisco proprio del tutto. »

« Ma come riuscite a sfuggire a quella gente là fuori dal cancello? » domandò Josh, incuriosito. Lui si occupava soltanto di parole e scartafacci, non del film vero e proprio che era l'oggetto di tutta quella sfacchinata.

« Ci serviamo di furgoncini. Qualche volta sulla fiancata c'è scritto: "Ferramenta Pioneer", qualche altra "Jurgensen's". Li sostituiamo ogni tanto, domani ci sarà scritto: "Roto-Rooter". » Billy era molto orgogliosa di questo stratagemma, una sua idea.

« Quante settimane ci vorranno ancora prima che abbiate finito? »

« Probabilmente ce ne vogliono ancora due per il montaggio. L'agente di Fifi gli ha telefonato per informarlo che Arvey l'ha messo sulla lista nera dello studio e che sta intentandogli un'azione giudiziaria insieme all'Associazione Registi. L'ha accusato di non aver tenuto fede agli impegni contrattuali e di essersi associato al furto della pellicola. L'agente ha paura che Fifi possa perdere la sua qualifica di regista. »

Il giorno dopo l'agente di Fifi gli telefonò ancora, più inquieto e agitato che mai.

« Sta' un po' a sentire, Robin Hood », gracchiò, « farai meglio ad alzare i tacchi e a venire fuori dalla foresta di Sherwood. Ho avuto una telefonata dalla Metro e un'altra dalla Paramount oggi, dovevano essere i tuoi due prossimi lavori, in caso te ne fossi dimenticato. Arvey ha parlato male di te con loro e adesso vogliono ritirarsi dall'impegno, e noi non abbiamo neanche due righe su un pezzo di carta a nostro favore. Lo sai anche tu come fanno in fretta a mettersi tutti d'accordo questi capoccioni degli studi. Vuoi suicidarti? Sto parlando sul serio, Fifi. Quel film, legalmente, non è tuo, anche se tu ti comporti come se lo fosse. »

La mattina dopo il posto di Fifi, a tavola, all'ora della prima colazione rimase vuoto. Sotto la porta della camera di Vito e Billy venne trovata una sua lettera, una combinazione di profondo rimpianto e di reali necessità.

« Non posso dargli torto », disse Vito con aria grave. « Ha fatto più di quanto avessi il diritto di aspettarmi da lui. Ma, Cristo, se avessimo potuto averlo con noi ancora per quindici giorni... »

« Ho una trentina di pagine di appunti sull'ultima bobina di pellicola », disse Billy.

« Quante? »

« Trenta, forse anche più. Ha passato molto tempo a guardare il film e non una volta sola; e ogni volta che diceva qualcosa, io prendevo nota. Adesso ricopio tutto subito. »

« Prima », esclamò Vito, illuminandosi, « ti fai una buona colazione... una ragazza che lavora ha bisogno di tutte le sue forze. Io finirò il montaggio del film da solo... Brandy, Mary e io... con le annotazioni di Fifi. Gesù! Ti voglio bene, Billy! »

« Adesso », domandò Billy, « posso dirti: "Hai visto? Non te lo avevo detto?". »

« Ma certo! »

A colazione, Vito spiegò a Brandy e a Mary quello che era successo e le avvisò che la stessa cosa sarebbe potuta succedere anche a loro.

« Io sono abbastanza presuntuosa e sfacciata da credere che, Curt Arvey o no, riuscirò ugualmente a venirne fuori senza guai », rispose Brandy soppesando bene le parole. « Comunque, Vito, tu non sai far funzionare la moviola e figurati se ti lascio cominciare a pasticciare con uno di questi aggeggi. Mi ci sono voluti sei anni per ottenere il diploma di tecnica del montaggio e non ho nessuna intenzione di svelarti i miei segreti. Non preoccuparti, non abbandoneremo la nave che affonda. Resteremo fino alla fine. Giusto, Mary? »

« Giusto, Brandy », rispose Mary, ripetendo le stesse due parole che aveva mormorato cento volte al giorno da quando era cominciato il lavoro.

Arrivò la metà di novembre prima che Vito riuscisse a ottenere la prima copia completa del film. Curt Arvey era a New York. Le sue difficoltà con Vito erano bazzecole a confronto del disastro immane che lo studio si era visto costretto ad affrontare con una grossa produzione, una commedia musicale letteralmente « tempestata » di stelle di prima grandezza basata sul romanzo *Pickwick Papers* di Dickens, un film da quindici milioni di dollari sul quale lo studio aveva contato per distribuirlo durante l'epoca natalizia quando intere famiglie andavano a divertirsi al cinema. *Pickwick*! era in ritardo di un mese sui tempi previsti di lavorazione e si trascinava avanti faticosamente con ulteriori ritardi di giorno in giorno. Ormai aveva superato il bilancio preventivo di quasi tre milioni di dollari e il consiglio di amministrazione di Arvey lo aveva convocato a New York perché fornisse spiegazioni su quello che stava succedendo.

Vito telefonò a Oliver Sloan, il direttore dell'ufficio vendite dell'Arvey Film Studio.

« Se volete potete vedere la copia campione di *Specchi* adesso, Oliver », gli annunciò con tono di finta indifferenza.

« Gesù! Ma è... » Il capo dell'ufficio vendite riuscì subito a controllare lo sbalordimento: era stupefatto per l'incredibile velocità con cui erano stati fatti i lavori successivi la produzione vera e propria del film. « Dovrò richiamarti, Vito. »

« Quando vuoi », rispose Vito, ben sapendo che Sloan avrebbe dovuto riferire la telefonata ad Arvey prima di potergli dire altro.

Oliver Sloan riuscì a raggiungere il suo padrone nella suite dell'albergo di Manhattan con una certa difficoltà. Dopo un breve scambio di parole, riattaccò sospirando e disse al suo assistente: « Arvey dice di bruciare quella fottuta copia del film non appena Orsini entra da questa porta e di scaraventarlo in galera. »

« E lei che cosa ha intenzione di fare? »

« Prima la vedremo, mi pare giusto, e poi la daremo alle fiamme. Il signor Arvey non era dell'umore migliore. »

Poi Sloan telefonò a Víto per combinare di visionare il film il giorno dopo, con la stessa tetraggine di un medico che deve eseguire la sua diecimillesima autopsia.

Il pomeriggio seguente, alle due, il vasto locale dove si tenevano le proiezioni era occupato da una buona metà dei funzionari dei più alti gradi degli uffici vendite, pubblicità e promotion, sedici uomini in tutto. Quattro di loro avevano fatto venire anche le segretarie: si trattava di donne le quali, in virtù dell'anzianità e della tradizione, si degnavano di assistere alla visione privata dei film nuovi. Ma, dal momento che in *Specchi* mancavano i grossi nomi, avevano un interesse relativo per il film in se stesso mentre volevano essere le prime di tutta la popolazione del segretariato dello studio, a scoprire che cosa avesse combinato il marito di Billy Ikehorn.

I sedici uomini, com'era da prevedere, non ebbero alcuna particolare reazione al film all'infuori di qualche colpo di tosse e dello sfrigolio delle sigarette che venivano accese. Quando il film finì, le quattro segretarie sgattaiolarono fuori da una porta laterale cercando di non farsi notare e gli uomini rimasero seduti un momento, immersi nel solito silenzio tradizionale. Tuttavia questa volta fu più profondo e più lungo dell'usuale. Tutti aspettavano di vedere come avrebbe reagito Oliver Sloan. Alla fine, questi disse: « Grazie, Vito, ci vediamo ». E uscì. Fu seguito dagli altri, che avevano cominciato a discutere a bassa voce di questioni di affari e preferirono ignorare Vito o salutarlo con rapidi cenni del capo per non dire niente. Vito aspettò che fosse uscito anche l'ultimo di loro e poi si allontanò in fretta, percorrendo tutto il corridoio fino alla toilette dei dirigenti. Qui si infilò in silenzio in uno dei gabinetti e aspettò. La prima voce che sentì fu quella di Oliver Sloan.

« Gesù! È la prima volta che riesco ad andare di corpo in quattro giorni. Questo lavoro diventa sempre più impegnativo. »

« Non lamentarti! Io ho la corsa... da una settimana. »

« Gesù! Jim, Arvey avrà un attacco di cuore, ma questo film sarà quello che lo salverà. Lo possiamo adoperare per riempire i vuoti... tutti quegli impegni che avevamo già preso per *Pickwick*! Fottuto Orsini... che film fantastico. Bellissimo! Cavoli come è bello! »

« Sì, per me funzionerà, Oli, funzionerà. Quante copie ordiniamo? »

« Diciamo duecentosettantacinque, tanto per sicurezza. Fottuto Orsini! »

« Ma perché le ragazze hanno tagliato la corda così in fretta? »

« Imbarazzate, penso. Non avevano più Kleenex. Si scioglievano in lagrime. »

« Segretarie... tipi emotivi. »

« Già... Gesù! Con il finalino rosa non si sbaglia mai un colpo! Ah, le donne! Non sanno più controllarsi quando si commuovono. A un certo punto ho creduto che Gracie si mettesse a singhiozzare forte... ho dovuto darle uno di quei pizzicotti! Chi ci capisce mai qualcosa con le donne? Gracie mangia lumache a pranzo e poi diventa sentimentale. »

Vito aveva sentito abbastanza. Sorridendo come un Cesare vincitore, uscì dal gabinetto e si fermò sulla porta della toilette degli uomini. Rivolgendosi alle quattro scarpe ben lucidate che vedeva, saldamente piantate sul pavimento, sotto la porta dei gabinetti, disse:

« Sono lieto di sentire che il film vi piace, signori. Godetevi una buona cagata. Offerta dal sottoscritto ».

Valentine era andata a distendersi sul suo divano imbottito, tutta felice di tenere i piedi in alto dopo una giornata pazzesca da Scruples. Dalle portefinestre aperte della terrazza soffiava una brezza novembrina e sapeva che, se fosse rimasta a lungo distesa lì dov'era, fra qualche ora avrebbe visto sorgere la luna. Che giornata! Era una di quelle sere in cui non si sentiva di offrire a Josh niente di più di una pizza, ma era talmente sfinita da non aver neppure voglia di telefonare per ordinarla. Aveva avuto le ultime prove per quel matrimonio di Portland, nell'Oregon: tutte, dalla sposa alle damigelle alla madre dello sposo e a quella della sposa, e, in più, l'intero corredo della sposa.

Intanto aveva finito anche gli schizzi per i modelli che la signora Byron avrebbe portato in crociera quell'inverno. Se la signora Byron, a ottantadue anni, continuava a considerarsi la femme fatale di bordo, lei, Valentine, doveva preoccuparsi, perlomeno, che le sue braccia e le sue spalle grinzose fossero coperte come si doveva. E, naturalmente, tutte le sue clienti meno simpatiche avevano scelto proprio quel giorno per venire a ordinarsi il vestito per la vigilia di Natale e per Capodanno. Valentine arricciò il delizioso nasino al pensiero che esistessero ancora donne così all'oscuro sull'alta moda da illudersi che un mese e mezzo fosse sufficiente per la confezione di un modello su misura, eppure sapeva che sarebbe riuscita a farcela. Adorava la serie continua di sfide che costituivano il suo lavoro. Quanto le sembrava limitato il compito di preparare gli schizzi per una sola linea di vestiti *ready-to-wear* a confronto di quello che faceva a Scruples! E Dio solo sapeva che non c'era nessuno che venisse a dirle quello che dovesse e non dovesse fare. Billy era completamente scomparsa, eccetto che per qualche telefonata di saluto. Valentine sapeva che, in casa Orsini, stavano succedendo cose misteriose perché gliene aveva accennato Josh. Però era strano che Billy non ordinasse più un vestito da mesi, dall'epoca del suo matrimonio. Adesso che le veniva in mente, Billy non aveva neanche pensato al guardaroba per l'autunno, e non aveva comprato niente all'infuori di quei jeans. Jeans, Billy. Due cose che facevano a pugni, pensò appisolandosi.

Un'ora più tardi la svegliò il ronzio del citofono. Si era rifiutata di accordarsi con la portineria per far salire Josh senza preavviso. L'idea che lo lasciassero venire di sopra senza quella telefonata che l'avvertiva, le dava fastidio. Josh aveva la sua chiave dell'appartamento e ciò bastava. Josh si era inalberato, anzi si era addirittura offeso, ma lei voleva continuare a essere la padrona in casa propria.

Quella sera, pensò ancora un po' intontita dal pisolino, Josh le parve un po' diverso dal solito. Sembrava che faticasse a trattenere un'eccitazione strana, un'agitazione profonda. Aveva i capelli sempre pettinati alla perfezione, come di solito, e il vestito da quattrocentocinquanta dollari gli andava a pennello, senza una grinza sulla bella figura slanciata, eppure i suoi occhi, quegli occhi grigi, così seri, erano colmi di un'emozione che non riusciva ad analizzare. La osservò più attentamente. Anche se il nodo della cravatta era perfetto, aveva l'aria di essere stato scaraventato attraverso l'occhio di un uragano.

« Josh, sono troppo stanca per telefonare! Vuoi chiamar tu e ordinare una pizza? Credi che basti quella grossa o sarà meglio ordinarne una grossa e una piccola? »

Lui non le diede retta e venne a inginocchiarsi a lato del divano dove Valentine era distesa, stiracchiandosi e sbadigliando. Il breve pisolino l'aveva lasciata stordita come se avesse attraversato in aereo l'Atlantico.

Josh le baciò il collo rotondo e bianco, l'interno trasparente dei gomiti, gli occhi e la bocca, finché fu certo che fosse ben sveglia.

« Niente pizza, stasera, tesoro. Mettiti il tuo più bel vestito. Usciamo a cena. Ho prenotato un tavolo al *Bistro* per le nove. »

« Josh! » Di tutti i locali di Los Angeles, il *Bistro* era quello più frequentato dagli amici di Josh e Joanne Hillman. Erano stati loro, con parecchi intimi amici del solito gruppo e con altra gente a finanziare il famoso ristorante che, in quel periodo, era molto in voga. Cenare al *Bistro* in compagnia di una persona che non fosse la propria moglie era la cosa più stupida che un uomo potesse fare.

« Ecco la mia sorpresa », disse Josh incespicando nelle parole. Le prese la testa fra le mani e la guardò diritto negli occhi. « Oh, non il *Bistro*... non intendevo quello .. ma d'ora in avanti possiamo andare dove vogliamo in pubblico. Ho predisposto tutto per il mio divorzio. » La sua voce aveva un timbro giovanile, felice, vibrante di qualcosa di molto simile a una bravata.

« Divorzio? » Valentine si mise a sedere di scatto, facendolo quasi cadere sul tappeto, rannicchiato com'era in ginocchio vicino al divano.

« Sì... la cosa non sarà definitiva se non fra sei mesi e quindi non possiamo sposarci fino a quell'epoca, ma tutte le questioni legali sono già state sistemate... » Non aveva intenzione di raccontarlo a Valentine, ma non era stato affatto semplice. Tuttavia, aveva ottenuto quello che voleva, come aveva sempre saputo fin da principio perché, almeno in California, una donna non ha nessun mezzo di impedire a un uomo di ottenere il divorzio, se proprio lo vuole ed è disposto a pagarne il prezzo, come non è neppure possibile il contrario, a voler ben pensarci.

Valentine si alzò di scatto dal divano e lo investì con un tono che Josh non le aveva mai sentito.

« Tu hai deciso di chiederlo, senza parlarne con me? » lo accusò, con il faccino aguzzo pallidissimo e stravolto per la collera.

« Oh, ma lo sapevi, tesoro. Quando ne abbiamo parlato in aeroplano, io ti avevo detto quello che desideravo. Hai creduto che stessi giocando con le parole? »

« E tu, forse, l'hai creduto di me? »

« Non so che cosa vuoi dire... »

« Ti avevo dato una risposta precisa, un forse indeterminato. Non puoi essertene dimenticato! E con un forse a tempo indeterminato tu sei andato avanti e hai ottenuto il divorzio? » Balbettava, fremente di dispetto, torturandosi i capelli con le dita come se avesse voluto strapparseli.

« Amore, quando una donna dà una risposta di questo genere a un uomo è come se gli dicesse che ha via libera, e a lui viene naturale interpretarlo come un sì... Voglio dire che è implicito, è sottinteso, anche se non è pronunciato a piene lettere. »

« Maledizione, come osi venire a spiegare a me quello che volevo dire? Come osi farmi credere che, per il semplice fatto che non ho risposto con un NO deciso e assoluto, è stato come se ti avessi detto di sì? Ma per chi mi prendi? Per una che fa la finta timida e sa quello che vuole ma lo nasconde dietro qualche parola ambigua? Ma tu vivi in un altro secolo, amico mio. » Lo guardava con occhi fiammeggianti, sentendosi offesa fino nel profondo del cuore.

Josh era annichilito. Era talmente abituato al fatto che tutto andasse come lui voleva, che aveva sottovalutato Valentine. Cristo, aveva cominciato a sottovalutarla dal giorno in cui l'aveva conosciuta. Si voltò di scatto, preferendo non affrontarla e si mise ad accarezzare distrattamente il bordo di un paralume. Alla fine si mise a parlare con un tono talmente avvilito e pieno di rammarico che Valentine finì per prestargli ascolto.

« Non sopporto di vederti andare su tutte le furie con me... quando ci sei di mezzo tu; mi sembra... di non riuscire a comprendere... mi sembra di non avere l'intuizione necessaria per fare la mossa giusta. L'unico motivo per il quale non te l'ho detto prima è che non volevo che ti sentissi la responsabilità del mio divorzio. Mai, mai, neanche per un solo minuto, ti ho data per scontata. » Si voltò verso di lei e Valentine si accorse che aveva gli occhi pieni di lagrime.

« Ti amo così profondamente, Valentine, che mi comporto come uno sciocco. Ma anche tu mi ami... vero? »

Con il cuore pesante, Valentine annuì. Certo doveva pur volergli bene, altrimenti perché il loro legame durava da tanto tempo? E ormai, cosa fatta capo ha! Ma se gli avesse risposto chiaramente di no quando Josh le aveva chiesto di sposarlo, tutto questo non sarebbe successo.

« Vattene, Josh. Ho bisogno di pensarci. Non mi sogno neanche di venire al *Bistro* con te... che idea orribile... tutta quella gente che ha già saputo che divorzi e adesso ti vede con me... »

« Oh, cazzo! È stata l'idea peggiore che mi sia mai venuta! Valentine, sto diventando pazzo. Ti prego, ti supplico, non posso ordinare quelle pizze? Non ti domanderò più una sola decisione, lo giuro. »

Riluttante, incerta, Valentine acconsentì. Di colpo si era accorta di avere una fame tremenda. Che fosse pieno di amore, di un senso di colpa o di rabbia, il suo stomaco funzionava sempre con una precisione tutta francese.

« Due pizze condite con tutto quello che c'è », dichiarò. « E di' a quella gente che se si dimenticano ancora una volta i peperoni, non le pago. »

Durante le prime due settimane di dicembre, *Specchi* venne proiettato nei duecentocinquanta cinematografi, dove

508

si davano sempre i film in prima visione, che erano stati prenotati per *Pickwick* che non era ancora terminato e ormai aveva superato il bilancio preventivo di quattro milioni di dollari. Arvey non aveva distribuito *Specchi* a quei cinematografi per una scelta libera, di questo si poteva essere sicuri. Ma, messo di fronte all'eventualità di una calza vuota a Natale, non aveva potuto fare diversamente. Poi aveva telefonato ai suoi fedeli radiologi per fissare un altro appuntamento per una serie di radiografie dell'apparato digerente, erano anni che evitava l'ulcera per un miracolo, ma questa volta neanche il Maalox riusciva a placare i dolori lancinanti che sentiva ogni volta che mangiava un boccone.

Le recensioni dei giornali, quando cominciarono ad arrivare, non fecero nulla per migliorare la sua digestione. Tutti sanno che i critici non hanno una grande importanza per quel che riguarda l'affluenza del pubblico a uno spettacolo cinematografico. La gente ha la strana abitudine di andare ai film che i critici detestano e di evitare quelli che loro, invece, portano alle stelle! Arvey, come la maggior parte delle persone che lavoravano a Hollywood, era convinto che i critici avessero preso i contatti con i gusti dell'americano medio e fossero troppo intellettuali e troppo portati a essere abbagliati dalla cosiddetta « arte pura ». Quindi, che cosa importava che il *New York Times* definisse *Specchi* « una meraviglia, la perfezione nel suo genere, un atto di bellezza, un capolavoro »? Chi cavolo volete che capisse qualcosa di un genere piuttosto che dell'altro nel Midwest? E il *Times* di Los Angeles aveva detto che Fiorio Hill e Per Svenberg « avevano scritto un altro capitolo nella storia del cinema ». Bella forza. La storia del cinema è piena di capitoli. *Newsweek* diceva: « Il cinema non ci ha mai dato emozioni visive così stupefacenti e inquietanti ». Ma la gente è disposta a fare la coda per vedere « queste emozioni inquietanti » con tutto quello che volevano dire? Ma che cosa volevano dire, poi? Le uniche recensioni che avevano importanza per Arvey erano quelle di *Variety*, *Daily Variety* e dell'*Hollywood Reporter*. « Niente di simile si era visto dopo *Love Story*... » questa poteva essere una recensione che serviva a far cassetta. « Niente di simile dopo *Rocky*... » tocca ferro, questo brav'uomo poteva aver ragione. « Niente di simile dopo *Un uomo una donna...* » un film straniero, ma che aveva fatto quattrini ugualmente.

La prima settimana non diede grandi risultati. I direttori dell'ufficio pubblicità e dell'ufficio vendite convinsero Arvey a impegnare più soldi nella campagna pubblicitaria, soprattutto alla televisione. Sapevano che le loro due segretarie erano tornate a vederlo, lontano dalla tirannia mascolina della sala di proiezione privata, per potersi sciogliere in lagrime e singhiozzare liberamente. E non si trattava della solita reazione da donne emotive, sapevano che quelle brave figliole erano tipi incalliti e non sprecavano le loro lagrime per niente, anzi non si riusciva a farle piangere neanche con le schegge di bambù sotto le unghie, e se erano disposte a pagare di tasca propria per vedere quel film voleva dire che il loro giudizio si poteva considerare come l'oracolo di Delfo.

Il film di medio calibro generalmente fa fare buoni affari entro la prima settimana di proiezione. *Specchi* vide l'incasso lordo dei botteghini raddoppiato nella seconda settimana e quasi triplicato nella terza, man mano che i ragazzi dell'università, tornati a casa per le vacanze, cominciavano a frequentare i cinema. Se un film continua con il ritmo di incassi della prima settimana, per un certo periodo di tempo, vuol dire che « sta in piedi ». *Specchi* stava dimostrando di essere addirittura un millepiedi. Com'era possibile? La gente si era passata la voce? I critici avevano avuto ragione, malgrado tutto? C'era di mezzo il periodo delle vacanze di Natale? Nessuno sapeva il perché, non lo si sa mai, però *Specchi* era diventato indiscutibilmente un film di « tutto riposo ». Lo studio impegnò meno quattrini per fargli pubblicità e non fu più necessario occuparsi delle pubbliche relazioni: quelle andavano avanti da sole, senza fatica.

A un giornalista che scrive per quotidiani e riviste non c'è niente che piaccia più di un film che ha scoperto da solo e non gli è stato cacciato in gola con tre mesi di anticipo dagli addetti all'ufficio pubbliche relazioni. Ogni inviato che aveva intervistato Sandra Simon e Hugh Kennedy aveva avuto la sensazione di calpestare un territorio vergine. Poi erano stati intervistati Fifi Hill e Per Svenberg: quest'ultimo, comunque, era un personaggio da idolatrare, solo che, in genere, veniva sempre idolatrato da un migliaio di persone, al massimo. Adesso erano milioni ad aver sentito parlare di lui e Svenberg si crogiolava al calore di questo riconoscimento tanto atteso. Nessuno si preoccupò di andare a intervistare Vito Orsini: in fondo, era soltanto il produttore.

Per Natale, *Specchi* era al primo posto nella classifica settimanale dei film che avevano ottenuto il maggiore incasso, pubblicata su *Variety*, e Vito pensò che fosse venuto il momento di rompere il silenzio fra Arvey e lui.

L'atmosfera, nell'ufficio di Arvey, era diventata glaciale. Dopo essere stato sconfitto quando si era illuso di potersi assumere il controllo del film, al termine della lavorazione, adesso Curt si aggrappava al film in modo addirittura esasperato. *Specchi*, a questo punto, era il « suo » film, esattamente come era stato il film di Fifi Hill, fintanto che ne aveva curato la regia. Non aveva forse dato lui stesso a Orsini la possibilità di realizzarlo? Non lo aveva distribuito nei circuiti proprio nel periodo di Natale? Preveggenza, ecco che cosa doveva avere il direttore di uno studio, preveggenza e ardimento.

« Vito, la settimana prossima *Specchi* verrà proiettato in millecinquecento cinematografi sparsi in tutto il Paese », annunciò in tono imperioso Curt Arvey.

« Cosa? »

« Devi accettare la realtà, Vito: è un fiasco. Sono i ragazzi che fanno fare gli incassi. Fra dieci giorni, quando torneranno a scuola, il film sarà finito. » Arvey ridacchiò soddisfatto davanti all'espressione di Vito. « Voglio mungere la vacca fino all'ultima goccia prima di quel giorno. E poi, arraffare la cassa e darmela a gambe... non dirmi che non hai mai sentito niente di simile! »

« Curt, non puoi farlo. » Vito lo assalì pur cercando di mantenersi abbastanza calmo. « Questo film sta cominciando adesso a rendere. Finite le vacanze di Natale verranno a vederlo i padri e le madri di questi ragazzi, verranno a vederlo le coppie di sposini, tutti quelli che abitano in questo dannato Paese verranno a vederlo! » L'espressione di Arvey si inasprì. « Ho parlato con i ragazzi che fanno la coda per andare a vederlo; ce n'è qualcuno che torna per la terza o la quarta volta. Curt, quelle file di persone davanti ai cinematografi sono importantissime per richiamare l'interesse sullo spettacolo! Distribuiscilo nei circuiti perché lo proiettino in millecinquecento cinematografi e nel giro di una settimana non ci sarà più nessuno che si mette in coda per vederlo. Ma non lo capisci, per amor di Dio? » Vito si era appoggiato con le mani sulla scrivania di Arvey, e si protendeva quasi sopra di lui. Non riusciva a credere che l'altro non fosse d'accordo con il suo ragionamento che filava secondo la logica fondamentale degli affari del mondo dello spettacolo.

Arvey guardò Vito con aria vendicativa. *Specchi* era suo, dannazione, e ne avrebbe fatto quello che voleva. Nessun gigolò come Vito Orsini gli poteva venire a raccontare come doveva fare i propri affari. Un simpatico cambiamento quello di avere Orsini nelle proprie mani.

« Tu hai diritto di avere il tuo punto di vista », cominciò in tono strascicato, « ma si dà il caso che io ne abbia un altro. E adesso chi comanda qui dentro sono io. Soldi, soldi presto e in contanti, è quello che mi interessa, non i soliti castelli in aria. Tu sei romantico, Vito, oltre a essere un ladro. »

Vito si mosse con prontezza. Alto e minaccioso, si allungò sulla scrivania di Arvey e schiacciò sul telefono interno il bottoncino sul quale era scritto « Vendite ».

« Oliver? Sono Vito Orsini. Sono qui con Curt. Ha intenzione di distribuire *Specchi* secondo le date prestabilite invece di ritirarlo per un certo periodo di tempo. Che cosa ne pensi? »

Arvey, sbalordito, accasciato sulla sua poltroncina girevole, stava per tuonare qualcosa nel telefono interno quando Oliver rispose.

« Ha ragione al cento per cento Vito. Qualsiasi altra soluzione sarebbe assolutamente ridicola e, alla lunga, ci costerebbe milioni. »

Vito mollò il bottoncino e puntò due occhi che sembravano i fori d'uscita delle canne di una doppietta sulla faccia congestionata di Arvey.

« Che cosa ne direbbe il tuo consiglio di amministrazione, Curt? Credi di essere nella posizione di poter far saltare milioni di incassi lordi ai botteghini solo per dimostrare che comandi tu? E come va *Pickwick*! Tira avanti? Ho sentito che avevi voluto tutto il credito per quel progetto prima che cominciasse ad andare storto! »

« Vattene fuori di qui, per tutti i diavoli, testa di cazzo... tu, tu... » Arvey, troppo infuriato per sbottare in ulteriori invettive, premette il bottone che chiamava la sua segretaria e sbraitò: « Chiamami le guardie! Subito! »

« Calma, Curt. Ricordati la tua ulcera. »

Vito uscì dall'ufficio a lunghi passi come una grossa pantera. Mentre passava davanti alla segretaria di Arvey, buttò un bacio in direzione della sua faccia spaventata.

« Non darti alla pazza gioia ancora, tesoro. Sfortunatamente riuscirà a sopravvivere. »

Malgrado lo scarno gruppetto di donne abili e ultraorganizzate che se la godono un mondo a dichiarare, il primo novembre, che hanno finito le loro spese natalizie per Natale, per la massima parte dei venditori al pubblico è il 10 dicembre, non un giorno prima, il momento magico in cui comincia il periodo di punta per le vendite natalizie. Scruples non faceva eccezione alla regola. Per quanto ci fosse anche qualche cliente che si comprava un vestito al piano superiore, i piani che subivano maggiormente l'attacco da parte del pubblico erano il piano terreno e la Bottega di Campagna, che venivano sistematicamente depredati di tutti i loro tesori e pullulavano di compratori come un formicaio assalito. Spider aveva passato la giornata a esercitare il suo benevolo influsso, indossando dozzine di maglioni per signore incerte sulle esatte misure dei mariti... « È di tutta la testa più basso di lei, Spider, e pesa almeno dieci chili di più, non vuole essere un angelo? Non se lo infilerebbe un momento? »... e a dare consigli a quelle incerte: « Che cosa spediresti alla suocera, che detesti, ma per la quale devi spendere come minimo trecento dollari? Un vaso di vetro di Waterford pieno di caramelle durissime o uno schiaccianoci placcato in oro?... Spider, sei un genio. »

Al momento della chiusura, il 23 dicembre, sia lui sia Valentine si convinsero che il peggio era passato. Quell'anno la vigilia di Natale cadeva di sabato e tutti i modelli speciali di Valentine per le feste di quei giorni erano già stati ritirati dalle clienti o consegnati a domicilio; gli acquisti di regali natalizi del giorno dopo sarebbero stati ben poca cosa, soltanto un « salto a prendere l'oggettino dell'ultimo minuto », eccetto che per quelle poche persone sagge le quali sapevano come il giorno migliore per fare le spese, dopo il 10 dicembre, era proprio il 24. Generalmente si trattava di uomini d'affari i quali si presentavano con una lista imponente e prendevano le decisioni nel giro di pochi secondi, con grande gioia delle commesse.

Spider e Valentine erano seduti l'uno davanti all'altra, ai due lati dell'antica scrivania che dividevano. Avrebbe dovuto esserci tra loro il solito silenzio piacevole e rilassato, come capitava spesso alla fine o al principio di una giornata di Scruples, ma l'atmosfera della stanza era circospetta e carica di cautela. Spider aveva l'impressione che Valentine fosse preoccupata. Teneva alzato in aria con la delicatezza di sempre il nasino impertinente, all'insù, ma il luccichio aggressivo e fulgido delle sue pupille verdi sembrava un po' offuscato. Spider conosceva Valentine. E aveva capito che non era contenta.

Dal suo lato della scrivania Valentine considerava Spider Elliott. Aveva l'aria stanca, pensò. Più vecchia, ma in un modo che non si poteva spiegare soltanto con il passare del tempo. Si faceva un po' di fatica a mettere in relazione quest'uomo raffinato, sofisticato, elegantemente vestito, un vero uomo di mondo, con il ragazzo biondo e spensierato, con la maglietta dell'università, che le portava le bottiglie di vino a casa dal mercato, le aveva preparato innumerevoli tartine di formaggio fuso quando lei era infelice e aveva ascoltato per ore i vecchi dischi di Edith Piaf nella sua stanzetta in soffitta.

514

« Sei esausta, Valentine, tesoro mio, o c'è qualcosa che non va? » le domandò con dolcezza.

Valentine, piena di vergogna, si sentì salire le lagrime agli occhi al suono della sua voce. Spasimava dal desiderio di confidarsi con qualcuno sulla propria situazione con Josh Hillman, ma fra tutta la gente che c'era al mondo Elliott era proprio l'ultimo al quale voleva rivolgersi. Una ragione misteriosa, ma perentoria si nascondeva dietro l'ostinata determinazione di non far sospettare a Spider com'erano andate avanti le cose con Josh oppure come si sentisse ancora confusa.

« Oh, sono soltanto tutte queste donne, Elliott, così piene di pretese, così difficili da accontentare. Ingrassano di cinque chili fra una prova e l'altra e, a sentirle, sembra che sia tutta colpa mia! »

« Andiamo, tesoro! Lo sai benissimo che stravedono per te! E tu non ti metti certo a tuonare contro una di quelle signore, se le sue misure sono cambiate... ma via, sei tu la ragione di una buona metà delle diete che si fanno in città! Cosa c'è, piuttosto? Il tuo uomo misterioso ti dà qualche fastidio? »

Si raddrizzò sulla seggiola, allarmata, sulla difensiva. La voglia di piangere scomparve.

« Ma di che cosa stai parlando? »

« L'uomo misterioso, quello che ti tiene così impegnata che non riesco più a vederti a quattr'occhi come una volta. Se non ti tratta come deve, lo ammazzo, quel figlio di buona donna! » Con grande stupore si accorse di aver stretto i pugni, di avere i muscoli delle braccia e delle spalle tesi e contratti per la rabbia. Ammazzare quel figlio di buona donna sembrava proprio un'ottima idea. Non importava se anche non ci fosse un motivo per farlo.

« Tu tiri le conclusioni a caso, Elliott. È la tua fantasia che ti prende la mano. » Valentine passò all'attacco sentendosi, di colpo, non meno furiosa di lui. « Vengo mai a chiederti, io, perché tutte quelle ragazze perdono la testa per te? Non c'è da meravigliarsi se hai quell'aria stanca... come fai a non tenere l'una all'oscuro dell'esistenza dell'altra... come fai, eh, con le tue amichette? »

515

Si guardarono con gli occhi fiammeggianti durante una pausa momentanea di silenzio stupito. Infine fu Spider a parlare.

« Ci dev'essere qualche cosa che non funziona in me, Valentine. Non so proprio perché l'ho detto... probabilmente dev'essere stato perché ci conosciamo da così tanto tempo! »

« Non ti dà ugualmente il diritto... »

« No. Dimenticatene, OK? » Guardò l'orologio. « Sono in ritardo, ci vediamo domani. »

Batté rapidamente in ritirata, richiudendo la porta dietro di sé. Valentine rimase seduta dov'èra, immobile, sbalordita, perplessa, sconvolta dall'intensità delle emozioni che si erano scatenate lì dentro. Avrebbe dovuto essere furibonda. Lo era stata anche per molto meno. Eppure si sentiva... compiaciuta. Compiaciuta? Sì, innegabilmente compiaciuta.

Passarono varie settimane senza che *Specchi* venisse tolto dai cinematografi nei quali era proiettato. Vito diventò sempre più fiducioso sul fatto che l'intuito di Oliver Sloan sul modo migliore di far cassetta, unitamente al miglioramento del sistema digestivo di Arvey, avesse avuto la meglio sull'attacco di pessimismo da parte di quest'ultimo.

Tuttavia, l'animosità che Arvey provava personalmente per Vito era più virulenta che mai; e gli dimostrò il suo malanimo e la sua rabbia compressa pubblicando sull'*Hollywood Reporter* e sul *Daily Variety* soltanto il minimo di pubblicità indispensabile. In circostanze normali, con quegli introiti netti così alti, lo studio avrebbe cacciato in gola alla concorrenza il successo di *Specchi*. No, pensò Vito, non doveva aspettarsi niente dallo studio, ma il bello era che adesso non ne aveva più bisogno. C'erano due cose importanti, due soltanto: il prospetto settimanale degli incassi pubblicato su *Variety*, dove *Specchi* restava sempre al primo posto e gli elenchi dei dieci film migliori dell'anno secondo i critici di tutta l'America, fino a quel momento in ognuno di essi era incluso *Specchi*. Allora Vito arrivò alla decisione di attuare il piano che aveva studiato fin da quando aveva visto la prima copia, completa, del film.

Parecchi giorni prima di Natale, Billy prese la macchina e andò a Venice, quella squallida colonia marina di Los Angeles, sul genere di Coney Island, dove molte case costruite qua e là a casaccio, non erano ancora state rimpiazzate dalla massa in rapida costruzione dei nuovi condomini. Aveva intenzione di far visita a Dolly, fermandosi anche per il pranzo, per vedere con i propri occhi come se la cavava al sesto mese di gravidanza. Carica di regali natalizi, Billy si arrampicò fino all'appartamentino di due stanze, occupato da Dolly, al terzo piano di una vecchia casa decorata a stucco color rosa pallido con i motivi ornamentali di una violenta gradazione di cremisi. Si trovava in una strada dove tutti si conoscevano, almeno questa era l'impressione che davano, dove i vicini chiacchieravano crogiolandosi al sole invernale, innaffiavano i fiori e cercavano di non farsi investire dai ragazzini sullo skateboard. Fino a quel giorno, nessuna di quelle case era stata venduta alle agenzie immobiliari che miravano alla valorizzazione della zona e il padrone di casa di Dolly, capitano dei vigili del fuoco di Los Angeles, riusciva a pagare le tasse sulla sua modesta abitazione, che aveva un valore in continuo aumento, affittando l'ultimo piano che si era liberato poiché tutti i figli avevano lasciato la casa paterna.

Bastò un'occhiata a Dolly perché Billy si convincesse che la gravidanza proseguiva bene; poi rimase a contemplare con affetto quella ragazza che sembrava una florida lattaia, euforica, rosea, dalle forme opulente.

« Sei proprio un bel bocconcino », disse a Dolly, contemplandola da ogni lato.

« Che cosa vuol dire? » domandò Dolly ridendo, timidamente compiaciuta del maestoso pancione che metteva in mostra.

« Credo che voglia dire "appetitosa". In ogni modo, è sempre qualcosa che ha buon sapore. »

« Aspetta di assaggiare quello che ti ho preparato per pranzo, Pollo ripieno, secondo la ricetta di Milton Berle », annunciò Dolly in tono saccente.

« Ma dove le prendi queste... ricette? » domandò Billy

incerta se ridere o mostrarsi scettica. Dolly andò a prendere un libro stretto e lungo, color rosa e rosso.

« È il libro da cucina delle persone celebri che praticano la religione ebraica... è meraviglioso. Ieri ho provato il cavolo ripieno alla Barbara Walters. »

« Ma perché? »

« Ho pensato che, fintanto che non lavoro, potrei fare qualcosa di utile. Ti ricordi quello che mi avevi detto riguardo a quei tuoi meravigliosi uomini ebrei? Non servirebbe un po', se fossi una favolosa cuoca di piatti cucinati secondo le usanze ebraiche? »

« Indubbiamente », rispose Billy asciutta. « Ma è proprio questo il momento per catturarne uno? »

« Be', ci sono certi tipi di uomini che si sentono attratti dalle donne incinte », rispose Dolly maliziosamente. « Specialmente quando sanno fare il favoloso arrosto alla Neil Diamond. Effettivamente, credo anch'io che dovrò aspettare fino a quando è nato il bambino, ma non si può mai sapere, non ti pare? L'altro giorno sono andata a vedere ancora una volta *Specchi*, è l'undicesima; almeno una cinquantina di persone mi hanno domandato un autografo e tre tizi mi hanno invitata fuori a cena. »

« E tu ci sei andata? » domandò Billy senza fiato.

« Naturalmente no... erano tutti un po' balordi. Però, me l'avevano chiesto. »

« Che impressione fa », domandò Billy incuriosita, « vedere *Specchi* con il pubblico, dal principio alla fine? »

« Ma non lo sai? Billy, ma se l'hai visto e rivisto! »

« Soltanto durante il montaggio o il missaggio. Non l'ho mai visto con gente che non conosco, o dove si paga per vederlo. »

« Ma è tanto semplice », rispose Dolly stupita. « Ecco, il pubblico è la cosa migliore che ci sia alla proiezione di quel film, credimi! Ti ricordi la scena in cui io dico a Sandra quello che prova realmente Hugh per lei e lei lo trova sulla scogliera... »

« Se la ricordo? » gemette Billy. « La ricordo talmente bene che comincio a credere di averla scritta io! »

« Be', è lì che cominciano a piangere, Billy... in tutto.

518

il cinema si può sentire l'emozione che cresce, aumenta, e la gente che partecipa così intensamente... perfino io mi sono sentita gli occhi pieni di lacrime. »

« Ma, Dolly, mio Dio, c'eri anche tu quando Fifi gliel'ha fatta rifare per la sesta volta, a quei due, e Sandra non faceva che lamentarsi perché aveva i sassolini nelle scarpe e Svenberg sbraitava perché la luce continuava a diminuire... »

« Me ne sono dimenticata », rispose Dolly cocciuta. « Non ricordo niente di tutto questo... per me, ogni volta, è come se fosse tutto nuovo. Senti, perché non ci andiamo insieme dopo aver pranzato, eh? »

« Sarebbe la dodicesima volta per te, e avresti ancora voglia di vederlo? »

« Chissà! Magari sono diventata come uno di quei fanatici di *Sound of Music*, ti ricordi? C'è stato qualcuno che l'ha visto settantacinque volte e anche di più. E non ci avevano neanche recitato... Non dirlo mai a Vito, ma io vado quasi sempre a vedere gli spettacoli dove ho recitato. Sai tutte quelle interviste che fanno agli attori, quando dicono che non vanno mai a vedere i loro film? Non li capisco... io adoro l'idea di vedermi! » Sussurrò le ultime parole, stringendosi le braccia contro il petto, allegramente, un po' orgogliosa, un po' sentendosi in colpa. « Forse non sono altro che una dilettante. »

« Sei incredibile », disse Billy. « Sei l'attrice più bella e più commovente... te l'avevo già detto prima ancora che tu mi conoscessi abbastanza per fidarti di me, ti ricordi? »

Dolly evitò di guardarla, un po' vergognosa. Non era capace di credere o di accettare una lode per qualche cosa che le veniva così naturale.

« Ecco, mi ero quasi dimenticata », disse, « il tuo regalo di Natale. » E consegnò a Billy un vaso di terracotta chiuso dal coperchio. « È il Pâté di fegatini di pollo alla George Jessel. Scommetto che non credi alle tue orecchie! »

« Infatti, non ci credo », rispose Billy.

Vito voleva la candidatura al titolo di « film migliore » per *Specchi*. Non aveva osato abbandonarsi a quel sogno fino a quando non aveva visionato la prima copia del film, ma da quel giorno in poi era un pensiero che non lo lasciava più. *Specchi* era la produzione migliore della sua carriera; con essa aveva ottenuto un film che era molto di più della somma delle sue parti, per quanto abilmente fossero state scelte. Viveva di un palpito proprio; funzionava a ogni livello, dalla commedia alla poesia. Sarebbe stata una pietra miliare nella storia del cinema, se lo sentiva, ma ci voleva la conferma del resto del mondo per verificare questo suo convincimento. Fintanto che arrivavano le recensioni, fintanto che gli incassi continuavano con quel ritmo e fintanto che il film appariva nell'elenco dei « dieci migliori », era stupendo, ma non bastava alla realizzazione del sogno.

Specchi aveva le carte in regola, però mancava ciò che di solito viene considerato essenziale per ottenere almeno una delle cinque candidature al titolo: il sostegno dello studio. Curt Arvey non era disposto a spendere un centesimo in più per favorire la candidatura di *Specchi*. Se si fosse convinto che quel filmetto avrebbe potuto davvero vincere un Oscar, si sarebbe adattato a cercargli la candidatura perché un Oscar vuole anche dire un'aggiunta di almeno dieci milioni, in media, all'introito lordo degli incassi. Però Arvey sapeva, come lo sapeva Vito, che l'annata precedente aveva prodotto un certo numero di film ultracostosi, interpretati da « superstars » che avevano studi di grande potenza alle spalle. Ciascuno di loro poteva aspirare legittimamente all'Oscar. Una candidatura per *Specchi* avrebbe significato soltanto un po' di gloria per Vito e Arvey era disposto a fare molte cose per impedirlo, anche se una parte di quella gloria, com'era logico, si sarebbe riversata su di lui.

Così, molto semplicemente, Vito avrebbe dovuto fare tutto da solo.

Cominciò a prendere in considerazione l'insieme dei tremilatrecento membri di quella che viene ampollosamente chiamata la Academy of Motion Picture Arts and Sciences. Soltanto questo numero rigidamente limitato di persone aveva il diritto di decidere per quali film, interpreti e tecnici si dovesse votare, qualcosa che, volendo fare un paragone, poteva essere come affidare alla sola popolazione di Westport, nel Connecticut, il diritto di voto per il Presidente degli Stati Uniti.

Le candidature per il « miglior film » sono le uniche per le quali votano tutti i membri dell'Academy. Le candidature di tutte le altre categorie vengono messe ai voti soltanto nei settori interessati, di modo che solo gli attori propongono la candidatura degli attori, i direttori artistici nominano i direttori artistici e così via. Tuttavia, la votazione finale di tutte le categorie viene fatta dall'insieme dei membri. Questo voleva dire che Vito doveva mettere in atto tutta la sua influenza su ciascun membro dell'Academy per ottenere la candidatura a miglior film dell'anno.

Quando uno studio esercita un'attiva azione di promotion per ottenere la candidatura di un particolare film, organizza una serie di visioni speciali, di lusso, a sua spese. Vito non poteva permettersi niente di simile. Però non aveva dimenticato la reazione delle quattro segretarie alla prima proiezione di *Specchi*. Così restrinse la sua campagna, con il proposito di attirare l'attenzione delle mogli, delle madri, delle sorelle, delle figlie, delle cugine, delle zie dei membri maschi, che sono in numero preponderante in ogni settore dell'Academy.

Procurati il favore delle donne, si disse, e saranno loro a ottenere dagli uomini quello che vogliono.

Così Vito diramò gli inviti per una serie di proiezioni pomeridiane riservate alle donne che vivevano nelle comunità residenziali di tutta Los Angeles in cui abitavano i tecnici del suono, gli operatori cinematografici, i tecnici del montaggio, coloro che facevano documentari e cartoni animati. Ogni giorno, da Natale fino a tutta la prima settimana di febbraio, il periodo in cui vengono compilate le schede di scrutinio per le candidature, ci furono da un minimo di tre a un massimo di sette proiezioni di *Specchi* nei cinematografi della zona che va da Culver City a Burbank, da Santa Monica fino alle ultime propaggini della San Fernando Valley. A Vito non importava affatto che le parenti di sesso femminile dei membri dell'Academy si facessero accompagnare alla proiezione da tutte le amiche che avevano a disposizione, a lui bastava semplicemente che loro vedessero *Specchi*. L'«operazione matinée», come la definì Billy, in realtà era una faccenda piuttosto complicata dal punto di vista logistico. Vito doveva trovare quei cinematografi locali che erano vuoti nel pomeriggio, prendere contatti e accordi con i direttori, ottenere in prestito le copie del film, preoccuparsi che si andasse a prenderle e a riconsegnarle, a cercar di trovare chi le proiettasse.

«Come va, tesoro?» domandò Billy, guardando Vito con ansia. Nel periodo di tensione in cui si era girato il film non le era mai sembrato così preoccupato. Con grande cocciutaggine e da vero sciocco, secondo lei, Vito non aveva voluto adoperare neanche un soldo di sua moglie per questo progetto.

«Sto magnificamente, a parte un leggero soffio al cuore, quelle fitte misteriose al cervello, la colite spastica e i piedi piatti. Ma non posso lamentarmi. Mi pare di non essere più sordo da un orecchio e ieri per tutto il giorno non ho avuto svenimenti.»

«Sei sicuro che ne valga la pena?» domandò lei, rifiutandosi di lasciarsi abbindolare, da quella tattica che mirava a distrarla dall'argomento importante.

«No. Naturalmente, no. Qualche volta a quelle matinées c'è soltanto una dozzina di donne e, per quel che ne so, si tratta semplicemente delle vicine di casa di chissà chi, che vengono per curiosità. Altre volte ce n'è quasi un centinaio. Chissà... Comunque se non tentassi almeno questo, non me lo perdonerei mai.»

«Sono convinta che *Specchi* otterrà la candidatura soltanto per i suoi meriti!» esclamò Billy, inalberandosi.

«Vorrei che tu fossi un membro dell'Academy.»

Vito non riuscì mai a sapere come e perché *Specchi* entrò a far parte della rosa dei cinque candidati all'Oscar nella seconda settimana del febbraio 1978. Chissà quale fu l'elemento che gli procurò il voto. Forse gli attori, che votarono un film in cui i tre interpreti quasi sconosciuti si erano visti offrire l'opportunità di mostrare le proprie qualità; oppure perché quello era l'anno della candidatura di Fifi, o perché i trecento e passa scrittori, membri dell'Academy, si erano decisi a dare il loro plauso a un film che dipendeva in gran parte da un soggetto pieno di sensibilità; oppure perché la gente aveva voluto vedere una storia d'amore o un film di eccezionale bellezza, oppure perché volevano piangere sul suo lieto fine... o addirittura perché c'era stata la serie delle matinées in cui l'avevano proiettato. In seguito non si riuscì mai a capire con quale criterio fu scelto e questo si rivelò un argomento di conversazione tanto irresistibile quanto la discussione su quale gruppo etnico e socioeconomico dovesse essere considerato responsabile dell'elezione di un Presidente degli Stati Uniti. Comunque non si trattò di un caso fortuito.

Specchi ottenne la candidatura anche per Dolly Moon come miglior attrice non protagonista, Fiorio Hill come miglior regista e Per Svenberg per la miglior cinematografia.

« Grazie a Dio », esultò Billy, « adesso potrai rilassarti! »

« Sei matta, figliola? Adesso che ci hanno fatto ballare davanti agli occhi l'Oscar! Potrei rilassarmi soltanto se non avessimo ottenuto la candidatura. »

Dolly Moon, pensò Curt Arvey: doveva fare qualcosa per lei. Adesso che *Specchi* aveva ottenuto la candidatura, i suoi sentimenti verso Dolly, Fifi e Svenberg erano diventati più paterni che mai. Così, se *Specchi* era il suo film, Dolly e gli altri erano la sua gente. Riuscì senza difficoltà a cancellare completamente il ricordo della parte che aveva avuto Vito nella gloria che l'aveva baciato in fronte. Fifi e Svenberg erano professionisti rispettati e celebri, con una reputazione ormai convalidata dai fatti e poteva fare ben poco, a questo punto, per aggiungervi qualcos'altro. Ma Curt Arvey era sempre stato convinto di essere un creatore di stelle. Oltre al fatto che aveva sempre avuto un debole per le tette e i popò prosperosi. Quella piccola, simpatica creatura sexy che era Dolly Moon meritava di avere un addetto alla pubblicità che si occupasse interamente di lei, ecco quel che disse al vicepresidente incaricato della promotion e delle pubbliche relazioni.

Tutti i pezzi grossi dell'ufficio promotion erano impegnati nel salvataggio di *Pickwick!*, del quale si erano cambiate le date di distribuzione e che sarebbe stato proiettato nei cinematografi per Pasqua, ed erano letteralmente aggrediti da ogni parte da quei piraña della stampa che accorrono sempre festosamente ad avvertirli, a sbranare e succhiare la carcassa sanguinante di un grosso film che, a detta di tutti, si trova in una mare di guai. Si tratta sempre di un avvenimento molto più fruttuoso per le tirature di qualsiasi altra cosa che Hollywood possa offrire, all'infuori del suicidio di un divo famoso. Esaminando il gruppetto ormai sparuto dei pochi uomini liberi in quel momento, il capo della promotion scelse l'impiegato più giovane, un certo Lester Weinstock.

Il giovane Lester Weinstock era un uomo che sembrava appartenere a un'altra epoca, a un'altra civiltà. Bastava dare un'occhiata a quella sua faccia rotonda, giuliva, occhialuta, a quella chioma sempre spettinata, al sorriso caloroso, deliziato, delizioso, delizievole, per rendersi conto che era capitombolato fuori da un passato più innocente: avrebbe potuto essere uno dei Tre Moschettieri, anche se era troppo grassoccio per valere qualcosa in un duello; oppure un Falstaff giovanile, prima che diventasse troppo grasso. Oltre a essere corpulento, era anche alto, con i capelli del colore della pelliccia di un orsacchiotto di pezza e gli occhi miopi di un marrone incerto, tinta del pelo di quei cani che riescono sempre simpatici a tutti anche se non sono niente di speciale. Le sue fattezze erano abbastanza anonime ma simpatiche: effettivamente nessuno avrebbe saputo descriverle con esattezza perché quello che richiamava subito l'attenzione era il suo sorriso. Due erano, invariabilmente, le relazioni delle donne nei confronti di Lester: o provavano una gran voglia di adottarlo, oppure di essere adottate da lui come sorelle. Ma Lester aveva un'anima profondamente romantica e quindi una sistemazione familiare di questo tipo non era proprio quello che aveva in mente. Tuttavia, a venticinque anni, non era ancora il caso di scoraggiarsi, aveva la vita davanti a sé.

Quando Lester ricevette l'incarico di diventare l'agente per le pubbliche relazioni di Dolly fino al giorno degli Academy Awards, si sentì al settimo cielo per la felicità.

Aveva già visto *Specchi* ed era rimasto profondamente colpito dalla bellezza austera e fatale di Sandra Simon. Adesso andò a rivederlo, concentrandosi su Dolly. Dal punto di vista fisico non era il suo tipo. Lester andava pazzo per le bellezze languide, cupe, affascinanti perché nevrotiche, infelici, sfuggenti, con gli occhi spiritati. Dolly Moon non aveva niente del genere, però era un'attrice splendida, Lester se ne accorse subito, e volle rivedere il film ancora una volta. Molto, troppo abbondante davanti e dietro per i suoi gusti, d'altra parte il suo compito sarebbe stato quello di farle la balia, non di farle la corte.

Telefonò a Dolly subito dopo pranzo per annunciarle la missione di cui lo avevano investito e per prendere un appuntamento.

« Come ha detto di chiamarsi, me lo può ripetere? » domandò Dolly un po' frastornata per i festeggiamenti in suo onore che erano cominciati nell'isolato fin dal mattino, non appena le candidature agli Oscar erano state annunciate.

« Lester Weinstock. »

« Potrebbe ripetermelo... lentamente? Lettera per lettera? »

« Ehi, ma si sente bene? A sentirla sembra un po' intontita. »

« Oh, no! Sto benissimo. Venga qui, Lester Weinstock. Abbiamo uova sbattute nel latte caldo, punch al rum e sangria, tequila Moonlight e grog bollente, e c'è lo strudel in forno. Se arriva in meno di un'ora, sarà ancora caldo. A presto, Lester Weinstock. »

Gesù, pensò Lester, la sua prima diva e salta fuori che dà i numeri. La telefonata successiva lo confuse ancora di più.

« Signor Weinstock, non ci conosciamo, ma io sono Billy Orsini, la moglie di Vito Orsini. Dunque, quello che sto per dirle è molto importante, quindi stia a sentire attentamente. Dolly Moon è la mia migliore amica e ha un solo torto, non sa come vestirsi. Non ne capisce niente. Chiaro?

Così tocca a lei condurla da Scruples entro questo pomeriggio, in modo che Valentine O'Neill, ricordi bene questo nome, possa disegnarle un modello da portare la sera degli Awards. Non le lasci chiedere niente a proposito di chi lo pagherà o di quello che costa, glielo offriamo noi, ma non voglio che lo sappia. Le dica che la fattura verrà mandata allo studio. È tutto chiaro? Bene? Ci conosceremo presto. Cosa? Sì, naturale che sono eccitata e felice per mio marito. Sì, glielo dirò. Però, signor Weinstock, Lester, manca solo un mese e mezzo agli Awards e Dolly deve vedere Valentine oggi stesso. Mi ha capita? Non importa, capirà! »

Lester salì le scale che portavano all'appartamento di Dolly con il cuore che quasi non gli batteva più per l'eccitazione. La telefonata spasmodica di Billy, avvenuta subito dopo la conversazione con Dolly, lo aveva convinto di trovarsi in un mondo in cui tutto poteva succedere.

La moglie del padrone di casa di Dolly venne ad aprirgli la porta e lo introdusse in una stanza piena di gente in festa. Lester si fermò al centro, perplesso, domandandosi dov'era Dolly Moon e come avrebbe fatto a persuaderla a venir via di lì, abbandonando gli ospiti. Dopo un attimo, una voce dalla tonalità inequivocabile, dietro alle sue spalle, disse: « Le ho messo da parte un pezzo di strudel, Lester Weinstock, e la prego di credere che non è stato facile ». Lui si voltò di scatto e incontrò gli occhioni di Dolly, di un azzurro intensissimo, che gli sorridevano. Automaticamente allungò le mani per ricevere il piatto che la ragazza gli stava porgendo e che teneva appena sopra l'altezza della vita. L'altezza della vita.

« Lo so », disse Dolly con una risatina deliziosa. « Non riesco a crederci neanch'io. Ogni mattina mi alzo e mi guardo nello specchio e penso che non è assolutamente possibile diventare ancora più grossa di così, e invece continuo, come se niente fosse. Mangi il suo strudel finché è caldo. »

Senza sapere quello che stava facendo, Lester se ne mise in bocca un pezzetto e lo masticò.

« Non le piace? » domandò Dolly in tono apprensivo.

« È fantastico... ottimo veramente. Sarei molto scortese a chiederle... »

« La ricetta? »

« Quanti... mesi? » Sembrava un'esplosione in una fabbrica di cuscini, pensò. No, in una fabbrica di materassi.

« Sette e una settimana, giorno più giorno meno », rispose Dolly, tutta soddisfatta dell'accuratezza dei suoi calcoli. «È successo durante il weekend del 4 luglio. La gente dovrebbe sempre farsi sbattere durante le giornate di festa, non le pare? Così sarebbe facile tenere i conti! »

« Aspetti un momento, aspetti un momento. » Lester si guardò intorno sconvolto, alla ricerca di un posto dove sedersi e infine depose il proprio corpo voluminoso sul pavimento. Dolly manovrò in modo da sedersi vicino a lui. Sì, aveva assolutamente bisogno di andare a farsi tagliare i capelli. Ma perché adoperava le dita per contare? Sembrava troppo intelligente per essere ancora a quel punto. Sembrava molto dolce, sicuro, fidato, ma divertente. Proprio come aveva immaginato. E Lester andava così bene con Weinstock. Ma perché sembrava così preoccupato?

« Non c'è nessun motivo di preoccuparsi », gli disse a bassa voce.

« Otto mesi .e tre settimane », sospirò lui, « la sera degli Awards. »

« Non sono costretta ad andarci se lei trova che non sia una buona idea. »

« Oh, sì, deve andarci. Il mio capo me l'ha detto molto chiaramente. Tutte le persone che abbiano a che vedere con *Specchi* dovranno esserci. Dice che è il peggior tipo di pubbliche relazioni che si possa avere quando i candidati non si presentano, a meno che, naturalmente, non siano a girare in qualche posto che si trova in capo al mondo. E anche in questo caso... Lei ci sarà con suo marito... No? OK, il suo ragazzo... No? ... suo padre? No? Cazzo. Senta... un amico, qualcuno che sia un vecchio ammiratore, oppure l'innamorato di quando andava a scuola? »

Dolly sorrise a quell'uomo così assurdo. Non se ne intendeva molto, però sapeva a chi sarebbe toccato scortarla agli Academy Awards se non avesse trovato nessun altro accompagnatore. E non l'aveva.

« Mangia ancora un po' di strudel, Lester. »

Valentine non avrebbe mai immaginato che una giornata cominciata in un modo così normale sarebbe finita tanto freneticamente. Come aveva predetto a Spider, la commedia era cominciata, ma poteva considerarsi tale solo per chi non vi partecipava. Ogni cliente di Valentine sapeva che quella sera avrebbe avuto addosso più occhi, in una volta sola, di quanto non le fosse mai capitato prima.

Maggie MacGregor, che era andata a ordinarsi il primo vestito su misura della sua vita, era la più eccitata di tutte. Sarebbe stata inquadrata per buona parte della trasmissione televisiva perché doveva intervistare le varie personalità non appena arrivavano, per portarsi, successivamente, fra le quinte con gli operatori e con una piccola cinepresa.

« Valentine, non avrei mai dovuto mettermi a fare questo lavoro », piagnucolò Maggie.

« Stupidaggini », ribatté Valentine che era al limite della sopportazione perché per tutto il giorno le era sembrato di essere più che una stilista, una bambinaia inglese alle prese con una casa piena di bambini capricciosi. « Ma se avveleneresti chiunque osasse toglierti il tuo programma! Non è vero forse? E allora taci e lasciami pensare. » Indubbiamente Maggie aveva una figura difficile. Con quel reggiseno e quelle mutandine, così come le stava davanti adesso, il suo corpo florido, dalle forme prorompenti, ma di proporzioni ridotte, non ispirava idee molto chic. Spider aveva fatto miracoli quando era riuscito a farla vestire con capi eleganti, non vistosi, che si dimenticavano facilmente, ma era tutta roba che poteva andare bene per i soliti programmi settimanali non per la premiazione dell'Academy. Maggie doveva essere il più affascinante possibile, sia perché lo richiedeva l'avvenimento, sia per se stessa e per la rete televisiva che rappresentava. Valentine la guardò con maggiore attenzione.

« Maggie, togli il reggiseno e rialzati il petto con le mani. Più su. Uhm! Ecco, proprio così, va benissimo, la parte superiore dei tuoi seni, seducenti ma non indecenti. Dio sia ringraziato per l'imperatrice Giuseppina. »

« Valentine », protestò Maggie, « lo sai che Spider non approverà. Non mi lascerà mai mettere in mostra tutte le mie tette quando sono davanti alla macchina da presa! »

« Vuoi che ti disegni io un modello da portare o preferisci comprare un vestito *ready-to-wear* da Spider? » disse Valentine con un tono che non era affatto scherzoso.

« Oh, mio Dio, lo sai che voglio un modello disegnato da te, ma sei sicura, voglio dire, non sembrerò... volgare, anche solo un pochino? »

« Sembrerai assolutamente, totalmente elegante e l'unico ornamento all'abito più semplice, liscio, raffinato e severo che io abbia mai disegnato, saranno i tuoi seni, scoperti fin giù, dove cominciano i capezzoli. E quando lo spettacolo sarà finito, centinaia di milioni di persone sapranno due cose: chi ha vinto gli Oscar e che Maggie MacGregor ha due tette favolose. E adesso vai pure. La mia assistente ti prenderà le misure e fisseremo la prima prova fra quindici giorni. »

« E di che cosa sarà fatto questo severissimo vestito di cui parli? » azzardò Maggie, mentre Valentine si avviava già spazientita al suo tavolo da disegno.

« Chiffon nero, naturalmente, altrimenti come si farebbe ad avere il massimo contrasto? E, ricordati, Maggie, niente gioielli eccetto gli orecchini, neanche un filo di perle. Tette e chiffon, è infallibile. È sempre stato infallibile, da millenni. »

Mentre Valentine schizzava rapidamente il disegno di un vestito in stile Impero, senza maniche naturalmente, perché Maggie aveva due stupende braccia paffute e due mani graziose, si accorse con un'altra parte del suo cervello che non provava la solita esaltazione. Dalla metà della mattinata era stata una vera e propria processione di clienti famose in tutto il mondo, donne così belle e dotate che era un piacere vestirle, un motivo di orgoglio essere chiamate a creare i modelli che avrebbero messo in risalto i punti migliori della loro figura quando fossero state chiamate a consegnare i premi o, eventualmente, a riceverli.

Eppure, in quel momento, nell'ora del trionfo, quando tutte le sue facoltà creative erano impegnate al massimo, Valentine si rese conto che c'era qualcosa di sgradevole che le dava fastidio, quasi un senso di malessere fisico. Ogni volta che cercava di impegnarsi e di trovare una soluzione alle questioni da chiarire, il suo cervello scattava immediatamente nella direzione opposta. La fantasia non le veniva assolutamente in soccorso, tanto meno la logica. Non riusciva a proiettarsi, neppure forzando la sua immaginazione, nelle vesti della signora Hillman. Continuava a vedere davanti agli occhi la grande casa di Roxbury Drive, ma non riusciva a vedersi vivere in una casa simile a quella.

Anche se Josh non le aveva più detto niente, come era promesso, Valentine si era decisa a informarlo che non gli avrebbe detto se era disposta a sposarlo o no fin dopo gli Academy Awards.

« Ma che cosa diavolo centra l'Oscar con noi? » le aveva risposto perplesso e sconcertato.

« Sono troppo impegnata per pensare a me, Josh, e comunque, finché non so chi ha vinto, sono tutta presa da quello che succederà a Vito e a Billy e dalle mie speranze per loro. » Non era vero, Valentine se ne era resa conto, che fosse troppo impegnata per pensare a se stessa; la verità era un'altra, non aveva voglia di pensare ai casi propri. Era evidente che in questo caso i suoi geni irlandesi, portati al fatalismo, predominavano su quelli francesi. Tanto peggio, o tanto meglio... chissà!

Valentine alzò le spalle con il suo classico, inconfondibile, gesto francese, di fronte a quella scusa spudoratamente fondata su motivi di carattere etnico e attese, impaziente, la cliente successiva: Dolly Moon. Billy era stata così insistente, quella mattina, così insolitamente nervosa quando aveva chiesto a Valentine di disegnare il vestito più bello, che mai avesse fatto, per la sua più cara amica!

Valentine aveva visto *Specchi* due volte e si era già fatta un'idea abbastanza precisa dei problemi che potevano esserci a vestire Dolly, ma era quasi convinta che la signorina Moon potesse mettersi addosso qualsiasi cosa e avere ugualmente successo. Aveva quel tipo di personalità che trionfava su tutto, anche sul vestito che portava. Billy non aveva motivo di preoccuparsi. Nessuno avrebbe guardato il suo vestito ma quel viso bello e buffo insieme, quel largo sorriso incantatore, la figura, così adorabile nella sua goffaggine, e così sexy.

Valentine allungò le braccia verso il soffitto, poi fece

un piegamento, tornò a rialzarsi allungando ancora le braccia verso l'alto. Si sentiva anchilosata per tutto quel disegnare. E adesso c'era ancora da aspettare Dolly Moon. Billy non aveva fatto tante storie neanche per il suo vestito da sposa.

Poco più di un'ora dopo, Billy se ne andò tirandosi dietro Dolly e Lester che aveva invitato a casa a cena, visibilmente sollevata come una mamma che ha appena assistito alla prima recita scolastica del suo rampollo.

« E allora », disse Spider, porgendo a Valentine un bicchiere di Château Silverado, « non mi dirai che Billy ha perduto la sua solita abitudine di stupirci e sbalordirci. Come diavolo farai a imbottire la signorina Moon? »

« Oh, il modo c'è », rispose Valentine disinvolta. « Si tratta semplicemente di adoperare la fantasia. Naturalmente è un po' più difficile di quello che fai tu tutto il giorno, Elliott, ma ci si può riuscire. » Depose il bicchiere, si tolse il camice bianco, si infilò il cappotto, preparandosi ad andarsene.

« Un momento, Val. Questo vestito per Dolly è una faccenda in cui potrei darti un piccolo aiuto. Dio solo sa se non hai già un mucchio di cose di cui occuparti! Siediti due minuti che ne parliamo. »

« No, grazie, Elliott. Posso cavarmela da sola e sono già in ritardo per un appuntamento che ho per cena. Non posso fermarmi neanche un altro minuto qui dentro, per oggi! »

Spider rimase di stucco davanti a quel tono tagliente. « Non puoi? Santo Dio, ma quel tizio ti tiene proprio in riga, eh? Ti comanda a bacchetta, vero? Chissà perché non avrei mai creduto di vedere il giorno... Valentine finalmente domata. » Il suo tono era appena sarcastico, ma Valentine, punta sul vivo, lo notò subito.

« Che cosa vuoi dire, Elliott? La mia vita privata è privata. Credevo che ci fossimo già messi d'accordo su questo punto qualche settimana fa, ma evidentemente tu non sei capace di lasciare in pace la gente. »

531

« Oh, le tue misteriose faccenduole non mi interessano affatto, Valentine. Anzi, direi piuttosto che mi divertono », rispose lui con aria piena di sussiego.

Gli occhi di Valentine fiammeggiarono. « Proprio tu! Sei l'ultimo a poter parlare di faccenduole... del genere. Ci passi la vita in mezzo, Elliott. Non sapevo, quando sono riuscita a procurarti questo lavoro, che avrei fornito a Beverly Hills lo stallone dell'anno. »

« Senti un po', bellezza », ringhiò lui per tutta risposta, « ti avrebbero cacciata via di qui con un calcio nel giro di quindici giorni, se non fossi intervenuto io con le mie idee sul modo di trasformare Scruples. »

« Questo è successo un anno e mezzo fa. Che cosa hai fatto da allora oltre che comportarti come un maledetto direttore di negozio? Ti sei autonominato arbitro dell'eleganza! Ah! Quello che dà a Scruples il suo cachet è il mio reparto, ma sei troppo meschino per ammetterlo. » La voce di Valentine lacerò l'aria tanto era fremente e stridula.

« Il tuo reparto! Con i profitti del tuo reparto si riuscirebbe a malapena a pagare la bolletta del telefono. » Spider si abbandonò alla collera senza più trattenersi. « Tu, con quel camice bianco, come se fossi un altro Givenchy, con tutte quelle arie e quelle pretese, perché sei riuscita a convincere un branco di donne ricche e viziate a farti disegnare i loro vestiti... »

« Tu, lurido, schifoso... »

« Oh, oh, la nostra Valentine sta partendo per uno dei suoi famosi accessi di furore. Calma, calma. » E la minacciò con un dito. Fu come se le avesse lanciato una freccia in pieno viso. Valentine si sentì le mani e i piedi paralizzati dalla rabbia.

« Coglione meschino. Non c'è da meravigliarsi che Melanie Adams ti abbia piantato. E com'è stato tipico del tuo carattere, tipico delle tue concezioni di base, esserti andato a scegliere una creatura insipida come quella per prenderci una cotta, nient'altro che un bel faccino senza nulla dentro, tutta superficie, niente sostanza, una bambola-bambina, immatura come te... e quello è stato il grande amore della tua vita! Lo trovo "divertente", Elliott. Perlomeno il mio aman-

532

te è una persona solida, di sostanza... mi domando se hai mai capito che cos'è la sostanza. »

Con una voce rauca e dolente lui disse: « Spero che non sia un altro Alan Wilton, Valentine. Non credo che ce la farai a curarti ancora una volta per farti dimenticare una passione infelice per un finocchio ».

« Cosa! »

« Credi che non lo sapessi? Ma se lo sapeva mezza Seventh Avenue... e alla fine la voce è arrivata anche a me. »

Valentine provò l'impressione di venir colpita in pieno petto da un macigno. Non riusciva a parlare. Si accasciò sulla seggiola, allungando la mano verso la borsetta, con gli occhi pieni di lacrime. Spider si sentì avviluppato nella vergogna come in una rete. Mai, mai in vita sua era stato crudele con una donna. Gesù Cristo, che cosa gli era successo? Non riusciva neanche a ricordarsi com' era cominciata tutta quella scena.

« Valentine... »

« Non voglio parlarti mai più... » lo interruppe lei, con una voce esile mal ferma. « Non possiamo più lavorare insieme. »

« Per piacere, Val, mi ha dato di volta il cervello... non intendevo... era una bugia, non lo sapeva nessuno. Nessuno. Ho visto per caso quel tizio una sola volta e l'ho capito da solo... Val... per piacere... »

« Uno di noi deve andarsene da Scruples. » Lo disse in un tono che non lasciava spazio né per una scusa, né per un tentativo di ragionamento, né per una discussione.

« È ridicolo. Non possiamo fare una cosa simile a Billy. »

« Andrò via io. »

« No, non puoi. Nessun altro è in grado di fare il tuo lavoro. Può sostituire me. »

« Va bene. » Era impassibile, gelida.

« Non posso dirglielo fin dopo gli Oscar. Ha già abbastanza problemi con Vito. »

« Come credi. » Valentine prese il cappotto e se ne andò. Spider la sentì scendere per la scala di sicurezza, senza aspettare l'ascensore. Restò lì seduto per un'ora, a passare e ripassare il palmo della mano sul cuoio rosso sangue di bue dell'antica scrivania a due posti, come se quella leggera frizione gli potesse mettere di nuovo un po' di calore nelle vene.

Il documentario che Maggie aveva fatto su Vito, *Un giorno nella vita di un produttore*, non era mai stato mandato in onda alla televisione. Altri argomenti, di maggiore attualità, l'avevano fatto rimandare di qualche mese ed infine era rimasto a languire in archivio in attesa del momento opportuno per essere proiettato. Maggie se ne era quasi dimenticata, soprattutto in quel periodo in cui era letteralmente bombardata dai vari studi che facevano a gara per ottenere la sua attenzione in vista del giorno degli Academy Awards che si avvicinava.

Una settimana dopo la scelta dei candidati ai premi, erano cominciate le proiezioni dei cinque film candidati all'Oscar nel comodo e accogliente cinematografo Samuel Goldwyn di proprietà dell'Academy in Wilshire Boulevard, subito a est di Beverly Hills. Con tre sole settimane di tempo prima degli scrutini, Vito si era reso conto che, se doveva fare ancora un ultimo sforzo, era meglio farlo subito. Se il documentario che aveva girato Maggie doveva essergli utile in qualche modo, era meglio che venisse mandato in onda adesso. Così, le telefonò in ufficio.

« Maggie », le domandò, « chi è la persona che preferisci al mondo? »

« Io. »

« E quella che viene subito dopo? »

« Vito, ma non ti vergogni? »

« Niente affatto », rise lui.

« Tu vuoi qualcosa », rispose lei insospettita.

« Diavolo se hai ragione! Certo! Voglio che tu trovi un po' di tempo per trasmettere quel documentario che avevi girato su di me prima che si facessero le votazioni per i candidati agli Oscar. »

« Gesù! Vito, ma non ti rendi conto di quello che sembrerebbe? Voglio dire, mio Dio, che sarebbe la propaganda più sfacciata... come potrei fare una cosa del genere anche se lo volessi? »

« Perché vuoi farla, non è vero Maggie? » Era implacabile.

« Be', certo, Vito, voglio dire che farei tutto quello che posso per te, ma... »

« Maggie, ti ricordi quella sera che eravamo tutti insieme a cena alla *Boutique* e hai detto che non ti dimenticavi di essere in debito verso di me per qualche motivo? »

« Vagamente. »

« Non sei mai stata vaga in vita tua! Quello schifo del mio film messicano ti ha fatto far carriera. »

« Già, però il mio cervellino pronto ha salvato la testa di Ben Lowell. »

« Così è Ben Lowell che ha un debito con te. Solo che non potrai mai dirglielo. Invece adesso ti si offre l'opportunità di ripagare me. »

« Ma lo sai che mi stai mettendo alle strette? » Non riusciva a credere che all'altro capo del filo ci fosse proprio Vito.

« Naturale. A che cosa servono gli amici? »

Ci fu un silenzio. Vito diede a Maggie il tempo di pensare, come sapeva che avrebbe fatto, che se avesse compiuto un gesto simile per un amico, avrebbe dimostrato in modo tanto efficace la misura della sua potenza che la sua amicizia sarebbe stata ricercata dalla gente che contava a Hollywood, più di quanto non lo fosse mai stata in passato.

« Bene », disse infine lei. « Posso parlare con il vicepresidente incaricato dei programmi. Suppongo che forse riuscirò anche a convincerlo a mettere in onda quel documentario, però non posso prometterti niente. »

« Non potrebbe essere più attuale! » disse Vito suadente.

« Bastardo di italiano che non sei altro! Attuale! Politico piuttosto. »

« Oh, Maggie, se c'è una cosa che mi piace di te è che non bisogno mai menare il can per l'aia! »

« Se il programma va in onda, Vito, sarai tu a essere in debito con me. Prendere o lasciare. »

« Più che giusto. Affare fatto. Passeremo la nostra vita facendoci favori a vicenda e continuando a sdebitarci reciprocamente. »

« Già », disse Maggie, diventando di colpo malinconica. « Be', sarà meglio che cominci a darmi da fare. Ci vorranno un sacco di spostamenti e dovremo riorganizzare di nuovo i programmi, se ci riesco. Cazzo! Senti, Vito, salutami tanto Billy. Sai una cosa? Buffo, no? Ma ti giuro che mi piace e non l'avrei mai creduto. »

« Non è più invidiosa di te, Maggie, ecco il perché, forse. »

« Era invidiosa di me? Dici sul serio? » La voce di Maggie prese un tono diverso, come se avesse aperto in quel momento un pacco che conteneva un regalo magnifico e inaspettato.

« Non lo sapevi? Credevo che tu fossi la mia solita Maggie, sveglia e intelligente. »

« Fino a questo punto, Vito, non lo è nessuno. »

Lester Weinstock si trovava in uno stato di considerevole confusione. Era lui a faticare a tenersi a galla, un nostalgico superato e all'antica, tipo Anni Cinquanta, oppure era Dolly Moon a non essere sincronizzata con la realtà? Il fatto di avere un figlio illegittimo, no, la parola era sbagliata, un bambino con un solo genitore, era una cosa che succedeva soltanto nelle selvagge solitudini della Boemia, oppure lo si faceva ogni giorno in tutti gli Stati Uniti con lo stesso sereno ed entusiastico abbandono mostrato da Dolly? Meditò su queste domande mentre finiva la seconda porzione di Arrosto agrodolce alla Henny Youngman. No, pensò arrivando a una decisione mentre si ripuliva la bocca del sugo di prugne e albicocche con un tovagliolo, secondo lui non era giusto nei confronti del bambino, per quanto brava Dolly potesse essere come mamma.

Ormai Lester era l'agente per le pubbliche relazioni di Dolly da quindici giorni. Era aumentato di tre chili a furia di mangiare le pietanze che lei gli cucinava e si era scoperto il primo capello bianco a furia di pensare alla situazione drammatica in cui lei si trovava.

« Lester, devi assolutamente permettermi di tagliarti i capelli. »

« Domani vado dal barbiere. »

« Sono dieci giorni che lo dici. Non ne hai mai il tempo, sei così impegnato a inventare pretesti per spiegare ai giornalisti perché non posso vederli e a combinare quelle buffissime conversazioni telefoniche. »

« Dolly, sai benissimo che cosa pensa lo studio. Se anche tu avessi una piccolissima possibilità di vincere l'Oscar, la faccenda finirebbe in una bolla di sapone se la gente venisse a sapere che sei incinta. »

« Magari potrei ottenere un voto di simpatia », rispose Dolly con un sorriso che le riempì la faccia di fossette. « Siediti. Ti copro con un asciugamano. E adesso... dove ho messo le mie forbicine per le unghie? »

Come in sogno, Lester si lasciò condurre a una seggiola. C'era un'espressione così... diretta e sincera sulla faccia di Dolly. Si rifiutava, semplicemente, di tenere le distanze con la gente. Era una vergogna, davvero, il modo in cui lui le si era buttato addosso. Le aveva già confidato il suo problema d'infanzia, quando bagnava il letto, la tragedia del suo primo amore infelice e le aveva anche parlato di quella volta che aveva copiato durante l'ultima prova di algebra alla scuola superiore di Beverly Hills e l'avevano scoperto. Cristo, non gli restava che raccontarle anche tutto il resto della sua vita. Praticamente aveva lasciato fuori soltanto l'episodio della masturbazione con gli amici al campo estivo. E solo perché se ne era dimenticato, non perché Dolly ne sarebbe rimasta scioccata.

« Secondo me, li tagli troppo corti », si lamentò.

« Niente affatto! Ci metto più tempo perché mi riesce un po' difficile arrivarti più vicino a causa della pancia. Ecco, ho finito. » Sedette pesantemente sulla seggiola. « Vai a guardarti nello specchio e poi mi dirai se non noti un miglioramento. »

Lui, ubbidiente, andò a darsi un'occhiata da miope nello specchio e gli piacque quello che vide. Voltandosi per complimentarla, le colse sulla faccia un'espressione di dolore che non si aspettava di trovarci.

« Ehi, qualcosa che non va? »

« Oh, è solo la mia schiena. Vedi, non bisognerebbe tenere in piedi le gestanti perché mettono sotto sforzo i muscoli della schiena. Tutte le donne incinte dovrebbero andare in giro carponi, sulle mani e le ginocchia. Forse, un giorno, lo faranno. »

« Posso fare qualcosa? »

« Be'... »

« Davvero. In cambio del taglio dei capelli. »

« È un po' una scocciatura, ma ho finito l'olio... per massaggiarmi, in modo che non mi restino le smagliature... oh, Lester, ma tu non ne sai niente di smagliature, eh? »

« In fatto di ostetricia, sono un ingenuo », mormorò lui umilmente.

« Potresti scendere al supermarket aperto tutta la notte e comprarmi un po' di olio? Sarebbe una manna! »

Dieci minuti dopo Lester era di ritorno con una bottiglia di olio di oliva importato dall'Italia, un'altra di olio d'oliva locale, una di olio di cartamo, una di olio di arachidi e una di olio per bambini della Johnson & Johnson. Come un Babbo Natale tintinnante, depose il suo voluminoso sacco di carta marrone sul tavolo. Dolly era scomparsa.

« Dove sei? »

« In camera da letto. Portamelo qui. » Dolly, con la pelle rosea e ravvivata da una rapida doccia, era distesa sul letto. Aveva addosso un pigiama di pizzo e raso, uno dei regali natalizi di Billy. Intimidito, Lester svuotò il sacchetto sul comodino.

« Non sapevo bene quale tipo... »

Dolly esaminò tutte le bottiglie di olio, mordendosi le labbra per non scoppiare a ridere. Con aria grave, e gli occhi pieni di lacrime per il divertimento, gli indicò l'olio per bambini. Lester glielo porse. Lei aprì la bottiglietta, ne versò un po' nella mano che Lester aveva lasciato tesa verso di lei e poi si rialzò la giacca del pigiama, abbassando contemporaneamente i pantaloni. Il suo ventre, stupendo, monumentale, di un candore vellutato, parve a Lester lo spettacolo più straordinario che avesse mai visto. Girò rapidamente gli occhi, sconvolto e affascinato. Ma, incapace di resistere, li riportò sullo spettacolo che aveva davanti. La natura aveva mai compiuto un'opera più mirabolante? Una montagna alpina scompariva al confronto. E l'arte diventava un passatempo da dilettanti. Mio Dio!

« Piuttosto stupefacente, eh? » domandò Dolly, accarezzandolo amorosamente.

« Splendido », mormorò lui con voce strozzata.

« Non star lì a quel modo, Lester, altrimenti l'olio sgocciola. Siediti e massaggia. »

« Massaggiare? »

« Lester, ma lo sai che cosa sono le smagliature? »

« Non ci ho mai fatto uno studio sopra! »

Dolly gli prese la mano e gliela guidò amorosamente verso il proprio fianco, poi la spinse lentamente verso la parte più rigonfia dell'addome. « Tutt'intorno qui, da una parte all'altra. Oh, mio Dio, che piacere mi fa. Continua a massaggiare, Lester,... io ci verserò sopra l'olio a goccia a goccia. Puoi adoperare anche tutt'e due le mani, se vuoi. » Sospirò voluttuosamente. « Mi sembra che sia meglio quando me lo fai tu. Ecco quello che io chiamo lusso... puro, autentico lusso. Togliti la giacca Lester... mi sembra che tu abbia un caldo spaventoso, Mmmmm. Ecco... così va meglio, non ti pare? »

Tre ore dopo Lester si risvegliò. Qualcuno lo stava spingendo lentamente, ma continuamente, come un largo pugno soffice in pieno stomaco. Chi c'era nel suo letto, chi lo stava spingendo, si domandò allarmato? Allungò una mano, andando a tastoni, e incontrò la pancia di Dolly, o piuttosto il bambino di Dolly che stava facendo pacificamente una capriola dentro Dolly. Poi si rese conto che i capelli di Dolly gli facevano il solletico al naso, che aveva la testa di Dolly sul petto e i piedi di Dolly intrecciati alle proprie gambe. Inchiodato al letto, immobile e incredulo, aprì gli occhi alla tenue luce della camera. Senza occhiali tutto gli appariva confuso, però aveva il cervello lucidissimo. Lui, Lester Weinstock, aveva fatto l'amore con una donna incinta di otto mesi! Non solo, ma lui Lester Weinstock, non aveva mai avuto un'esperienza altrettanto sublimemente erotica e altrettanto dilettevole in tutta la sua esistenza; e lui, Lester Weinstock, avrebbe voluto ripeterla immediatamente. Era un mostro di depravazione, su questo non c'erano dubbi, eppure sentiva, finalmente, di essere entrato a far parte della generazione di adesso!

Dopo la litigata con Valentine, Spider Elliott cominciò a contare i giorni che mancavano alla consegna degli Oscar. Non passavano abbastanza in fretta per i suoi gusti. Dato che stava per lasciare Scruples, non vedeva l'ora che arrivasse quel momento; d'altra parte, finché Billy non lo sapeva, non poteva mettersi a cercare un altro posto. In ogni caso aveva un po' di soldi da parte. Perché non fare un bel giro del mondo con una nave mercantile e andare in Cina? Magari per restarci? Oppure da un'altra parte, in fondo aveva un numero di scelte enorme.

Per quel che riguardava Valentine, ormai era una questione chiusa. La ragazza era assolutamente inavvicinabile. Aveva cercato di farle le proprie scuse almeno in una mezza dozzina di occasioni, ma ogni volta lei era uscita dalla stanza senza neanche guardarlo e senza lasciargli il tempo di dirle le frasi che si era preparato.

Intanto le settimane passavano e Spider non riusciva ancora a liberarsi del grigiore di cui si sentiva avvolto. Non aveva niente a che fare, questa sensazione, con quella rabbia, dolore e vuoto che aveva provato a New York quando Melanie l'aveva lasciato per venire a Hollywood, oppure quando Harriet Toppingham gli aveva rovinato irrimediabilmente la carriera. Quelle erano emozioni ben definite; sapeva il motivo per cui le provava. Ma, negli ultimi tempi, aveva preso l'abitudine di svegliarsi nel cuore della notte e di restare con gli occhi aperti per ore e ore, con il cervello affollato di pensieri che Spider non aveva mai avuto prima, che aveva considerato pieni di autocommiserazione nel momento stesso in cui gli erano venuti in mente, pensieri assurdi che gli ponevano tanti interrogativi: c'era qualcuno che gli volesse bene e al quale, lui, Spider, importasse; e perché stava facendo quello che faceva, che cosa cambia-

540

va, c'era qualcosa in futuro che desiderasse realmente ottenere... insomma, a farla breve, perché viveva?

In tutti i suoi trentadue anni, sani, spensierati, turbolenti, sicuri di sé, Spider non si era soffermato mai, neppure una volta, a chiedersi qual era il significato della vita. Secondo i suoi intendimenti aveva avuto la grandissima fortuna di essere il prodotto di un uovo giunto a maturazione e di uno spermatozoo aggressivo che si erano incontrati esattamente la notte giusta, al momento giusto del mese, nella donna giusta. Il caso, il caso fortuito, aveva fatto nascere lui invece di un altro figlio che sua madre e suo padre avrebbero avuto se non avessero fatto l'amore in quella notte particolarmente propizia. Avendo avuto la grande fortuna di essere nato, aveva preso il mondo così come veniva, come uno splendido cavallo da montare. Il significato della vita? Viverla!

Ma adesso, all'inizio di quel marzo 1978, si svegliava di pessimo umore ogni mattina, quando prima d'allora aveva sempre aperto gli occhi sentendosi di ottimo umore. Fare la doccia, vestirsi, far colazione e salire in macchina per andare da Scruples erano diventati la parte più stabile e sicura della sua giornata, come la solita routine del lavoro era l'unica che assorbisse la sua attenzione. Ma arrivato in ufficio, aveva cominciato ad accorgersi che la fonte di energia, alla quale aveva sempre attinto senza pensarci, pareva che stesse prosciugandosi.

Spider riusciva ad arrivare alla fine della sua giornata di lavoro da Scruples impegnandosi faticosamente a comportarsi come sempre, ma non ci metteva più alcun entusiasmo; così, anche se le clienti non notavano nessun cambiamento in lui, tutto il divertimento se n'era andato. Passando davanti a uno specchio, un giorno, si accorse con stupore che i suoi occhi erano vivi press'a poco come il mar Morto.

Billy, una delle poche persone che aveva notato l'improvvisa mancanza di entusiasmo di Spider, pensò che forse aveva bisogno di una vacanza. Da quando era arrivato in California nel luglio del 1976, non si era mai assentato per più di un lungo weekend. C'era una bella neve fresca ad

541

Aspen, quel marzo, e le signore avrebbero dovuto fare a meno di lui per un po'; ecco quello che gli disse.

« Ma lo sai che sei una signora un po' troppo intraprendente? » osservò lui. « E poi, come fai ad aver capito che so sciare? »

« La gente che ha l'aspetto che hai tu, sa sempre sciare. Adesso vattene di qui. Non voglio più vedere la tua faccia per venti giorni! »

Dal punto di vista dello sci, Aspen si rivelò un grande successo. Ma il neo c'era, la verità si era fatta strada sotto la finzione, e lo stava aspettando. Un giorno si trovò solo sulla pista e si fermò, appoggiandosi pensieroso ai bastoncini. Osservò l'aria pura, il sole limpido e l'atmosfera frizzante, silenziosa, vellutata: c'era tutto il necessario, come ci si aspettava. Nessuno avrebbe potuto chiedere di più. Spider aveva sempre gustato profondamente le rare occasioni in cui gli capitava di sciare da solo, senza che anima viva si intromettesse fra lui e l'immensa gioia di sentirsi parte della montagna. Perché adesso doveva sentirsi così abbandonato? Impugnò i bastoncini, prese lo slancio e si buttò per la discesa a precipizio, rischiando di rompersi l'osso del collo, come se dalla velocità dipendesse la vita.

Rientrato a Beverly Hills arrivò alla conclusione che, probabilmente, doveva cambiare qualcosa nella sua vita amorosa. Si liberò dai legami che aveva in quel momento e che non aveva mai voluto far diventare così seri e impegnativi da non poterli interrompere senza che le sue compagne si potessero sentire ferite nell'orgoglio oppure offese nella dignità.

Nel giro di una settimana si trovò una nuova ragazza; e poco dopo, un'altra ancora. Ma non c'era da illudersi, pensò in preda alla disperazione. Adesso, se le sbattute erano più numerose, il divertimento era infinitamente minore di prima. Di colpo tutto gli sembrava così automatico, così scontato, così profondamente privo di importanza. Faceva gli stessi gesti di sempre, esattamente gli stessi che gli avevano sempre dato un grande piacere, diretto e intenso, in passato, ma subito dopo... Finalmente capì che cosa aveva voluto dire quel tizio quando aveva dichiarato che dopo il coito gli uomini si sentono sempre tristi. Spider non sapeva chi fosse quel filosofo, eppure aveva continuato a credere, per tutta la vita, che quel poveraccio non avesse fatto che scopare le ragazze sbagliate. Adesso provava maggior rispetto per lui.

Forse era l'età. Non aveva mai badato ai compleanni, però ormai aveva superato la trentina e forse non stava bene fisicamente. Così si era sottoposto a un accurato checkup con il dottore di Billy, ma questo gli aveva detto, alla fine, di ripassare dopo vent'anni e di non fargli perdere altro tempo.

C'era un'altra cosa ancora, ma non vedeva proprio come metterci rimedio. Stava diventando sentimentale, o almeno era così che si autodefiniva. Gli bastava prendere in mano un quotidiano o una rivista e leggere che una coppia festeggiava il cinquantesimo anniversario di matrimonio, circondata da figli e nipoti, per sentirsi salire le lacrime agli occhi. Le notizie di morti, disastri e altre tragedie che ricorrono più o meno sempre sulle pagine dei giornali, lo lasciavano completamente indifferente, mentre bastava una buona notizia per ridurlo una pappa molle.

Era troppo giovane per la menopausa maschile, si era detto Spider, sempre più preoccupato, e troppo vecchio per la crisi dell'adolescenza, e allora, che cosa cavolo era tutta questa storia? Si trascinò nella cucina della magnifica casa da scapolo e aprì una scatola di crema di pomodoro Campbell. Se non lo rimetteva in sesto quella non c'erano più speranze.

Ma la crema di pomodoro non servì allo scopo.

15

Entrata nelle ultime settimane di gravidanza, Dolly provò un entusiasmo sempre minore per la sperimentazione di nuove pietanze. D'altra parte non poteva uscire a mangiare perché la varicella di cui doveva soffrire (era il pretesto inventato da Lester per tenere a bada i giornalisti) era stata seguita dall'annuncio che aveva gli orecchioni, i quali non sarebbero stati giudicati guariti fino all'indomani, il giorno della premiazione. Non che ci fossero orde di persone che volevano un'intervista, ma tre settimane prima Lester aveva deciso che i doveri dell'agente per le pubbliche relazioni includevano anche il trasferimento nell'appartamento di lei in caso avesse bisogno di qualcosa in piena notte, come condurla in macchina all'ospedale o roba del genere.

« Lester Weinstock, questo bambino non deve nascere fino a una settimana dopo gli Oscar, il che significa fra otto giorni interi. La verità è che tu vuoi prevaricare una povera donna incinta la quale non ha la forza di rispondere di no. »

« Sono un demonio con le donne », ammise lui, raggiante. « Ehi, lo sai come si fa a giocare a piedino? »

« Puoi insegnarmelo, se è solo questo che hai in mente », rispose Dolly con aria giudiziosa.

« Dolly, io sono un puro di cuore e poi tutto il resto non andrebbe bene per il bambino. » Lester sentiva un forte legame con quella forza che lo riempiva di morbidi pugni e calci ogni notte, quasi come se cercasse di farsi un amico mentre si trovava in una posizione difficile, come il prigioniero di Zenda che bussava contro i muri della sua prigione.

« Più tardi giocheremo a piedino », disse Dolly.

Lester sospirò e tornò a immergersi nella lettura della edizione del pomeriggio dell'*Herald-Examiner* di Los Angeles. « Gesù! Non posso crederci! »

« Che cosa è successo? »

« Stamattina è scoppiato un incendio al Price Waterhouse. L'hanno domato, grazie a Dio, e tutti i risultati definitivi degli Oscar sono stati portati altrove, sotto custodia, questo è quello che dice. Puoi immaginarti il pasticcio se tutta quella roba fosse andata... in fumo? »

Dolly non rimase particolarmente impressionata.Il suo cervello era tutto rivolto al pensiero del cibo. « Su, vieni Lester, la signora Higgens ci ha invitati a cena stasera. Ha paura che io non mangi la roba giusta. »

« È una settimana che arrivo ogni giorno con le specialità cinesi, come volevi tu! » rispose Lester, afflitto.

« Proprio così. Ha paura che non siano le cose adatte per il bambino... Così ha preparato carne di manzo lessata e cavolo. »

Lester si illuminò tutto. Detestava mangiare alla cinese anche se non l'aveva mai detto a Dolly. L'avrebbe sconvolta. « Magnifico... assolutamente magnifico... »

« Se avessi saputo che eri un patito della carne di manzo lessata te l'avrei preparata fintanto che potevo cucinare. » Dolly mise il broncio, con aria angelica.

« Non si tratta solo di questo. »

« E allora che cosa c'è di così magnifico? »

« Tutto. » Tirò un sospirone soddisfatto e venne a inginocchiarsi vicino alla seggiola di Dolly, con il naso schiacciato contro il naso di lei, fissandola attraverso gli occhiali come se volesse tentare di amalgamare i loro occhi. Ci rinunciò e scese al compromesso di baciarla a lungo sulle labbra. I baci erano ancora permessi, quanti ne voleva.

Dolly era molto soddisfatta. Lester Weinstock stava venendo su proprio benino. E baciava in un modo da favola.

La cena era stata ritardata perché il signor Higgens,

conosciuto come il capo, non era ancora rientrato. Alla fine, cominciarono senza di lui che arrivò proprio mentre tutti si stavano servendo per la seconda volta.

« Scusatemi, gente, ma è stata una giornata infernale, e sono dovuto restare finché tutto non fosse sistemato. »

« Che cosa è successo capo? Un incendio in una casa di pessima reputazione, nell'appartamento dell'amichetta di un consigliere comunale... mi puzza questa storia, ci deve essere sotto qualcosa », disse la signora Higgens.

« Oh, no », mormorò Dolly prendendo un'aria spaventata. « Scommetto che si tratta di un orfanotrofio o di una maternità. »

« Oh, diavolo », scoppiò a ridere il capo, « non avrei neanche dovuto parlarne; non c'è niente di male se lo faccio..., ma che resti fra noi. E poi, Dolly, tu di cinema te ne intendi un po', vero? Be', chissà che spasso dovrebbe essere per te. L'incendio è scoppiato in un posto che si chiama Price Waterhouse, un ufficio giù in centro, sapete, quello dove danno gli Oscar ogni anno... »

« Mio Dio », lo interruppe Dolly. « È rimasto ferito qualcuno? Non c'era sul giornale. »

« Niente del genere. Nessun ferito. Ma è stato maledettamente buffo. Pare che sia stato un matto, uno che faceva la controfigura ad appiccarlo... l'hanno trovato che attizzava le fiamme e rideva come un pazzo. Ha detto che era la sua vendetta perché erano anni che aspettava che premiassero con l'Oscar anche le controfigure e in questo modo avrebbe richiamato l'attenzione generale su quella che, secondo lui, era un'ingiustizia. Ho dovuto occuparmi io di portar via quel pazzoide. Ha bruciato metà dell'ufficio, i danni del fumo sono tremendi, qualche pavimento non è più sicuro e non ci si può camminare sopra. »

« Ma che cosa è successo delle schede degli scrutini? » domandò Lester fremente di impazienza.

« Oh, quelle, credo che le tengano in un computer o qualcosa del genere. Nessun problema. Però i risultati definitivi o qualcosa del genere... quelli venivano conservati in una cassaforte speciale proprio nell'ufficio che ha subito i danni peggiori, così adesso sono stati costretti a spostarli da un'altra parte. »

« Ehi, ma questa sì che è una notizia interessante, capo », disse Lester con gli occhi che gli scintillavano. « Forse riesco a fare scrivere qualcosa su di lei, un articolo sui giornali, per esempio "Capo dei vigili del fuoco salva eroicamente le buste degli Oscar" o roba simile, insomma. »

« Les, l'ispettore dice che bisogna stare attenti con questa faccenda, non vogliamo che la gente si metta in testa l'idea che sia stato un incendio doloso, capisci. »

« Già. OK. Però, che peccato! Ci racconti ancora qualcosa di quello che avete fatto... sarebbe un argomento fantastico da sfruttare. »

Il capo non se lo fece ripetere due volte. Gli succedeva di rado che qualcuno manifestasse un sincero interesse per i dettagli del suo lavoro. Di solito la gente, secondo la sua impressione, aveva sempre una certa tendenza a dare poca importanza ai vigili del fuoco, o nessuna addirittura, fino a quando non ne aveva bisogno.

Un'ora dopo la cena, Dolly e Lester erano di nuovo al piano di sopra, nell'appartamentino di lei, a finire una mezza bottiglia di *framboise*. Dolly era della teoria che qualsiasi bevanda alcolica fatta di frutta non poteva far male al bambino perché conteneva le vitamine. Lester le aveva comprato brandy alla pesca, alla prugna, Cherry Heering, triple sec, vino di more... ma qualcosa in quella bottiglia di *framboise*, liquore di lampone, gli doveva aver colpito la fantasia in modo particolare. Forse il prezzo, perché era carissimo e lui moriva dalla voglia di offrire a Dolly le cose più care. Non sapeva che fosse un liquore prezioso, invecchiato, rarissimo e che perfino un francese non si sarebbe azzardato a prenderne più di due o tre bicchierini. A Dolly e a Lester il lampone sembrava un frutto particolarmente nutriente e quel liquido, limpido come il cristallo e quasi privo di sapore a eccezione di una deliziosa fragranza, andava giù facilmente e in grande quantità, evaporando quasi sulla loro lingua, a mano a mano che lo sorseggiavano.

« Credo che dovremmo farlo », annunciò lui dopo aver meditato a lungo in silenzio.

« Che cosa? » Dolly era solo un po' curiosa.

« Toglierti questa tensione. Non fa bene al bambino che tu sia così tesa. »

« Lester, ma di che tensione stai parlando? Sei adorabile quando ti sbronzi; togliti gli occhiali e vieni a darmi un bacio. »

« Be', se tu non sei tesa, io invece lo sono e notevolmente, e anche questo non va bene per il bambino. È teso anche lui, così mi sveglia e io comincio a torturarmi. Credo che lui non lo vorrebbe, ma non può porci rimedio. Su, facciamolo. »

« Dormire in letti diversi? »

« Mai! Che cosa terribile da proporre! Dolly, chiedi subito scusa! »

« Mi spiace, Lester. Ma di che cosa stai parlando? Perché dovrei chiedere scusa? Credo di essere brilla anch'io. Possibile che i lamponi facciano questo effetto? »

« Senti... facciamo una passeggiatina in macchina fino al n. 606 di South Olive Street, dove il capo ha detto che hanno portato le buste, e diamoci una guardatina dentro. Ti libererebbe dalla tensione, e potresti farti una buona nottata di sonno, tanto per cambiare... in modo da essere fresca per domani, perché non è bello che una povera piccolina incinta come te debba sopportare questa tensione... senza sapere niente... è crudele e inumano, secondo me. »

« Sarebbe come barare, mi sembra, o qualcosa di altrettanto brutto. »

« Non me ne importa. Lo faccio lo stesso. Adesso, sta' lì ferma e vengo io ad aiutarti ad alzarti, povera bambina impotente. »

« Sono capacissima di alzarmi da sola », disse Dolly e si sollevò a fatica dalla seggiola, barcollando lievemente.

« Il problema è quello di scendere le scale senza farti cadere », borbottò Lester. Ma Dolly ne aveva già scese una buona metà e tornò indietro quando lo sentì parlare da solo nella stanza vuota.

« Lester! Qui, ecco la porta, la vedi? E adesso continua in questa direzione, così va bene. Sei sicuro che sia una buona idea, Lester? »

« Un colpo di genio. Assolutamente brillante. Avrei dovuto pensarci io. »

« È stato così, infatti. »

« Oh, sai fingere bene, brava. Aspetta un momento, Dolly. Ti aiuto ad allacciarti la cintura di sicurezza... quei disgraziati non hanno neanche preso in considerazione le donne incinte, quando le hanno progettate. »

Quando raggiunsero South Olive Street, Dolly e Lester erano molto meno ubriachi di prima, anche se non si potevano assolutamente considerare sobri e lucidi.

Nell'atrio del palazzo adibito a uffici c'era una guardia seduta a un tavolo. Mezzo addormentato e profondamente annoiato, l'uomo restò ipnotizzato dal maestoso incedere di Dolly verso di lui. Lester gli agitò un portafoglio di cuoio pieno di cartoncini plastificati sotto il naso e disse in tono pieno di autorità: «Sono della Price Waterhouse. Vengo a controllare la situazione ».

« Documento di identificazione, per piacere », disse la guardia. Lester gli presentò il passaporto e la tessera del Diner's Club.

« No, voglio vedere quella del Price Waterhouse. »

« Dannazione, ho talmente tanti di questi aggeggi che finiscono da tutte le parti; dov'è andata a cacciarsi, adesso? Probabilmente è nel portafoglio... »

Dolly si portò una mano al ventre e proruppe in un gemito improvviso. La guardia e Lester si fermarono di botto e la guardarono con aria smarrita. « Mio Dio, tesoro, devo assolutamente fare pipì, almeno spero che sia solo quello. »

« Gesù! È una questione urgente, questa, amico », disse Lester. « Devo accompagnarla subito di sopra nel mio ufficio... c'è una toilette per signore. Maledizione al fottuto lavoro... costringermi a venir fuori con lei in queste condizioni! Ma come potevo lasciarla sola a casa? »

« Nossignore! » disse la guardia, indicandogli un ascensore aperto. « Ha bisogno di aiuto? »

« Noo, riesco a cavarmela da solo. Dolly, dimmi qualcosa, Dolly. Riesci a tenerla, eh? »

« Oh, Lester, presto. »

Mentre gli sportelli dell'ascensore si richiudevano alle loro spalle, Lester si voltò ansiosamente verso Dolly: « Come stai? »

« Ho convinto anche te, eh? » Sorrise maliziosa. « Non è una interpretazione perfetta? »

« Non lo so, ne dubito... non ti dovrebbe essere permesso di servirti di certe cose quando reciti! »

Al terzo piano gli uffici erano esattamente come li aveva descritti il capo. Lester varcò la porta a doppio battente, semicarbonizzata, sulla quale era scritto il nome della società, e si diresse subito verso la quarta stanza sulla sinistra, quella di cui gli aveva parlato il capo. Qui estrasse il suo pugnale dell'esercito svizzero e lavorò con impegno intorno alla serratura per un minuto.

« Sei sicuro di poter fare una cosa simile? » domandò Dolly.

« Per piacere, un po' di rispetto, stai parlando con il campione. Scassaserrature è il mio secondo nome. »

« Lester, non dobbiamo... »

Dolly tacque di colpo e Lester mise via il pugnale esattamente nello stesso momento in cui una donna delle pulizie appariva da dietro l'angolo. « Buona sera », disse Lester, fingendo di esere impegnato in tutt'altro.

« 'Sera. Che disastro, eh? E nessuno mi ha detto niente fino adesso. Bella roba da trovarsi davanti, per una poveretta che viene a lavorare. Cenere e fuliggine in ogni posto, e tutto fradicio. »

Lester mormorò un ringraziamento, poi entrò nella stanza con Dolly richiudendo la porta dietro di sé. Accese la luce, premendo l'interruttore che c'era a fianco della porta, unicamente a beneficio della donna delle pulizie e, dopo qualche secondo, la spense di nuovo perché l'aveva sentita proseguire per il corridoio.

« Questo posso farlo... credo. Dolly, tieni la lampadina. » Armeggiò un minuto e infine riuscì ad aprire l'alto armadietto metallico. Si guardarono costernati. C'erano cinque cassetti, tutti straripanti di carte e documenti.

« E adesso, che cosa si fa? » sussurrò Dolly. « Non possiamo passare queste carte una per una... »

« È evidente. Saranno sotto la "P" per Premi. Tieni la lampadina e non far rumore. » Lester non trovò niente sotto quella lettera e allora provò sotto la « C » per Cinematografo. Niente anche lì. Ritornò alla « A » rendendosi conto che doveva guardare sotto Academy of Motion Pictures Arts and Sciences, il nome corretto dell'associazione. Ma anche sotto la « A » la ricerca si rivelò infruttuosa. « Cazzo! Come sono stupido. Naturalmente saranno sotto la "O" come Oscar. » Ma non c'erano.

« Secondo me », sussurrò Dolly, « se avessi dovuto archiviarli io li avrei messi sotto la "B" come Buste. »

Erano proprio lì le ventiquattro buste di spessa carta bianca: contenevano tutto con l'eccezione degli Awards onorari e di quelli intitolati a Thalberg. Lester cominciò a passarle rapidamente, imprecando sottovoce.

« Lester, mi sembra di sentir arrivare qualcuno », balbettò Dolly con una risatina semiterrorizzata. Spense la lampadina elettrica e la depose sul pavimento, mentre Lester afferrava tutte le buste stringendole al petto con le mani. Restarono immobili mentre due uomini passavano davanti alla porta dell'ufficio. Quando pensarono di poter essere sicuri che non sarebbero tornati indietro, Dolly andò a guardar fuori. « Nessuno... continua a guardare, Lester. »

« Hai perduto la mia lampadina elettrica. È rotolata via. Non possiamo accendere la luce. Su, vieni, andiamocene. »

La porta della scala di sicurezza, che, per legge, non doveva essere mai chiusa a chiave, era soltanto a pochi metri di distanza. Per essere una donna che avrebbe dovuto partorire di lì a una settimana, Dolly si scoperse di una agilità non comune. Nel giro di pochi minuti erano di nuovo in macchina, al sicuro.

« Oh, Dolly, dov'è il tuo grembo quando ne ho bisogno? » gemette Lester.

Dolly lo guardò per la prima volta da quando erano sgattaiolati fuori dall'ufficio del Price Waterhouse. Aveva lo stomaco stranamente rigonfio e teneva le braccia strette su quel rigonfiamento.

« Lester! Le hai prese! Oh, come hai avuto il coraggio...? Dovevamo solo dare una sbirciatina. Oh, santo cielo, o mio... » E si mise a ridere fragorosamente, soddisfatta di poter dare sfogo al suo giubilo.

« Sono qui che sudo sangue e tu ridi », esclamò Lester fra i singulti. E si guardò lo stomaco con stupore, timoroso di allargare le braccia. « Dolly... fai qualcosa! Non posso starmene qui seduto, in questo modo. » Sempre incapace di pronunciare una parola essendo in preda a risate irrefrenabili, Dolly cercò a tastoni, sul fondo della macchina e trovò un sacchetto di carta; prese le buste nascoste sotto la giacca di Lester e le cacciò tutte dentro. Lui, finalmente liberato da quell'ingombro, avviò il motore; nel giro di cinque minuti si erano allontanati dalla scena del delitto.

« Non possiamo fermarci in qualche posto a dare un'occhiata a quello che c'è dentro? » propose Dolly quando ebbero ricominciato a respirare normalmente.

« Dolly... ti manca il senso dell'importanza di certe occasioni », disse Lester con voce altisonante. « Lo dobbiamo fare con un certo stile. Non è una sera qualsiasi. Noi, stasera, abbiamo fatto la storia. »

« E tutta quella tensione alla quale, secondo te, avrei dovuto essere soggetta? »

« Pazienza, angelo mio, pazienza. Non mettiamo le considerazioni egoistiche davanti agli imperativi storici. » Lester era sempre ubriaco, ma adesso era entrato nella fase in cui le grandi visioni impediscono di prendere in considerazione i dettagli di poco conto. Si aprivano orizzonti, ampi paesaggi cominciavano a fare capolino. E, dopo un lungo tragitto in macchina, apparve alla loro vista il Beverly Hills Hotel.

« Quello di cui abbiamo bisogno, Dolly, è ancora un po' di *framboise*... ripristina il mistero e dà le ali all'immaginazione. » Lasciò Sunset Boulevard e imboccò il viale d'accesso all'albergo, poi consegnò la macchina a un posteggiatore e scortò Dolly e il sacchetto di carta marrone nella Sala del Polo. « Due *framboises* tripli e un telefono », ordinò al cameriere: le forme, se non la sostanza, almeno quelle, le conosceva. Il telefono venne portato immediatamente. Poi il

552

cameriere confabulò a lungo con il barista e tornò con due bicchierini di amaro.

« Il barista dice che non ce l'ha, quella roba... questa è OK? »

« Magnifica », disse Dolly che si teneva il sacchetto di carta stretto sotto il mento e stava cercando di leggere che cosa ci fosse scritto sulla prima busta alla fievole luce del locale.

Lester fece un brindisi a Dolly. « Alla miglior attrice del mondo, chiunque sia a vincere! » Vuotarono i bicchierini di amaro e Lester fece segno al cameriere di portarne altri due.

« Oh, Lester », piagnucolò Dolly. « Sai che cosa ti dico? Che, tutto sommato, non ho nessuna voglia di vedere la mia busta. È una serata magnifica... non voglio guastarmela. »

« Ma la tensione, la tensione insopportabile! »

« Lester, potrai resistere ancora per una notte se resisto io! »

« Allora dammi quel sacchetto. »

« Lester, Lester! Ma che cosa fai? »

« Non cerco la miglior attrice non protagonista, sta' calma, ah, ah... proprio in fondo, come c'era da aspettarsi. »

« Cos'è quello? »

« Il film migliore, tutto qui. »

« Oh, Lester, ma possiamo? »

« Come puoi avere il coraggio di chiederlo? »

« Ci cacceremo nei pasticci, lo sento » gemette Dolly.

« Ci siamo già. Quindi goditela senza pensarci. » Con gesti cerimoniosi, Lester socchiuse con le dovute cautele la busta, chiusa sommariamente, senza rompere la linguetta, e con la stessa pomposità e compitezza con la quale avrebbe potuto farlo un professionista, squadrò da dietro le lenti il nome che c'era scritto nell'interno. « Hmmm, hanno bisogno di un nastro nuovo per la macchina da scrivere... *Specchi. Specchi!* Dolly, *Specchi...* ce l'abbiamo fatta. Ce l'abbiamo fatta! » Dolly gli chiuse la bocca con la mano. Da ogni parte la gente si stava voltando a guardarli.

« Sssh!... Ohhh! Ohhh! Ohhh!... Come sono contenta...

cosa vuoi dire con quel "ce l'abbiamo fatta"? È stato Vito, a farlo. »

« È il film dello studio... ce l'abbiamo fatta! »

« Non litighiamo... tutti hanno un merito se è riuscito il film... Lester, dobbiamo dirlo subito a Vito. Dammi quel telefono », Dolly disse con la faccia bagnata da lacrime di gioia. Ma, intanto che si allungava verso il telefono, il sacchetto si rovesciò e le altre venti e più buste si sparpagliarono sul tappeto. Lester si tolse gli occhiali per vederci meglio da lontano. E si accorse che il loro tavolo, con Dolly che singhiozzava senza ritegno, le buste sparpagliate sul pavimento e i due nuovi bicchierini di amaro minacciati dal filo del telefono attiravano un'attenzione sempre più grande.

« Dolly, calmati! Non fare un gesto. Lascia che le metta di nuovo nel sacchetto, capito? Lascia giù quel telefono. No, cameriere, non vogliamo lasciare il sacchetto al guardaroba, si sono rovesciate poche cose, è tutto sotto controllo. No, non sarebbe più conveniente. Ci porti un po' di salatini. Dolly, non pensi che dovresti smettere di piangere? Crederanno che ti siano venute le doglie. Bene, Dolly, così va bene. Bevi il tuo bell'amaro. Ecco, brava, così. Tutto va bene, adesso. Siamo organizzati per benino, tutto fila via liscio come l'olio. » Accarezzò distrattamente la mano di Dolly. Di colpo, si sentiva lucido. Forse non completamente, ma il fatto di aver aperto quella busta con le proprie mani, lo aveva sconvolto. Cristo, queste non erano bubbole, questo era tutto vero e reale. La voce di Dolly interruppe il filo dei suoi pensieri.

« Oh, Lester, per favore, lasciami telefonare a Billy e a Vito. Poi resteremo qui seduti ad aprire tutte le buste e telefoneremo anche agli altri che hanno il premio e li faremo felici e poi tu potrai telefonare alle agenzie stampa, ai giornali, alle stazioni della radio e della televisione... Lester, sarai il pubblicitario più famoso del mondo. »

Lester richiuse la busta e la mise di nuovo nel sacchetto di carta deponendolo fra i suoi piedi, dove Dolly non poteva arrivare perché non ce la faceva ad allungarsi fin lì.

« Fantastico! Non lavorerò più! Dolly, cerca di capire quello che ti dico adesso. Siamo nei pasticci. Ed è tutta colpa mia. Quello che abbiamo fatto potrebbe mandare a pallino tutta la premiazione, gli Oscar, la serata... ma non capisci, che dev'essere una sorpresa. Oh, cavolo, che cosa mi è venuto in mente di prendere queste buste? Dev'essere stato un eccesso di follia. »

« Possiamo bruciarle », disse Dolly, ansiosa di aiutarlo.

« Già, o metterle in mezzo alla spazzatura o gettarle nel gabinetto... ma domattina risulteranno scomparse e la guardia, come la donna delle pulizie, ci riconosceranno. Forse io potrei non essere riconosciuto, ma tu...! »

« Allora si potrebbe... riportarle indietro? » balbettò lei.

« Un furto con scasso, d'accordo, ma due, no: ci beccherebbero. In ogni modo, la serratura di quell'ufficio si è chiusa a scatto dietro le nostre spalle, l'ho sentita. »

« Oh, Lester, come mi dispiace! » Dolly aveva un'aria così desolata che Lester dovette baciarla e ribaciarla per farle riacquistare un minimo di equilibrio. Non l'aveva mai vista tanto sconvolta.

« Non preoccuparti. Mi è venuta un'idea. » Lester tirò fuori un'agendina che portava sempre con sé, sulla quale c'erano scritti tutti i numeri di telefono privati, che non si trovavano sull'elenco dei preziosissimi VIP che l'ufficio promotion dello studio aveva a sua disposizione e che lui si era annotato nel caso gli fosse capitato di dover telefonare a uno di loro.

Maggie rispose al telefono con voce irritata. Aveva voglia di farsi una buona nottata di sonno prima del grande spettacolo dell'indomani ed ecco che qualcuno la chiamava sulla sua linea privata. Ed era quasi mezzanotte.

« Lester Weinstock! Tu, cosa? Tu cosa? Dove sei? Non starai scherzando perché... No, credo di no. Vengo subito. Non fare altre telefonate finché non arrivo! Prometti? Dieci minuti. No, cinque. »

Sei minuti più tardi, Maggie, senza trucco, con i capelli nascosti da un foulard, e una pelliccia di visone sulla camicia da notte infilata in un paio di pantaloni, si trovò davanti alla coppia.

« Continuo a non crederci », mormorò lentamente. Lester si chinò, sollevò il sacchetto di carta semisfasciato e glielo aprì perché potesse guardarci dentro. Maggie scosse la testa, guardò un'altra volta, prese in mano una di quelle buste, la osservò attentamente, la mise dentro di nuovo, e scosse la testa ancora una volta. « Ci credo. »

« Maggie », disse Dolly vivacemente. « Lester non mi ha lasciato fare neanche una telefonata prima che venissi tu... dice che saprai certo quello che si deve fare. »

Maggie era annichilita di fronte all'immensità della follia di quella creatura innocente la quale, sorseggiando elegantemente l'ultimo dei suoi tre bicchierini di amaro, aveva l'aspetto divinamente primaverile di un albero di melo in fiore.

« Sarà meglio che tu dia a me quel sacchetto, Lester », disse, « a meno che tu non voglia finire i tuoi giorni nell'azienda della tua famiglia. »

« Riuscirai a non diffondere la notizia? » le domandò lui, disperato.

« Lester, anche se sei stato proprio stupido a combinare questo pasticcio, ti sei salvato perché sei stato tanto furbo da chiamarmi. Non soltanto il Price Waterhouse riavrà indietro le sue buste ma, nella mia qualità di giornalista, io non devo rispondere a nessuna domanda. Immagina di essere Gola Profonda. »

« Maggie, ti sarò grato in eterno. Solo c'è una cosa... potremmo dare un'occhiatina alla busta per la miglior attrice non protagonista, solo perché Dolly non continui a essere in tensione. »

« Non voglio », gemette Dolly, mentre Maggie gli rispondeva: « No, assolutamente no. Così saremmo in tre a sapere chi vincerà e quando tre persone sanno un segreto, diventa di pubblico dominio. È pericoloso. Dolly può aspettare come tutti noi. Non hai aperto nessuna delle buste, vero? »

« Certo che no », rispose Lester con aria virtuosa, imprigionando uno dei piedi di Dolly fra i propri e schiacciandolo selvaggiamente. « Mi sono limitato a telefonarti. »

« Farai strada, Lester. Ricordati che la prima a dirlo

556

sono stata io qui, stasera. OK, voi due ricordatevi che non è successo niente. »

« Non diremo una parola a nessuno », l'assicurò Lester.

« Io me ne sono già dimenticata », disse Dolly.

« Ho sempre desiderato sentire qualcuno che parlava così nella vita reale », disse Maggie e, prima che potessero aggiungere una sola parola, uscì dalla sala con il sacchetto ben stretto sotto il braccio.

« Ma non le hai neanche detto di *Specchi...* » mormorò Dolly, senza fiato per lo stupore.

« Lei non ci ha voluto lasciar dare un'occhiata, e noi non le abbiamo fatto sapere niente... può aspettare, come tutti gli altri. Correttezza per correttezza. »

« Oh, Lester, hai tanto buon senso, tu! »

Pochi minuti dopo Maggie era a casa sua, in cucina. Tornando indietro in macchina aveva valutato rapidamente le varie difficoltà che avrebbe incontrato se voleva restituire le famose buste senza tradire Lester e Dolly.

Guardò quelle buste di carta spessa disposte ordinatamente sul tavolo di cucina. Il bricco sul fuoco cominciava a mandar fuori una quantità soddisfacente di vapore. A una a una, le aprì tutte con quel vapore, scrisse i nomi su un blocco per appunti, e le richiuse. Quando arrivò alle ultime cinque buste, si sentì carica di un'eccitazione crescente. Le aveva aperte nello stesso ordine in cui i vincitori sarebbero stati premiati secondo il programma. Maggie era sempre stata convinta che la serietà professionale era la cosa più importante quando ci si trovava a compiere qualcosa di criminoso nel campo del lavoro. Per ultima aprì la busta che conteneva il nome del film vincitore del titolo. Il grido che le sfuggì fu talmente sincero, fervido, stupito che fuori il suo cane da guardia si mise ad abbaiare selvaggiamente.

La serietà professionale può arrivare solo fin qui, pensò Maggie, mentre afferrava la cornetta del telefono.

16

La telefonata di Maggie era arrivata da un'ora e Billy e Vito avevano cominciato a considerare la notizia come qualcosa di reale, qualcosa che faceva parte della loro vita, non solo come una vittoria straordinaria dopo una lunga corsa. Avevano cominciato ad assimilare la vittoria a incorporarla dentro loro stessi a furia di ripetersi certe frasi.

« Sei sicuro che fosse certa? » domandò Billy per la quinta volta, più per il piacere di sentire la risposta che non perché ne dubitasse.

« Assolutamente. »

« Chissà perché non ha voluto dirci come l'ha saputo. Non è strano? »

« È il suo modo di lavorare. Credimi, Maggie ha metodi che sono unici. »

« Oh, Vito. Non riesco a crederci ancora! »

« Io, sì. »

« *Specchi* è il miglior film dell'anno », disse Billy. Era una affermazione, una dichiarazione, eppure chissà perché riusciva ancora a sembrare una domanda.

« Può darsi », rispose Vito sopra pensiero. « Effettivamente, non si può mai dare un giudizio sicuro su un film. Puoi prendere cinque marche diverse di farina per fare una torta, provarle e decidere qual è che va meglio delle altre, ma con un film? La prova fondamentale è questa: qual è stato il film che ha avuto un maggior numero di voti nella rosa di questi cinque, come alle elezioni primarie? E l'unica ragione per la quale riesco a essere così magnanimo e distaccato e filosofo è che abbiamo vinto. Se avessimo perso, direi che *Specchi* era indiscutibilmente il migliore, ma che il premio è stato dato a un altro film per una serie di ragioni complicate e sbagliate. »

« Ma che cosa provi? Voglio dire, ti senti come se avessi vinto una medaglia d'oro alle Olimpiadi o qualcosa del genere? »

« Mi sento come Jack Nicholson quando ha vinto per il *Nido del cuculo*. Diceva che vincere un Oscar era come fare l'amore per la prima volta, se l'hai fatto una volta, non te ne dovrai preoccupare mai più. Devi credere di essere in gamba per avere il coraggio di fare il produttore, ma quando anche tutti gli altri ti dicono che loro pensano che tu sia in gamba, be', non ha più importanza se te lo senti anche tu, dentro, ed è bello avere anche l'appoggio del mondo esterno. Meglio che bello, è al di là di ogni fottuta parola. »

Billy considerò Vito mentre passeggiava in lungo e in largo per la loro camera da letto, in pigiama e vestaglia. E d'un tratto, nel mezzo dell'entusiasmo e della gioia, sentì una fitta strana sgradevole, di apprensione al cuore.

« Può un Oscar cambiare la tua vita oppure è... solo un grosso colpo, come essere re per un giorno? » domandò con finta indifferenza.

Vito si fermò un momento a pensarci sopra prima di rispondere. Poi disse, soppesando le parole, come se stesse parlando con se stesso: « Per chiunque lavori in questo campo deve essere un cambiamento di vita, interno ed esterno. Permanente. Lo so che nel giro di una settimana, all'inferno, di tre giorni, metà della gente che domani sera assisterà alla trasmissione della TV si dimenticherà chi ha vinto e chi no. Ma d'ora in avanti, io mi sarò sempre fatto un Oscar. Ci sarà sempre, bene o male, nel cervello della gente con la quale avrò rapporti di lavoro. Ma non toccherà i problemi essenziali. Al momento attuale, e almeno per un po', sono intoccabile. »

« E gli affari! Riuscirai a farli nel modo che vuoi tu? »

« Quello, neanche con dieci Oscar! » disse lui, ridendo. « Con tutto ciò, saranno sempre più facili di questi ultimi.

Non lo so ancora con precisione, dovrò scoprirlo. Ma ti prometto una cosa sola, tesoro, niente più montaggio di una pellicola in biblioteca. Sono cose che non succederanno più. »

Incredula, Billy si sentì salire le lacrime agli occhi. Cercò di ricacciarle indietro, ma si accorse che era impossibile. Si sentiva stringere il cuore da un senso sconvolgente di vuoto. Passò qualche secondo prima che Vito se ne accorgesse, e allora corse a prenderla fra le braccia, a baciarle i capelli neri, a cullarla fintanto che lei non riuscì a mormorare qualche parola.

« Mi dispiace... oh, come mi dispiace... che momento orribile per mettermi a piangere... ma è così stupido... solo che... oh, mi era tanto piaciuto fare il montaggio qui... avevo sentito di esserne anch'io una parte... e adesso è tutto finito... non saremo mai più vicini come in quel momento... tu non avrai più bisogno che io lavori con te... avrai tutte le vere segretarie che vorrai... come sono sciocca, tesoro. Non volevo guastarti la gioia. » Aveva un'aria desolata mentre cercava di sorridere.

Vito non sapeva che cosa rispondere. Billy aveva perfettamente ragione. Quello che era successo con *Specchi* era una cosa che poteva capitare una sola volta nella vita, come un naufragio. Quanto a lui, si augurava di non vedersi più costretto a lavorare in quel modo frenetico e con quella fretta pazzesca. Per un vero miracolo tutto era andato bene, ma avrebbe potuto risolversi molto più facilmente in un disastro totale. E non vedeva Billy con un futuro da segretaria del montaggio. Era un'eventualità che faceva a pugni con la sua personalità, e sapeva che anche Billy ne era pienamente convinta.

« È questa l'unica ragione per la quale piangi, amore? » le domandò con tenerezza, stringendola a sé e asciugandole con i baci qualche lacrima. « Come puoi dire che non saremo più vicini come in quel tempo... sei mia moglie, la mia migliore, la più cara amica, la persona più importante e più amata del mondo per me... nessuno potrebbe essermi più vicino di così. »

Billy si lasciò persuadere dall'immensa tenerezza da cui si sentiva circondata e si fece coraggio: voleva esprimere

560

a parole i pensieri che aveva tenuto nascosti dentro di sé per mesi.

« Vito, tu continuerai sempre a essere un produttore, giusto? » Lui annuì con aria grave. « E questo significa che sarai sempre impegnato e, quando avrai finito un film, comincerai subito a prepararne un altro perché è sempre stato questo il tuo modo di lavorare, almeno due programmi in ballo, anzi tre è meglio, contemporaneamente, altrimenti non sei contento. È vero? » Lui fece segno di sì ancora, con un luccichio divertito negli occhi per la solennità con la quale Billy parlava. « Quanto più successo avrai, tanto meno ti avrò io. Domani sera entrerai su un piano completamente nuovo per quel che riguarda il tuo lavoro. Ma Vito, e io? Che cosa faccio io adesso? »

Lui la guardò smarrito. Non aveva una risposta da darle. Non era una domanda per la quale un uomo avesse la risposta se amava il suo lavoro e vi riversava le sue migliori energie.

« Billy, amor mio, lo sapevi che facevo il produttore quando mi hai sposato! »

« Ma io non avevo la minima idea di quello che volesse dire essere un produttore! Come diavolo potevo averla? A te sembra perfettamente naturale, è il tuo ritmo, ci sei abituato da anni, ma, Cristo, ormai non riusciresti neanche a vivere una vita normale. Quando è stata l'ultima volta che ti sei preso una vacanza? Non dirmi che è stato a Cannes, quella non era una vacanza, era lavoro. Hai mai pensato qual è la mia vita quando tu giri un film? » Si staccò da lui e si allacciò più stretta la cintura della vestaglia. « Che io venga con te o resti a casa, non ha importanza. In un modo o nell'altro, sono sola. E comunque le riprese del film non sono altro che una metà del lavoro. E che cosa mi dici di quelle serate in cui hai le riunioni per discutere il soggetto o sparisci per lavorare al montaggio? Sono pronta a scommettere dieci contro uno che il presidente della General Motors o della U.S. Steel ha una giornata di lavoro più corta della tua. E quando non stai lavorando, pensi al lavoro. » Era ansante per la rabbia.

Vito non si affrettò a risponderle. Che cosa avrebbe

561

potuto prometterle? Che avrebbe lavorato solo otto ore al giorno, che avrebbe fatto un film ogni due anni? Se non era impegnato nella realizzazione di un film, lui si sentiva vivo solo a metà! La sua faccia, con quelle fattezze decise e segnate, prese un'espressione seria e immota che lo faceva somigliare più che mai a una scultura di Donatello. Ecco, questo era proprio ciò di cui aveva avuto paura prima di accettare di sposare Billy, questa smania da parte di lei di possedere tutto di tutto, di averlo alle proprie condizioni, nel modo che lei voleva.

« Billy, io non posso modellarmi ex novo sull'idea che tu hai di un marito conveniente. Io sono fatto così e continuerò a essere fatto così. Tutto quello che non dedico al mio lavoro, lo dedico a te. Non c'è e non ci sarà mai nessun'altra, ma non posso darti anche il mio lavoro. »

Billy fu terrorizzata, d'improvviso, per il tono definitivo della sua voce. Non l'aveva mai sentito così distaccato, così lontano da lei. Vito così remoto era come Vito senza energia, come una terribile punta di freccia che la colpisse al cuore. Sentì l'eco stridula e lagnosa delle proprie parole e si rese conto di aver esagerato. Si era completamente dimenticata come Vito fosse un uomo abituato a essere interamente padrone di se stesso. Gli si avvicinò e lo prese per mano, assumendo di nuovo, come per un tocco di magia, la sua caratteristica qualità di cacciatrice. La bambina capricciosa era stata rapidamente indossata e riallacciata.

« Tesoro, mi comporto come una sciocca. Naturale che non puoi cambiare. Dev'essere un'assurda reazione al tuo Oscar... probabilmente sono soltanto gelosa. Per piacere non guardarmi più così... sto bene... non badarci... ti prego. »

Lui ricambiò quello sguardo senza sorridere, guardandola intensamente negli occhi. Billy sostenne quello sguardo, offrendo alla sua indagine degli occhi incantevoli. « Tesoro, non so come farò a resistere fino a domani! Non vedo l'ora. Soprattutto non vedo l'ora di vedere la faccia che farà Arvey. Non lo sopporterà, eh? » Era riuscita abilmente a cambiare argomento.

« No », rispose Vito illuminandosi. « Non ci crederà quando lo sentirà dire. E a quel punto, probabilmente chiederà che si faccia di nuovo un conteggio dei voti... finché non si accorgerà che è il suo film. Credo... credo che andrò a pranzo con lui domani. »

« Vito... ma perché mai? Con quell'uomo indegno! »

« Il motto della famiglia Orsini è questo: "Non arrabbiarti. Appiana le cose". »

« Oh, l'hai inventato adesso. » Gli mordicchiò scherzosamente un orecchio. « Però mi piace. Credo che lo adotterò. Posso adoperarlo, amore? »

« Naturalmente... sei una Orsini. » La baciò cercando una risposta in lei. E Billy ricambiò quel bacio in modo da cancellare qualsiasi domanda, soprattutto quelle a cui non voleva dare una risposta.

La mattina dopo Billy andò da Scruples al momento dell'apertura. Sapeva che verso la fine del pomeriggio di quel giorno di marzo ci sarebbe stata una gran confusione. Varie signore avevano deciso di lasciar lì i loro vestiti perché non si sciupassero e di andare direttamente da Scruples per indossarli prima di andare alla serata di gala degli Awards.

Mentre percorreva Sunset Boulevard al volante della sua macchina, stava ripensando alla conversazione della sera precedente. Naturalmente non era stato chiarito nulla, come sarebbe stato possibile! Però sperava di aver convinto Vito che quella sfuriata era stata soltanto un temporaneo eccesso di isterismo da parte sua. Lo sperava, ma aveva molti dubbi. Vito era troppo maledettamente pronto e intelligente per non capire la verità, quando gli veniva detta. Adesso era sparito, affaccendatissimo; aveva ottenuto quello che voleva con il risultato che l'unica differenza nella vita di lei, Billy, sarebbe stata quella di trovare il posto giusto in casa dove mettere l'Oscar, un posto che non fosse troppo in vista, senza arrivare all'eccesso opposto di pretenziosità. Chi cavolo aveva detto: « Tutta la saggezza umana può essere racchiusa in due parole: aspetta e spera ». Avrebbe voluto avere fra le mani il collo di quel disgraziato.

Salutò Valentine con un grande abbraccio che le sorprese tutte e due.

« Scommetto che sarai contenta solo quando la giornata sarà finita », disse Billy.

« Effettivamente stanca come sono, non vedo l'ora che finisca. Stasera riuscirò finalmente a vedere tutte quelle donne che portano i miei vestiti in un posto che non sia il salottino di prova! »

« Be', non proprio tutti », ribatté Billy. « Più di metà di quei vestiti sono stati comprati per essere messi a feste che si terranno in case private. »

« Non importa. »

« Dov'è Spider? »

« Oh, e chi lo sa? Sono troppo occupata per star dietro a lui », rispose Valentine fredda fredda.

« Che modo di parlare del proprio socio », la stuzzicò Billy.

« Questa faccenda del socio... non è proprio legale », disse Valentine rapidamente. « È solo un modo di dire. È cominciato tutto quando ti ho convinta a dargli un impiego. Non è il mio socio, Billy. »

« Come vuoi, cara, basta che lavori per me. » Sembrava di parlare per enigmi, pensò Billy, chissà perché. In ogni modo l'argomento non la riguardava. In quel momento aveva altri problemi.

« Senti, sono venuta a prendere il mio vestito. Poi ti lascio in pace. »

« Billy, provalo un'altra volta. »

« Perché? È finito da secoli e mi andava alla perfezione. Non so perché non me lo sono portato a casa allora... dovevo essere in agitazione per *Specchi* e non avevo le idee chiare. »

« Vorrei proprio vedertelo addosso un'altra volta. Per essere sicura. Non vuoi farmi questo piacere? »

Valentine fece un segno a una delle sue assistenti e le disse di portare il vestito della signora Orsini.

« Ti sei mai fermata un momento a calcolare come sono andati gli affari con tutto il lavoro che abbiamo fatto per la premiazione e tutti gli altri ricevimenti di stasera? » domandò Billy mentre aspettavano. « Ho cercato di fare un po' di conti, mai mi sono fermata quando sono arrivata a centocinquantamila dollari. E solo nel nostro negozio. Se provi a vedere le cose sotto un certo aspetto, gli Oscar vengono distribuiti per favorire i negozianti di Beverly Hills. »

« Così dovrebbe essere », rispose Valentine soddisfatta. « Ah, eccolo. » La sua assistente aveva portato una guaina luccicante, senza spalline, finemente pieghettata, di satin in una tonalità raffinata e intensa di rosso cremisi. Billy si tolse le scarpe per infilarsi la sottoveste di taffetà aderente come una seconda pelle che impediva alla guaina di satin di restare incollata al corpo.

« Che gioielli porterai? » domandò Valentine chinandosi a chiudere la cerniera lampo della sottoveste.

« Gli smeraldi, no, perché fanno troppo Natale. E neanche i rubini, perché un rosso solo è sufficiente. Né gli zaffiri, sembrerei la bandiera americana. Penso solo i dia... Valentine, ma questa sottoveste non va bene! »

« Aspetta un momento. Devo aver combinato qualche pasticcio con la lampo. » Valentine gliela riaprì fino in fondo e ricominciò a chiuderla. Ma ancora una volta la cerniera lampo si bloccò all'altezza della vita di Billy. Valentine si accorse che aveva le mani madide di sudore.

« Non l'hanno lavata a secco, per caso? Non è possibile. Questa sottoveste andava a pennello l'altra volta », esclamò Billy costernata.

« Billy, cos'hai mangiato in questo periodo? » domandò Valentine in tono accusatore.

« Mangiato? Niente. Figuriamoci un po'. Ero troppo nervosa per mangiare. Solo a pensarci mi viene la nausea. No, c'è qualcosa che non va in questa sottoveste. Anzi, a ben pensarci, devo essere dimagrita. »

Valentine, con un rapido gesto prese il metro.

« Santo Iddio, Valentine, ma se le sai a memoria, le mie misure! Metti via quella roba. La faccenda sta diventando ridicola. »

Senza badarle, Valentine misurò un'altra volta la vita di Billy e subito dopo, ripensandoci, anche il petto. Poi borbottò qualcosa tra sé in francese.

« Ma che cosa diavolo stai borbottando? Smetti quelle

litanie e parla chiaro. Non riesco a sopportare di sentirti parlare in francese e di non capire quello che dici! »

« Tutto quello che dicevo, Madame, è che la linea della vita è la prima ad andarsene. »

« Ad andarsene? E dove, per amor di Dio? Che cosa stai cercando di dirmi? Che sto perdendo la mia snellezza? »

« Non esattamente. Quattro centimetri di vita, due centimetri e mezzo di petto. Ecco dove sei cambiata. Molta gente la considererebbe una figura più che accettabile, ma tu non puoi mettere il vestito senza questa sottoveste. »

« Dannazione », disse Billy, scontenta. « Ho interrotto le lezioni di ginnastica solo per cinque mesi. Ho lavorato come un cane per questo corpo da quando avevo diciotto anni e adesso che lo trascuro per pochi mesi... guarda come mi ritrovo! Non è giusto! »

« Non puoi imbrogliare madre natura! » sorrise Valentine.

« Smettila di fare quei sorrisi. Questa è una faccenda seria. Oh, diavolo, non sarà poi la fine del mondo. Vuol dire che metterò qualcos'altro stasera, e comincerò ad andare da Ron a far ginnastica ogni giorno, pretenderò che Richie mi lavori come si deve e in un mese tornerò alle mie solite misure. »

« Fra un mese si comincerà a vedere. »

« Vedere? »

« Vedere. » E Valentine abbozzò un gesto con le mani, disegnando in aria una pancia immaginaria.

« Impazzita! Valentine, sei completamente impazzita! Ma che cosa credi? Che Dolly sia contagiosa? Iddio onnipotente, basta darti da disegnare il modello per un vestito da donna incinta e ti viene un attacco improvviso di bambinite acuta! »

Valentine non rispose, limitandosi ad alzare le sopracciglia con aria sicura di sé: evidentemente sapeva quello che diceva.

« Tu sei una stilista, non un ginecologo; non sai di che cosa parli », Billy esclamò, gridando.

« A Balmain eravamo sempre noi i primi a saperlo, prima ancora del dottore, prima ancora della donna stessa. La linea della vita è la prima a andarsene, tutti lo sanno », disse Valentine a voce bassa, in tono pieno di calore. Il suo faccino aveva preso un'espressione divertita, eccitata per quella certezza.

Billy stava infilandosi il vestito con il quale era venuta, e, intanto, continuava a strillare. « Fottuta francese! Sempre così maledettamente sicura di te stessa. Saccentona. La signorina So Tutto. Non è possibile che sia la sottoveste a non andare bene, devo essere io a ritrovarmi incinta! Ma fin quando insisterai con queste cretinate? Una delle tue dannate modelle si è messa questo vestito per andare a ballare una sera e poi l'ha fatto pulire a secco. Prova un po' a controllare e vedrai! Una cosa è certa: non lascerò mai più da voi un vestito, una volta che lo avrete finito. » Fece per andarsene.

« Billy... »

« Ti prego, Valentine, niente scuse. Neanche nel mio negozio posso farmi fare un vestito decente! Dannazione, dannazione, dannazione! » E uscì, sbattendo la porta.

Valentine rimase a fissare la chiazza cremisi del vestito e della sottoveste di taffetà sul pavimento, poi considerò il metro che aveva in mano. Sapeva che avrebbe dovuto essere furiosa. Dov'era andato a finire il suo caratteraccio? Invece una lacrima le scivolò fin sulla punta del nasino all'insù. Una lacrima per Billy.

A Curt Arvey aveva fatto piacere la telefonata di Vito. Quel bastardo vuole ritornare in buoni rapporti con me, pensò, e rispose in tono sardonico accettando l'invito a pranzo. « Seppellire l'accetta di guerra. » Che modo incredibilmente originale di spiegare il suo scopo... D'accordo, *Specchi* stava facendogli guadagnare un patrimonio, ma Orsini era matto se credeva di continuare a passarla liscia con tutti quei suoi scherzetti. Quell'uomo era un figlio di puttana, e non bisognava fidarsene. D'altra parte, perché non doveva permettere a Vito di pagargli il pranzo? In ogni modo avrebbero dovuto vedersi e salutarsi agli Oscar.

Si trovarono a *Ma Maison*, un'altra scelta molto astuta da parte di Vito, pensò Arvey. Al tavolo vicino a loro, Sue Mergers stava bevendo un daiquiri alla banana. Dopo il pranzo, tutta la città avrebbe saputo che avevano mangiato insieme e che erano tornati amici.

Ad Arvey piacque molto la conversazione che fecero durante il pasto. Fece partecipe Vito di tutto ciò che in quel momento gli stava più a cuore: l'elenco dei disastri successi in altri studi; i nomi dei pezzi grossi dell'industria cinematografica che da un giorno all'altro, adesso potevano trovarsi costretti a cercare un nuovo lavoro; il numero dei film in ritardo sui tempi di lavorazione negli altri studi e l'eventualità inesistente che potessero ridurre i costi; la voce, non ancora di dominio pubblico, che alcune società di Wall Street non erano soddisfatte dei guadagni di questo o quello studio cinematografico e le supposizioni su ciò che avrebbero fatto a questo proposito.

Vito annuiva con aria interessata incoraggiando quel monologo traboccante di soddisfazione.

« Ma tu, Curt? Sei in una buona posizione, mi pare! »

« Puoi giurarci, Vito. In queste faccende, l'esperienza ha il suo peso e, scusa se sono io a dirlo, ma le volte che vedo giusto sono più numerose di quelle in cui sbaglio. Quest'anno potremo dare un altro venticinque per cento in più di utile agli azionisti. Saranno contenti una volta tanto, quelle sanguisughe! »

« Chissà quanta parte di questi utili viene da *Specchi*? »

« Una parte, sì, su questo non ci sono dubbi... onore al merito. Ha fruttato benino. »

« Ho sentito dire che hai avuto un colpo di fortuna quando hai venduto quelle stazioni televisive che erano di proprietà della società e che il resto, anzi il grosso, del profitto arriva da *Specchi*. »

« Ma si può sapere da dove ricavi le tue informazioni finanziarie? Da una zingara che legge la mano? » La faccia di Arvey aveva cominciato a coprirsi di chiazze rosse.

« O forse ti aspetti di ottenerlo da quel vostro grosso film... *David Copperfield*? » si informò Vito cortesemente.

« *Pickwick*! » Arvey appoggiò rumorosamente la forchetta sul piatto.

« *Pickwick... David Copperfield*, non è lo stesso film, solo con il titolo diverso? Comunque fino all'anno prossimo non si potrà sapere se ha fatto guadagnare... e potrebbe anche rivelarsi una perdita. Ho sentito che non hanno ancora cominciato il montaggio. Sì, sarà meglio cambiargli titolo. » Vito sorrise incoraggiante.

« Invece, guarda un po', *Pickwick*! verrà proiettato al Music-Hall per lo spettacolo di Pasqua », esclamò Arvey in tono acceso.

« Al Music-Hall? Ma non avevano dato lì anche *Orizzonti perduti*? Un buon posto per questo genere di film che piace ai ragazzi. Buona idea, Curt. Non c'è che il Music-Hall per dargli un buon lancio iniziale. »

« Vito... » cominciò Arvey, mezzo soffocato per l'indignazione, ma Vito lo' interruppe bruscamente, rassicurandolo.

« Senti, tu non hai nessuna ragione di preoccuparti. Con quell'aumento negli utili gli azionisti se la faranno addosso. Sono sicuro, anzi sono quasi certo, che ti rinnoveranno il contratto, Curt. Sei in una posizione magnifica quest'anno. E se *Specchi* dovesse vincere stasera... »

Arvey lo interruppe invelenito. « Da' un'occasione decente a un produttore e salta fuori che lui sa tutto. Goditela finché dura, Vito: *Specchi* poteva far notizia fino a ieri... e oggi è già passato per metà. »

Vito rispose come se non avesse sentito le ultime parole di Arvey. « Già, se *Specchi* vince, credo che subito dopo farò un grande film. Un uomo pieno di creatività ha bisogno di variare... mi sarebbe sempre piaciuto vedere insieme Redford e Nicholson... c'è un soggetto che muoiono dalla voglia di fare tutti e due... l'unica questione, per averli insieme, è il prezzo... ma penso di farcela. »

« Su, andiamo, Vito. Non sono stupido. Lo capisco anch'io quando uno fa lo sbruffone. Redford e Nicholson. Se vinci! Sai meglio di me che il tuo film non ha la minima possibilità di vincere. Desidero che tu vinca quanto lo desideri tu... in fondo, ci siamo dentro insieme in questa storia, ma di fronte a quelle quattro cannonate... non c'è niente da fare! *Specchi* è un filmetto, non dimenticartene. E non sognare, Vito, non sognare. Da' retta alla voce dell'esperienza. Ma hai un'idea di quanto tempo è che faccio il direttore di uno studio? Da prima ancora che tu capissi la differenza fra obiettivo e mirino. E io lo so benissimo come hai ottenuto la tua candidatura... con quelle matinées per le casalinghe... ma che cosa credi, che non mi fossi mai accorto di tutte le tue manovre? Ma dalla candidatura al premio... ci corre, ragazzo mio. »

Vito si dedicò al piccolo soufflé di cioccolato che aveva davanti, guarnito con panna montata fresca. Si mise a mangiare con aria giudiziosa. Arvey lo studiò incuriosito.

« Dunque, stai pensando di comprare un soggetto? » domandò alla fine. Il bastardo gli voleva chiedere qualcosa. Che soddisfazione rispondergli con un netto rifiuto.

« Uh! Uuuh! Un libro. La vespa. Mai sentito? »

« Che cosa mi credi? Un ignorante? I miei lettori l'hanno trovato magnifico. A Susan è piaciuto enormemente. Io non ho tempo di leggere mai mi faccio sempre dare un riassunto. Per undici mesi nella lista dei bestseller... se ti fidi di quello che stampano, cosa che io non faccio. Però un milione e cinquecentomila dollari per i diritti di riduzione in un film... sono pazzi! Non c'è niente che ti possa far recuperare questi soldi. »

« Billy ne va pazza... vuole comprarlo per me. Ma non mangi il tuo soufflé...? »

« Prendilo, non posso mangiare la cioccolata. Ah, dunque Billy vorrebbe comprarlo per te, eh? Devo concludere che manca poco al tuo compleanno? Carino, molto carino. »

« È proprio carino, Curt, quando tua moglie ha fiducia in te. Ha un fiuto quasi migliore del mio. Tu credi che *Specchi* non vincerà... il mio naso italiano mi dice il contrario. Chiamalo intuito se non vuoi fare il campanilista. »

« Quando si dirige una società multimilionaria non si dà retta al fiuto con la stessa facilità con cui lo si fa quando si ha una moglie ricca... senza offesa, sono i puri e semplici fatti. Nicholson e Redford... ma loro vogliono proprio farlo? »

« Sì. »

« Non riesco a crederci. E soltanto il loro compenso... si andrebbe a cinque, sei milioni, prima ancora di aver comprato i diritti del libro. Tu stai parlando di un bilancio preventivo di venti milioni di dollari. No, Vito, sono affari troppo grossi per te. »

« Senti quello che ti dico, Curt, comprerò il libro personalmente o piuttosto sarà Billy a comprarlo, e ti darò una libera opzione di trenta giorni se avrai visto giusto e se *Specchi* non vincerà. »

« E quale sarebbe l'altra metà dell'accordo? »

« Se invece ho ragione io, sarai tu a comprare i diritti del libro per me. Semplice. »

« Un milione e mezzo di dollari? »

« Il pronostico è contro di me e tu sei convinto che io non abbia nessuna speranza di vincere. Ma non aver paura. Se non sei disposto a rischiare le tue convinzioni, comprerò i diritti del libro e mi troverò un altro studio. Cazzo, ci vorrà troppo perché mi portino un altro soufflé, vero? Sono così maledettamente piccoli! »

« Tu mangi troppo, Vito. Sono ancora del parere che sei un bel pazzo, ma se vuoi... affare fatto. OK. Se non ti spiace, perché non buttiamo giù due righe su questo accordo, già che siamo qui? » Chiamò con un gesto il cameriere e gli chiese il menu.

« Curt, Curt... potresti fidarti di me », disse Vito in tono offeso.

« Dopo che mi hai rubato il mio film? » domandò Arvey, scrivendo rapidamente.

« L'hai avuto indietro. »

« Comunque... preferisco che resti qualcosa di scritto. » Arvey e Vito firmarono tutti e due quell'abbozzo di contratto e assistettero alla firma, come testimoni, il cameriere e Patrick Terrail, il padrone del ristorante. Vito prese il menu per piegarlo e metterselo in tasca, quando Arvey glielo tolse dalle dita.

« Lo faremo tenere a Patrick, eh, Vito? Ricordati, c'è solo questa copia. E il pranzo lo pago io. Altrimenti finirebbe per costarti un milione e mezzo di dollari, più questo. Mi sento generoso quest'oggi. »

Billy si avviò verso casa dopo essere uscita da Scruples, concentrandosi soltanto su un pensiero: quello di arrivarci sana e salva. La breve distanza che separa Scruples da Sunset Boulevard è piena di possibilità di investire quelli che attraversano distrattamente la strada e si sentiva così arrabbiata che temeva di non stare abbastanza attenta. Il suo autocontrollo la sorresse ancora mentre attraversava la sua enorme casa senza parlare con nessuno dei domestici. Attraversò il salotto, la camera da letto, il bagno e infine andò a chiudersi nell'ultimo rifugio, lo spogliatoio più grande. Si trattava di una stanza di una decina di metri quadrati con il pavimento coperto da un folto tappeto color avorio e le pareti tappezzate di seta azzurro pallido che conteneva, in file ordinate, tutti i suoi abiti. Al centro, un mobile Lucite era diviso in centinaia di cassetti che contenevano diversi accessori. Dietro a questo, in un altro locale blindato, con una temperatura costante di 5°, erano appese le pellicce di Billy. In queste due stanze entravano soltanto Billy e la sua cameriera personale.

Al centro di una delle pareti c'era una grande finestra con sotto un largo sedile coperto di velluto avorio, sul quale erano ammucchiati in disordine numerosi cuscini di tanti colori diversi. Vi si lasciò cadere, un po' ansante per la corsa attraverso la casa, e si tirò addosso una vecchia coperta all'uncinetto, a disegni geometrici, dalla quale non si era mai separata dal giorno in cui gliela aveva regalata la zia Cornelia che l'aveva fatta con le sue mani. Si cacciò i piedi gelidi sotto le cosce, si strinse le braccia sul petto e cercò di farsi il più piccola e calda possibile. Questo sedile nascosto era l'ultimo posto segreto di Billy, quello dove veniva a rannicchiarsi quando voleva schiarirsi le idee. A portata di mano c'era un telefono e un campanello per chiamare la cameriera. Fintanto che stava ritirata in quell'angolo nessuno in casa si sarebbe azzardato a disturbarla e, con l'umore che aveva, Billy pensò che non le sarebbe dispiaciuto di passare lì dentro il resto dei suoi giorni. Quel bastardo l'aveva incastrata!

Oh, come era stato conveniente, ben calcolato, meravigliosamente pianificato! In trappola, perdio, eccola in trappola, nella trappola più antica che l'uomo conoscesse. Nello stesso istante in cui Valentine aveva parlato, Billy aveva sentito la trappola che scattava. Indubbiamente Vito si aspettava di trasformarla in una di quelle mogli della sua antica patria, l'Italia, tutta contenta di mettere al mondo un bambino dopo l'altro... mentre lui se ne andava in giro per il mondo a combinare tutte le sue meravigliose produzioni cinematografiche, tornando in famiglia di quando in quando soltanto per metterla incinta un'altra volta. Oh che figlio di puttana si era rivelato con quei suoi piani machiavellici. Mamma Orsini... chi andava a immaginare che lei, Billy Ikehorn sarebbe diventata mamma Orsini? Come ci era riuscito, quel maledetto furbacchione Come aveva potuto farlo succedere proprio nel momento in cui lei era riuscita finalmente a dirgli qualcuna delle cose che l'avevano resa così infelice; come aveva fatto a calcolare che le succedesse proprio nel momento giusto in modo da porterle fare una carezza sui capelli e dirle che, adesso, avrebbe avuto altre cose da fare e non avrebbe più dovuto torturarsi all'idea di restare sola? Come aveva manipolato le cose con intelligenza diabolica!

Billy socchiuse gli occhi facendo un po' di calcoli. Aveva sempre avuto le mestruazioni irregolari e, mentre aspettava la candidatura del film, era stata talmente tesa che non aveva prestato un'attenzione particolare al fatto di averne saltate qualcuna. Quando le aveva avute esattamente l'ultima volta? Consultò il diario settimanale che teneva sul tavolo vicino alla finestra. Poi balzò in piedi, aprì la porta che dava nel bagno e guardò fuori furtivamente. Non c'era nessuna cameriera dal passo silenzioso intenta a mettere un asciugamano pulito o a bagnare le piante. In punta di piedi, andò a guardare nell'armadietto e trovò le scatole contenenti le pillole anticoncezionali, disposte ordinatamente una sull'altra. Le contò due volte, rientrò nello spogliatoio e chiuse di nuovo la porta a chiave. Poi controllò di nuovo qualcosa sul calendario. Era stata visitata dal ginecologo la stessa mattina in cui era andata a fare la visita natalizia a Dolly e le mestruazioni erano appena finite, quel giorno. Il suo dottore era un tipo un po' brusco, dalle maniere spicce, il quale voleva assicurarsi che tutte le sue « ragazze » al di sopra della trentina venissero a farsi visitare un paio di volte all'anno e quindi preparava le ricette per le pillole anticoncezionali di sei mesi in sei mesi. E allora, come faceva lei, Billy, ad averne sei scatole piene?

Era inconcepibile, ma doveva ammettere di non averne più presa una da Natale in poi. Come aveva potuto?

D'un tratto Billy, sola nella stanza, buttò indietro la testa e scoppiò in un risata fragorosa. Agiva da tanto tempo seguendo i suoi impulsi, buttandosi a capofitto nelle situazioni, dibattendosi per trovare una soluzione a ciascuna di esse in un modo o nell'altro... mai, però, era stata capace di prevedere le cose.

Prevedere? Ripensandoci, a posteriori, c'era qualcosa di singolarmente deciso in una donna che si dimenticava di prendere le pillole anticoncezionali per quasi tre mesi. Billy si batté cautamente la mano sul ventre. Questo bambino sarebbe stato un altro prodotto della sua inveterata impulsività... come... come tutto il resto della sua vita. Le sue dita si spostarono lentamente verso il seno destro, poi verso quello sinistro. Li soppesò incerta con le mani. Più grossi, e forse anche più caldi, di quanto non fossero stati dai diciotto anni in poi. Ma come poteva aver fatto una donna, soprattutto quando era così attenta ai cambiamenti del proprio corpo come lei, Billy, a non accorgersi di questi segni così evidenti? Qual è quella donna che si mette coscienziosamente in trappola da sola per avere un bambino e poi si rifiuta di affrontare la realtà della propria gravidanza? E perché?

Billy si allungò a prendere un blocco di fogli e una penna e cominciò a buttar giù appunti, stringendo i denti, ben decisa ad arrivare fino al nocciolo della faccenda. Ma già lo sapeva che, quel nocciolo, era sepolto nella piena oscurità.

Prima di tutto, non si sentiva realmente pronta a diventare madre. Una volta diventata madre non sarebbe più stata la solita donna spensierata, senza responsabilità gravi.

574

Secondariamente, voleva essere la sposa in luna di miele con Vito ancora per un tempo lungo. Ma, in questo caso, aveva già perduto la sua battaglia prima ancora di averlo sposato. Il vincitore era stato *Specchi*, il film. Una moglie, sì, questo lo era, ma una sposa... quasi per niente. Era una parte che avevano saltato a piè pari.

Terzo, voleva prendere da sola tutte le decisioni riguardanti la sua vita, a tempo debito, secondo una sua scelta o un suo piacere, con l'autorità di cui aveva goduto per tanti anni. Non le andava neanche un po' questa faccenda di essere stata avvicinata a tradimento e presa per la collottola dalla natura. Billy non poteva accettare il fatto di essere comandata. E allora perché non aveva sposato uno di quegli uomini miti, decorativi, divertenti, poco virili che sono sempre a disposizione delle donne danarose? Non aveva scelto Vito per errore, avrebbe rifatto la stessa scelta anche in quel preciso momento, pur sapendo tutto quello che ormai sapeva e non solo perché era proprio l'uomo che amava ma anche perché era il tipo di uomo che amava. La sua autorità, la sua abilità nel prendere le decisioni, la sua autonomia... tutto ciò che lo avrebbe portato a lavorare lontano da lei per gran parte del tempo era proprio quello che ammirava di più.

Quarto, voleva essere la prima persona, davanti a tutte le altre, per Vito, il principio e la fine della sua esistenza, non desiderava dividerlo con nessuno. E questa era la ragione più assurda di tutte. Perché l'aveva diviso fin dal principio. Dal primo momento in cui lo aveva visto aveva dovuto dividerlo con le sue preoccupazioni, i soggetti dei film da realizzare, le innumerevoli riunioni, tutto quel caravanserraglio che si doveva mettere insieme per fare un film, con Fifi, con Svenberg, con la moviola. La collaborazione è l'anima della riuscita di un film. Ma per un sentimento, per una fiducia completa, per un semplice calore umano, Vito sarebbe sempre tornato da lei. Un bambino non sarebbe stato qualcosa che le poteva togliere Vito... al contrario un bambino sarebbe stato qualcosa che avrebbe diviso con Vito.

Contemplò le tre o quattro frasi chiave scarabocchiate

sul blocco. L'unica che avesse un senso era quella che, a trentaquattro anni, non si sentiva ancora pronta per diventare mamma. Che cosa aspettava? Di averne sessanta?

Eppure, eppure... com'era difficile, com'era tormentoso dover rinunciare alla propria libertà. Evidentemente era stato il suo inconscio a prendere quella decisione per lei. Billy contemplò cupamente la lista che aveva davanti. A conti fatti, era sfuggente, evasiva, una vera carogna. Bell'esempio per un povero bambino innocente. Guardò ancora il foglio di carta e le poche parole scritte sopra. Lentamente, accuratamente le cancellò tutte. Poi con rapidi tratti di penna scrisse: Cornelia Orsini? Winthrop Orsini? e studiò i due nomi con un misto di acquiescenza, un lento e dolce incanto. Ci volle ancora una mezz'ora perché Billy si riscuotesse dai suoi sogni a occhi aperti e si accorgesse di non aver ancora deciso che cosa mettersi addosso quella sera.

Depose con cura il foglio sul tavolo, si tolse il vestito e si avviò verso la parte dello spogliatoio dov'erano appesi gli abiti da sera. Ne passò qualche dozzina, tutti chiusi nella custodia di plastica, e trovò ben presto il vestito in due pezzi di seta bianca, un modello di Mary McFadden, che si era comprata un mese prima. Si infilò dalla testa la fragile tunica pieghettata, dipinta con un disegno multicolore astratto, tanto bella che avrebbe meritato di essere incorniciata e appesa a una parete. Poi infilò la lunga gonna e scoprì che si poteva ancora allacciare in vita, anche se con un po' di sforzo. Restò un attimo esitante fra sette paia di scarpine d'argento, ne scelse un paio e lo calzò. Avanzando verso il triplice specchio con le luci speciali che riproducevano esattamente un'illuminazione artificiale, si strinse il sottile cordone in vita.

Niente male. Anzi bene, proprio molto bene. Billy si ispezionò in ognuno dei tre pannelli dello specchio, di fronte di lato e di dorso. Non formidabile come il modello cremisi di Valentine, ma quanto mai accettabile. Poi si avvicinò al divanoletto e prese un cuscinetto di seta, slacciò e abbassò il cordone che faceva da cintura alla tunica e inserì il cuscinetto sotto di questa. Infine tornò lentamente verso lo specchio avvicinandosi di lato quasi come se volesse cogliervi la propria immagine inaspettatamente. Hmmmmm. Non senza un certo stile... quasi botticelliana con tutte quelle morbide ondulazioni della stoffa. E se avesse aggiunto ancora un altro cuscinetto? No. Niente da fare. La tunica non era abbastanza ampia. Però, se l'avesse sostituita con quel modello lungo, sciolto di Geoffrey Beene, una specie di camicione intessuto di fili d'oro e d'argento? Oh, lì c'era posto almeno per tre bambini. Si legò il cordone della tunica di Mary McFadden sul camicione di Beene al livello del pube, e aggiunse un terzo cuscino. Uno strano effetto davvero.. Qualcosa di simile a una Madonna di Memling... ma non del tutto. Comunque, aveva un certo non so che, anche se né Beene né Mary McFadden sarebbero stati disposti a darle ragione.

Adesso Valentine avrebbe potuto disegnare abiti per mamme in attesa fin che voleva. O Dio! Valentine. Come avrebbe fatto a scusarsi con lei? Le sarebbe venuta in mente una soluzione, pensò, e allungò la mano verso il telefono.

Maggie era arrivata da Scruples subito dopo aver pranzato con un attore che era riuscita a persuadere con dolcezza a non firmare il contratto per il suo prossimo film dopo l'assegnazione degli Oscar, senza badare all'insistenza del suo nervosissimo agente. E si guadagnò l'eterna gratitudine di quell'attore quando, con l'Oscar in mano, riuscì a ottenere un'aggiunta di settecentocinquantamila dollari al compenso per una parte che stava quasi per accettare ventiquattro ore prima. Insomma, era stata una di quelle mattinate! Per ogni Oscar c'erano cinque vincitori in potenza. Parecchie delle dozzine di telefonate che Maggie aveva fatto costituivano un messaggio inequivocabile: « Prendi i soldi e alza i tacchi ». Altre consigliavano: « Sta' a vedere ». Nessuna delle persone con le quali Maggie parlò seguì i suoi consigli, però tutti se ne ricordarono in seguito. L'alone di leggenda che già la circondava, dopo il lavoro di quella mattina, da mitico passò a proporzioni addirittura mistiche. Maggie Mac Gregor se n'intendeva su come andavano le cose nel mondo dello spettacolo, e questo faceva di lei una dei pochi, forse l'unica al mondo a possedere questa virtù.

577

Valentine aveva già il vestito pronto: Maggie l'avrebbe portato al Dorothy Chandler Pavilion, dove sarebbe avvenuta la premiazione, e si sarebbe cambiata in uno degli spogliatoi che c'erano là. Avevano fatto l'ultima prova già da qualche giorno, ma Maggie aveva voluto provarlo ancora a tutti i costi, per Spider.

« Lascia che lo veda alla televisione! È per questo che l'ho disegnato », obiettò Valentine.

« Voglio vedere che faccia farà quando si troverà davanti quello che sei riuscita a fare », insistette Maggie facendo la spavalda e strizzando quegli occhioni rotondi per il divertimento e il senso di astuta potenza che provava. « Gli verrà un colpo. »

Ma Spider, quando venne rintracciato e convocato nell'atelier di Valentine, considerò Maggie come se fosse dall'altra parte di un vetro, sfiorandole con la punta delle dita distrattamente ma con reverenza, la cima di quei seni superbi. Diede la sua approvazione con un cenno del capo, come se stesse tastando la superficie liscia e fredda di una statua.

« Affascinante. » E le rivolse una pallida imitazione del suo famoso sorriso. « Buona fortuna, stasera... e non chinarti. » Le diede un bacio automaticamente e se ne andò, con il solito passo elegante e aggraziato che non nascondeva la sua evidente stanchezza.

« Deve avere qualche malattia in incubazione », disse Maggie piena di ansia.

« Probabilmente sarà lo scolo », ribatté tagliente Valentine. « Senti, bellezza, qui c'è Colette che ti aiuterà a toglierti questa specie di invito a un'orgia in grande stile, e lo riappenderà sull'attaccapanni. Ricordati, niente gioielli. *Bonne chance!* »

Valentine si ritirò nella stanzetta dove disegnava i suoi modelli e tese la mano verso il telefono. Doveva assolutamente chiamare Josh. Il giorno prima le aveva telefonato due volte ma lei era stata troppo impegnata per parlargli. Lentamente compose il numero del suo ufficio con la speranza che fosse ancora fuori a pranzo. Invece la sua segretaria le passò imediatamente la comunicazione.

« Valentine? Come stai? Devi essere esausta, povero tesoro. » Aveva la voce colma di ansia e di preoccupazione.

« Sì. Sta diventando una follia, qui, Josh, però mi piace, lo sai. Solo che, purtroppo, è come se ogni donna che ho contribuito a far bella si portasse via qualche goccia del mio sangue insieme con il suo vestito nuovo! »

« Non sopporto di sapere che lavori così! Billy non dovrebbe permettertelo. »

« Lei non c'entra affatto, e lo sai benissimo. Sono soltanto io... avrei dovuto rifiutarmi di disegnare un modello a tutte le signore che me l'hanno chiesto... non preoccuparti. » Valentine si stava accorgendo chiaramente che conversavano quasi come due estranei. Sospirò, aspettando le parole che certamente stavano per arrivare.

« Tesoro, sarai troppo stanca stasera per uscire a cena con me? » Aveva un tono noncurante, Josh, un tono come non le era mai capitato di sentire, come se non avessero niente di particolare di cui discutere. Improvvisamente Valentine sentì un bisogno prorompente di rimandare il momento della decisione finale anche solo per un altro giorno.

« Perdonami, Josh, ma non mi reggo quasi in piedi e siamo soltanto al principio del pomeriggio. Dovrò attendere ore prima di veder andar via la mia ultima cliente e, a quel punto, non riuscirò più a connettere. Stasera no, caro... domani. Domani dormirò fino a tardi. Forse non verrò neppure a lavorare per tutto il giorno. Tu mi capisci... Josh? »

« Naturalmente. » Provava l'impressione di essere seduto a un tavolo di consiglio a condurre una trattativa molto delicata ma sulla quale aveva un controllo perfetto. « Ti lascio tornare al tuo lavoro. » Cristo, e parlano dello sposo riluttante. Valentine era una donna che doveva essere letteralmente adescata e allettata ad assumersi l'impegno di assumersi l'impegno di assumersi l'impegno. Del resto, quel suo stesso modo di fare sfuggente non rappresentava una buona parte del fascino che trovava in lei? Con il microfono ancora in mano, Josh restò seduto, immobile, per molto più tempo di quanto si rendesse conto, a meditare su un futuro in cui tornare a casa da Valentine sarebbe stata un'azione quotidiana, che sarebbe addirittura potuta diventare una routine, meravigliosa, naturalmente, ma pur sempre routine.

Be', in ogni caso, una volta sposato con Valentine, sarebbe stato sistemato per il resto dei suoi giorni: una divisione delle proprietà comuni nella vita di un uomo era più che abbastanza. Sistemato. Strano come quella parola gli suonasse molesta e fastidiosa. A questo punto Josh staccò bruscamente la mano dal telefono, si disse di non fare il bambino, e chiamò la sua segretaria. I ripensamenti dell'ultimo minuto non erano per lui. Josh Hillman era un uomo serio e quando prendeva una decisione seria, era troppo serio per cambiarla.

Alla fine di quel pomeriggio frenetico, quando tutte le signore vestite e pettinate lasciarono Scruples a bordo di numerose macchine a nolo, si fece avanti Dolly, a metà rotonda a metà raggio di luna, seguita dalla figura corpulenta di un Lester spettinato e acciaccato che non si staccava mai da lei se non di pochi passi.

« Valentine », trillò Dolly. « Mi sento tornata una ragazzina. »

« Dici davvero? » Valentine ispezionò la faccia casta e fanciullesca di Dolly con un sorriso stanco. « E a quale miracolo lo attribuisci. »

« Il bambino è sceso giù! Oh, non lo sai? Un paio di settimane prima del parto, il bambino scende e si mette nella posizione giusta. Sono soltanto pochi centimetri, ma, caspita, che sollievo! Mi sembra quasi di aver ripresa il giro di vita che avevo prima! »

« Posso dirti in tutta franchezza che non è affatto vero. Lester, invece, deve aver perduto almeno cinque chili. »

« È la tensione prenatale », gemette Lester. « Me l'ha passata lei. E che mal di testa da doposbronza. Non chiedermi niente! »

Valentine telefonò giù nelle cucine per ordinare un Bloody Mary con molte spezie per Lester, in modo da dare una bella scossa al suo fegato e da fargli riprendere le sue funzioni. Poi condusse Dolly a vestirsi. Successivamente l'avrebbe affidata alle mani sapienti di quella superprofessionista nel suo genere che era Helen Saginaw, perché la pettinasse e la truccasse. Dopo quaranta minuti e due Bloody Mary per Lester, Dolly riapparve. Lester e Spider, che era arrivato nel frattempo, al suo apparire scattarono in piedi ammutoliti. La testolina rotonda di Dolly appoggiata sul suo lungo collo sembrava una stella luminosa posata su un vestito che pareva una nuvola fluida, ruotante, frusciante, vorticosa, di un colore grigio azzurro sfumato che raccoglieva almeno una dozzina delle tonalità del celeste dei suoi occhi. Cominciando sopra il petto, per maggior sicurezza, il vestito era cosparso di migliaia di brillantini scintillanti. fissati a mano. Dolly aveva il collo abbastanza lungo e Valentine ne aveva approfittato per circondarlo da un colletto, anche quello scintillante, sfrangiato, un po' rigido, in uno stile vagamente elisabettiano. I capelli erano raccolti in cima alla testa e spruzzati di altri brillantini. Ai lobi degli orecchi aveva i due grossi diamanti di Billy. I due uomini restarono a guardarla a bocca aperta per l'ammirazione, con uno stupore quasi reverenziale. Valentine la contemplò profondamente soddisfatta.

« Faremo tardi. Dolly, non hai più un minuto da perdere. Ehi, dove hai preso quegli orecchini? »

« Me li ha prestati Billy perché mi portino fortuna. Ci crederesti se ti dico che sono brillanti di nove carati? »

« Che Dio abbia pietà di noi poveri peccatori », mormorò cupamente Lester. « Spero soltanto che siano assicurati. »

« Caspita non ho pensato a chiederlo... forse non dovrei portarli se sono così importanti. » Dolly aveva preso l'aria di una bambina di undici anni che si offre di rinunciare alla bambola preferita.

« Stupidaggini », disse Valentine in tono deciso, sospingendoli verso la porta, « Billy ne proverebbe dispiacere. Vai... la zucca ti aspetta! »

« Valentine », sussurrò Dolly, voltandosi per darle un altro bacio ancora, « credi che potrei portarlo anche dopo, se lo stringi un po'? »

« Ne possiamo ricavare almeno due da questo. Te lo prometto. »

In piedi, davanti a due diverse finestre del loro ufficio, Valentine e Spider osservarono Dolly e Lester che si allontanavano a bordo della lunga Cadillac nera che lo studio aveva noleggiato per l'occasione. Adesso, all'infuori di loro, Scruples era completamente deserto, dagli scantinati al tetto. Fecero un cenno di saluto con la mano anche se sapevano perfettamente che la coppia non avrebbe potuto vederli, e poi si voltarono faccia a faccia, ancora con l'espressione quasi di gioia e di orgoglio paterno e materno al pensiero di aver preso parte a una storia che sembrava quella di Cenerentola. Era la prima occhiata gentile che si scambiavano da molte settimane.

« Dolly vincerà », mormorò Spider.

« Come fai a esserne sicuro? » Valentine rimase un po' perplessa di fronte alla pacata convinzione che sentiva nella voce di Spider.

« Me l'ha detto Maggie, poco prima di andar via nel pomeriggio. Non lo sa nessun altro, neanche Dolly. È un gran segreto. »

« Oh, ma è magnifico! Che stupenda notizia, Elliott! » Valentine esitò per un attimo e poi annunciò, come se non volesse essere da meno di lui. « Anche Vito vincerà, guarda un po'! »

« Cosa? Chi te l'ha detto? »

« Billy. Ma anche questo è un segreto. Li ha informati Maggie la notte scorsa, però io non devo dirlo a nessuno. Billy me l'ha fatto sapere soltanto per scusarsi di una cosa », disse Valentine senza entrare nei particolari.

« Maggie e i suoi segreti », esclamò Spider sbalordito. « Cazzo, Val, ma è meraviglioso. Comincio a... Vito... Dolly... il miglior film... Valentine! Valentine! Valentine... che cosa c'è che non va? Perché fai quella faccia? E perché diavolo devi metterti a piangere? »

« Sono felice per tutti loro », rispose lei con una vocina flebile, sconsolata, evasiva.

« Le tue non sono lacrime di gioia », disse Spider in tono perentorio. Nel rifiuto di Valentine di essere schietta con lui, aveva intuito che si nascondeva qualcosa di grave, qualcosa che aleggiava nell'aria che avvolgeva quella specie di campana di vetro in cui si sentiva chiuso da un po' di tempo. La vide respirare profondamente, come uno che sta per fare un tuffo dal trampolino olimpionico, e poi buttar fuori quell'aria con un sospiro tremulo. Si voltò parzialmente verso di lui e disse qualcosa, ma tanto sottovoce che gli sembrò di non aver sentito bene. Spazientito, istantaneamente la prese per una spalla e la scosse, colto da un terrore irrazionale.

« Che cosa hai detto? »

« Ho detto che sposo Josh Hillman. »

« Oh, no, cavoli, tu non lo sposi per niente! » ruggì Spider senza riflettere neppure per un milionesimo di secondo. La campana di vetro in cui si sentiva rinchiuso si spaccò con un'esplosione che udì soltanto lui, fu come il lacerarsi dell'invisibile membrana di depressione che si era costruito intorno come uno scudo contro il colpo che si aspettava di ricevere da mesi. Tutti i suoi sensi erano freschi, lucidi, rinnovati come se si fosse svegliato da un incantesimo. Si sentiva girare la testa per la gioia di cui era colmo il suo cuore. Non aveva mai visto Valentine con tanta chiarezza, neppure in quella penombra. Ma intuì che lei non aveva capito prima ancora di sentirla parlare.

« Adesso vieni anche a dirmi quello che devo fare? »

« Non lo ami. Non è possibile che tu lo sposi. »

« Tu non ne sai niente », rispose Valentine, con un delicato sbuffo sdegnoso.

Ah, era ancora ottenebrata, com'era stato lui. Avrebbe dovuto spiegarle quello che si sentiva nel sangue, nelle cellule, nel midollo finché non fosse riuscito a far crollare la sublime cocciutaggine di Valentine. Controllò la propria impazienza, l'ardore di quello che già pregustava e staccò faticosamente lo sguardo dalla bocca della ragazza per spostarlo sugli occhi di lei, stupefatti, sulla difensiva.

« So così tanto di te che mi basta solo un'occhiata per capire che non sei innamorata di Josh. Gesù, ma come si fa a essere così tonti, incredibilmente, totalmente, tonti, come me! »

« Forse lo sarai anche stato, Elliott, ma che cosa c'entra con me? O con Josh? »

583

« Eccola che va al sodo, questa è la mia Valentine... che lotta faticosamente per arrivare al punto cruciale. » Mise le mani su quelle di lei e gliele strinse, parlando con lo stesso tono che avrebbe usato con un pony non ancora domato. « Adesso... vieni qui, ecco qui e siediti sul divano. Adesso, Valentine, adesso mi ascolti senza interrompermi perché ho una storia da raccontarti. » Il suo sguardo era così complesso, così colmo di una tenerezza intrepida, così limpido, così trionfante, così privo di perplessità che, per una volta, annullò tutte le obiezioni che affollavano la mente di Valentine. In silenzio, la ragazza si lasciò condurre all'altra estremità della stanza. Sedettero, con le mani di Valentine sempre strette in quelle di Elliott.

« È la storia di due persone, un maschione giovane e furbastro che credeva che tutte le ragazze fossero intercambiabili e una ragazzina linguacciuta che era convinta che quel tizio fosse soltanto una creatura frivola, e che tale sarebbe rimasto. Cinque o sei anni fa si conobbero e diventarono amici anche se lei lo disapprovava. Si innamorarono, almeno così credevano, delle persone sbagliate; poi gli amori passarono, ma loro continuarono a restare amici. Di tanto in tanto si salvarono anche la vita reciprocamente. » Si fermò e la guardò. Valentine teneva gli occhi bassi e si rifiutò di ricambiare quello sguardo.

« Valentine, queste due persone non capivano un corno del modo, lungo e complicato, con il quale si poteva arrivare al loro cuore; erano impazienti, continuavano a perdersi in sciocchezze, lasciavano andare le occasioni più ovvie, erano così impegnati da non offrirsi mai reciprocamente una possibilità di conoscersi: quando uno zigzagava da una parte l'altro zigzagava in senso contrario e così non si incontravano mai, però senza saperlo in tutto questo tempo avevano finito per diventare completamente necessari l'uno all'altra, in un modo profondo, profondissimo... e permanente. »

« Permanente? » Sembrò che quella parola la riscuotesse dall'incantesimo dal quale sembrava dominata. « Permanente? Come fai a parlare di qualcosa di permanente, con tutte le ragazze che hai avuto da quando ti conosco? » Parlava a scatti, con la voce un po' tremante, e c'era un mare di sospetto nei suoi occhi.

« Primo, perché ero giovane e idiota. Poi, ce n'erano sempre tante perché nessuna era quella giusta. Nessuna era quella che io volevo realmente... ah, Dio solo sa che tu non mi hai mai incoraggiato... e così io continuavo a cercare. Oh, tu, tu, Valentine sei tutto quello che ho sempre desiderato, tutto quello che desidererò sempre. Cristo, ma non te ne accorgi? Non riesco a capire. Dannazione, avrei dovuto baciarti alla prima occasione che mi si era presentata, ancora a New York, e risparmiarci cinque anni di questa inutile corsa l'uno dietro l'altra senza mai incontrarci. Quel litigio che abbiamo avuto... era soltanto gelosia... Non l'avevi capito? Gelosia bassa e meschina. »

« Perché non mi hai mai baciata... a New York? »

« Credo che tu mi intimidissi. Avevo paura che ti spaventassi e scappassi e, questo, non lo volevo proprio! »

« E adesso sei ancora spaventato? » La domanda era deliziosamente beffarda. Colta alla sprovvista da quella felicità, Valentine riusciva ancora a prendere in giro l'uomo che amava, rifiutandosi di ammettere che lo amava, troppo orgogliosa e troppo cocciuta per mettersi a competere con lui e questo fin dal primo momento in cui l'aveva conosciuto.

« Oh... ma lo sai che... » La strinse fra le braccia, goffo, quasi intimidito, e finalmente baciò per la prima volta quelle labbra di cui conosceva così bene la forma. Finalmente, pensò, il paese della felicità!

Dopo un minuto, Valentine si staccò da lui. « Hai ragione, Elliott, indubbiamente sarebbe stata una scorciatoia. » Irresistibilmente, impetuosamente, fece scorrere le mani su tutte le linee della sua faccia, toccando finalmente quel viso che da tanto tempo desiderava toccare. Teneva gli occhi chiusi per la gioia mentre prendeva possesso della faccia di Spider, della grana della sua pelle, del suo odore.

« Ah, sei un grande stupidone ad aver aspettato tanto. Vorrei prenderti per le spalle e scuoterti fino a farti sbattere i denti, ma sei troppo grosso per me. »

« Non è tutta colpa mia », protestò lui. « Sei stata intoccabile per mesi... non sarei riuscito a venirti vicina neanche se ci avessi provato! »

« Però questo non lo sapremo mai con sicurezza, vero? Avresti dovuto cercare di baciarmi prima, sciocco. Comunque, non cominciare a fare il processo... ho intenzione di tenerti stretto per molto, molto tempo. » Spider non aveva mai sentito parole tanto trionfanti come quelle minacce.

« Fintanto che avremo vita? »

« Come minimo. »

Fuori si faceva notte e c'era soltanto una lampada accesa sulla doppia scrivania. Spider cominciò a sbottonarle il camice bianco, e le sue dita, di solito così agili, diventarono lente e goffe con quei grossi bottoni finché Valentine non gli venne in aiuto. Malgrado tutta la loro esperienza, erano tutti e due stranamente impacciati, come se ogni singolo movimento venisse fatto per la prima volta. Quando finalmente furono tutti e due nudi, distesi sull'ampio divano di camoscio, Spider pensò che non aveva mai visto niente di più perfetto. Valentine, che era stata così vorace prima, mentre gli accarezzava il viso, adesso si era distesa immobile mentre Spider contemplava il suo corpo nudo, offrendosi orgogliosa al suo sguardo, come una principessa in ostaggio: il premio di una grande vittoria.

Aveva una pelle candida e luminosa che contrastava singolarmente con l'abbronzatura del petto di Spider, tanto che la credette fragile, ma quando cominciò ad accarezzarle il petto, lei lo afferrò fra le braccia sottili e fresche e se lo strinse addosso, allungandogli una coscia liscia e bianca sul fianco, così che si trovò imprigionato. « Resta... resta così per un po'... voglio sentirti contro di me in tutta la tua lunghezza... voglio imparare a conoscere la tua pelle », sussurrò Valentine. Di fianco, stretti l'uno contro l'altra, respirarono insieme, con il battito dei polsi che si toccavano, ascoltando i loro corpi mentre la passione si radunava come una nebbia calda su un lago e li copriva. Presto furono ansanti, sempre immobili, ma pieni di desiderio. Quando lui capì che Valentine era pronta, la penetrò. Era stretta. Ansimò di piacere, e poi non fu più stretta. E fu una gioia tanto calda, tanto forte, tanto profonda, quasi un sogno per entrambi.

Valentine dormì a lungo fra le braccia di Spider, abbandonandosi nel sonno con la stessa fiducia che gli aveva dimostrato quando era sveglia. Spider avrebbe potuto dormire anche lui, ma preferì rimanere a contemplarla, attonito e al tempo stesso pieno di una grande sicurezza. Era Valentine, eppure non era Valentine. Per quanto avesse creduto di conoscerla alla perfezione, non aveva mai sospettato l'esistenza di una Valentine che celava sotto quella apparenza fiera un tale tesoro di profonda e purissima tenerezza. Il mondo era una splendida sorpresa. E il loro ufficio era trasformato in una camera nuziale. Sarebbe mai più riuscito a vederla con il camice bianco addosso senza provare la voglia di toglierglielo?

Quando si svegliò fra le braccia di Spider, Valentine capì che quello era il momento più felice della sua vita. Niente sarebbe più stato come prima. Il passato era finito.

« Ho dormito tanto? »

« Non so. »

« Ma che ora è? »

« Non so neanche questo. »

« Ma... la televisione... gli Oscar... probabilmente li abbiamo perduti. »

« Probabilmente sì. Ma che cosa importa? »

« Certo che non importa, Elliott mio. Fra tutti e due, possiamo calcolare di avere almeno duecento clienti fra il pubblico o sul palcoscenico, diremo a tutte che sono state sensazionali. »

« Continuerai a chiamarmi Elliott per il resto dei miei giorni? »

Valentine ci pensò un momento. « Non insisti su Spider, vero? E perché non Peter? In fondo è il tuo vero nome. »

« No, Dio, no. »

« Potrei chiamarti tesoro oppure marinaio... mi piace abbastanza l'idea del marinaio. Che cosa ne pensi? »

« Chiamami come preferisci... basta che mi chiami! »

« Oh, mio tesoro... » Si abbandonarono a un'orgia di

baci, senza più goffaggini, sentendosi sempre più uniti e vicini. Infine Spider fece la domanda che sapeva di dover fare.

« E come ti comporti con Hillman? »

« Devo vederlo domani. Lo capirà subito, comunque, appena mi vedrà. Povero Josh... del resto, non gli avevo mai risposto che un forse a tempo indeterminato... »

« Ma... da quello che mi hai detto... credevo che avessi preso una decisione. »

« Non avevo deciso ancora, no, non del tutto... non potevo. »

« Dunque l'hai detto a me prima ancora di dirlo a lui? »

« Sembra proprio che sia andata così, vero? »

« Mi chiedo perché. »

« Io non lo so. » Aveva l'aria innocente di un angelico cagnolino. Spider decise di tenere per sé le proprie intuizioni. Ci sono domande che è inutile fare fintanto che le risposte sono giuste.

« Pensa un po' », disse, allontanandole dalla fronte i riccioli in modo da poter contemplare interamente il faccino stupendo di Valentine, « come resteranno tutti sbalorditi. »

« Tutti all'infuori di sette donne », disse Valentine mentre i suoi occhioni verdi prendevano un'espressione sbarazzina.

« Ehi, un momento! » disse Spider, mentre i suoi sospetti riprendevano forza. « A chi lo hai detto? »

« Come potevo dire quello che non sapevo? Sto parlando di tua madre e delle tue sei sorelle... loro lo sapevano... hanno capito subito tutto il giorno in cui mi hanno conosciuta. »

« Oh, adorabile, sciocca Valentine, la tua è pura immaginazione... secondo loro, io sono irresistibile con tutte le donne! »

« Ah, ma lo sei, marinaio, lo sei! »

Billy era rimasta nel suo spogliatoio tutto il pomeriggio, girellando qua e là con aria sognante, mentre le passavano per il cervello le idee più strane, esaminando, inquieta, vari capi di vestiario con occhi distratti, frugando perfino in sessanta borsette vuote durante le sue peregrinazioni e mettendo insieme un gruzzolo di ventitré dollari e venti in spiccioli. Si sentiva la pelle troppo tenera e delicata come se l'avesse appena cambiata. A un certo punto, si rese conto di colpo, sussultando, che Vito doveva essere già tornato a casa, e probabilmente si stava cambiando, mentre lei era ancora chiusa lì dentro. Si era già tolta da molto tempo il modello di Mary McFadden per non sgualcirlo e si era infilata uno dei suoi vecchi abiti da casa preferiti, un modello che risaliva all'epoca migliore di Balenciaga, di velluto di seta color zafferano con il bordo e il risvolto delle maniche in rosa shocking. Alla fine, dopo essersi resa conto dell'ora, aprì la porta che era ancora chiusa a chiave e attraversò il bagno. Fu come entrare in un giardino a primavera, colmo di profumi freschi e dell'odore della terra umida che emanava dai vasi di narcisi selvatici, asfodeli, giacinti e violette che ricoprivano i bordi della vasca incassata nel pavimento e si ammassavano, nel grande locale, sotto una dozzina di alberelli di rose. Erano tutti coperti di boccioli. Nel giro di due settimane, pensò distrattamente, sarebbero stati in piena fioritura. Suonò per la cameriera e attraversò la camera da letto cercando qualche segno della presenza di Vito. Non c'era né nel suo grande bagno con la vasca di marmo verde e bianco, né nella sauna. Finalmente lo trovò nel salotto che faceva parte della loro suite, un locale intimo e accogliente, tappezzato interamente di stoffa trapuntata a disegni intricati in un intenso colore marrone e giallo, con qualche bagliore oro e nero che proveniva da un antico paravento. Vito era appena uscito dalla piccola dispensa annessa al salotto dove aveva preso una bottiglia di Château Silverado dal frigorifero e si era rifornito di vino bianco, champagne, caviale e *pâté de foie gras*. Aveva tutta l'aria di prepararsi a un brindisi in solitudine. Billy prese il secondo bicchiere che si trovava sul vassoio d'argento appoggiato sul tavolo portoghese di lacca nera e glielo tese, con il viso sereno e gli occhi che celavano una intensa emozione.

« Oh, tesoro, sono contenta che tu sia a casa... sono in ritardo, ma farò in fretta. Com'è andato il pranzo con quel coglione? »

« Santo Iddio », disse Vito, « che linguaggio adoperate voi ragazze ricche. Non dovresti essere così dura con quel mucchietto di sterco di bufalo. I miei contabili hanno ottenuto, finalmente, i conteggi definitivi di *Specchi* ed è saltato fuori che eravamo quasi cinquantamila dollari fuori del preventivo quando lui ha cercato di sostituirmi. Ci crederesti? »

« Ci credo, ma è sempre un coglione... con quel che segue. Chi ha pagato il pranzo? »

« Ha insistito per pagarlo lui. Lo tenevo per le palle, e così ha lasciato parlare il cuore. » E, pensò anche Vito, gli è costato solo poco più di quaranta dollari oltre il famoso milione e mezzo. Tornando a casa aveva preso la decisione di non raccontare a Billy della sua scommessa con Arvey fino al giorno dopo, fino a che non ci fosse stata la premiazione degli Oscar. Era già sufficiente che dovesse accettare il suo trionfo di quella sera, senza sapere che la sua produzione successiva era già tutta organizzata all'infuori degli strilli del povero Arvey. E chissà, forse Redford e Nicholson erano davvero interessati... era il libro dell'anno, in fondo.

« Be', era il meno che potesse fare », disse Billy. Era chiaro che stava pensando a qualcosa di cui Vito non sapeva niente, ma non l'aveva mai vista così di buonumore.

« Si può sapere cos'è che ti rende luminosa? Sembri un albero di Natale! » provò a chiedere Vito.

« Mio Dio, Vito, è la tua grande serata. Quando dovrei eccitarmi, secondo te... a Santo Stefano, o per l'anniversario della presa della Bastiglia, o per il compleanno di Fidel Castro, oppure perché Amy Carter è stata promossa? » Si voltò di scatto, seguita dalle pieghe fluttuanti del suo abito da casa, bevve il vino fino all'ultima goccia e poi scaraventò il prezioso calice di cristallo antico nel camino dove si frantumò in mille pezzi. « Devo avere un po' di sangue cosacco nelle vene », disse, molto soddisfatta di se stessa.

« Sarà meglio che tu abbia un po' di sangue da cavallo da corsa, anzi da purosangue. Hai esattamente un quarto d'ora per vestirti e salire in macchina. » Le allungò uno sculaccione pieno di affetto e restò a guardarla, un po' perplesso, mentre Billy gli lanciava un bacio da lontano e si

allontanava. C'era qualcosa di diverso in Billy, quella sera...
e non era soltanto il fatto che non portava gli orecchini.
Una... potenza? Una vittoria segreta. All'aspetto, si sarebbe
detto che Billy sentiva tutto quello che, in quel momento,
sentiva lui.

L'Academy of Motion Picture Arts and Sciences si era
facilmente accorta che, all'infuori di quei pochi minuti tanto attesi, le cerimonie della premiazione avrebbero ottenuto
un notevole vantaggio se avessero potuto avere un po' di pubblicità di fronte al pubblico della televisione.

Quindi i funzionari dell'Academy avevano concesso alla
troupe di Maggie, tutta sobriamente vestita in abito scuro,
di prendere posto proprio nel salone del Dorothy Chandler
Pavilion, con i microfoni in mano e le cineprese portatili.
Così, invece di quei flash che mostravano rapidamente le
star, sedute qua e là in mezzo a file di altre persone, se-
guiti occasionalmente da un primo piano che riprendeva un
semplice palpitare di ciglia di un occhio famoso e che, quasi sempre, spariva dallo schermo prima che si fosse riusciti a dargli un'occhiata decente, quell'anno il pubblico poté
farsi una vera e propria orgia di primi piani ravvicinati,
lenti.

Vito e Billy raggiunsero i loro posti quando Maggie aveva già finito da un pezzo le sue interviste con le celebrità,
ma riuscirono ugualmente a infilarsi nella sala prima che cominciasse la cerimonia. A quel punto, ormai, Maggie era
già fra le quinte. Aveva finito di parlare con i presentatori
nei loro camerini, quasi tutti in preda a un tal panico da
palcoscenico che l'avevano accolta con una loquacità irrefrenabile, e si era ritirata nella cabina dei controlli con il
suo direttore per le riprese della premiazione. Maggie aveva
studiato il programma basandosi su una direttiva semplicissima, che aveva trasmesso alla sua troupe.

« Se Sly Stallone si gratta il culo mentre quello che deve ricevere l'Oscar per i migliori effetti sonori viene avanti
per il corridoio verso il palcoscenico, continuate a inqua-
drare Sly finché non mettono in mano a quel figlio di buona

donna la sua statuetta e allora, soltanto allora, spostate l'inquadratura sull'altro. »

« E il discorsetto con il quale i premiati ringraziano, Maggie? » le domandò un vicedirettore.

« Gli diamo venticinque secondi... no, venti... e poi si ritorna a quello che succede in sala. »

Lo spettacolo risultò di estremo interesse. Disgraziatamente l'Academy non ritenne opportuno concedere il permesso di ripeterlo.

Il pubblico presente in sala durante la distribuzione degli Oscar è un vero e proprio prigioniero, a tutti gli effetti. Neanche il Cielo può venire in aiuto di chi ha bisogno di andare al gabinetto per tutta la durata delle riprese della TV. Per questi disgraziati non c'è né la solita interruzione della pubblicità, né il momento di riposo prima della settima ripresa alla quale ogni giocatore di cricket ha diritto. Billy si accorse di essersi immersa nelle proprie fantasticherie durante la presentazione, eterna, della prima delle cinque canzoni candidate all'Oscar.

Si accorse che il suo cervello non aveva mai funzionato con tanta logica come adesso.

Sapeva di stare per arrivare al punto focale della sua vita e non voleva farlo in una confusione di tentativi incerti, in un aggrapparsi convulso o in un annaspare smarrito, ma piuttosto cercando di tenere ben legato sotto controllo il suo mondo come se fosse stato un pallone pronto a levarsi in volo. Lei era stata figlia unica, ma non avrebbe permesso al proprio bambino di passare attraverso la stessa esperienza. Il tempo c'era, se faceva in fretta. No, si disse, è proprio qui dove cominci ad acchiappare, arraffare, sistemare tutto, e a cacciarti nei pasticci. Prima questo bambino, e poi si sta a vedere. Anzi, la prossima volta, lei e Vito sarebbero stati a vedere. Del resto che male c'era se lei, Billy, avesse recitato per qualche anno la parte di mamma Orsini? Se lasciava che ciò accadesse, forse si sarebbe accorta che le piaceva, rifletté cauta, mentre sentiva un brivido, tanto imprevisto quanto sfrenato, a quella visione.

Ci fu un applauso per la canzone e due nuovi presentatori, un ragazzo fantastico e una ragazza favolosa, balbettando per il nervosismo, cominciarono ad annunciare il vincitore per il miglior cartone animato, almeno così parve a Billy. Mentre dalle loro labbra tremanti usciva l'elenco dei titoli dei film e i nomi dei loro creatori, molti dei quali erano cecoslovacchi o giapponesi e venivano pronunciati erroneamente, Billy riprese il filo dei suoi pensieri.

Sarebbe stato facile, anzi inevitabile, scivolare nelle gioie della maternità, ma si conosceva abbastanza bene ormai per sapere che non sarebbe rimasta soddisfatta di quella maternità, arrivata con ritardo, per un indefinibile futuro. E se avesse tentato di trovare un compenso alla sua incapacità di controllare Vito nel tentativo di controllare i suoi bambini... bambino... bambini? Certo, era una tentazione e lei non era particolarmente brava nel resistere alle tentazioni, ma questa volta doveva resistere. Vito sarebbe rimasto padrone di se stesso e, di conseguenza, anche i suoi figli lo sarebbero stati.

Erano ormai passati, finiti da tanto, tantissimo tempo, i giorni in cui Ellis aveva messo lei al primo posto davanti a tutto. Finiti, anche se non da un tempo altrettanto lungo, i giorni in cui era riuscita a separare la vita del proprio corpo da tutto il resto, a decidere che cosa farne, con una incredibile freddezza.

Billy riportò la propria attenzione al palcoscenico dove quattro signori identici, tutti con la barba nera, stavano ricevendo l'Oscar. Cartoni animati? Raskolnikov, Rumpelstiltskin, Rashomon e von Rundstedt? No, impossibile. Però venivano da Toronto, quindi dovevano essere creatori di cartoni animati. Tutto come di solito.

I candidati successivi erano quelli per i migliori costumi. Billy guardò, staccandosi dai propri pensieri, le immagini che apparivano sullo schermo gigante. Mentre si annunciava il vincitore... sarebbe stata ancora Edith Head per la nona volta? No, questa volta non era Edith, ma un altro... Billy riprese il suo frammentario monologo interiore.

Il nucleo fondamentale del centro della sua vita era costituito da un dilemma di estrema importanza. Tanto importante che lo si poteva ridurre a una sola frase. Se voleva restare sposata con Vito e questo, Billy, lo voleva, senza troppo risentimento, senza troppa gelosia e senza troppa di quella tensione e di quella sofferenza che era normale in qualsiasi matrimonio, doveva trovarsi un interesse duraturo nella sua vita che non dipendesse in nessun modo da lui. Possibile che si trattasse di quel famoso compromesso sul quale Jessica era stata così poco esplicita?

Adesso non aveva bisogno di fare una lista, sul genere di quella della zia Cornelia, per sapere, fra tutti gli interessi che il mondo poteva offrire, dove si sarebbe posata la sua scelta. Puntare su Scruples. L'idea era stata sua. Era riuscita a tenerlo in piedi finché aveva cominciato a funzionare. D'accordo, c'era mancato poco che non lo mandasse a pallino. Perché quando faceva uno sbaglio, lei, Billy, non era una cosetta da poco, ma era una maledettissima opera d'arte, un dannato capolavoro. Però aveva capito che cosa c'era di sbagliato e aveva scelto Valentine per risistemare tutto. Il fatto che Valentine si fosse presentata con Spider al seguito, il quale aveva avuto immaginazione sufficiente per trasformare Scruples rivoluzionandolo, non sarebbe servito a niente se lei non avesse collaborato con tutte le sue forze non appena Spider le aveva fatto capire che cosa non andava. In altre parole, se lo poteva dire da sola: lei aveva saputo capire e comportarsi di conseguenza.

Billy interruppe le congratulazioni a se stessa per seguire la premiazione per la miglior realizzazione cinematografica. Uno dei candidati era Svenberg e Billy si accorse di trattenere il fiato. Dannazione. John Alonzo. Povero Per; d'altra parte era stato così contento della pubblicità fatta a *Specchi*! E poi aveva già avuto due Oscar in passato.

Mentre eseguivano un'altra canzone, il cervello di Billy si affollò di idee. C'erano ancora molte donne ricche al mondo che vivevano troppo lontano da Scruples. Avrebbe aperto qualche filiale di Scruples nelle città di tutti i continenti. Rio era matura per averne una... Zurigo... Milano... Saõ Paulo... Montecarlo... tutte piene di donne ricchissime, elegantissime, annoiatissime. Monaco... Chicago... e Dallas o Houston.

E New York. Ah, New York.

Tutte quelle città da visitare, cercare il posto adatto

per il negozio, le offerte per il terreno, l'affare da combinare, gli architetti da trovare e a cui affidare i progetti, gli arredatori da assumere, da consultare, capire le abitudini della gente benestante. Ogni Scruples sarebbe stato diverso da qualsiasi altro grande magazzino del mondo, pur non perdendo la sua affinità fondamentale con lo Scruples di Beverly Hills. Ci sarebbero stati i venditori da istruire, nuovi clienti da scoprire, direttori di negozio da assumere, un'infinità di nuovi perfezionamenti sul tema base di Scruples. Tanto da bastare per una vita intera. Billy si sentì rabbrividire dal piacere. Adesso provava, e se ne rese conto, ciò che doveva provare Vito quando cominciava tutto il lavoro preparatorio per la produzione di un nuovo film. Non meno amore per lei, ma soltanto più passione per qualche cosa che non aveva niente a che vedere con lei, che comunque non la minacciava. Oh, che bellezza! Ma una cosa alla volta, altrimenti il suo pallone sarebbe diventato troppo pesante e sarebbe ricaduto sulla terra.

Vito le diede una leggera gomitata. Sembrava perduta in chissà quali fantasticherie e stavano per essere annunciati i candidati per la migliore regia. Billy si riscosse immediatamente, stupita per l'agitazione di cui si sentì preda. Voleva un tal bene a Fifi. I due presentatori... perbacco, ma chi li sceglieva? Sembravano più interessati alle loro battute di spirito, pessime e mal studiate, piuttosto che all'apertura delle buste. Era sadismo, quello! Sembrava che ci volessero cinque minuti per leggere cinque nomi. I gesti impacciati, di rito, per l'apertura delle buste continuarono per quella che pareva un'eternità. Com'era umanamente possibile che due persone normali non fossero capaci di aprire una busta? Fiorio Hill. Povero Fifi. Ma perché Vito scattava in piedi... era Fifi. Mentre seguiva con gli occhi la sua figura familiare, quasi irriconoscibile nella elegante giacca da smoking di velluto marrone, che saliva rapidamente sul palcoscenico, Billy si domandò se avesse mai saputo il nome intero di Fifi oppure se fosse stata troppo presa dai propri pensieri per mettere in relazione le due cose.

Grazie a Dio! Un'altra canzone. Intervallo. Si pentì di non aver portato un blocco per appunti e una matita. No, no, no. Era uno sbaglio. Era proprio quello che non doveva fare. Sapeva che, se si fosse messa a scrivere i nomi delle città in cui sognava di aprire una filiale di Scruples, si sarebbe trovata ben presto al telefono, a dare imperiosamente i suoi ordini agli agenti per la compravendita di immobili, avventandosi ansiosamente su terreni in magnifiche posizioni, fremente dalla voglia di cominciare, impaziente di vedere le proprie idee che si realizzavano. Era cambiata abbastanza, si disse solennemente, per capire quanto le sarebbe stato facile commettere questo errore. Era tanto cambiata da evitarlo. Di sfuggita, ma implacabilmente, Billy si sforzò di ricordare a se stessa qualcuna delle cose che aveva divorato avidamente nella sua vita: tanto tempo fa, era stato il cibo; poi, a New York, tutti quegli uomini; successivamente, dopo aver incontrato Ellis, erano stati gli anni ricchi di viaggi, le troppe case e tutti quei gioielli che le erano arrivati prima di aver toccato la trentina; poi i vestiti, montagne di vestiti che, per nove decimi, non aveva mai neanche messo; e infine, di nuovo, gli uomini, Jake nel padiglione della piscina e gli altri nel suo studio. Aveva avuto troppo, talmente troppo... e tanto di tutto questo non era stato neanche assaporato, ma inghiottito senza masticarlo. Adesso sapeva dove voleva arrivare. I giorni della cupidigia insaziabile erano finiti; davanti, invece, le si aprivano i giorni di scelte fatte con buon senso. Com'era bostoniana in questo! Dopo tutto, non si era mai liberata completamente di Boston.

Billy prese la decisione di non commettere l'errore di pianificare da sola il futuro di Scruples. Valentine e Spider, in particolare, avrebbero avuto una parte importante in tutte le decisioni da prendere. Sarebbero stati nominati tutti e due vice presidenti delle nuove filiali, della nuova società che sarebbe stata fondata, con più soldi e maggiori quote di utili per tutti e due. Chissà... forse sarebbe servito a restituire un po' di allegria a Spider, a guarirlo dal male di cui soffriva, qualunque fosse!

Vito le diede un violento pizzicotto, facendola tornare bruscamente nel vasto teatro affollato. Le sibilò nell'orecchio: «Cosa diavolo sta facendo Dolly?» e gliela mostrò.

La ragazza, fino a quel momento, era stata seduta poche file davanti a loro.

I due presentatori per il premio alla miglior attrice non protagonista erano appena arrivati sul podio. Ma qui si erano fermati, senza parlare, con i due bei visi paralizzati da un'espressione di profonda confusione e gli occhi fissi nella sala dove Dolly Moon si era alzata in piedi e stava bisbigliando qualcosa. Intanto un giovanottone, seduto vicino a lei, si stava alzando anche lui. Incredibile. Che cosa stava succedendo? Una specie di protesta, un'esibizione alla Marlon Brando fatta scegliendo il momento meno adatto? Tutti tenevano gli occhi fissi su Dolly, consci che c'era qualcosa che non funzionava nella cerimonia della consegna dei premi che fino a quel momento era filata liscia. La tradizione richiedeva che anche lei, come tutti i candidati, se ne stesse seduta tranquillamente, con un'espressione serena sul viso, pronta al sorriso falso quando fosse stato annunciato il suo nome come vincitore e ad accasciarsi lentamente su se stessa con un moto di gioia e di incredulità. Invece eccola che si alzava e parlava lentamente con un tono vagamente agitato. Il produttore di Maggie le puntò addosso la cinepresa e il microfono. L'uditorio nel Dorothy Chandler Pavilion non poteva udire quello che, invece, udiva il pubblico della TV e quindi una buona metà dei presenti si alzò in piedi allungando il collo in direzione di Dolly.

« Su, Lester... Lester carissimo... non agitarti... si tratta soltanto delle acque che si sono rotte... c'è ancora un po' di tempo... oh, mio Dio, povera Valentine... ho rovinato il vestito... » Adesso si era avviata verso l'uscita, con l'uomo della cinepresa che la seguiva e quello con il microfono che le camminava al fianco. Come Billy disse in seguito, sarebbe stato molto più elegante e indubbiamente più di buon gusto se la cinepresa fosse stata davanti, ma l'operatore sapeva riconoscere un bel campo classico quando gliene capitava uno sottomano, e la visione di Dolly presa di schiena, con la grossa macchia umida sul vestito e il copioso rivoletto di liquido amniotico che si lasciava dietro sul tappeto mentre procedeva senza fretta verso l'uscita, valevano bene un migliaio di riprese. In ogni modo, Dolly non se ne andava precipitosamente, ma voltava la testa di qua e di là, parlando con il pubblico stupefatto.

« Non vorreste provare tutti a guardare se trovate un orecchino sul pavimento... mi sembra di averne perduto uno... probabilmente è rotolato sotto i vostri piedi... Adesso, basta, Lester, non c'è da preoccuparsi... basta che tutti si mettano a cercare l'orecchino... è un brillante da nove carati e non sono certa che sia assicurato... come, Lester? No, non essere sciocco, perché dovrebbe essere un cristallo di rocca, Billy non porta i cristalli di rocca. No, Lester, non posso camminare più in fretta, siamo in salita, non vedi, no, per piacere, non cercare di portarmi, peso più di te... oh, mio Dio, non doveva succedere questa settimana... veramente.. ma ha fatto "puff"... e non volevo proprio che succedesse qui... » e si mise a ridere. E rise e rise. In milioni di case in tutto il mondo, anche la gente stava ridendo. Non c'erano mai state tante persone che ridessero tutte insieme come nel momento in cui Dolly fece la sua storica uscita dalla sala della premiazione degli Oscar.

Billy era rimasta al suo posto, sotto choc. Ah, il viso di Dolly quando le era passato davanti! Non avrebbe mai dimenticato quell'espressione di attesa rapita mentre le passava di fianco, tutta concentrata su un compito importante, mentre cercava di cavarsela dall'imbarazzo di quel momento nel suo solito modo maldestro, che, però, alla fine, otteneva sempre un ottimo effetto. Dolly, la sua Dolly, conosceva il segreto. Aveva aspettato con pazienza e finalmente tutto era successo... anche se il suo tempismo non era stato perfetto. Ma che importanza aveva? Nessuno, neppure lei, Billy dovette ammetterlo, poteva riuscire a « equilibrare » la propria vita. Forse era meglio così. Non che avesse un'altra scelta. Com'era interessante rendersi conto, alla fine, che perfino con tutte le opzioni che aveva a disposizione, esistevano situazioni in cui non aveva scelta. Proprio come chiunque altro. Era un tale sollievo!

Mentre l'agitazione per la perdita dell'orecchino si andava calmando, i presentatori annunciarono che Dolly aveva vinto l'Oscar e Fifì, con la faccia bagnata di lacrime per il gran ridere che aveva fatto, andò a riceverlo a suo nome. Adesso i presentatori erano arrivati ai premi per il miglior attore, la miglior attrice e il film migliore. Vito strinse convulsamente la mano di Billy. Mentre aspettavano che venisse consegnato l'Oscar al miglior attore, Vito cominciò a scegliere i protagonisti maschili per *Vespa* nell'eventualità che né Redford né Nicholson fossero disponibili, mentre Billy si lasciava portare qua e là dal suo pallone, e la direzione la sceglieva il vento. Non c'era una storia di gemelli nella famiglia di Vito? Mentre la miglior attrice faceva il suo discorsino di ringraziamento, in un angolino del suo pallone Billy aveva cominciato a chiedersi se la parola Scruples si poteva tradurre per il negozio di Rio oppure se doveva rimanere quella originale, e Vito si domandava quanta percentuale sugli utili sarebbe riuscito a ottenere con il suo prossimo film.

In quell'attesa momentanea, durante la quale la febbre dell'Oscar tocca il culmine, mentre i presentatori uscivano dalle quinte e venivano alla ribalta a leggere la lista delle candidature per il miglior film, Vito cominciò a sudare. E se Maggie si fosse sbagliata? Gesù... avrebbe dovuto comprare i diritti per il libro, tirandoli via dagli utili che gli avrebbero versato per *Specchi*, che cominciavano, finalmente, ad accumularsi. Ma, che diavolo importava. Si strinse nelle spalle e sorrise. Che Maggie avesse sbagliato o no doveva avere quel libro. Era stato scritto perché lui ne facesse una produzione cinematografica. Lo sapeva.

Billy non provò quel panico dell'ultimo minuto. Dolly l'aveva chiamata prestissimo, quella mattina, perché non era riuscita a tacere la buona notizia, e le aveva raccontato tutta quella storia assurda e pazzesca. Però Billy non aveva voluto riferirla a Vito perché aveva il sospetto che avrebbe sentito un po' diminuito il suo trionfo al pensiero che ben due gruppi diversi di persone avevano aperto la busta prima dell'annuncio definitivo. Come pure non gli avrebbe detto niente del bambino sino all'indomani. Wilhelmina Hunnenwell Winthrop Ikehorn Orsini non aveva la minima intenzione di dividere la gloria con una statuetta placcata d'oro che l'Academy, nella sua infinita sapienza, poteva concedere.

« Qualcuno troverà il tuo orecchino? » Vito le bisbigliò improvvisamente all'orecchio mentre i presentatori cominciavano a leggere l'elenco dei cinque film e dei loro produttori.

« Lascia perdere il mio orecchino », gli rispose Billy, baciandolo sulla bocca. « Abbiamo cose più importanti a cui pensare. »

FINE